臨床工学講座

生体計測装置学

|監修| 一般社団法人
　　　日本臨床工学技士教育施設協議会

|編集| 中島　章夫
　　　堀　　純也

医歯薬出版株式会社

【編　者】

中島章夫（なかじまあきお）　杏林大学保健学部臨床工学科

堀　純也（ほりじゅんや）　岡山理科大学工学部生命医療工学科

【執筆者および執筆分担】

田中秀明（たなかひであき）　元日本光電工業（株）研修センタ
　第1章-1

堀　純也（ほりじゅんや）　岡山理科大学工学部生命医療工学科
　第1章-2，第2章-2

中島章夫（なかじまあきお）　杏林大学保健学部臨床工学科
　第2章-1-1

井平　勝（いひらまさる）　藤田医科大学医療科学部臨床工学科
　第2章-1-2，第3章-1-3

藤田吉之（ふじたよしゆき）　日本光電工業（株）品質管理本部
　第2章-1-3, 4

淺原佳江（あさはらよしえ）　岡山理科大学医用科学教育センター
　第3章-1-1

立花博之（たちばなひろゆき）　川崎医療福祉大学医療技術学部
　　臨床工学科
　第3章-1-2

真茅孝志（まかやたかし）　久留米大学医学部医療検査学科
　第3章-1-4，第3章-5

水島岩徳（みずしまいわのり）　日本医療科学大学保健医療学部
　　臨床工学科
　第3章-2, 3

渡邊晃広（わたなべあきひろ）　日本医療科学大学保健医療学部
　　臨床検査学科
　第3章-4

原島敬一郎（はらしまけいいちろう）　杏林大学保健学部臨床検査技術学科
　第4章-1

小田誠之（おだせいし）　医療法人恵観会加世田シティー内匠眼科
　第4章-2

南部恭二郎（なんぶきょうじろう）　早稲田大学先進理工学部
　第4章-3, 4

菊田雅宏（きくたまさひろ）　杏林大学保健学部臨床工学科
　第4章-5

大貫雅也（おおぬきまさや）　杏林大学保健学部臨床工学科
　第4章-6

This book is originally published in Japanese
under the title of :

SAISHIN-RINSHOKOGAKUKOZA　　SEITAIKEISOKUSOCHIGAKU

（The Newest Clinical Engineering　　Bioinstrumentation and Technologies for Clinical Engineers）

Editors :
NAKAJIMA, Akio
　Professor, Kyorin University
HORI, Jun'ya
　Associate Professor, Okayama University of Science

©2024　1st ed.

ISHIYAKU PUBLISHERS, INC.
　7-10, Honkomagome 1 chome, Bunkyo-ku,
　Tokyo 113-8612, Japan

『最新臨床工学講座』の刊行にあたって

　日本臨床工学技士教育施設協議会の「教科書検討委員会」では，全国の臨床工学技士教育養成施設（以下，CE養成施設）で学ぶ学生達が共通して使用できる標準教科書として，2008年から『臨床工学講座』シリーズの刊行を開始しました．シリーズ発足にあたっては，他医療系教育課程で用いられている教科書を参考にしながら，今後の臨床工学技士育成に必要，かつ教育レベルの向上を目的とした教科書作成を目指して検討を重ねました．刊行から15年が経過した現在，本シリーズは多くのCE養成施設で教科書として採用いただき，また国家試験出題の基本図書としても利用されています．

　しかしながらこの間，医学・医療の発展とそれに伴う教育内容の変更により，教科書に求められる内容も変化してきました．そこでこのたび，臨床工学技士国家試験出題基準の改定〔令和3年版および令和7年版（予定）〕，臨床工学技士養成施設カリキュラム等の関係法令改正，タスク・シフト／シェアの推進に伴う業務拡大等に対応するため，『最新臨床工学講座』としてシリーズ全体をリニューアルし，さらなる質の向上・充実を図る運びとなりました．

　新シリーズではその骨子として以下の3点を心がけ，臨床工学技士を目指す学生がモチベーション高く学習でき，教育者が有機的に教育できる内容を目指しました．

①前シリーズ『臨床工学講座』の骨格をベースとして受け継ぐ．
②臨床現場とのつながりをイメージできる記述を増やす．
③紙面イメージを刷新し，図表の使用によるビジュアル化，わかりやすい表現を心がけ，学生の知識定着を助ける．

　医療現場において臨床工学技士に求められる必須な資質を育むための本教科書シリーズの意義を十分にお汲み取りいただき，本講座によって教育された臨床工学技士が社会に大きく羽ばたき，医療の発展の一助として活躍されることを願ってやみません．

　本講座のさらなる充実のために，多くの方々からのご意見，ご叱正を賜れば幸甚です．

2024年春

　　　　　　　　　　　　日本臨床工学技士教育施設協議会　教科書検討委員会
　　　　　　　　　　　　最新臨床工学講座　編集顧問

序

　本書は，臨床工学技士を目指す学生のみならず，医療の最前線で働いている臨床工学技士をはじめとする，医療機器を扱う医療職種の皆様に役立つ内容を目途に，各執筆者と協力してここに完成した．

　「生体を計測する」という観点から考えると，計測対象が生体（ヒト，人体）であるがゆえ，工業分野での知識や技術を使いながらも，その法則や理論が当てはまらないファジーな部分が存在する奥深い分野といえる．また，学問としての「生体計測」は，基礎分野としての医学系（解剖学，生理学）や工学系（物理学，化学，電気電子工学，機械工学，情報処理工学）はもちろん，その応用（臨床）との境界領域である生体物性工学や生体材料工学の知識や理解を必要とする領域であると考える．さらに，生体に対して各種物理エネルギーを利用する治療や，人工臓器や生命維持管理装置を用いる治療において，その治療効果を上げるためには適切な診断が必要であり，そのためにも「生体を（正確，安全に）計測する」ことが求められている．したがって，本テキストの各章で述べられている「生体計測」の基礎知識や装置の原理，計測手法や安全管理について学ぶことは，臨床につながる知識・技術としておおいに役立つだろう．

　最新臨床工学講座シリーズの1タイトルとして，ぜひ本書を利用して学習し，その効果を国家試験などに役立てていただくだけでなく，臨床現場でのリスキリングにも活用していただき，さらなる良書にすべくフィードバックをいただけると幸いである．

　最後に，多忙な職務のなか，本書原稿を執筆していただいた執筆者の先生方と，それを支援していただいた（一社）日本臨床工学技士教育施設協議会教科書検討委員会の先生方，最新臨床工学講座教科書編集顧問の先生方，また医歯薬出版編集担当の皆様に対して，深謝申し上げる．

2024年2月

中島　章夫
堀　　純也

最新臨床工学講座　生体計測装置学
CONTENTS

「最新臨床工学講座」の刊行にあたって ……………………………………………… iii
序 ……………………………………………………………………………………… v

第1章　生体計測の基礎　　1

1　計測論 ……………………………………………………………… 1
1. 単位 ……………………………………………………………… 1
2. 信号の表現 ……………………………………………………… 8
3. 雑音の種類 ……………………………………………………… 11
4. 計測誤差 ………………………………………………………… 15
5. トレーサビリティ ……………………………………………… 24

2　生体情報の計測 …………………………………………………… 25
1. 生体信号の特殊性 ……………………………………………… 25
2. 計測方法 ………………………………………………………… 27
3. 計測器の性能 …………………………………………………… 28
4. 計測器の構成 …………………………………………………… 32
5. 信号処理 ………………………………………………………… 34
6. 雑音と対策 ……………………………………………………… 37

第2章　生体電気・磁気計測　　41

1　生体電気計測 ……………………………………………………… 41
1. 生体電気計測の特性 …………………………………………… 41
2. 心電計 …………………………………………………………… 45
3. 脳波計 …………………………………………………………… 75
4. 筋電計 …………………………………………………………… 89

2　生体磁気計測 ……………………………………………………… 95
1. 心磁図計測 ……………………………………………………… 96
2. 脳磁図計測 ……………………………………………………… 97
3. 生体磁気計測装置の点検・保守管理と患者確認 …………… 98
4. SQUID磁束計とジョセフソン効果 …………………………… 100

第3章 生体の物理・化学現象の計測　　103

1 循環系の計測　103
1. 血圧計　103
2. 血流計　119
3. 心拍出量計　125
4. 脈波計　138

2 呼吸器系の計測　142
1. 呼吸計測と換気力学　142
2. 呼吸計測装置　150
3. 呼吸モニタ　156

3 ガス分析装置　168
1. 血液ガスの計測　168

4 体温計測　176
1. 体温とは？　176
2. 臨床検温（体温測定）　177
3. 温度センサ　177
4. 体表面温度計測　183
5. 深部体温計測　188

5 光学的計測　192
1. 酸素飽和度　192

第4章 医用画像計測　　199

1 超音波画像計測　199
1. 超音波とは　199
2. 装置の構成　204
3. 表示方法　207
4. アーチファクト　210
5. 超音波検査の対象　213

2 X線による画像計測　215
1. 放射線と医学　215
2. X線発生回路　218
3. アナログX線写真　221
4. デジタルX線写真　221
5. デジタルサブトラクションアンギオグラフィ（DSA）　225
6. X線CT　226

3　核磁気共鳴画像計測（MRI） ……233
　1. 医用MRI装置の概要 ……233
　2. 医用MRI装置の安全管理 ……236
　3. MRIの応用 ……238

4　ラジオアイソトープ（RI）による画像計測 ……239
　1. ラジオアイソトープと放射線 ……240
　2. 核医学イメージング ……241
　3. 機能画像と形態画像との重ね合わせ ……243

5　内視鏡画像計測 ……244
　1. 内視鏡システム ……244
　2. 超音波内視鏡 ……254
　3. 特殊光内視鏡 ……256
　4. 軟性鏡の保守管理 ……258
　5. カプセル内視鏡 ……260

6　光トポグラフィ ……262
　1. 光トポグラフィ ……262

付録1　基礎物理定数 ……266
付録2　臨床工学技士国家試験出題基準（生体計測装置学） ……267
索引 ……270

【最新臨床工学講座　編集顧問】
菊地　眞（医療機器センター）
篠原一彦（東京工科大学）
守本祐司（防衛医科大学校）
中島章夫（杏林大学）
福田　誠（近畿大学）
堀　純也（岡山理科大学）
浅井孝夫（順天堂大学）

第1章 生体計測の基礎

1 計測論

　計測（measurement）とは，「特定の目的のために，事物を量的にとらえて，数値または符号を用いて表すこと」である．

　生体の計測では，体の物理的あるいは化学的現象を何らかの形で（センサを用いて）測定し，その信号を処理し，測定値あるいは波形として表すことになる（図1-1）．

　測定に際し，必要とする信号以外に不要な雑音が混じることがある．また，外界の影響やセンサ自体の特性の影響をも受ける．そこで，データを処理するにあたっては，測定した生データがどの程度信頼できるのかの判断が必要となる．

1. 単位

　国際間での交流・活動がさかんになるにつれ，すべての国が採用しうる1つの単位系が必要とされるようになり，国際単位系（SI）が定められた．SI単位を決めるにあたっては，測定に普遍性を与えるための基準となる量，大きさ，方法が決められ，それを標準といっている．

1）国際単位系

　わが国では早い時期から，長さ，重さ，時間の単位としてメートル［m］，

> **keyword**
> **SI単位**
> この単位系の略称表記SIは仏語のSystème International d'Unités（英文名：International System of Units）の頭文字である．日本語では国際単位系で，略称はエスアイである．

> **keyword**
> **計量法**
> わが国での計量の単位は計量法で定められている．「国際度量衡総会の決議その他の計量単位に関する国際的な決定及び慣行に従い，政令で定める」とされ，国際単位系を取り入れている．

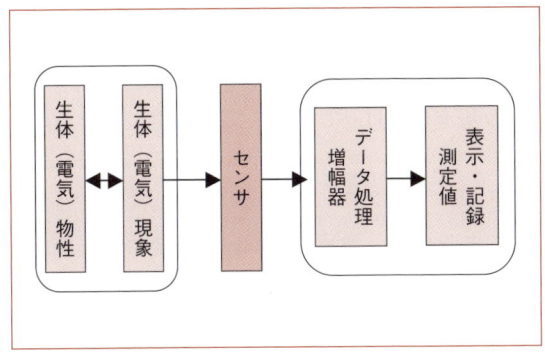

図1-1　生体現象の計測

図1-2　国際単位(SI)の構成

- SI基本単位（7個）：m, kg, s, A, K, mol, cd
- SI組立単位
  ・基本単位を用いて表される組立単位：m/sなど
  ・固有の名称をもつ組立単位（22個）：Nなど
- SI接頭語（24個）：M, k, m, μ など

表1-1　基本単位

基本量	SI基本単位 名称	記号
長さ	メートル(meter)	m
質量	キログラム(kilogram)	kg
時間	秒(second)	s
電流	アンペア(ampere)	A
熱力学温度	ケルビン(kelvin)	K
物質量	モル(mole)	mol
光度	カンデラ(candela)	cd

キログラム[kg], 秒[s]を用いることが決められてきた．国際単位はこれをさらに発展させ，「基本単位と接頭語の組み合わせ（乗除）ですべての単位を表し，すべての国が採用しうる1つの実用的な単位制度」にした．これは，7個の基本単位，それから組み立てられる組立単位および接頭語からなる（図1-2）．

たとえば，気象で使われる単位にヘクトパスカル[hPa]があるが，このhは10^2を表す接頭語であり，Paは基本単位を組み合わせてできる組立単位である．

2) 基本単位

基本単位（base units）は表1-1に示す7個あり，固有の名称が与えられている．他の単位はすべて，この7個の組み合わせで表すことができる．このSI基本単位は自然界を特徴づける定数によって厳密に定義されている．ここでは，各々の基本単位についてもともとの決め方，意味あいを説明する．

(1) 長さ：メートル[m]

長さの単位メートルは，地球の子午線の赤道から北極までの長さの1000万分の1と定められた．

(2) 質量：キログラム[kg]

水1 Lの質量である．水は温度によって密度が変わるので，4℃で測られた．質量の基本単位はgでなく，接頭語をつけたkgであることに注意する．

(3) 時間：秒[s]

時間の単位である秒は，地球の自転により決められた．1日＝24時間＝86,400秒．1秒は，1日（平均太陽日，地球の自転による）の1/86,400倍となる．しかし，厳密には地球の自転は変動する．

keyword
地球の周
地球一周は約4万kmである．光の速さは1秒あたり地球7回り半の距離に相当する．感覚的に理解するうえでも覚えておくとよい．

keyword
質量と重量
質量は重量（重さ）とは違う．地球上で測った重さより月面上のほうが軽くなるが，質量は地球上でも月面上でも変わらない．重量は質量と重力加速度の積である．

⑷ 電流：アンペア [A]

　電気のもっとも基本的な量は，電流・電圧・抵抗の3つであり，これらはオームの法則で関連づけられる．SI基本単位では電流が用いられる．1秒間に1クーロンの電荷が移動するとき，1Aの電流が流れる．

⑸ 熱力学的温度：ケルビン [K]

　日常で使われるのはセルシウス度 [℃] である．1気圧のもとで氷が融解する温度を0℃，沸騰する温度を100℃とし，それが現在に至っている．この温度単位では，たとえば20℃は10℃の2倍の温度とはならない．あくまで0℃を基準にしてその差が2倍，ということである．

　これに対して，熱力学的温度（絶対温度）における0 Kは絶対的なゼロであり，100 Kは50 Kの2倍である．温度差についてはKも℃も同じ値である．0 Kは−273℃に相当し，絶対ゼロ度ともいう（厳密には1℃ =−273.15 Kである）．

⑹ 物質量：モル [mol]

　化学の分野では，普段使い慣れている質量や体積などをそのまま使うのではなく，物質量で考えることが多い．

　1モルは，ある物質を構成する原子あるいは分子が，アボガドロ定数（6.02×10^{23}）個だけ集まった量のことである．ある原子（または分子）

keyword

体温測定

体温を表すときは37℃などとセルシウス度を使い，ケルビンは使用されない．

Tips　SI基本単位定義

　地球をもとにして長さを決めても，地球自体の形状が変化する．地球の自転や公転をもとに秒を決めても，自転，公転自体が変化する．これら「不確かさ」を避けるため，SIでは，「確か」な定数により，単位が再定義されている．ここでは何によって定義されるか，あるいは定義の意味していることを掲げる．

量	定義，意味
長さ	メートルは，1秒の299 792 458分の1の時間に光が真空中を伝わる行程の長さ
質量	キログラムは，プランク定数hを単位J・sで表したときに，その数値を$6.626\ 070\ 15 \times 10^{-34}$と定めることによって定義される
時間	秒は，セシウム133の原子の基底状態の2つの超微細構造準位の間の遷移に対応する放射の周期の9 192 631 770倍の継続時間
電流	アンペアは，1秒間に電気素量の$1/(1.602\ 176\ 634 \times 10^{-19})$倍の電荷が流れる電流
熱力学温度	ケルビンとは，$1.380\ 649 \times 10^{-23}$ Jの熱エネルギーkTの変化をもたらす熱力学温度の変化（kはボルツマン定数）
物質量	モルとは，特定された要素粒子を$6.022\ 140\ 76 \times 10^{23}$含んだ系の物質量．要素粒子は，原子，分子，イオン，電子，その他の粒子，あるいは，粒子の集合体
光度	カンデラは，周波数540×10^{12}ヘルツの単色放射を放出し，所定の方向における放射強度が1/683ワット毎ステラジアンであるその方向の光度

（独）産業技術総合研究所 計量標準総合センター訳・監修：国際単位系(SI). 国際文書第9版, 2019.

注）質量についてどのような数式で1 kgが定義されるかはやや複雑で省略した．国際単位系, 第9版(2019)を参照されたい．

1モルの質量は原子量（または分子量）にgをつけたものになる。たとえば、原子量12の炭素（^{12}C）が1モルあれば12 gとなる。

(7) 光度：カンデラ [cd]

光度は人間の目の感度を加味した光の強度を表す量で、もともとは蠟燭の光の強さから考えられたものである。

光度の単位カンデラ [cd] は、所定の方向における放射強度から決められる。

3) 組立単位

組立単位（derived units）は基本単位を組み合わせてできるもので、乗除してできあがる。たとえば、速度はメートル毎秒 [m/s] であり、密度はキログラム毎立方メートル [kg/m^3] と表される。

SI組立単位には、22個の固有の名称および記号をもつものがある（**表1-2**）。たとえば、圧力はニュートン毎平方メートル [N/m^2] であるが、これはパスカル [Pa] の名称（記号）をもつ。

(1) 無次元の組立単位

屈折率や比透磁率など、比の場合は単位がなくなる。これは無次元の単位であるが、1の単位をもつ組立単位として扱う。

平面角ラジアン [rad] をSI基本単位で表すとm/m = 1となり、立体角ステラジアン [sr] のそれはm^2/m^2 = 1で、ともに無次元である。

(2) 角度の単位

平面角ラジアン [rad] と立体角ステラジアン [sr] がある。

ラジアンは円弧の長さを半径で除したもので、角度を表す。半径r、円弧の長さがrのときが1 rad（**図1-3a**）で、1回転360°は2π [rad] となる。三角関数などの公式や計算が簡単になる。ラジアンを使用しない場合は度 [°] の使用もできる。

ステラジアンは球面上の面積を半径の平方で除したもので、立体に関する角度を表す。半径r、球面上の面積がr^2のときが1 sr（**図1-4a**）で、全球の立体角は4πとなる。立体的な面上に等分布している電荷からの電位解析などに便利である。

(3) 力の単位

物体に加速度がかかったときに力が働く（ニュートンの運動の第2法則。運動方程式：$ma = F$）。1 kgの物体に1 m/s^{2}の加速度が働いたときに生じる力が1 Nである。地球上では、質量に重力の加速度がかかったときの力が重さである。

1 kgの重さとは、質量1 kgに対して、地球の引力による重力加速度9.8 m/s^{2}がかかった場合のことで、SI単位系では9.8 Nと表す。これでは日常生活は不便であるので、1 kgの重さを質量1 kgと区別して、1 kgf（fはforceで、キログラムフォース）、1 kgw（wはweightで、キログラムウエイト）、1 kg重あるいは重量キログラムと表される。しかし、

表1-2 固有の名称と記号をもつ22個のSI組立単位

組立量	SI組立単位 固有の名称	記号	SI基本単位，SI組立単位による表し方
平面角	ラジアン	rad	m/m
立体角	ステラジアン	sr	m^2/m^2
周波数	ヘルツ	Hz	s^{-1}
力	ニュートン	N	$kg \cdot m/s^2$
圧力，応力	パスカル	Pa	N/m^2
エネルギー，仕事，熱量	ジュール	J	$N \cdot m$
仕事率，放射束	ワット	W	J/s
電気量，電荷	クーロン	C	$A \cdot s$
電位差(電圧)	ボルト	V	W/A
静電容量	ファラド	F	C/V
電気抵抗	オーム	Ω	V/A
コンダクタンス	ジーメンス	S	A/V, $Ω^{-1}$
磁束	ウェーバ	Wb	$V \cdot s$
磁束密度	テスラ	T	Wb/m^2
インダクタンス	ヘンリー	H	Wb/A
セルシウス温度	セルシウス度	℃	K
光束	ルーメン	lm	$cd \cdot sr$
照度	ルクス	lx	lm/m^2
放射性核種の放射能	ベクレル	Bq	s^{-1}
吸収線量	グレイ	Gy	J/kg
線量当量	シーベルト	Sv	J/kg
酵素活性	カタール	kat	mol/s

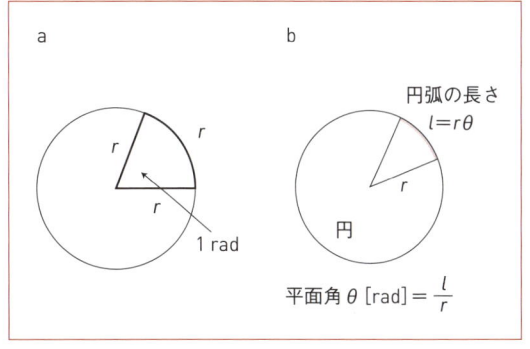

図1-3 平面角

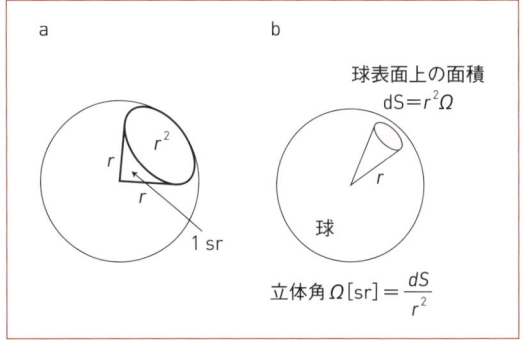

図1-4 立体角

これらはSI単位系ではない．

(4) 圧力の単位

　パスカル［Pa］は，単位面積あたりの力［N/m^2］で圧力を表す．
1 Pa = 1 N/m^2である．

　mmHgは水銀柱の高さで，cmH_2Oは水柱の高さで圧力を表す．これらはSI単位系ではないが，医療においては使用が認められている．

(5) 放射線関連の単位

　放射線関連では，3個の固有の名称をもつ組立単位がある．

　放射能のベクレルは1秒あたりの数［/s］で表すことができるが，他

の量と同一視されないように特別にBqを用いる．吸収線量や線量当量も同様で，ジュール毎キログラム［J/kg］で表さず，グレイ［Gy］やシーベルト［Sv］が用いられる．

これにより，放射能や放射線を取り扱うときに，危険性を認識しやすくなる．

4）接頭語

SI単位では，10の整数乗倍を表す記号が決められている．これは接頭語とよばれる（表1-3）．

たとえば，10^{-2} mは1 cmと表される．テラからピコまでは日常業務でもよく使う．

5）その他の単位

⑴ SI単位と併用できる非SI単位

国際単位系は優先して使用されるべきものではあるが，それ以外でも広く使われてきて，今後も使用を許されると期待される単位がある．国際度量衡委員会では，一部の非SI単位についてSI単位との併用を認めている．表1-4はその例である．

⑵ 計量法で認められる非SI単位

広く使われ，また，なくては不便をきたす種類のものは非SI単位系だが使用してよいとしている．たとえば次のようなものがある．

皮相電力　：ボルトアンペア［VA］
音圧レベル：デシベル［dB］
回転速度　：回毎分［r/min，rpm］
圧力　　　：気圧［atm］
　　　　　　水銀柱ミリメートル［mmHg］

keyword

mmとMm

mmの場合，最初のmは接頭語のミリで，後のmは基本単位のメートルである．なお，メガのほうは大文字のMを使い，区別される．

Tips　計量法と圧力

国内には「計量法」があり，適正な計量の確保のために遵守が義務づけられている．

計量法の計量単位の規制はSI単位を基本としている．しかし，国際的な慣習によりSI単位以外の計量単位が用いられている分野においては，SI単位以外の単位も法定計量単位として定められているものもある．

圧力の法定計量単位はパスカル［Pa］，ニュートン毎平方メートル［N/m²］，バール［bar］，気圧［atm］である．

医療においては，従来使用してきた単位の禁止は好ましくない．そこで政令にて，生体内の圧力など特殊な計量に用いる法定計量単位として，水銀柱の高さによる単位（mHg，cmHg，mmHg），水柱の高さによる単位（mH₂O，cmH₂O，mmH₂O），トル［Torr］が追加された．なお，血圧の場合はmmHgが使われる．

注）1 atm = 760 mmHg（1013 hPaに相当），1 mbar = 1 hPa，1 Torr = 1 mmHg

表1-3 接頭語

乗数	接頭語 名称	記号	乗数	接頭語 名称	記号
10^{30}	クエタ (quetta)	Q	10^{-1}	デシ (deci)	d
10^{27}	ロナ (ronna)	R	10^{-2}	センチ (centi)	c
10^{24}	ヨタ (yotta)	Y	10^{-3}	ミリ (milli)	m
10^{21}	ゼタ (zetta)	Z	10^{-6}	マイクロ (micro)	μ
10^{18}	エクサ (exa)	E	10^{-9}	ナノ (nano)	n
10^{15}	ペタ (peta)	P	10^{-12}	ピコ (pico)	p
10^{12}	テラ (tera)	T	10^{-15}	フェムト (femto)	f
10^{9}	ギガ (giga)	G	10^{-18}	アト (atto)	a
10^{6}	メガ (mega)	M	10^{-21}	ゼプト (zepto)	z
10^{3}	キロ (kilo)	k	10^{-24}	ヨクト (yocto)	y
10^{2}	ヘクト (hecto)	h	10^{-27}	ロント (ronto)	r
10^{1}	デカ (deca, deka)	da	10^{-30}	クエクト (quecto)	q

表1-4 SI単位と併用できる非SI単位

量	単位の名称	単位の記号	SI単位による値
時間	分	min	1 min = 60 s
	時	h	1 h = 60 min = 3 600 s
	日	d	1 d = 24 h = 86 400 s
体積	リットル	L, l	1 L = 1 l = 10^3 cm^3 = 10^{-3} m^3
質量	トン	t	1 t = 10^3 kg
エネルギー	電子ボルト	eV	1 eV ≒ 1.602 × 10^{-19} J
比の対数	デシベル	dB	

keyword

接頭語記号並置の禁止

たとえば, 10^{-6} kg は, ミリグラム [mg] と表すことはできるが, マイクロキログラム [μkg] と表してはならない.

keyword

接頭語の記号と単位記号の結合

接頭語の記号を単位記号に結合して作られたグループは, 元の単位の倍量および分量を表す新しい不可分な単位記号を形成し, それらを正または負の指数でべき乗することができる.
たとえば, 2.3 cm^3 は 2.3 $(10^{-2}$ m$)^3$ = 2.3 × 10^{-6} m^3 のことであり, 2.3 × 10^{-2} m^3 ではない.

keyword

熱量

カロリー [cal]. 計量法ではヒトもしくは動物が摂取する物の熱量またはヒトもしくは動物が代謝により消費する熱量の計量に用途を限定している.

TOPICS

L, l, ℓ

リットルを表すのに長い間筆記体のℓが使われてきた. しかし, ℓは公式表記ではない. 小文字のl(エル)は数字の1とまぎらわしいので, 大文字のLが推奨される. 小, 中, 高の教科書もLに切りかえられている.

1 KBは1024バイト?

メモリの容量を表す場合, キロを 2^{10} (= 1024) とすることがあるが, SI ではあくまでキロは 1000 である. 1 kB = 1000 バイトと区別して 1 KB = 1024 バイトと表されたりもするが, この大文字の K は SI では認められていない.

混乱を避けるため, IEC ではメモリ容量について二進数 (バイナリ) 用に, 新たに 2^{10} を Ki (kibi:キビ), 2^{20} を Mi (mebi:メビ) と定めた. しかし, これはあまり普及しているとはいえない.

計測論 7

臨床とのつながり
信号と波形
心音，心臓の電位，脳活動の電位などの信号は，心音計，心電計，脳波計などにより波形として記録される．

2. 信号の表現

信号（signal）とは，目的とする必要な情報であり，目的以外の不要な情報を雑音（noise）という．たとえ筋電図や心電図であっても，脳波測定中に混入すればそれらは雑音である．

信号が時間とともにどのように変化するかを表現したものが波形である．これらの波形は振幅，周波数などで表現することができる．

1）振幅

信号の大きさは，目的によりいろいろな表し方がある．医用工学では，一般的には正弦波として扱うことが多い．この場合の振幅（amplitude）はゼロ点（平均の場所）から最大値までを表し，「最大振幅」ともいう（図1-5）．他に，方形波（矩形波ともいう）や三角波など，周期性のはっきりしている場合も同様である．

最大値（山のピーク）から最小値（谷のピーク）までの値は先頭値－先頭値（peak-to-peak, peak-to-valley）とよばれる．脳波などきれいな正弦波とならない場合にこちらに近い値を振幅とする（図1-6）．

繰り返しのない波，複雑な波の場合には，先頭値－先頭値で表すこともあるし，二乗平均平方根（root mean square：rms）をもって振幅とする場合もある．

2）信号対雑音比（S/N）

計測機器で信号を取り扱うとき，その増幅器には，生体信号（signal：S）に伴って雑音（noise：N）も入力されてしまう．増幅器は，生体信号も雑音もともに増幅するので，もし雑音が大きければよい結果を得ることができなくなる．また，装置自体から雑音が生じる場合もある．そのため，信号中に含まれる雑音がどの程度あるのかを表す指標が必要である．

雑音がどれだけ含まれているかを表すものとして，信号（S）の大きさと雑音（N）の大きさの比が用いられる．これを信号対雑音比（signal-to-noise ratio：S/N）といい，デシベル［dB］を用いて表す．

keyword
S/N
S：Nを表す．Nに対するSの比という意味であるので，S/N比でなく，S/NあるいはSN比と表すのが妥当である（S/N比では"比"が二重になってしまう）．

Tips　デシベル

常用対数の$\log_{10}10$を1ベル［B］とした．デシベル［dB］はBという単位の1/10である．したがって，10倍はdBで表すと$10 \log_{10}10 = 10$ dBであり，100倍は$10 \log_{10}100 = 20$ dBである．

増幅されて電力が10倍になった場合に10 dBとなり，増幅度100倍では20 dBである．電力は電圧の2乗に比例するので，デシベルで表す電圧の増幅度を電力の増幅度で表すには係数を2倍しておかなければならない．電圧が10倍のとき（電力は100倍になる），$20 \log_{10}10 = 20$ dBとなる．

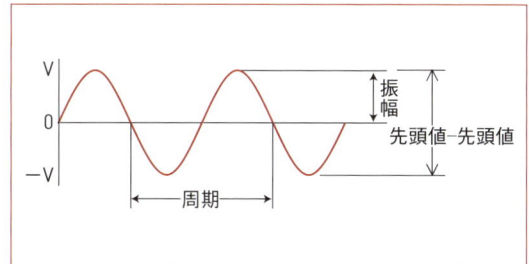

図1-5 正弦波の振幅

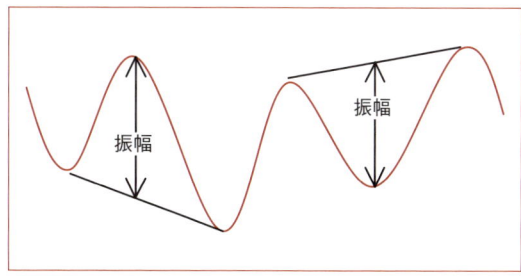

図1-6 脳波の振幅

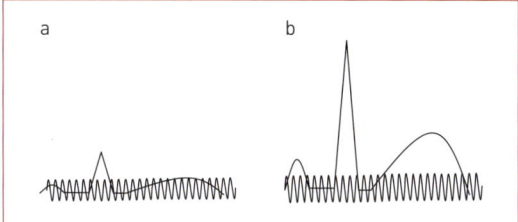

図1-7 信号と雑音

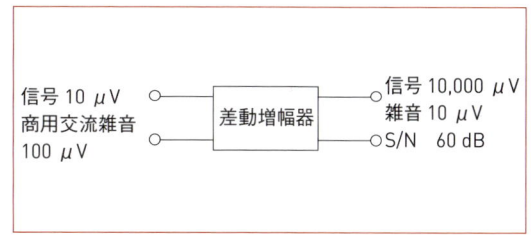

図1-8 信号と雑音の例

たとえば，信号が1 mV，雑音が10 μVでは，

S/N = 20 log₁₀（信号電圧/雑音電圧）= 20 log₁₀（1,000/10）= 40 dB

となる．

S/Nが大きいほどよい測定系といえる．たとえ雑音が大きくても，それ以上に信号が大きければよいわけである．図1-7では，bはaに比べて雑音は大きいが，S/Nはよい．

図1-8のように，大きな雑音（100 μV）と小さな信号（10 μV）が入力された場合でも，差動増幅器で雑音が1/10に，信号が1,000倍になれば，出力のS/Nは60 dBとなる．

3) 信号の解析

生体信号はセンサ（電極，トランスデューサ）を介して電気の基礎量（電圧V，電流I，インピーダンスZ）として得られる．その取得信号から何らかの分析（解析）がなされて，必要な生体に関する知識（情報）を得ることになる（図1-9）．

情報を抽出するために，信号から雑音を除去するフィルタリング，信号に含まれる周波数成分の分布を求めるスペクトル解析などが行われる．

(1) スペクトル解析

スペクトルとは，複雑な情報や信号をその成分（周波数など）に分解し，成分ごとの大小にしたがって配列したものである（図1-10）．

脳波や心電図では波形そのものを分析することに加えて，周波数成分に分解し，スペクトルを解析することも行われている．

---

keyword

信号電力や雑音電力でのS/N

S/N = 10 log₁₀（信号電力/雑音電力）で計算される．

S/N = 10 log₁₀（信号電力/雑音電力）
= 10 log₁₀（信号電圧/雑音電圧）²
= 20 log₁₀（信号電圧/雑音電圧）

である．

keyword

スペクトル

フランス語でspectre，英語でspectrumと書くので，スペクトラムとも表現される．もともとは，可視光線をプリズムで分光したときに得られる各色の光が配列されたもの．

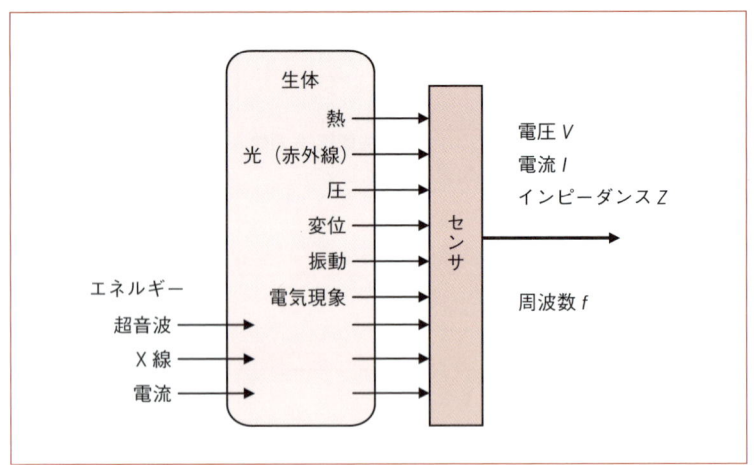

図1-9　生体情報とセンサ出力

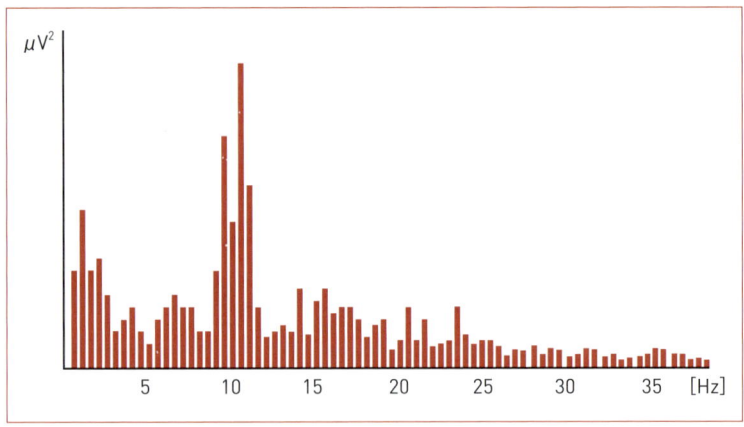

図1-10　スペクトルの例

　周波数解析の代表的なものにフーリエ解析（フーリエ変換，フーリエ展開）がある．

(2) フーリエ解析

　どんなに複雑な波形でも，周波数の異なった正弦波を重ね合わせて表現できる．もとの波形を周波数の異なった正弦波に分解し解析していくことをフーリエ解析とよぶ．フーリエ解析の手法には，フーリエ級数展開とフーリエ変換がある．

① フーリエ級数展開

　フーリエ級数展開とは，周期的などのような関数，波形でもそれらはsin関数，cos関数の足し算で表せる，というもので，そのようにしてできた式をフーリエ級数という（図1-11）．

② フーリエ変換

　フーリエ変換は，フーリエ級数展開を非周期的な波形にまで応用している．周波数成分は連続スペクトルとして表される（図1-12）．

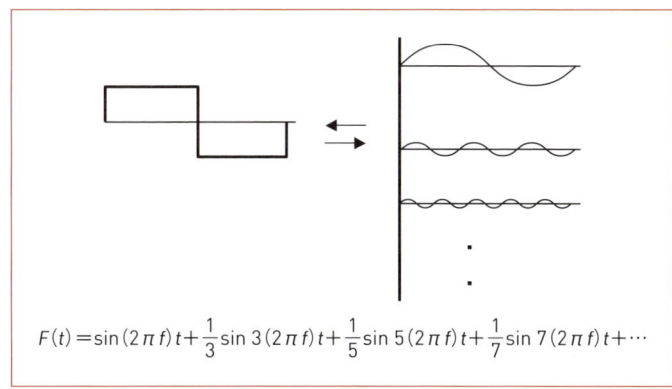

図1-11　フーリエ級数展開（方形波周期関数の例）

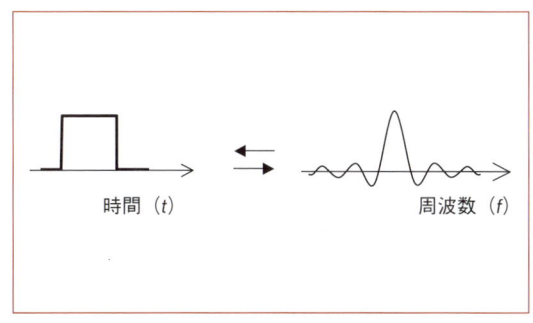

図1-12　フーリエ変換（1つの方形波の例）

連続スペクトルを周波数帯域別に含有量・含有率を算出して，生体情報の解析がなされたりする．たとえば，脳波を帯域別（α, β, θ, δ波など）に出す，などである．

③高速フーリエ変換（fast Fourier transform：FFT）

信号が次々と入力してくる場合の周波数解析として一般的である．フーリエ変換を計算機上で高速で計算できるようにしている．

超音波パルスドプラ法による血流速度の測定では，血管内の多数の血球から超音波が次々と反射されてくる．これら超音波をFFTを実行することにより，短時間でフーリエ解析できる．

3. 雑音の種類

雑音には，装置（増幅器）自体から発生する内部雑音と，装置（増幅器）の外部から侵入する外部雑音がある（図1-13）．雑音が発生する原因をしっかり把握し対策して，目的とする信号を正確にとらえるようにする必要がある．

1）内部雑音

医用計測機器では，内部雑音となるものに表1-5のようなものがある．

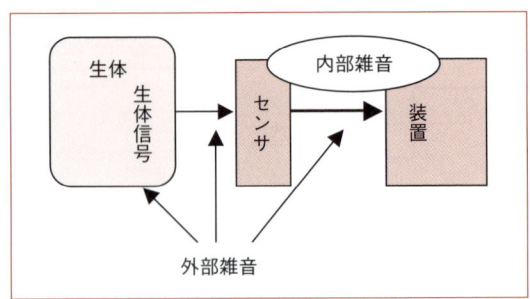

図1-13 内部雑音と外部雑音

表1-5 内部雑音

種類	発生原因
熱雑音	抵抗などが熱を帯びて電子など荷電粒子が不規則な熱運動をすることで発生する
ハム雑音	電源トランスなどから漏れる交流成分による雑音で直接回路に混入する
ショット雑音	トランジスタなど増幅素子自体から不規則に発生する
フリッカ雑音(1/f雑音)	抵抗体やトランジスタなどから発生する．低い周波数ほど雑音量が大きくなる(周波数に反比例する)
誘導雑音	回路や配線や電子部品間相互の電磁誘導に由来する
クリック雑音	接点や回路の接触不良によって生じる

他に，電極の機械的振動によって電子流が変化することに起因するマイクロフォニック雑音，時間的に緩やかに変動するドリフトなどがある．

(1) 入力換算雑音

増幅器の入力端子を短絡すれば，外部からの雑音が入らない状態で出力をみることができる（図1-14）．もし，この状態で出力に雑音があれば，それは増幅器内部で生じたもの（内部雑音）ということになる．この雑音の出力レベルを増幅度で除した値を入力換算雑音という．

たとえば，増幅度40 dBの増幅器の入力端子を短絡したときの出力雑音が10 mVなら，入力換算雑音は100 μVである．また，入力換算雑音

雑音と外乱

雑音とは，信号に混入して信号の正常な処理を乱す成分のことである．これには，内部雑音（増幅器などの内部で生じる雑音）と外部雑音（商用交流など外部からの影響で生じる雑音）とがある．なお，システムの外部から混入して正常な動作を乱す作用をするものは，外乱（disturbance）とよばれる．

雑音というと電気系雑音のみを思い浮かべるが，機械的なものによるものも多く存在する．たとえば好ましくない振動が発生した場合，システムの正常な動作を乱し，多くの場合，外乱となって現れる．観血血圧の測定では，トランスデューサやチューブ系の振動で波形が乱れる．

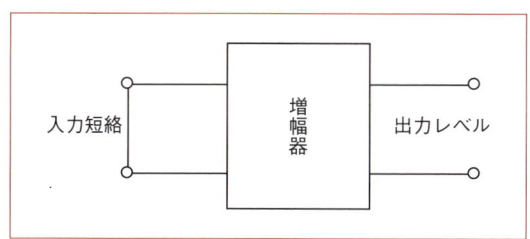

図1-14　入力換算雑音の測定

が1 μVの増幅器に1 mVの入力信号があれば，S/Nは60 dBと計算される．

2）外部雑音

　外部雑音となるものには，電気メスなどのように放電を利用した装置からのもの，無線機や携帯電話から放射される電波，電源のスイッチや電子的スイッチをオンオフしたときの電磁波などがある．また，変圧器などからは磁場の形でノイズが発生し，それが電磁誘導によって電気的雑音となる．

　医用計測機器としてもっとも影響を受けるのは，商用交流による雑音（ハム）である．この発生経路には，(1) 商用交流電灯線や装置の電源配線から静電容量を介して混入する静電誘導によるもの，(2) 配線や電気装置からの電磁誘導によるもの，(3) 被検者などを介して直接に他から混入する漏れ電流によるもの，がある（図1-15）．

keyword

電灯線
100 Vあるいは200 Vの商用交流の電線のこと．

熱雑音

　外部雑音はシールドなどによって防ぐことができるが，内部雑音は簡単にはいかない．
　熱雑音は温度（絶対温度）と周波数帯域幅に比例するので，雑音が問題になる場合は回路自体を冷却する，あるいは帯域幅を小さくするなどで対応する．

1/f雑音，白色雑音

　ある波形を周波数分析したとき，その成分の強さが周波数に反比例している場合を1/fゆらぎとよぶ．もちろん，すべての周波数に対してでなく，ある範囲内においてである．自然界には1/f雑音だけでなく周波数に反比例する1/fゆらぎが多くあり，不規則な予測しがたい現象として現れる．風の強さ，川のせせらぎの音，心拍間隔のゆらぎなどで，人体に心地よく感じるといわれる．
　逆に，低周波から超高周波まで広い周波数帯域に均一に分布する不規則な雑音を白色雑音（ホワイトノイズ：white noise）という．熱雑音はほぼホワイトノイズである．

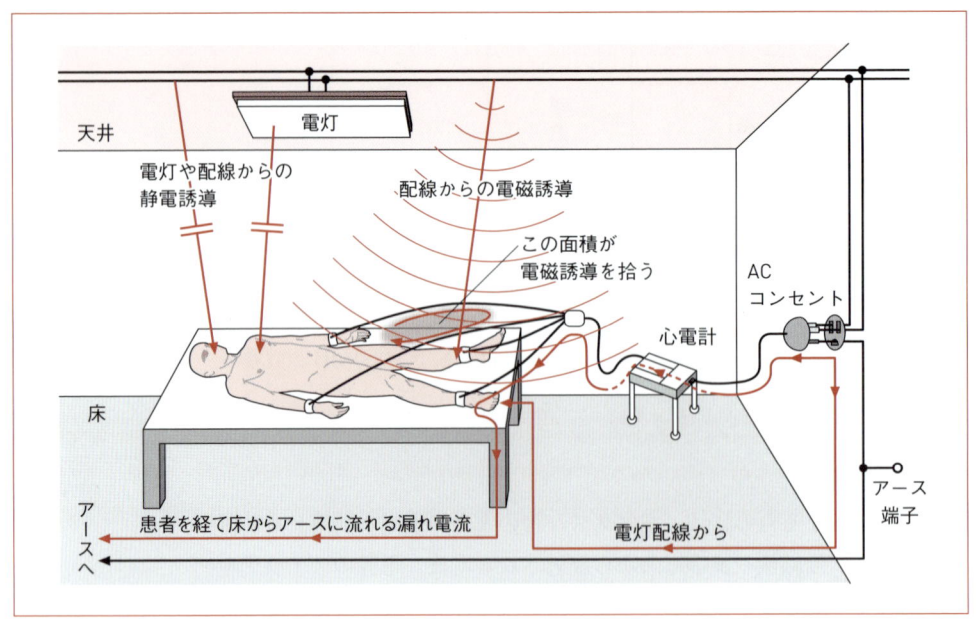

図1-15　商用交流雑音の発生経路

(1) **静電誘導によるもの**

　電灯線と他の物体（たとえば人体）とがあたかもコンデンサにおける金属板のように，片方（電灯線）がプラスになればもう片方（人体）にはマイナスが誘起される．これが静電誘導である．電灯線は交流なので，人体にも交流が生じ，被検者の身体から電極を通して装置（増幅器）に入り込んでしまう．被検者の周囲を金網やシールドシートなどで囲って接地することで防ぐことができる．

(2) **電磁誘導によるもの**

　導体中に電気が流れれば，その周りには磁界が生じる．交流では磁界も変動し，そのなかに導線を置くとそこに電流が生じる（電磁誘導）．これは電灯線と電極リード線，あるいは人体（被検者）との間で生じる．電極リード線にループをつくらないようにしないと電磁誘導は大きくなる．磁界からの遮断は金網などではほとんど効果がないので，電流を消費する機器をそばに置かないようにする，あるいは被検者を磁界の小さい場所に移動するしかない．

(3) **漏れ電流によるもの**

　装置の漏れ電流と，装置の外から入り込む漏れ電流がある．前者は，装置の電源配線部分から誘導コードを経て人体（被検者）に流れることにより雑音が発生する場合であり，後者は建物などから入り込む場合である．建物は絶縁物と考えられているが，実際にはその表面に水分や汚れがつき，完全な絶縁体とはなっていない．このため，微弱な電流が流れることになる．通常はこの電流は建物を伝わって地中に流れていくが，床を経てベッドから人体（被検者）に流れ込むと，雑音となる．

装置を確実に接地する，被検者とベッドの間にシールドシートを入れて接地する，ベッドの脚と床との間を絶縁する，などの対策が必要である．

4. 計測誤差

1) 誤差

箱の中のコーヒー缶を数えたら5本あったとか，2×5＝10の数式による値などは間違いのない絶対的な値である．しかし，ある量を測ったら150 mLだったという場合はどうだろうか．この測定値（measurement value）は，どう測定しても真の値（true value）を得ることは困難で，誤差（絶対誤差：absolute error）が含まれてしまう．ペットボトルの中身が500 mLと測定されても，実際には500.2 mLかもしれない．

測定量の真の値をT，測定値をMとすると，測定における誤差εは次のように定義される．

誤差（絶対誤差）$\varepsilon = M - T$

誤差と真の値との比を誤差率または相対誤差（relative error）とよぶ．

相対誤差 $\varepsilon_0 = \dfrac{M - T}{T}$

これを百分率で表した場合を誤差百分率とよぶ．

誤差率（誤差百分率）$\varepsilon_0 [\%] = \dfrac{M - T}{T} \times 100 [\%]$

2) 誤差の種類

誤差の原因を大きく分けると，次のようになる．(1) 系統誤差（理論的誤差，測定器誤差），(2) 過失誤差，(3) 偶然誤差．これらが重なって最終的な誤差となる．

誤差＝系統誤差＋過失誤差＋偶然誤差

(1) 系統誤差（systematic error）

測定を繰り返しても一定の傾向で（系統的に）現れる誤差である．規則性があり，測定値に偏り（bias）を与えてしまう．以下に示す原因により現れる．

・理論的誤差（theoretical error）：理論的に生じる誤差．たとえば測定環境の温度の違いなどで生じる．これは計算で補正することができる．

・計測器誤差（instrumental error）：計測器そのものがもつ誤差．たとえば測定器の目盛がずれているなどの固有の誤差である．校正（calibration）により正すことができる．

(2) 過失誤差（error by mistake）

測定者の不注意や間違い（過失）により生じる誤差．プラスとマイナスを読み違える，目盛の数値を読み違える，などである．ヒューマンエ

keyword

真の値と誤差

真の値がわかっている場合はほとんどないので，便宜的に真の値に代わる値を用いて誤差を求めることになる．

keyword

校正

計測器のもつ固有の誤差を標準（標準計測器など）で正すこと．

keyword

計測器による過失誤差

何らかのノイズ（パルス性ノイズなど）による誤動作，誤表示も過失誤差といえる．

ラー（human error）であり，測定者は注意深く測定するよう心がける，あるいは測定者を複数にする，などで対処する．

(3) 偶然誤差（random error, accidental error）

系統誤差や過失誤差を除いてもなお測定値に残る誤差で，偶発的に生じる．制御できないようなわずかな測定条件，環境変化などの変動（たとえば，空気のゆれ，機器の振動，浮遊塵埃など）によって生じる．反復測定において予測は不可能で，測定値のばらつき（dispersion）となって現れる．多数回測定し平均するなどの統計的処理をして正すことができる．

3）計測における統計処理

偶然誤差は測定のたびに変化するが，その発生は測定を繰り返すと次のような規則性があることがわかっている．

- 同じ大きさの誤差は，同じ割合（確率）で起こる．
- 小さな誤差は，大きな誤差よりも数多く起こる．
- ある程度以上大きな誤差はほとんど起こらない．

同じ測定を同じ条件で多数回繰り返すと，その測定値の出現頻度は図1-16aのようなヒストグラムとなる．各頻度を総測定回数で除せば，このグラフは相対頻度（＝頻度／総測定回数）となり，これは出現の確率を表すものになる．

さらに測定回数を増すと，結果は図1-16bのように釣鐘状の分布となる．これを正規分布（normal distribution），あるいは理論的に正規分布の数式を導き出した人物の名を冠してガウス分布（Gaussian distribution）とよぶ．

測定値と平均値の差の2乗の平均値を分散（variance）という．その平方根を標準偏差（standard deviation）とよび，σ，sなどで表す．測

個人誤差（personal error）

測定者固有のくせ，思い込みなどによって生じる誤差を個人誤差という．常に目盛を大きめにみてしまうなど，一定の傾向で読み違いが生じる場合は系統誤差になりうる．一定の傾向にならない場合は系統誤差とはならない．正すには測定者の教育訓練が必要となる．

動誤差（dynamic error）

量が時間的に変化する場合に，測定との時間差で生じてしまう誤差を動誤差という．系統的に現れることもあるが，測定する対象自体が時間とともに変化することによる誤差なので，通常，他の測定の誤差と同じには扱わない．

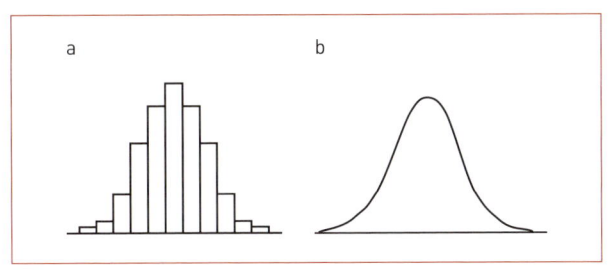

図1-16　ヒストグラム(a)と正規分布図(b)

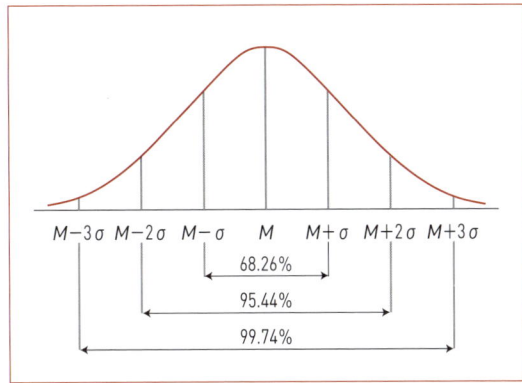

図1-17　正規分布と標準偏差

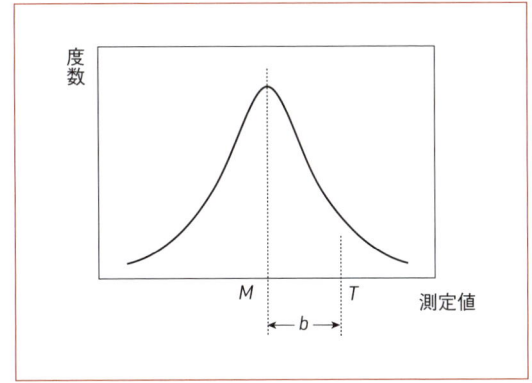

図1-18　平均値と真の値

定値のばらつきを表す量としては普通，この標準偏差を使う．

　n個の測定値をM_1, M_2……M_nとしたとき，平均値，分散，標準偏差は次の式で表される．

　　平均値　　　$M = \dfrac{1}{n} \sum M_i$

　　分散　　　　$\sigma^2 = \dfrac{1}{n} \sum (M_i - M)^2$

　　標準偏差　　$\sigma = \sqrt{\dfrac{1}{n} \sum (M_i - M)^2}$

　正規分布では，$M \pm \sigma$の範囲に入る頻度は総測定回数の約68％，$M \pm 2\sigma$の範囲に入る頻度は総測定回数の約95.5％，$M \pm 3\sigma$の範囲に入る頻度は総測定回数の約99.7％となる（図1-17）．

　測定値の平均値Mと真の値Tはかならずしも一致するとはかぎらない（図1-18）．測定を数多く行ってもその差bが出てしまう傾向にあるとき，これを偏りといい，系統誤差を表す．

(1) 測定値に定数を加えた，あるいは乗じた場合

　観血血圧の測定で血圧トランスデューサの高さがずれていた，というような例では，測定値がすべてプラスまたはマイナスの方向にシフトする．この場合，ばらつき具合には変化はない．測定値Xの標準偏差がσ（分散はσ^2）に対して，ある定数aを加えた$(X + a)$の標準偏差もσ（分

計測論　　17

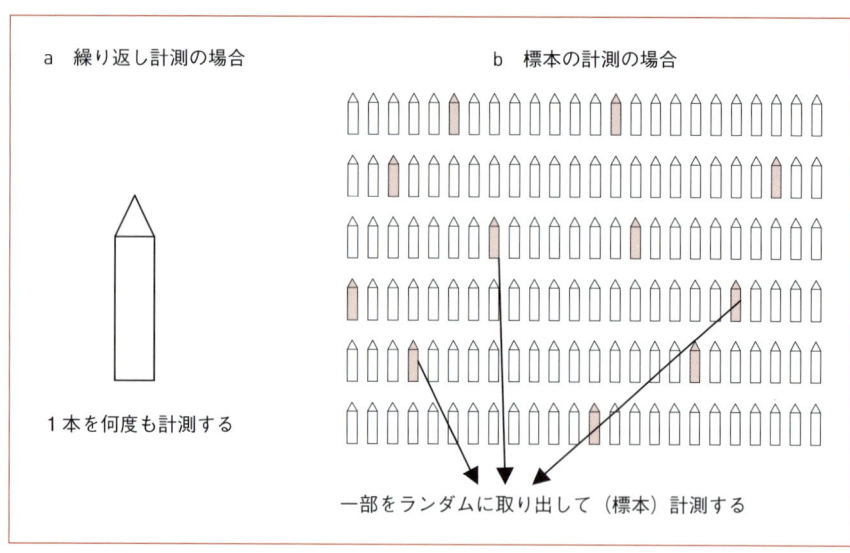

図1-19 標本の計測

散はσ^2）であり，Xの分散，標準偏差と変わらない．

真円の物体があり，直径を測定したというような例では，直径のばらつきに対して円周のばらつきは円周率を乗じた数値となる．ある測定値Xの標準偏差がσ（分散はσ^2）のとき，ある定数を乗じたaXの標準偏差は$a\sigma$（分散は$a^2\sigma^2$）となる．

(2) 標本の場合

非常に多くのデータ（たとえば無限に近い多くの数量の部品の長さ）を取り扱う場合，そのすべてを母集団（population，もしくはparent population）といい，その平均を母平均（population mean）という．

図1-19bのように，そのなかからいくつかを取り出したデータ（標本，試料：sample）で平均，分散，標準偏差を求める場合は，測定値の平均（標本平均：sample mean）Mはかならずしも全体の平均値（母平均）mになるとはかぎらない（図1-20）．したがって，Mをもとに分散や標準偏差を測定しても，真の平均値mに対する分散や標準偏差になるとはかぎらない（系統誤差がなければ母平均を真の平均としてよい）．そのため，標本からの分散は少し補正して次のように表す．

標本標準偏差　　$\sigma_s = \sqrt{\dfrac{1}{n-1} \sum (M_i - M)^2}$

今度は，非常に多くの数量から1個だけ取り出し，それを測定し，これを数多く繰り返す場合を考える．このときは，その測定値は母平均mの両側に標準偏差σでばらつくことになる．

では，一度に2個取り出してその平均をとり，これを数多く繰り返した場合はどうなるか．1個だけの場合に比べ，ばらつき具合は少なくなることは容易に理解できよう．n個取り出してその平均をとり，それを数多く繰り返した場合，その平均は$\sigma/\sqrt{n}$でばらつくことが知られてい

> **keyword**
> **標本標準偏差**
> 標本の数nが大きくなれば，σ_sはσに近くなり，σと区別しないで用いることもある．

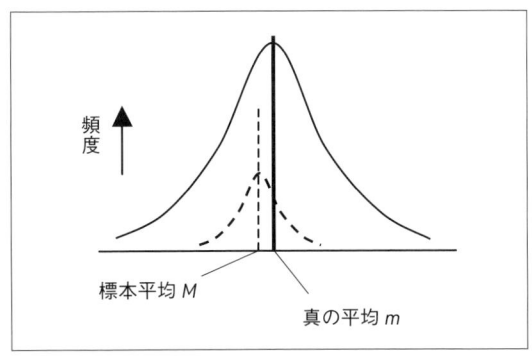

図1-20　真の平均と標本平均

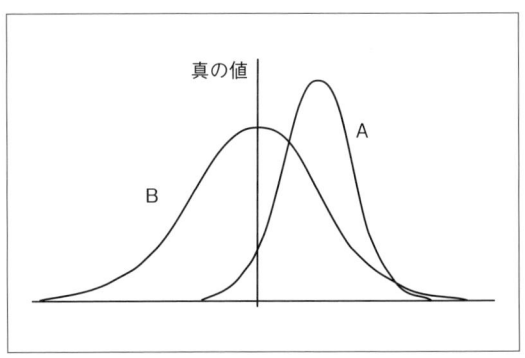

図1-21　正確度と精密度

る．言い換えれば，偶然誤差を$1/\sqrt{n}$倍にすることができる．たとえば100個取り出した場合の平均のばらつきは$\sigma/10$となる．

標本でなく，繰り返し測定した場合も同様に，測定量がM，標準偏差がσのものを100回測定して平均した場合，標準偏差は1/10倍となり，1回測定しただけのときよりも精度は10倍になる．$\sigma/\sqrt{n}$を標準誤差という．

4) 正確度と精密度

先に述べたように，誤差は原因によって3つに分類される．過失誤差は問題外なので，ここでは偏りを表す系統誤差とばらつきを表す偶然誤差のみを考える．偏りの小ささの程度を正確さあるいは正確度（accuracy）とよび，ばらつきの小ささを精密さあるいは精密度（precision）とよぶ．また，両者をあわせて精度（総合精度）とよぶ．

図1-21に示す分布曲線では，Aの測定はBに比べて精密度が優れているが，Bのほうが正確度は優れている．

計測器の精度を表す用語に確度がある．ある決められた条件のもとで計測器を使って測定値が得られたとき，真の値はどの範囲に入っているかを表すものである．

たとえば，ある長さを測って結果が25.6 cmと出て，真の値は25.6 ± 0.4 cmのなかに入るとする．この場合，最大でも起こりうる誤差（誤差限界）は ± 0.4 cmで，これを確度という．言い換えれば，測定器の正確さの度合いを表すものである（図1-22）．

5) 有効数字

測定結果などを表す数字のうち，位取りを示すだけの0を除いた，意味がある数字を有効数字（significant figures）とよぶ．

たとえば，目盛り1 mmきざみの定規で長さを測る場合，最小目盛りの1/10までは読み取れる．このとき13.4 mmという測定結果が得られたとする．この場合，有効数字は3桁であり，意味のある数値は0.1

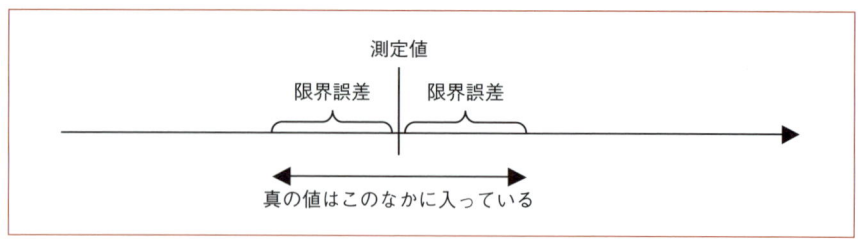

図1-22　測定値の確度

mmの位まで，測定誤差は±0.1 mm程度含まれることになる．

　測定値が85.2 cmと書かれていたら有効数字は3桁であり，85.20 cmであれば4桁である．52 000で有効数字が2桁の場合，5.2×10^4または52×10^3と表現する．

　測定値同士を加減するとき，測定値のなかでもっとも精度の劣る，最下位の桁にあわせる．たとえば，25.3 mm + 2.319 mmの場合，小数点以下1桁までしか有効でないので，結果は27.6 mmとし，それより多くの桁数を表示しても有効ではない．

　測定値同士を乗除するときは，測定値のなかでもっとも有効桁数の少ない桁数にあわせる．たとえば，2.5 cm × 1.225 cmの計算では3.1 cm^2

JISでの測定用語

JISにおいて，測定用語は次のように書かれている．

JIS Z 8101–2：2015 統計−用語及び記号

- 精確さ，総合精度 (accuracy)：試験結果または測定結果と真の値との一致の程度．真度と精度とを結合したもの．
- かたより（偏り），バイアス (bias)：試験結果または測定結果の期待値と真の値との差．
- 真度，正確さ (trueness)：試験結果または測定結果の期待値と真の値との一致の程度．通常，かたよりで表現される．
- 精度，精密度，精密さ (precision)：定められた条件の下で繰り返された独立した試験結果／測定結果間の一致の程度．通常，標準偏差として計算される．標準偏差が大きいと，精度が悪い（低い）という．

JIS Z 8103：2019 計測用語

- 精確さ，総合精度 (accuracy, measurement accuracy)：測定値と測定対象量の真値の一致の度合い．

- 真度，正確さ (trueness, measurement trueness)：無限回の反復測定によって得られる測定値の平均と参照値との一致の度合い．真度は系統誤差とは逆の関係となる．測定器について"推定したかたよりの限界の値で表した値"を正確度ということがある．
- 精密さ，精度 (precision, measurement precision)：指定された条件の下で，同じまたは類似の対象について，反復測定によって得られる指示値または測定値の間の一致の度合い．従来，機械・物理分野では"精度"を精確さの意味で使っており，化学分野では"精度"を精密さの意味で使ってきた．意味の混同のおそれがない場合は"総合精度"または"精度"を用いることができる．

JIS C 1002：1975 電子測定器用語

- 確度 (accuracy, limit of error)：規定された状態において動作する機器の測定値または供給値に対し，製造業者が明示した誤差の限界値．

とし,それより多くの桁数を表示しても有効ではない.

6) 誤差の伝搬

いくつかの測定値を組み合わせて計算した結果では,それぞれの測定値の誤差の影響が現れてくる.これを測定誤差の伝搬(error propagation)という.電流と電圧を計測して抵抗を求める場合は,各々の誤差の程度で計算した抵抗の誤差が決まってくる.

(1) 最大誤差の伝搬

真の値 T_1, T_2 に対する測定値を M_1, M_2 とし,それぞれの誤差の最大値を E_1, E_2(E_1, E_2 は正の数とする)とする.誤差には正も負もあるので,

$$M_1 = T_1 \pm E_1, \quad M_2 = T_2 \pm E_2$$

と表される.

①加算の場合

$$M = M_1 + M_2 = (T_1 + T_2) + (\pm E_1 \pm E_2)$$

となり,M の誤差の最大値 E は,

$$E = E_1 + E_2$$

となる.同様に減算の場合も,

$$E = E_1 + E_2$$

で加算の場合と同じになる.

誤差を小さくするためには,E_1, E_2 をともに同じように小さくする

誤差と有効数字

有効数字の表し方:520 m と書かれている場合,普通は有効数字 3 桁と解釈される.しかし,有効数字は 2 桁で 1 の位の 0 は単に位取りを表すものかもしれない.52 000 cm の場合は有効数字 5 桁とは考えにくい.もし 5 桁なら,混乱を避けるため 5.2000 × 10⁴ と表すべきである.

測定値と誤差:データ処理上で意味がある数値は,目盛りを読むなど測定上での意味がある数字とかならずしも一致はしない.13.4 mm という数値が,小数点以下 2 桁目の数値を四捨五入して得られたようなものであれば,誤差は ± 0.05 mm 程度ということになり,実際の数値は 13.35 から 13.45 の範囲に含まれることになる.

偶然誤差と系統誤差:誤差は偶然誤差(ばらつき)と系統誤差(偏り)を加えたものである.測定値が 12.34 であり,ばらつきが 0.2,偏りが 0.1 であった場合,12.34 の最後の桁 0.04 は誤差より小さな値となり意味がない.この場合は有効数字は 3 桁で,12.3 ± 0.3 と表される.有効数字とは,初めて誤差の入ってくる桁までとった数,ということになる.この例では,2 桁までは確かな数値だが,3 桁目は不確かな数値となる.

必要がある.

たとえば,ある色素を20.0 mL(誤差0.2 mLを含む)投与し,続けて10.0 mL(誤差0.3 mLを含む)投与した,という場合,合計の最大誤差は0.5 mLとなる.

②積(乗)算の場合

$$M = M_1 \cdot M_2 = T_1 \cdot T_2 \left(1 \pm \frac{E_1}{T_1}\right)\left(1 \pm \frac{E_2}{T_2}\right)$$

E_1/T_1, E_2/T_2は小さく,それらを掛けあわせたものは省略できるほど小さくなるので,

$$\fallingdotseq T_1 \cdot T_2 + (\pm E_1 T_2 \pm E_2 T_1)$$

となり,Mの誤差の最大値Eは,

$$E_1 T_2 + E_2 T_1$$

となる.相対誤差(誤差率)を求めると,

$$\frac{E}{T_1 \cdot T_2} = \frac{E_1}{T_1} + \frac{E_2}{T_2}$$

となり,各々の相対誤差を加えた値となる.相対誤差を小さくするためには,各々の相対誤差をともに同じように小さくする必要がある.

電力を電流計による測定値と電圧計による測定値の積から算出する場合,電流値と電圧値のそれぞれの相対誤差が2%,3%なら,電力値の相対誤差は5%となる.

③商(除)算の場合

$$M = \frac{M_1}{M_2}$$

$$\fallingdotseq \frac{T_1}{T_2} + \frac{T_1}{T_2}\left(\pm \frac{E_1}{T_1} \pm \frac{E_2}{T_2}\right)$$

となり,Mの誤差の最大値Eは,

$$\frac{T_1}{T_2}\left(\frac{E_1}{T_1} + \frac{E_2}{T_2}\right)$$

となる.したがって相対誤差(誤差率)を求めると,

$$\frac{E}{\frac{T_1}{T_2}} = \frac{E_1}{T_1} + \frac{E_2}{T_2}$$

で積の場合と同じになる.

(2) 偶然誤差の伝搬

2種類の測定値の誤差が偶然誤差だけで,次のように表されている場合,

測定値M_a,分散σ_a^2,標準偏差σ_a
測定値M_b,分散σ_b^2,標準偏差σ_b

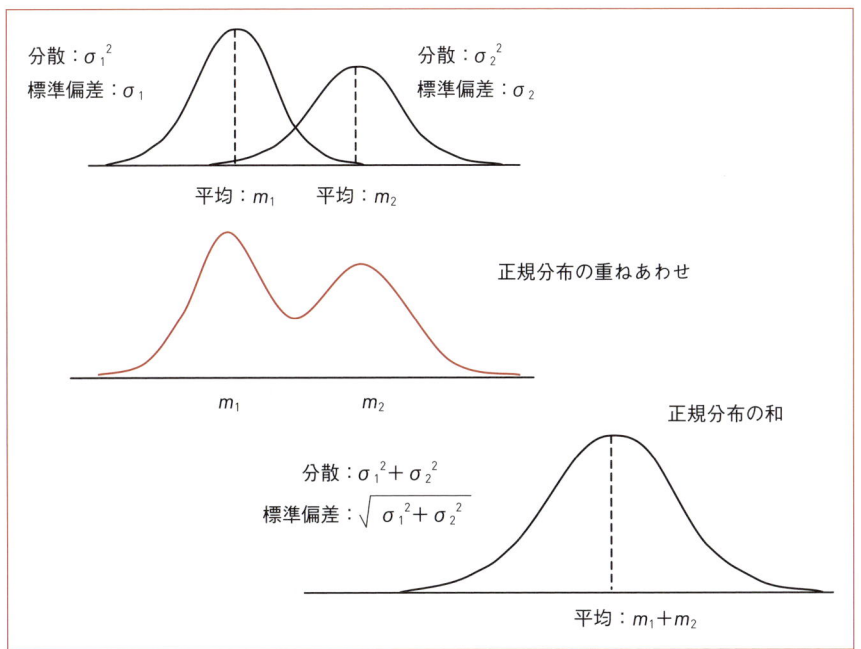

図1-23 正規分布の重ねあわせと和

測定値の和に対しては,

$$\text{分散}: \sigma_a^2 + \sigma_b^2, \quad \text{標準偏差}: \sqrt{\sigma_a^2 + \sigma_b^2}$$

となることが知られている.

①正規分布の「重ねあわせ」と「和」

2つの正規分布があり,相互に影響を及ぼさない(互いに独立という)とき,この2つの正規分布を合わせるとする.これには「重ねあわせ」の場合と「和」の場合とがある(**図1-23**).

重ねあわせとは,たとえば男性の身長と女性の身長の分布に対して,両者をあわせた場合である.両者が各々正規分布であったとしても,重ねあわせ後はかならずしも正規分布となるとはかぎらない.

これに対して,材料Aを一定量,材料Bを一定量あわせた量は,というような場合を「和」という.

各々の正規分布が,

平均:m_1, 分散:σ_1^2, 標準偏差:σ_1

平均:m_2, 分散:σ_2^2, 標準偏差:σ_2

であるとき,その和は,

平均:$m_1 + m_2$, 分散:$\sigma_1^2 + \sigma_2^2$, 標準偏差:$\sqrt{\sigma_1^2 + \sigma_2^2}$

となる.

5. トレーサビリティ

1) トレーサビリティ

トレーサビリティ（traceability）は，追跡を意味するtraceと能力を意味するabilityの2つからできた用語で，「追跡可能性」という意味合いになる．

機器，商品，試料，文書などにおけるトレーサビリティは「履歴の把握」という意味合いとなる．

計測に対しては，測定データが広く受け入れられるようにするために，データが一定の基準からどのくらいの位置にあるのかを特定できるようになっていることである．

2) 計測のトレーサビリティ

計測器がどういう標準器（あるいは標準計測器）で校正されたかがわかり，その標準器もまたどのように校正されたかがわからなければならない．このような仕組みの経路がしっかりたどれることを計測のトレーサビリティという．

検査で使用される計測器は，より正確な目盛をもつ標準器によって校正される．その標準器は，さらにより正確な標準器によって校正される．これを切れ目のない校正の連鎖という．

この切れ目のない校正の連鎖によって，決められた基準に結びつけられる測定結果（または標準の値の性質）が得られる．これには文書化（＝校正記録や校正証明書）は必須となる．

> **TOPICS**
> **計測におけるトレーサビリティの定義**
> JIS Z8103：2019においてトレーサビリティとは，「個々の校正が不確かさに寄与する，切れ目なく連鎖した，文書化された校正を通して，測定結果を参照基準に関連付けることができる測定結果の性質」と定義されている．

参考文献
1) JIS Z 8000-1：2014　量及び単位―第1部：一般
2) 旧JIS Z 8203　国際単位系（SI）及びその使い方
3) JIS Z 8103　計測用語
4) JIS Z 8101　統計―用語及び記号

> **Tips**
> **医療機器のトレーサビリティ**
>
> JIS Q9000：2015（品質マネジメントに関する規格）では，トレーサビリティを「対象の履歴，適用又は所在を追跡できること」と定義している．ここでの対象には，医療機器，素材（材料），サービスなどすべてが含まれる．
>
> この観点から，医療機器は製造から流通，院内使用状況まで追跡把握できなければならない．追跡把握できることにより，不具合やトラブルがあった場合，原因の特定や対応が容易となる．たとえば，医療機器にバーコードを書き入れるなどでトレーサビリティ向上が図られている．
>
> JIS Q13485：2018（医療機器の品質マネジメントに関する規格）では「医療機器のトレーサビリティを可能とする記録」について述べられ，記録の重要性を強調している．

5) JIS Z 8402-1　測定方法及び測定結果の精確さ（真度及び精度）
6) JIS C 1002　電子測定器用語
7) （独）産業技術総合研究所 計量標準総合センター訳・監修：国際単位系（SI）．国際文書第9版，2019．
8) 日本生体医工学会ME技術教育委員会：MEの基礎知識と安全管理．改訂第7版，南江堂，2020．
9) 小野哲章，他：臨床工学技士標準テキスト．第4版，金原出版，2022．
10) 前田良昭，他：計測工学．コロナ社，2001．
11) ウイリアム・リクテン著，村上雅章訳：計測データと誤差解析の入門．ピアソンエデュケーション，2004．
12) 独立行政法人 製品評価技術基盤機構 ホームページ．

2　生体情報の計測

1. 生体信号の特殊性

　生体信号とは，生体の活動によって発せられる信号である．対象とする生体信号によって，エネルギー領域，周波数範囲が異なる．また，生体信号は微弱であり，雑音の影響を受けやすい．さらに，生体の活動によっても容易に生体信号が変化しうるため，対象とする物理量や目的に応じて計測の手段も変える必要がある．たとえば，オシロスコープのみで心電図を計測しようとしても信号が得られないのは，このような生体信号の特殊性があるからである．

　生体信号は，場合によっては複数の信号が重畳しているため，そのなかから目的の信号だけを取り出す，あるいは強調するなどの手段も必要となる．また，生体は個体差があるため，計測のたびに個体差にあわせて調整が必要となる場合もある．物質の計測と違って，生体計測の場合は侵襲性も考慮する必要がある．

　生体計測は，心電図や脳波のように電極を装着することで，生体から発せられる信号を計測する方法（受動的計測）もあれば，X線CTやMRIなどのように外部から物理的なエネルギー（X線CTの場合はX線，MRIの場合は磁場や電磁波）を照射することによって計測する方法（能動的計測）もある．また，生体から標本を採取して計測する場合（いわゆる検体検査）がある．

　本書で扱うおもな生体計測装置と対象とする物理量を表1-6に示す．

　生体計測においては，物理や化学の分野で利用されている計測器を応用することで生体信号を取り出すことができるが，以下の点に注意する必要がある．

　①狭い変動範囲：対象とする生体信号によって，周波数範囲・信号の

表1-6　おもな生体計測装置と関連するおもな物理量

おもな生体計測装置	関連するおもな物理量
心電計, 脳波計, 筋電計	電圧（電位差），電流
心磁計, 脳磁計	磁界（磁場）
血圧計	圧力
血流計, 心拍出量計, 脈波計	超音波, 電磁波（レーザ光），電磁界, インピーダンス, 圧力, 温度
スパイロメータ	流速, 流量, 圧力, 温度
インピーダンス式呼吸モニタ	インピーダンス
パルスオキシメータ	電磁波（可視光, 赤外光）
カプノメータ	電磁波（赤外光）
ガス分析装置	電圧（電位差）
体温計	温度, 電気抵抗, 赤外光
超音波画像診断装置	超音波
X線撮影, X線CT	放射線（X線）
MRI	磁界（磁場），電磁波（RF波）
SPECT, PET	放射線（γ線, 陽電子, 電子），光
内視鏡計測	電磁波（可視光, 狭帯域光, 赤外光, レーザ光），超音波
光トポグラフィ	電磁波（近赤外光）

表1-7　生体電気信号の周波数範囲の例

生体電気信号 （体表面電極による測定）	周波数成分	信号の大きさ
心電図	0.05〜150 Hz	数 mV
脳波	0.5〜60 Hz	数十 μV
誘発脳波	0.5〜60 Hz	約 0.1 μV
筋電図	5〜10 kHz	数十 μV〜100 mV

（山本尚武, 他：生体電気計測. p.85, コロナ社, 2011 をもとに作成）

変動域, 大きさが異なるため, 限られた狭い変動域を対象に計測する方法を選択する必要がある. 表1-7に生体電気信号の例を示す.

②高い分解能と測定精度：生体信号は微弱であるため, 高い分解能と精度が必要となる. また, 画像診断の場合も, 目的の組織を明瞭に視認するためには, 高い分解能と精度が求められる.

③信号対雑音要因：生体信号の多くは微弱であるため, 求める生体信号を得るために適切な雑音対策を行う必要がある.

④低侵襲計測：計測によって痛みを伴うことは可能なかぎり避けるべきであり, 低侵襲計測を行うことが望ましい.

⑤安全性：多くの生体計測装置は電気を用いている. したがって, 生体計測装置によるマクロショックやミクロショックなどの電撃事故が起きないように注意が必要である. また, X線CTやMRIのように外部から物理エネルギーを照射する場合は, その物理エネルギーに対する安全確保も重要である.

表1-8におもなエネルギーの作用と安全限界を示す. 瞬間的な作用では影響がほとんどないエネルギーでも, 長時間作用すると生体に影響を及ぼす場合があるので注意が必要である.

⑥高感度センサ：電極の装着によって計測できない場合は, 各種セン

keyword

マクロショック
体表面を流れる電流による電撃.

ミクロショック
心臓に直接流れる電流による電撃.

表1-8 おもなエネルギーの作用と安全限界

エネルギー	作用・対象	安全限界
低周波電流[*1]	ビリビリと感じる 離脱限界 心室細動 心室細動	1 mA 10 mA 100 mA（マクロショック）[*2] 0.1 mA（ミクロショック）[*3]
高周波電磁界[*4]	熱傷（皮膚） 眼障害 精巣への影響	1 W/cm^2 0.1 W/cm^2 0.01 W/cm^2
超音波 放射線	キャビテーションの発生 熱作用 眼の障害 生殖細胞への影響	10 W/cm^2 1 W/cm^2 0.1 W/cm^2 0.01 W/cm^2
温度[*5]	患者の熱傷 操作者の熱傷	41℃（患者装着部） 50℃（患者短時間接触） 55℃（金属部の連続保持） 65℃（ガラス部の連続保持） 75℃（ゴム部の連続保持）
放射線[*6]	水晶体被曝	100 mSv程度
磁界	―	定説なし

[*1]：成人男性に商用交流電流を1秒間印加した場合．
[*2]：マクロショック：体表面に電流が流れた場合の電撃．
[*3]：ミクロショック：心臓に直接電流が流れた場合の電撃．
[*4]：電磁界による熱作用を考慮する場合は全身平均SAR（specific absorption rate：比吸収率）や局所SARも考慮する必要がある．
[*5]：JIS T 0601-1における安全基準．
[*6]：電離放射線障害防止規則では，放射線業務従事者の安全基準（妊娠の可能性がない場合）を，50 mSv/年，100 mSv/5年としている．
　　（小野哲章, 他：臨床工学技士標準テキスト. 第4版, p.550, 金原出版, 2022をもとに作成）

サを用いて生体信号を検出する必要がある．また，脳波のように微小な変動を検出する必要がある場合は，高感度のセンサが必要となる．

2. 計測方法

　生体計測では，体内に電極やカテーテル，センサなどを挿入，あるいは埋め込んで測定する侵襲的な生体計測と，体表面や体外に置いた電極やセンサを利用して行う非侵襲的な生体計測がある．非侵襲的な計測が望ましいが，侵襲的な計測に比べて精度や感度が劣る場合が多い．
　また，計測には大きく分けて直接測定と間接測定がある．
　①直接測定：目的とする物理量・化学量そのものを直接計測するもの

Tips　偏位法と零位法

　計測には，バネばかりのように計測器の指示値を読み取ることで値を判定する偏位法と，上皿天びんのように分銅との差がなくなって天びんが釣り合うまで測定者が調整を繰り返す零位法がある．

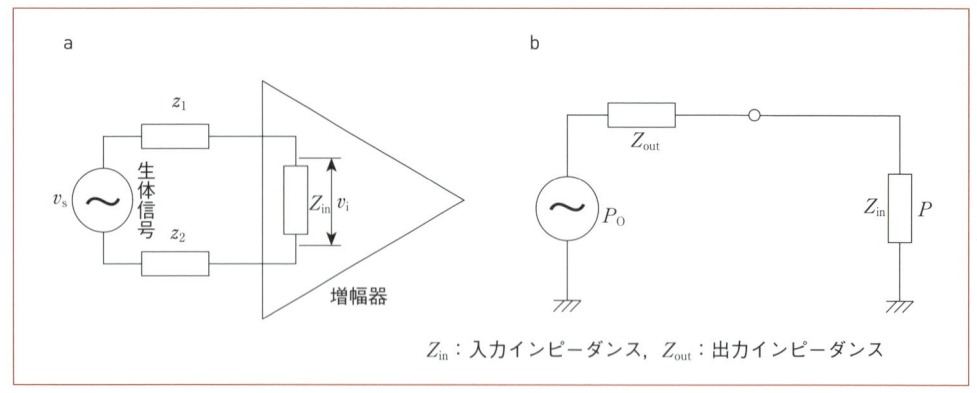

図1-24 入力インピーダンスとインピーダンス・マッチング
a：微弱な信号の導出には高い入力インピーダンスが必要．
b：電力を最大限伝達する場合はインピーダンス・マッチングを行う必要がある．

である．たとえば，身長計を用いて患者の身長を計測する場合や，上皿天びんを用いて分銅との釣り合いで物質の質量を求める場合がこれにあたる．

②間接測定：複数の測定量から計算などによって測定結果を得るものである．生体計測の多くは間接測定である．

3. 計測器の性能

1) 周波数特性

表1-7に示した生体電気信号の例のように，生体から得られる信号は周波数や大きさがそれぞれ異なる．したがって，目的とする生体信号の周波数帯域を捕捉できる周波数特性をもった計測システムである必要がある．このとき，患者と接続する電極やセンサ，微弱な信号を大きくするための増幅器，雑音除去や目的の信号に焦点を絞って取り出す各種フィルタ，計測した情報を記録する記録器など，生体計測システム全体の周波数特性を考慮する必要がある．

2) 入力インピーダンス

微弱な生体信号を扱う場合，増幅器によって信号を大きくする必要がある．図1-24aに微弱な生体信号（変動する電圧v_s）を増幅器に入力する様子を模式図で示す．z_1，z_2は生体の信号源から増幅器までのさまざまなインピーダンス，Z_{in}は増幅器の入力インピーダンスであり，その両端電圧v_iが増幅器に入力される電圧となる．このとき，

$$v_i = \frac{Z_{in}}{z_1 + z_2 + Z_{in}} v_s = \frac{1}{\frac{z_1 + z_2}{Z_{in}} + 1} v_s$$

であるから，入力インピーダンスが$Z_{in} \to \infty$のとき，もとの生体信号v_sがそのままv_iとして増幅器に入力されることになる（逆にZ_{in}が小さい

とv_sは小さくなって入力されてしまう).

　生体信号のような微小信号を導出する場合は入力インピーダンスを高くする必要があるが，図1-24bのように電力P_oを最大限の電力Pとして伝達するためには，出力インピーダンスZ_{out}と信号処理側の入力インピーダンスZ_{in}を一致させるインピーダンス・マッチングを行う必要がある．

3) 電極接触インピーダンス（接触抵抗）

　皮膚は非常に薄いが，正常な皮膚表面のインピーダンスは大きい．電極を体表面に装着して生体電気信号を計測する場合，その接触面にも大きなインピーダンスが生じる．電極と皮膚との間のインピーダンスを接触インピーダンスとよぶ（直流信号を対象とする場合は単に接触抵抗とよぶこともある）．接触インピーダンスは雑音の原因となるため，可能なかぎり低い方がよい．接触インピーダンスは，電極の接触面積を広くすることや，導電性のペーストやゲルを使用することで低減することができる．

> **臨床とのつながり**
> **皮膚表面のインピーダンス**
> 皮膚の乾燥状態にもよるが500〜1,500 Ω程度とされている．

4) 感度

　計測器が検知できる最小の量，あるいは最小の変化量を感度とよぶ．JIS規格では，感度を「ある計測器が測定量の変化に感じる度合い．すなわち，ある測定量において，指示量の変化の測定量の変化に対する比」と定義している．

　心電図を記録紙に記録する場合などでは，記録紙上での10 mmが1 mVに対応しているため，標準感度10 mm/mVと表現する．このとき，感度を2倍に設定した場合，20 mm/mVとなる．

keyword

JIS規格
JIS Z 8103：計測用語．

5) 信号対雑音比（S/N）

　計測対象とする生体信号（S：signal）のパワーに対する雑音（N：noise）のパワーの比を表したものを信号対雑音比（S/N）という．生体信号（S）に対して雑音（N）が大きくなると，当然のことながら，目的の生体信号を正確に取り出すことが困難になる．したがって，S/Nが大きくなるような雑音対策や信号処理が必要である．

6) 分解能（量子化精度）

　測定対象の近接する2つの値を区別する計測器の能力を分解能とよぶ．数値を表示するような計測器であれば，表示される値の最小の指示差にあたる．デジタル計測器であれば，最小の有効桁数が1つ変わる量ということになる．生体信号の多くはアナログ信号であるが，コンピュータ処理を行うために後述のAD変換を行い，デジタル信号に変換する必要がある．デジタル信号の値は離散的な値であるから，離散的な値に変

換する（量子化という）ときの幅によって元の信号が再現できない部分が出てくる．量子化の際にどれだけ細かく分解できるかというのは量子化精度とよばれる．また，その際に生じる誤差を量子化誤差とよぶ．

　画像計測器であれば，分解能は画像上の2点が区別できる最小値ということになる．分解能が低い場合，得られた画像は粗い画像となる．

7）直線性

　計測器やそのなかに含まれる後述の増幅器（信号を大きくする素子）は，入力信号に比例した出力信号を値として表示することが多い．直線性がよい計測器は，入力信号と出力信号との間の直線関係からのずれが小さい．このずれの小ささを直線性とよぶ．図1-25に直線性の模式図

keyword
直線性
直線性があることを線形性があると表現することもある．

Tips　感度と分解能

　感度と分解能について，似たようなイメージをもつ人もいるかもしれない．ここでは，写真を例にして違いを考えてみる．図のa～dは同じシャッタースピード（1/400秒）で撮影したものであるが，感度（カメラの場合，ISO感度とよぶ）が異なっている．感度が低い撮影モードaではかなり暗く映っているが，感度をb→c→dと上げるにつれて明るくなっているのがわかる．このように，対象物の検知のしやすさ（この場合は，目視のしやすさ）が感度に相当する．

　また，解像度を変えて人形の目の部分を拡大したものを e, f に示す．低解像度のeに比べて8倍近い解像度のfは，ジャギー（ギザギザしたノイズ）が少ない．この場合，eに比べてfの方が分解能が高いことに相当する．

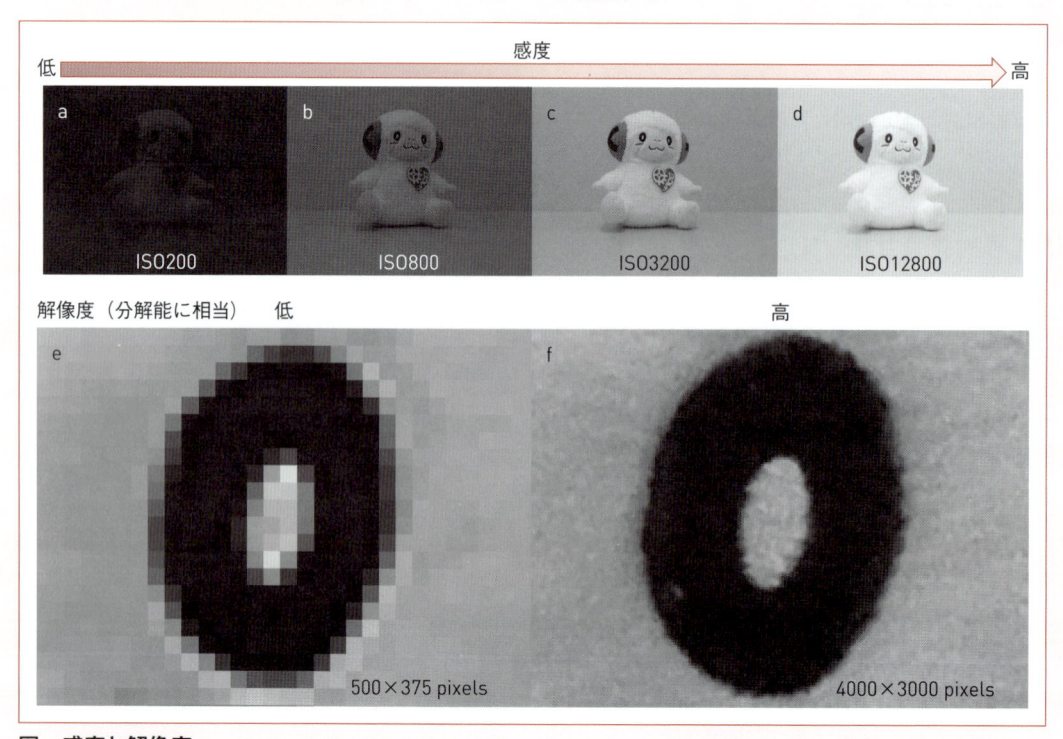

図　感度と解像度

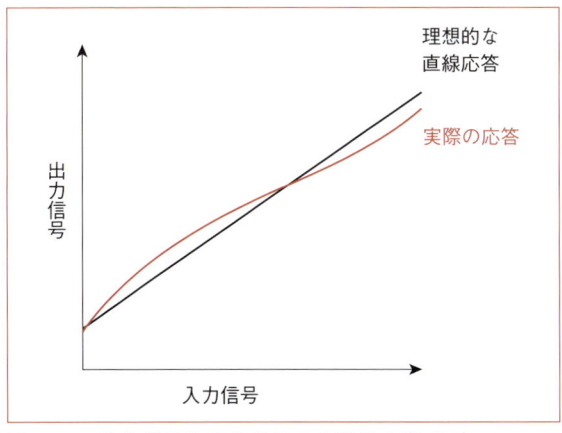

図1-25 入力信号と出力信号の直線性の模式図
理想的な計測器は，入力に対して出力が線形の応答をする（黒色の直線）．
実際の計測では線形からずれていることがあり（赤色の曲線），そのずれ（黒色の直線と赤色の曲線との差）を線形性誤差とよぶ．

を示す．

8）同相除去比（CMRR）

　生体計測においては，2つの入力信号の差分（差動信号とよぶ）を増幅する差動増幅器が多く用いられている（後述の「差動増幅器」参照）．入力信号のなかには雑音が混入することがあるが，基本的に雑音は2つの入力端子に同じタイミングで入る（位相がそろっているため，同相信号とよぶ）ため，差を取ることで抑制することができる．このとき，差動増幅器における同相信号（雑音）除去の性能の指標となる値を同相除去比（CMRR：common mode rejection ratio）とよぶ．差動信号（生体信号）の電圧の増幅倍率をA_d，雑音である同相信号の電圧の増幅倍率をA_cとすると，同相除去比は，

$$\mathrm{CMRR} = 20 \log_{10} \frac{A_d}{A_c} \quad [\mathrm{dB}]$$

と表すことができる．
　このようにdB（デシベル）単位で表したものを利得表記という．なお，理想的には雑音の増幅倍率が$A_c=0$となる状態であるが（このとき，CMRRは無限大となる），実際は0にはならないので，CMRRも有限の値となる．
　なお，この式は，対数の性質から，

$$\mathrm{CMRR} = 20 \log_{10} A_d - 20 \log_{10} A_c$$

$$20 \log_{10} A_d = 20 \log_{10} \frac{差動信号（生体信号）の出力電圧}{差動信号（生体信号）の入力電圧} \cdots\cdots 差動利得$$

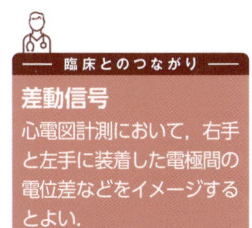

> **臨床とのつながり**
>
> **差動信号**
> 心電図計測において，右手と左手に装着した電極間の電位差などをイメージするとよい．

$$20 \log_{10} A_c = 20 \log_{10} \frac{同相信号（雑音）の出力電圧}{同相信号（雑音）の入力電圧} \quad \cdots\cdots 同相利得$$

のように，差動利得と同相利得の差で表すこともできる．

4. 計測器の構成

1) 電極

　心電図や脳波，筋肉の活動，インピーダンスの計測など，生体電気現象の計測には電極が用いられる．電極には，体表面に貼付して電気的な接触を行う皮膚表面電極，生体内に穿刺して用いる針電極などがある．針電極は，筋電位の計測などに利用されているが，皮膚を貫通させて体内に挿入するため，患者への侵襲や感染の観点から，日常的な計測には用いられていない．電極は記録用電極として用いられるが，筋刺激などに用いられる刺激用電極もある．

　皮膚表面電極は，導電性のペーストやゲルなどを介して皮膚と密着させて使用する電極である．絶縁性の皮膚に貼付して計測するため，計測の際も継続して良好な接触が保たれている必要がある．また，電極自体のインピーダンスや皮膚との接触インピーダンスが小さいことが望まれる．

　生体内は電解質で満たされているため，電荷を運ぶ媒体（キャリア）はイオンである．その一方で，電極部分や増幅器における電荷のキャリアは電子であるため，皮膚と電極の界面では電荷のやりとりは自由にできるわけではない．したがって，皮膚と電極の界面における電荷交換やイオンの濃度勾配などが影響して，分極電圧とよばれる電位差が発生する．分極電圧は，電極の材質に依存し，計測の値にも影響を与えるため，可能なかぎり小さい方がよい．生体計測においては，この分極電圧が小さい，銀/塩化銀（Ag/AgCl）電極が用いられることが多い．

　銀/塩化銀電極が塩化物イオン（Cl^-）を含む電極ペーストで皮膚に接触すると，電極と皮膚の付近では，次のような反応が起きているため，電子（e^-）と塩化物イオン（Cl^-）の授受がスムーズに行われる．

$AgCl \rightleftarrows Ag^+ + Cl^-$

$Ag^+ + e^- \rightleftarrows Ag$

$Ag + Cl^- \rightleftarrows AgCl + e^-$

　金属電極の場合，装着したままX線撮影を行うと画像に写り込んでしまうため，撮影に影響を与えにくいカーボン電極が用いられることもある．

2) 変換器（トランスデューサ）

　トランスデューサは，ある物理量・化学量を別の物理量・化学量に変換するものを指す．生体計測の場合，最終的にコンピュータ処理される場合が多いため，電気信号に変換するものを指すことが多い．心電図や

TOPICS

電極

近年では，衣服の上からも生体電気計測を行うことができる静電容量型電極も実用化が進められている．

表1-9 おもなトランスデューサ，センサの例

計測対象	トランスデューサ，センサ	変換様式
変位	ポテンショメータ，ストレインゲージ	抵抗値の変化
力，圧力	ストレインゲージ，ロードセル，感圧ダイオード ブルドン管，ベローズ	抵抗値の変化 形状変化
角度	ポテンショメータ ロータリエンコーダ	抵抗値の変化 光のパルス，磁界変化など
加速度	圧電素子 加速度センサ	電圧の変化 抵抗変化，静電容量変化など
速度	超音波センサ レーザ・ドプラ計	超音波の往復にかかる時間など 周波数変化
温度	サーミスタ，抵抗測温体 熱電対	抵抗値の変化 熱起電力
赤外線	サーモパイル HgCdTe, InSb	熱起電力 光電効果による起電力
光	フォトダイオード，光電子増倍管 CdSセル CCDイメージセンサ CMOSイメージセンサ	電流変化 抵抗値の変化 フォトダイオードの利用 フォトダイオードの利用
磁気	ホール素子 SQUID	電圧変化 電圧変化

脳波のように計測の対象が電気信号の場合は，電極を介して直接信号を検出する場合もある．一方で，血圧やパルスオキシメータの光信号などのように電気信号でない場合は，トランスデューサを介して電気信号やその他の物理量の変化に変換する．

おもなトランスデューサ，センサの例を表1-9に示す．

3) 増幅器

生体信号は微弱なものが多いため，センサからトランスデューサを介して得られた電気信号や，電極から直接得られた電気信号は，増幅器を介して増幅を行う．増幅には後述の差動増幅器が用いられることが多い．実際，心電計や脳波計などは，差動増幅器で雑音（同相信号）を抑制した後に電力増幅器で生体電気信号を増幅している．

センサからの信号をトランスデューサを介して電気信号に変換する場合は，トランスデューサに増幅作用がある場合もある．

4) 信号処理部

得られた生体信号から雑音を除去し，必要な領域に絞って情報を取り出す場合にフィルタ回路が用いられる．電気回路を用いた信号処理を行う場合もあるが，コンピュータによる演算処理を行う場合もある．コンピュータ処理を行う場合，アナログ信号であれば後述のAD変換によっ

表1-10 おもな記録器・表示装置

種類	周波数特性	特徴
インクペン式記録計	DC～60 Hz	ランニングコストが安価 インク詰まりなどの保守が必要
熱ペン式記録計	DC～60 Hz	取り扱いが容易 印字可能
インクジェット式記録計	DC～600 Hz	周波数特性が良好
電磁オシログラフ	DC～5 kHz	波形の重ね書きが可能 記録幅が大きい
自動平衡型記録計	DC～1 Hz	記録幅が大きい X-Yレコーダや打点式記録計に利用
サーマルラインレコーダ	DC～2.5 kHz	機械的可動部がない 波形の重ね書きが可能 記録幅が大きい（印字，処理データの記録も可能）
液晶モニタ	－	カラー表示が可能 ※ペーパーレス化の推進として普及している

（小野哲章, 他：臨床工学技士標準テキスト. 第4版, p.59, 金原出版, 2022 および吉田徹：臨床工学技士のための医用計測技術. p.190, コロナ社, 1990をもとに作成）

てデジタル信号に変換する必要がある．

5) 記録と表示装置

　計測した生体信号をもとに診断を行うためには，計測結果を記録紙やモニタに表示する必要がある．記録紙に記録する場合は，記録計が測定された情報に対して適切な周波数特性をもつ必要がある．表1-10におもな記録器の例を示す．

5. 信号処理

1) AD, DA変換

　体温，血圧など，時間とともに連続で変化する量をアナログ量とよぶ．生体信号をコンピュータなどで扱う場合，そのままの信号では処理することができないため，デジタル信号に変換する必要がある．アナログ信号をデジタル信号に変換する処理をAD変換（analog to digital conversion）という．

　AD変換は，時間軸を一定間隔で離散値に区切る標本化，信号の振幅を一定間隔で区切り，瞬時値を近似する量子化，離散化した値をコンピュータで処理できる2進数へ変換する符号化のステップからなる．

　標本化において取り出す時間間隔 T_s [s]をサンプリング周期という．また，サンプリング周期の逆数である $1/T_s$ [Hz]をサンプリング周波数という．サンプリング周波数を低くしすぎると，元のアナログ信号の変動を忠実に再現できなくなり，図1-26aに示すように，元の信号にはみられなかった低い周波数の信号が生じる．これを折り返し雑音とよび，

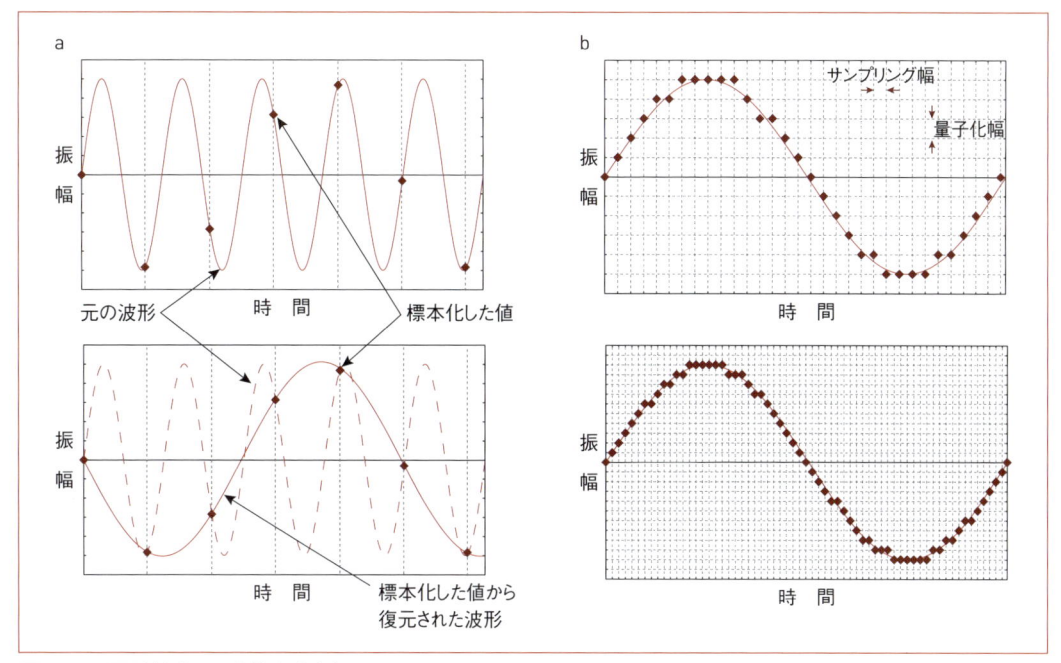

図1-26 正弦波をAD変換した例
a：サンプリング間隔が広すぎると，もとの信号を再現できなくなってしまうエイリアシングが起こる．
b：サンプリング幅と量子化幅が細かいほど，元の信号をより正確に再現できるようになる．この図では，下の方がサンプリング幅と量子化幅が細かい．
◆は信号をサンプリングした値．

このような現象をエイリアシングとよぶ．元のアナログ信号を再現するためのサンプリングの目安として，シャノンのサンプリング定理（標本化定理）がある．元の信号の最高周波数をf_m [Hz] とすると，サンプリング周波数 f_s [Hz] は，

$$f_s > 2f_m$$

を満たす必要がある．なお，サンプリング周波数の1/2の周波数をナイキスト周波数とよぶ．

　量子化において，元のアナログ信号の振幅を区切る幅は，量子化のビット数で決まる．つまり，nビットで量子化する場合，2^n段階に分解することになる．

　アナログ信号の振幅範囲をAとすると，量子化幅Wは，

$$W = \frac{A}{2^n - 1}$$

となる．

　量子化ビットが大きいほど振幅の変化を細かく表現できるため，分解能は高くなる．ただし，元の信号を離散的に刻んでいる以上，誤差はかならず生じる．この誤差を量子化誤差（量子化雑音）という．

　標本化，量子化された信号は，符号化によって2進数に変換され，コンピュータ処理に適した信号となる．

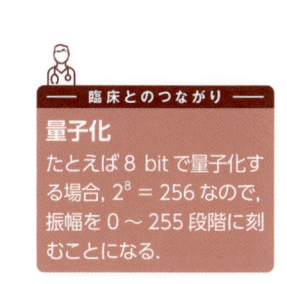

臨床とのつながり

量子化
たとえば 8 bit で量子化する場合，$2^8 = 256$ なので，振幅を 0 〜 255 段階に刻むことになる．

生体情報の計測　35

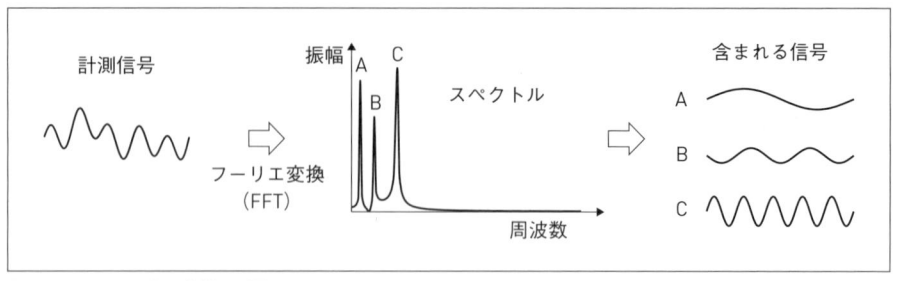

図1-27 フーリエ変換の概要
(戸畑裕志, 他：臨床工学講座　医用情報処理工学. 第2版, p.53, 医歯薬出版, 2019より引用)

図1-26bに示すように，サンプリング幅と量子化幅が細かくなる（つまり，1秒間に行う標本の回数が大きく，量子化ビット数を大きくする）ほど，より正確に元の信号を再現できるようになる．ただし，必要以上にサンプリング周波数を高くしたり，量子化幅を狭くすると，データの量が増加し，処理効率が悪くなったり，メモリを多く使用してしまうことになる．

AD変換に対して，デジタル信号をアナログ信号に変換することをDA変換（digital to analog conversion）という．

2）周波数分析

生体信号にどのような周波数成分が含まれているかを分析する手法に，フーリエ変換がある．フーリエ変換では，周期性がないような信号を三角関数のような周期関数の和として表現することができる．

ある空間上のベクトルは，互いに直交するベクトルの和で表すことができる．同様に，三角関数などの直交するベクトルのような性質をもつ関数を組み合わせると，任意の信号を表現することができる．それぞれの周期関数の振幅を角周波数に対してプロットしたものをスペクトルという（図1-27）．

3）パターン認識

信号のなかから規則性や特徴を選別して取り出す処理をパターン認識という．パターン認識には，文字認識，音声認識などがあるが，近年では，指紋認証，掌紋認証，静脈認証，虹彩の認証，顔認証など，人間の身体的または行動的特徴を用いて個人認証する生体認証（バイオメトリクス）にも利用されている．

4）デジタル処理技術

画像診断装置のなかには，目的とする臓器や組織を強調して表示するために画像処理を行うことがある．たとえば，造影剤注入前後の2つの画像の差を取ることで，目的とする部分を鮮明にできる場合がある．こ

のように，コンピュータ上で画像の減算処理（サブトラクション）を行う方法をデジタルサブトラクション法とよぶ．血管造影の領域で，デジタル差分血管造影法（DSA：digital subtraction angiography）として血管画像の強調に用いられている例がある．

6. 雑音と対策

生体信号の多くは微弱であるため，雑音によって容易に障害を受ける．生体計測を行う際に雑音の混入を防ぐことが理想的であるが，雑音の混入がやむをえない場合は，信号処理を行うことで生体信号を増幅する方法もある．

1) 雑音と環境

雑音には，大きく分けて計測装置の回路内部に由来する内部雑音と，外界に由来する外部雑音がある．

それぞれの詳細については，1章1-3「信号と雑音」で述べたとおりである．このような雑音のある環境下で生体計測を行うために，さまざまな雑音対策が行われている．

2) 雑音対策

生体信号は微弱であることが多いため，雑音対策が重要となる．雑音対策には，計測の段階で除去する方法や，得られた生体信号をコンピュータ処理することによって除去する方法などがある．

(1) 差動増幅器

差動増幅器は，心電計や脳波計をはじめとする微小な生体信号電圧の増幅に使用されている．差動増幅器は2つの入力電圧の差を増幅する回路である．差動増幅器の基本は図1-28aのような回路である．オペアンプのバーチャルショートの性質から，

$$\frac{v_{i+} - v_a}{R_1} = \frac{v_a - 0}{R_2} \quad \cdots\cdots +の入力側$$

$$\frac{v_{i-} - v_a}{R_1} = \frac{v_a - v_o}{R_2} \quad \cdots\cdots -の入力側$$

> **Tips　病院内の電磁波障害**
>
> 病院内では，電気メスや超音波治療器，MRIなど明らかな高周波雑音を発生させる機器もあれば，食事の配膳車，離床センサなど思いもよらないものから電磁波が発生して生体計測の妨害となることもある．また，無線のなかには，通信以外の工業・科学・医療の目的に使用するためのISMバンド（産業科学医療用バンド：Industrial Scientific and Medical Band）とよばれる周波数帯が設けられている．この周波数帯は，医療機器以外の機器も利用しているため，電磁波障害には注意が必要である．

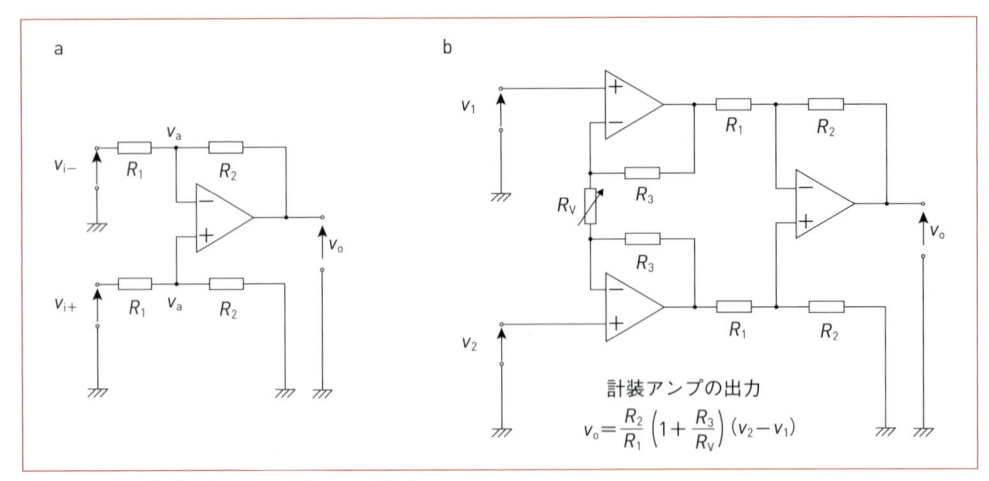

図1-28 差動増幅器(a)と計装アンプ(b)

であるから，両者からv_aを消去してまとめると，

$$v_o = \frac{R_2}{R_1}(v_{i+} - v_{i-})$$

となり，v_{i+}とv_{i-}の2つの入力の差がR_2/R_1倍されて出力されることがわかる．ただし，微弱な生体信号の計測を行う場合，高い入力インピーダンスが求められる．したがって，実際は計装アンプとよばれる，図1-28bのような回路が用いられている．

この回路の入力インピーダンスは，オペアンプそのものの高い入力インピーダンスとなる．また，R_vを変化させることにより，増幅率の変更も容易となる．

(2) フィルタ

目的の信号だけを通過させるものにフィルタがある．フィルタには大きく分けて，電子回路を利用したアナログフィルタと，AD変換によって数値化した信号を演算処理するデジタルフィルタがある．

アナログフィルタには，抵抗やキャパシタなどの受動素子を用いた受動フィルタと，増幅器などの能動素子を用いた能動フィルタがある．

おもなフィルタの種類を表1-11に，概略図を図1-29に示す．

(3) シールド

雑音対策の1つとして，シールドがある．シールドには静電シールド，磁気シールド，電磁波シールドなどがある．金属材料などの導電率の高い物質で覆うことによって，電界や電磁波を減衰することができる．一方，磁気シールドには，パーマロイなどの透磁率の高い物質を用いる．

(4) デジタル信号処理

得られた生体信号のS/N向上や雑音の除去は，電子回路を介した処理だけでなく，デジタル化した信号を演算処理することによっても行うことができる．その例として，加算平均法と移動平均法について述べる．

keyword
パーマロイ
おもにニッケルと鉄を含む高透磁率の合金材料．

表1-11　おもなフィルタの種類

フィルタ名	特性
低域通過フィルタ （低域フィルタ，ローパスフィルタなどともよぶ）	低い周波数の信号を通過させる
高域通過フィルタ （高域フィルタ，ハイパスフィルタなどともよぶ）	高い周波数の信号を通過させる
バンドパスフィルタ	特定範囲の信号を通過させる
バンドストップフィルタ	特定範囲の信号を減衰する

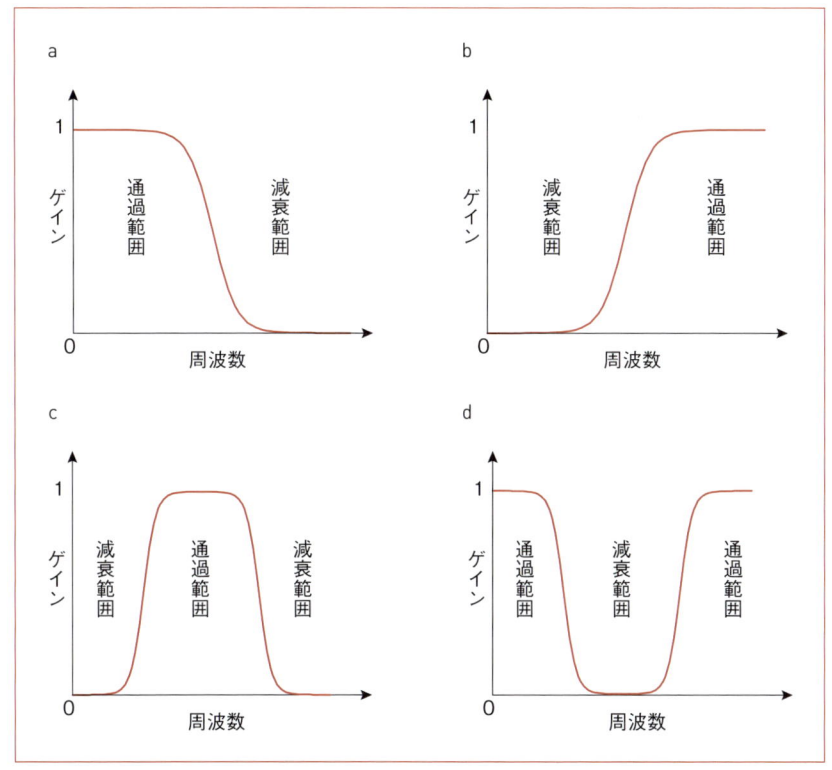

図1-29　各種フィルタの概略図
それぞれ縦軸はゲイン（入力された信号の倍率），横軸は周波数．
a：低域通過フィルタ，b：高域通過フィルタ，c：バンドパスフィルタ，d：バンドストップフィルタ．

①加算平均法

　1回の測定ではS/Nが小さく，生体信号が雑音に埋もれてしまう場合がある．しかし，再現性のある生体反応であれば，何度計測してもほぼ同様な信号が得られるはずである．一方で，雑音は基本的にはランダムに出現することが多いため，計測のたびに信号が変化する．したがって，繰り返し同じ計測を行って，加算した後に平均をとることにより，雑音は小さくなることが期待される．通常，雑音を含む生体信号についてN回の繰り返し測定を行い，この加算平均法により信号処理を行うと，S/Nは$\sqrt{N}$倍に改善する．第2章の聴性誘発反応電位（AEP）や聴性脳

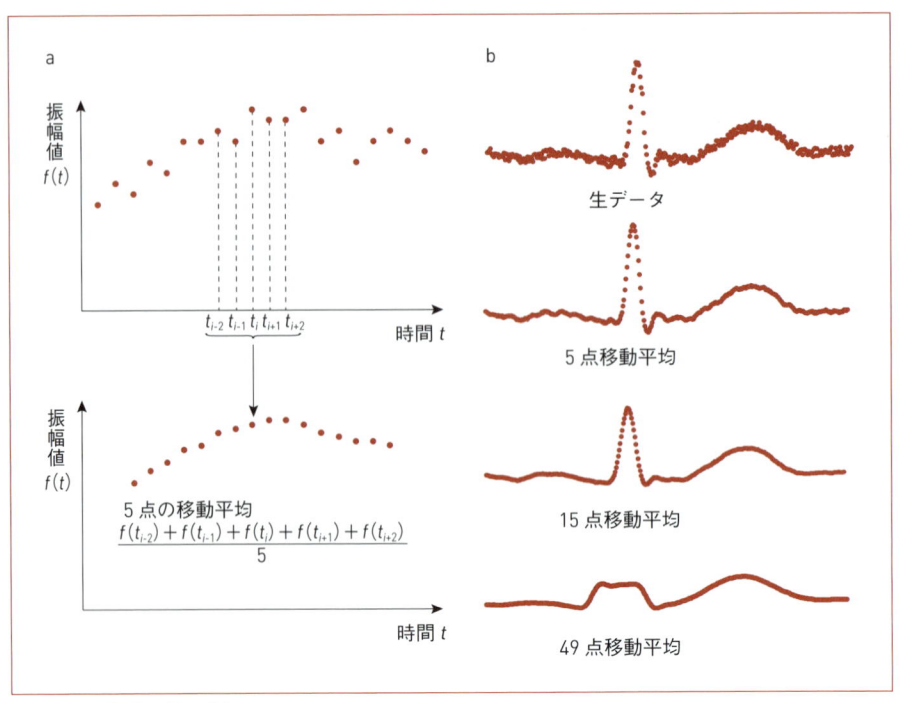

図1-30 移動平均の例

a：図のような時系列データについて，t_i を中心に5点（$t_{i-2} \sim t_{i+2}$）の振幅値を平均し，その代表値とすると，データが平滑化（スムージング）される．
b：雑音の多い心電図波形を5点，15点，49点と移動平均処理した例．平均するデータ数を増やすと，データはよりなめらかな曲線を描くが，図のように振幅の値が元のデータを再現しなくなる場合があるので注意が必要．

幹反応（ABR），脳磁図（MEG）の測定などでこの加算平均法が用いられている．

②移動平均法

ある点のデータをその前後（画像データの場合は周囲）のデータの平均値で置き換えることによって雑音を処理する方法を移動平均法とよぶ．移動平均を行うと，データが平滑化される（スムージング処理という）．脳波が筋電位による雑音で埋もれている場合や，ラジオアイソトープ（RI）による画像診断における画像処理などに移動平均法が利用されている．図1-30に移動平均の例を示す．

参考文献

1) 山本尚武, 他：生体電気計測. コロナ社, 2011.
2) 小野哲章, 他：臨床工学技士標準テキスト. 第4版, 金原出版, 2022.
3) 吉田 徹：臨床工学技士のための医用計測技術. コロナ社, 1990.
4) 戸畑裕志, 他：医用情報処理工学. 第2版, 医歯薬出版, 2019.

第2章 生体電気・磁気計測

1 生体電気計測

1. 生体電気計測の特性

　生体電気信号は，生命活動に伴って発生する，おもに神経細胞や筋細胞などの電気的な活動に関連して生じる．たとえば，次節で述べる心電図は，心筋に生じた活動電位（細胞膜上の電位の変化によって生成された電位）を体表面の電極（金属電極）によって電気量として計測すること（電位の変化としてとらえること）で，生体（心臓）の電気現象として認識するものである．生体信号が前章で述べたような特殊性をもつなかで（※1），とくに生体電気信号を計測するうえで重要なポイントは，①波形，②振幅（大きさ），③周波数成分（周波数特性）の3つとなる．

1）感度（※2）

　生体は，外部環境変化から内部を保護する境界である皮膚によって保護されており，内部からの生体信号を取り出しにくい（得られる生体信号が非常に小さい）という特徴をもつ．たとえば，心電図や筋電図，脳波などの生体電気信号は，通常皮膚に貼付した導出電極から測定するが，雑音成分を除去して信号を得るためには，高い分解能と高い精度をもつ高感度のトランスデューサ（変換器）が必要となる．

2）周波数特性

　心電図などの生体電気計測に用いられる電極（後述，※4）に求められる特性として，測定対象の信号がもつ周波数成分を十分に増幅できることが必要になる．通常，増幅器（計測器）がもつ最大利得から3 dB下がった周波数範囲（f_H-f_L [Hz]）が電極や変換器，または増幅回路の周波数特性と定義される（図2-1）．生体電気信号は，「周波数○○Hzの正弦波」のように特定の周波数成分のみが含まれているものではないため，さまざまな時間的な変化をもつ波形が忠実に再現される必要がある．

3）時定数（低域遮断周波数）

　時定数（time constant：τ [s]）は，前述の周波数特性のなかで，お

※1．参照：第1章 2-1 生体信号の特殊性（p.25）

※2．参照：第1章 2-3 計測器の性能（p.28）

keyword
分解能と精度
分解能は測定装置やシステムの能力を表し（※3），細かい変化や差異を検出できる程度を示す．一方，精度は測定結果と真値との間の誤差を示す指標，つまり，測定値にどれだけ近い値かというばらつきを示す．

※3．参照：第1章 2-3 計測器の性能（p.28）

※4．参照：第1章 2-4 計測器の構成（p.32）

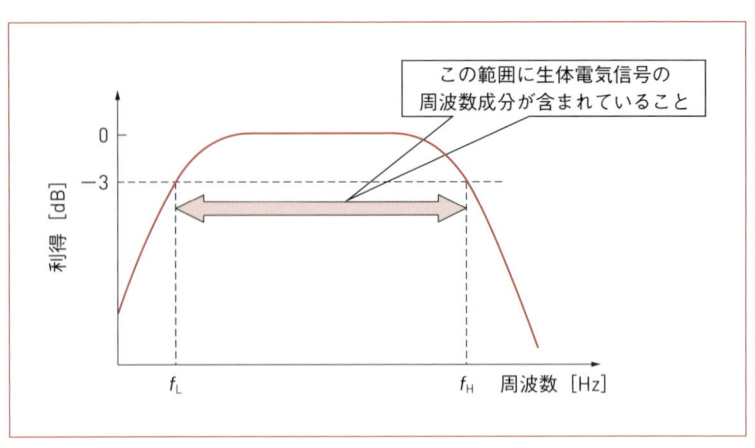

図2-1　周波数特性

もに生体電気信号の低域遮断周波数と関連している．低域遮断周波数（f_L）は，生体電気信号を取得後，フィルタ回路を用いて入力信号の低周波成分を減衰させる起点の周波数を指す（※5）．具体的には，この周波数より高い信号成分は通過し，低い信号成分は減衰する．フィルタ回路は，アナログ回路としては抵抗とキャパシタを用いたCR回路（※6）が用いられるが，現在，心電計などの生体電気信号の計測機器では，デジタルフィルタが用いられている．

4）同相除去比（CMRR）

　同相除去比は，同相信号除去比（CMRR：common mode rejection ratio）ともいい，心電図など，微弱でかつノイズの入った生体電気信号を計測する際に必要不可欠な性能である（※7）．たとえば，心電図計測では，体表面に電極を貼付し心筋の活動電位の変化（イオンの変化）を電子の流れとして計測するが，計測中に体の震えなどが起こると，体表面（筋組織）に生じている筋電図も一緒に計測することになる．両者の信号をまとめて増幅すると，心電図信号に周波数の高い筋電図信号がノイズとして重畳することがある（図2-2）．そこで，増幅させたい信号（心電図）は増幅させ（A_d：差動利得，または逆相利得，図2-3a），ノイズ信号（筋電図）は増幅させずに計測し（A_c：同相利得，図

keyword
低域遮断周波数（f_L）
低域遮断周波数は，時定数を用いて，$f_L=1/2\pi\tau$ [Hz] と表す．

※5．参照：第2章2　心電計（p.45）

※6．参照：医用電気工学1 第2版　第6章 CR回路（p.137～139）

※7．参照：第1章2-3 計測器の性能（p.28）

Tips　デジタルフィルタ

　デジタルフィルタは，アナログ信号からデジタル信号への変換処理に利用される．デジタルフィルタによる低域遮断フィルタの役割は基本的にアナログ回路と同じであるが，まずアナログ信号を一定の間隔（サンプリング間隔 [s]）でサンプリングし，アナログ－デジタル変換する．これには，FIR（finite impulse response：有限インパルス応答）システムなどが用いられる．FIRで低域遮断フィルタを設計するには，アナログフィルタの伝達関数をデジタルフィルタの差分方程式に変換したり，フーリエ級数を用いる．

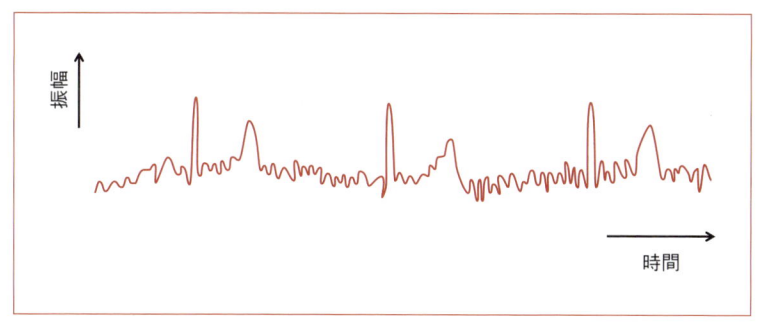

図2-2　筋電図が重畳した心電図信号

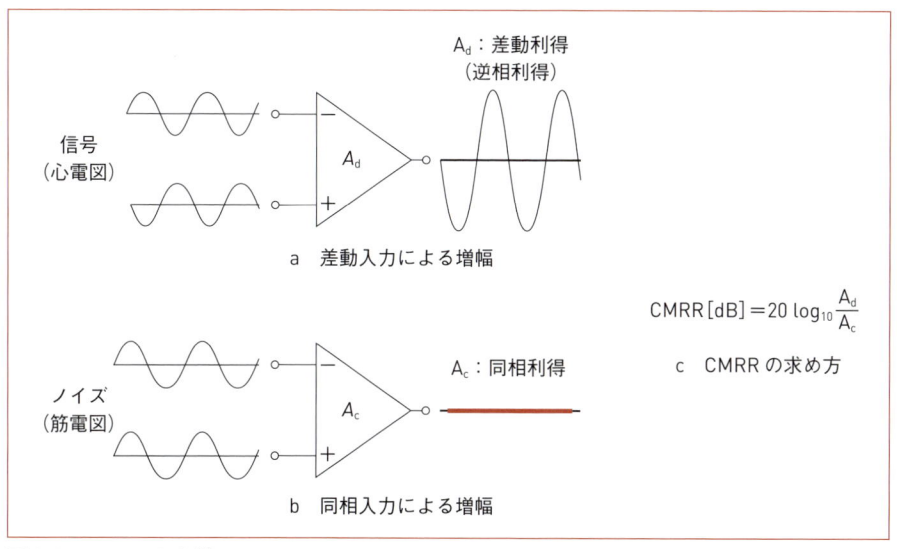

図2-3　CMRRの定義

2-3b)，A_d と A_c の比を dB 値として表すことで（図2-3c），心電図信号の CMRR を求めることができる．

5) 体表面電極（皮膚表面電極）

　心電図などの生体電気信号の計測には，電極がトランスデューサとして用いられる．生体電気信号以外（血圧や体温など）の生体計測では，温度や変位などの物理量を電気信号に変換するために変換器（トランスデューサ）が必要となる（※8，たとえばサーミスタは温度を抵抗に変換するトランスデューサ）．電極は，微小な生体電気信号を，生体内（イオンの移動）から電子回路（電子の移動）に歪みなく導くための通路・接点として作用する．

　体表面電極を生体（皮膚）に接触させたときの電荷分布のイメージを図2-4a に示した．金属（電極）と電解質（生体，電極のペースト成分）の接触面では，金属がイオン化し，電解質中に溶出し，電解質中のイオンは金属と結合し金属表面に析出する（図2-4a）．したがって，金属表

※8．参照：第1章 2-4 計測器の構成　表1-9（p.33）

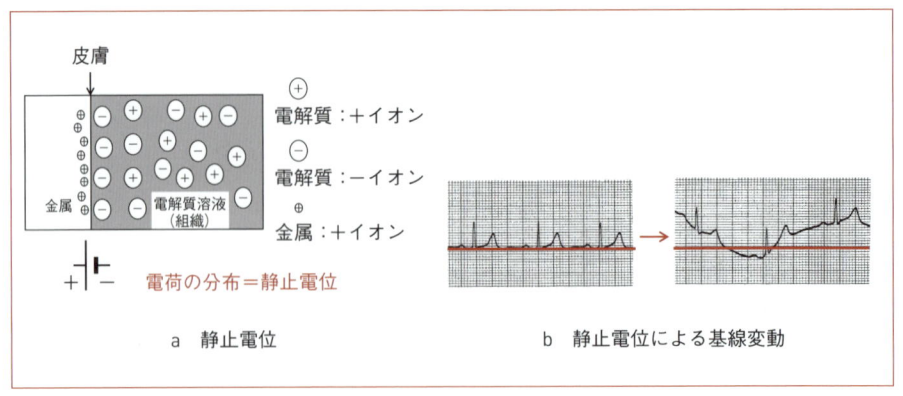

図2-4　静止電位

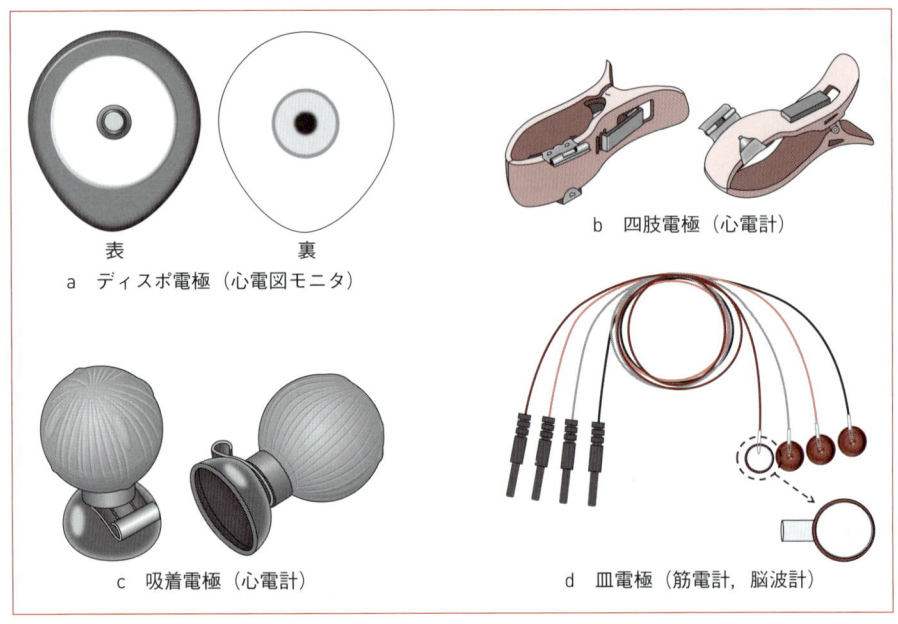

　　a　静止電位　　　　　　　　　b　静止電位による基線変動

図2-5　各種体表面電極

a　ディスポ電極（心電図モニタ）
b　四肢電極（心電計）
c　吸着電極（心電計）
d　皿電極（筋電計，脳波計）

keyword

電荷の分布

電荷が分布する原因は，静止電位の他に分極電位（※9）があり，生体電気現象を精度よく計測するためには，両者の電位を限りなく小さくすることが重要となる．

※9．参照：第1章2-4 計測器の構成 1）電極（p.32）

面付近（生体側）に陰イオンが集積することにより，電荷の分布が生じる．この電荷の分布によって生じる電圧が静止電位であり，電極で使われている金属の材質にもよるが数十mV程度に達することがある．したがって，静止電位は心電図信号の振幅（1 mV程度）と比べてもとても大きいことがわかる．現在，心電図モニタなどで用いられている体表面電極は，金属材質とペースト素材（電解質）の組み合わせ（Ag/AgCl：銀/塩化銀）により，この静止電位を限りなく生じさせないように工夫されている（※9）．また，静止電位の影響で，生体電気信号の基線変動（動揺）が生じて，計測に影響が生じることがある（図2-4b）．
　心電図などで用いられている体表面電極を図2-5に示した．

2. 心電計
1) 心電図波形
(1) 刺激伝導系と心電図波形

　心電図は，P波，QRS波，T波からなり，心筋の興奮（脱分極）と興奮がさめる過程（再分極）を示している．心臓の興奮は，刺激伝導系により心臓全体に伝えられるが，最初に洞結節より始まる（図2-6）．洞結節は上大静脈基部に存在し，発生した刺激によって右房壁に刺激が広がり，結節間経路から枝分かれしたバッハマン束により左房も興奮させる．心電図上，両心房の興奮はP波として確認される．心房全体の興奮波は，心室中隔近くに存在する房室結節に伝わるが，その伝導速度は刺激伝導系のなかでももっとも遅く，心室の興奮は心房の興奮後，0.12～0.20秒遅れて始まる．これは，心房収縮による心室への血液の物理的移動に貢献している．ここまでが，心房から心室への伝導時間（房室伝導時間：PQ時間）として計測される．

　房室結節を出た刺激伝導系は，ヒス束を経由して心室中隔に入る．ヒス束は心室中隔に下降してまもなく，左脚と右脚に分岐し，左脚はさらに前枝と後枝に分岐する．ヒス束に始まるこれらの線維はプルキンエ線維とよばれ，心室内膜下に至り，心筋に刺激を伝導する．興奮刺激伝導系のなかでもヒス束からプルキンエ線維に続く伝導系の伝達速度はもっとも速く（2～5 m/s），大きな心室全体を同時に興奮させるのに役立っている．その直後には心室壁の心内膜面に興奮が伝わり，最終的には大きな左室の方が右室よりやや遅れて左室心基部に終わる．心室全体の興奮は，QRS波として描画され，その持続時間がQRS時間（心室の脱分極に由来する波形）として計測される．

　心室を詳細にみると，興奮は心内膜から心外膜に伝わり，心尖部から心基部に向かって進んでゆく．心内膜下の心室筋と心外膜の心室筋とを比較すると，心外膜の心室筋の方が活動電位持続時間は短い．部位によ

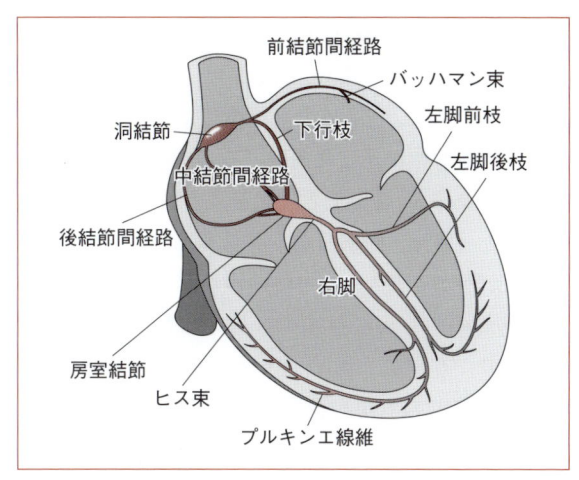

図2-6　刺激伝導系

U波については，成因が不明な点があるため，図中に表示しない．

*：心拍数により影響されるので，QTcにより評価する（正常値 0.35～0.44）．

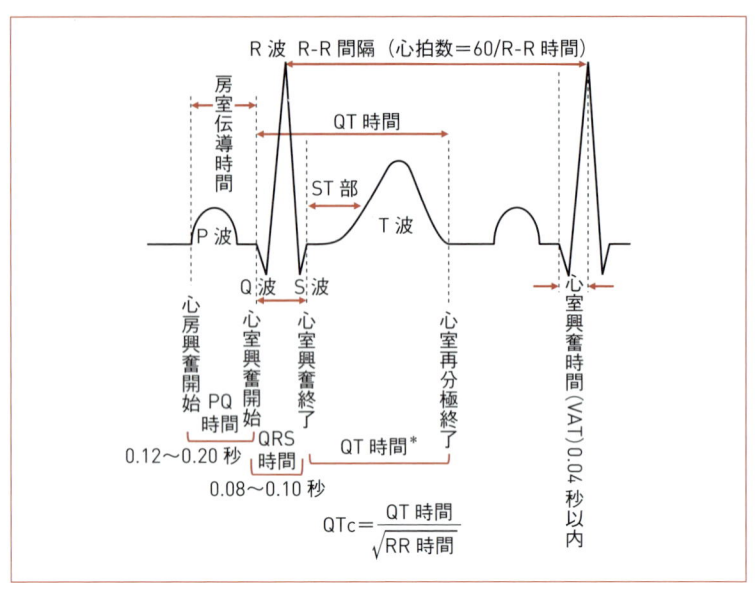

図2-7 心電図波形

る活動電位持続時間の違いにより，脱分極とは逆に，再分極は心外膜から心内膜方向へ進む．心室の再分極は，心電図上T波として描画される．心室の興奮から再分極終了までをQT時間として計測する．刺激伝導系に沿って現れる心電図波形と心電図計測に使われる時間を図2-7に示す．計測時間は波形がはっきりみえる誘導であればどこでも同じはずであるが，各波の形が明瞭であることから刺激伝導系の方向に沿ったⅡ誘導が使われることが多い．

①P波

P波は，心臓の電気的活動が始まり最初に出現する心房筋の興奮を表すなだらかな波形である．洞結節がある右房が先に興奮し，次いで左房が興奮する．P波は，近接する2つの山から構成されるが，体表面から計測する心電図では明瞭な区別はできず，ほぼ1つの山として観測される．その後に心房興奮の再分極波（心房性T波：Ta波）も生じているが，体表面心電図では観察できない．P波の幅は0.10秒以内，高さは0.25 mmV以下を正常とする．右房拡大（負荷）では，Ⅱ誘導でP波は増高（0.25 mV以上）するが幅は正常範囲内である（図2-8）．右房の拡大は，右房に近い誘導であるV_1誘導でとくにP波の明瞭な尖鋭化として観察される．左房拡大（負荷）があると，Ⅱ誘導において右房興奮に続く左房の興奮に時間がかかることからP波の幅が広がり，二峰性の形をとる．V_1誘導では，胸骨のすぐ裏に存在する右房とその後ろに位置する左房の位置関係により，左房拡大はV_1電極からみて遠ざかる興奮が強くなることを反映して最初の右房の興奮（V_1に近づく）が陽性に振れ，続く拡大した左房の興奮が遠ざかる刺激であることから大きく下向きに振れる（P波は二相性または陰性）．Ⅱ誘導では，刺激伝導系の方向に沿っ

46　第2章　生体電気・磁気計測

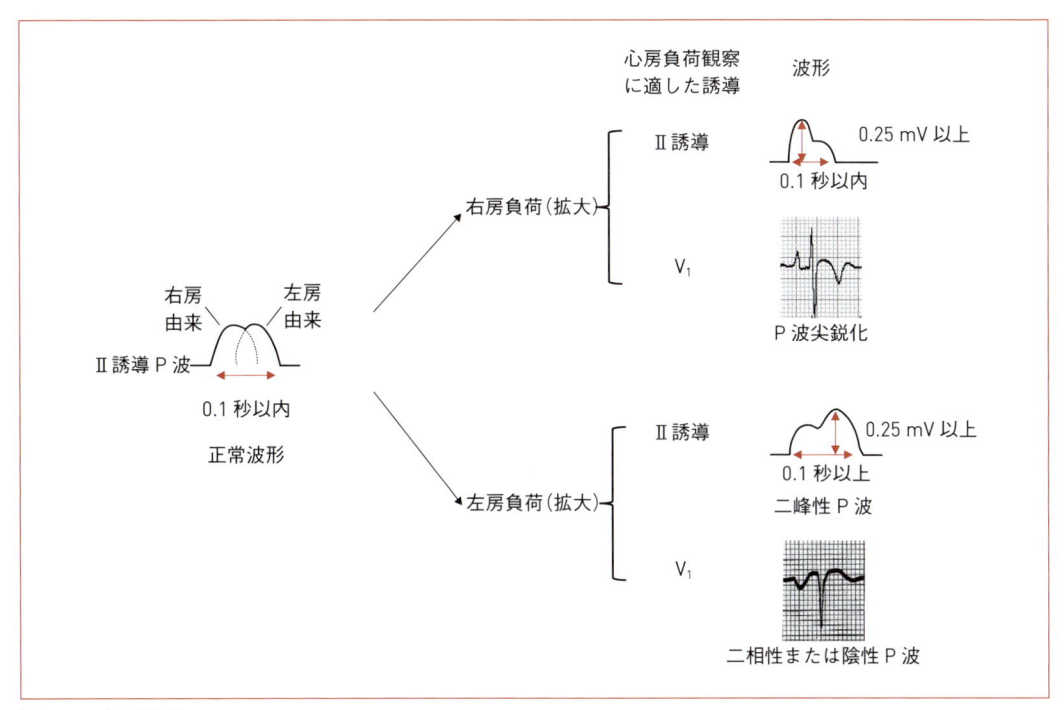

図2-8 心房負荷

ていることから、左房負荷のP波は上(陽性)に振れることが多い.

② QRS波

P波の後に続く最初の陰性波をQ波とよぶ. 続いて起こる陽性波がR波, その次の陰性波がS波と定義されている. これらの波は, すべて心室の脱分極に由来する. その形から推察されるように, QRS波は心電図信号のなかでもっとも速い周波数成分の複合体である.

房室結節, ヒス束を経由した興奮は, 左脚中隔枝から右室中隔方面に興奮を開始し, V_1誘導において小さな陽性波(r波)(図2-9①)を作る. その後中隔を下り, 右室より大きい左室の興奮によって, V_1からみると遠ざかる波として大きな陰性波(S波)を作る(図2-9②). V_6誘導で

> **Tips**
>
> ### 心房拡大(負荷)
>
> 左房拡大の原因はさまざまであるが, おおむね①僧帽弁狭窄により僧帽弁がせまくなり左室への流入制限の結果生じる, ②心室の圧力上昇(高血圧)により心房が心室に送り込む力を増大させる必要の結果生じる, ③僧帽弁閉鎖不全により左房への逆流の結果生じる, ④心筋症, などがある. ①は左房拡大が単独で起こるが, ②〜④では左室肥大に合併するとされる.
>
> 右房拡大の原因は, 肺高血圧症に対抗して血液を送り込むため生じることや先天性疾患である. 多くの場合, 右室肥大と合併する. 左房拡大と同様に, 三尖弁狭窄症により右房肥大が出現する. 心電図変化により心房拡大を診断可能である.

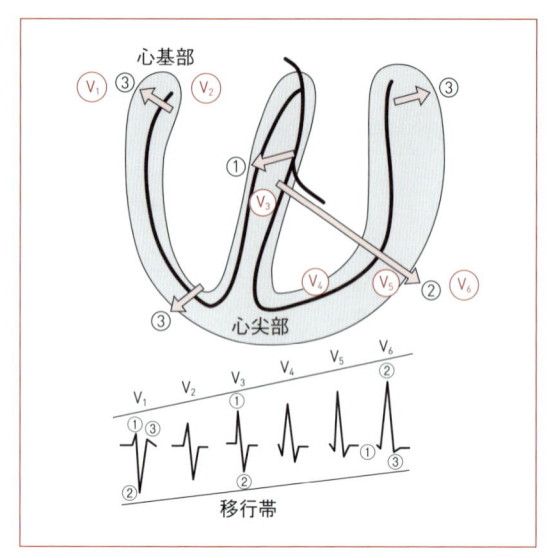

図2-9　心室の興奮とQRS波形
①左室中隔中央内側より興奮が始まる．
②興奮は，中隔から左右心室心内膜下に広がり，総合的な興奮ベクトルとしては肉厚な左室側に傾く．
③続いて興奮は，心内膜より心外膜に向かい，最終的には心基部へ到達する．

Tips 異常Q波

正常心電図のQ波はどの誘導でも非常に小さい．大きな両心室に対して効率的に生じる興奮はQRS時間を非常に短くした．左右心室は，心筋の厚さ・心筋量も異なり総合的なベクトルとしてQRSを描いている．心筋梗塞では，心筋の一部が壊死を起こし電気的活動に寄与しなくなるため，全体的なベクトル方向に劇的な変化を生じる．心筋梗塞部位で異常なQ波がみられるのは，図2-10に示すように電気的な力を失った心筋梗塞部位におかれた電極が対側のベクトルに強調されて刺激方向が逆に向くことによって陰性波を生じるためである．これを異常Q波とよび，幅が1mm（0.04秒）以上，R波の高さの1/4以上の陰性波と規定されている．したがって，異常Q波がみられる部位は心筋梗塞が起こった部位と考えられる．また，梗塞部位の反対側に置かれた電極では，異常Q波を高いR波としてとらえる可能性もある．

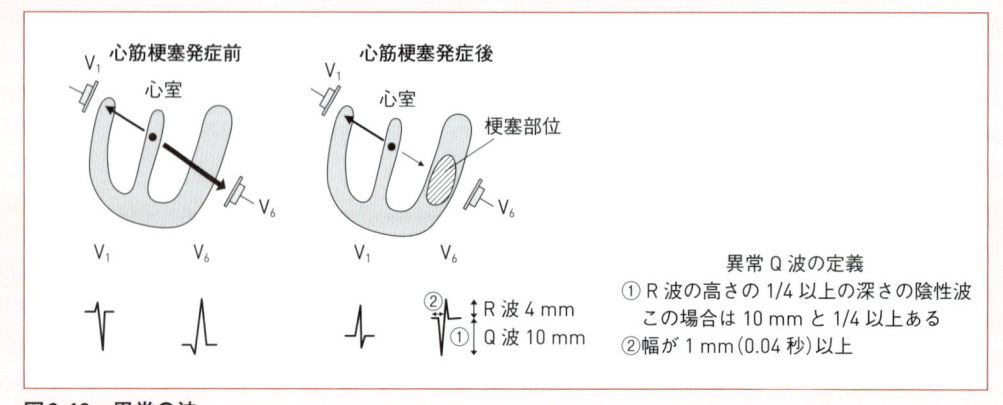

異常Q波の定義
① R波の高さの1/4以上の深さの陰性波　この場合は10 mmと1/4以上ある
② 幅が1 mm（0.04秒）以上

図2-10　異常Q波

は，V_1のr波は小さな遠ざかる陰性波（q波）として記録され，左室全体の興奮による向かってくる刺激として大きな陽性波（R波）を作る．心基部方面に向かう興奮の最終局面は遠ざかる刺激としてV_6で小さな陰性波（s波）を作ることがある．R波とS波の大きさが1：1の部位を移行帯とよぶ．移行帯は，左室と右室の電気的なバランスを示し，正常ではV_3〜V_4に存在するが，心臓を下から観察した場合，移行帯がV_1〜V_2に存在する場合は反時計回転とよぶ．また，V_5〜V_6に移行帯が存在する場合を時計回転とよぶ．場合によっては，R波が2つの山として記録される場合もあるが，このような場合は，電位の大きい方を大文字のR，小さい方を小文字のrで表し，2つ目のR波には「'」をつけて表現することが一般的である（例：rsR'，Rsr'）．QRS時間は，正常であれば0.10秒をこえることはなく，心室が非常に速い時間で脱分極していることを示している．

③T波

QRS群に続く緩やかな山（または谷）をT波とよぶ．これは，心室の再分極を表している．

図2-11に，心筋の一部をひとつの大きな細胞塊（ブロック）と考え，興奮が伝播する方向と心電図波形の関係を描いた．正常状態で興奮は心内膜側から始まり，心外膜側に進む．ブロック（細胞）内部の＋はオーバーシュートによる電位上昇を示す．心電図は，細胞外電位を測定しているという考えに基づき，図中の双極誘導（プラス側電極：心外膜側）は未興奮部位であるので細胞外液はプラスで電位変化はない．心内膜側から始まる興奮により，差動増幅によってQRSが描かれ，最終的に心電図の基線に復帰する．正常な心室筋の再分極は，心外膜側から始まり心内膜側に進む．再分極は心外膜側から発生し細胞外の電位を大きくすることから，差動増幅により陽性のT波が描かれる．心外膜側の心筋細胞に障害がある場合や脚ブロックのような刺激伝導系の異常によって，心内膜側から再分極が生じる場合には，図2-11に示すように心外膜側の電位は変化せず，再分極の始まった心内膜側から変化する．この場合，差動増幅によって陰性T波が生じることになる．したがって，陰性T波や平坦なT波は心筋虚血のサインとして重要である．胸部に置かれた電極のどの誘導にT波の陰転がみられるかを観察すると，心筋障害の部位を推定できる．

④ST部

ST部は，虚血性心筋障害，心筋梗塞の診断に重要である．心筋細胞の障害（虚血）では，細胞膜イオンポンプ機能が障害されるため，細胞内外のイオン濃度差が減少し，正常細胞部位の静止膜電位差の回復（－90 mV）がみられず静止電位が上昇する．

図2-12の最上段には，障害部位における細胞内電位が－50 mVまでしか回復しないと仮定した細胞内電位変化を示した．図2-12は，細胞

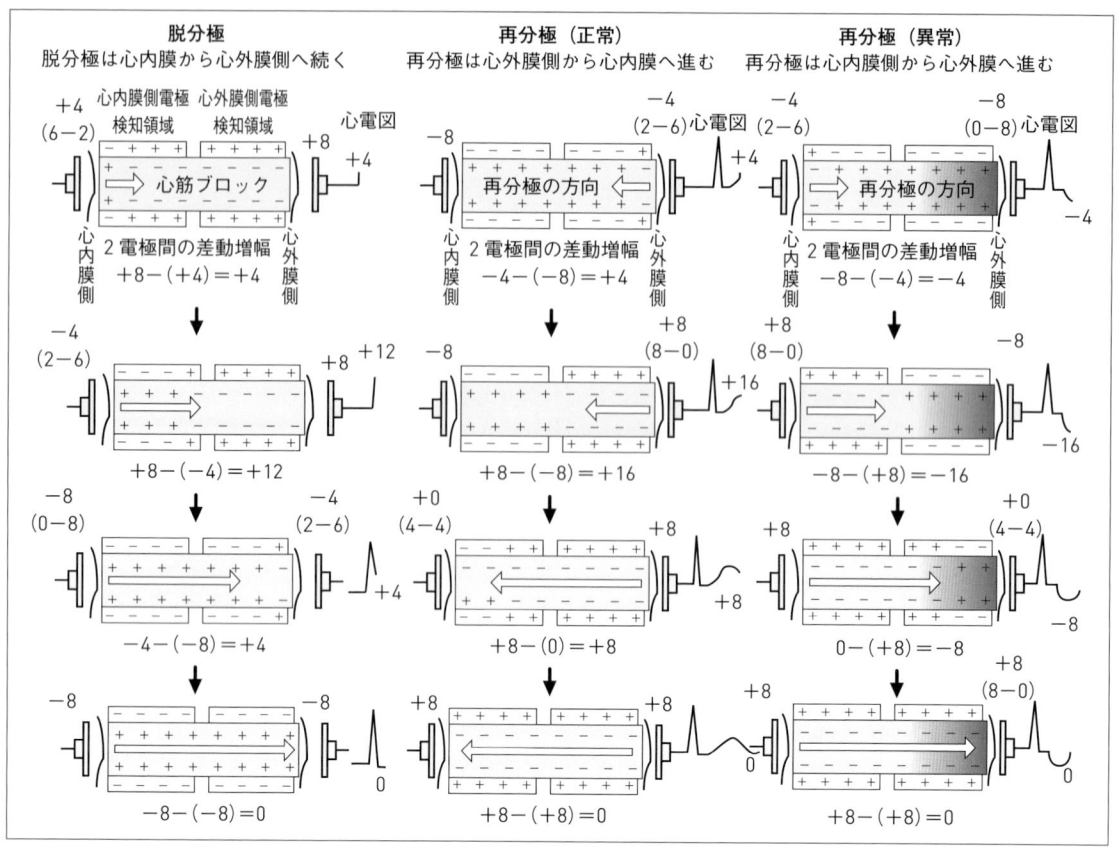

図2-11 T波

心筋ブロックの上下におかれた四角は心内膜側、心外膜側の表皮におかれた体表面電極が検知可能なエリアを示す。心電図では、細胞外電位を計測するため、興奮によるオーバーシュートによって変化した細胞外電位は差動増幅による変化分が増幅される。脱分極と再分極による電位変化スピードにより、波形は棘波（QRS）や滑らかな波形（T）に変化する。
正常では、脱分極が心内膜→心外膜、再分極が心外膜→心内膜方向に進む。再分極を示すT波は、心外膜側からの再分極によって陽性波として描かれる。おもに心筋障害では、虚血などによって心外膜側心筋の再分極の遅れから心内膜→心外膜方向に再分極が進む。これによって、図に示すようにT波は陰性に描かれる。aV$_R$、V$_1$誘導を除き、陰性T波は心筋障害のサインとして重要である。

外部に対して内部電位差が－90 mVと定義されており、細胞外からみれば静止状態の電位は正常部位が90 mVで障害部位が50 mVともいえる。心電図は、心外膜の細胞外電位から心内膜側の細胞外電位を減算したもので、心外膜側の障害によって静止電位差は上昇、心内膜側の障害によって静止電位差は下降する。すなわち、心電図における心内膜側の虚血ではSTの低下、心外膜側の虚血ではSTの上昇として現れる。心筋の外膜側までの大きな範囲において障害が生じるのは、心筋梗塞による原因も考えられ、心筋梗塞におけるST上昇が現れる原因となっている。梗塞部位においてST上昇がみられることから、どの電極位置でST上昇しているかは、心筋梗塞部位の診断において重要なポイントである。

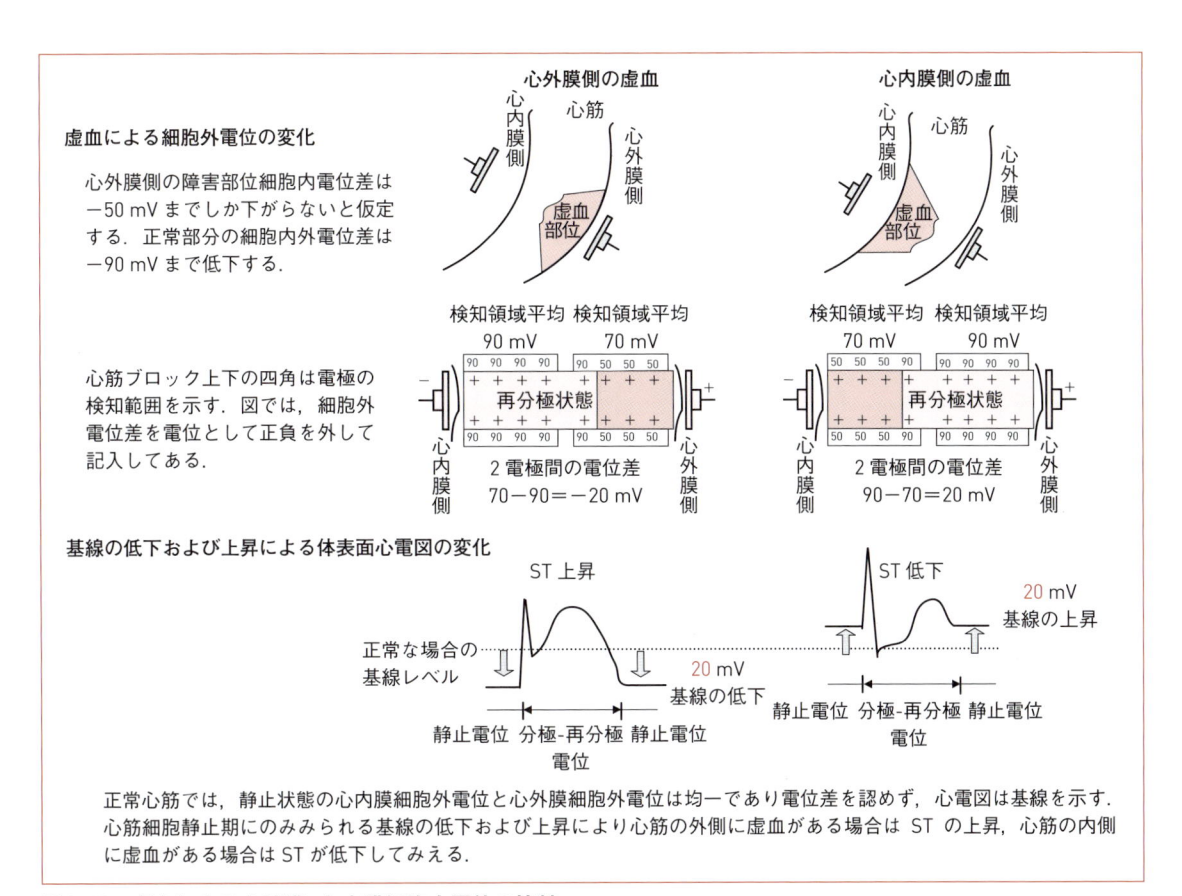

図2-12 虚血による心外膜, 心内膜細胞内電位の比較

(2) 心電図の計測
①心拍数

通常, QRS波は棘波でわかりやすいため, 心拍数はR-R間隔で測定されることが多い. 正常では, 50〜100回/分である.

心拍数は, 60/R-R間隔（秒）から計算されるが, 記録スピードによって1 mmあたりの時間が異なるため注意が必要である. 心電図の記録スピードは, 25 mm/秒（1 mm＝0.04秒）が一般的であるが, 50 mm/秒（1 mm＝0.02秒）や, 不整脈観察のため長時間記録する場合などでは5 mm/秒（1 mm＝0.2秒）も記録可能であるため注意する.

②PQ（PR）時間

P波の開始点からQRS群の開始点までをPQ時間として測定する（図2-7）. Q波がみられない場合はPR時間と表現される. 正常のPQ（R）時間は0.12〜0.20秒である. 正確には, 洞結節で起こった興奮が心房全体に及び, 房室結節からヒス束まで伝達され, 心室筋が興奮を開始する直前に必要な時間を表している. 心房興奮後, 房室結節からヒス束へ連続する興奮はP波とQRS群の間の基線として現れる. 心房興奮開始から心室興奮が始まるまでの時間ともいえる.

生体電気計測　51

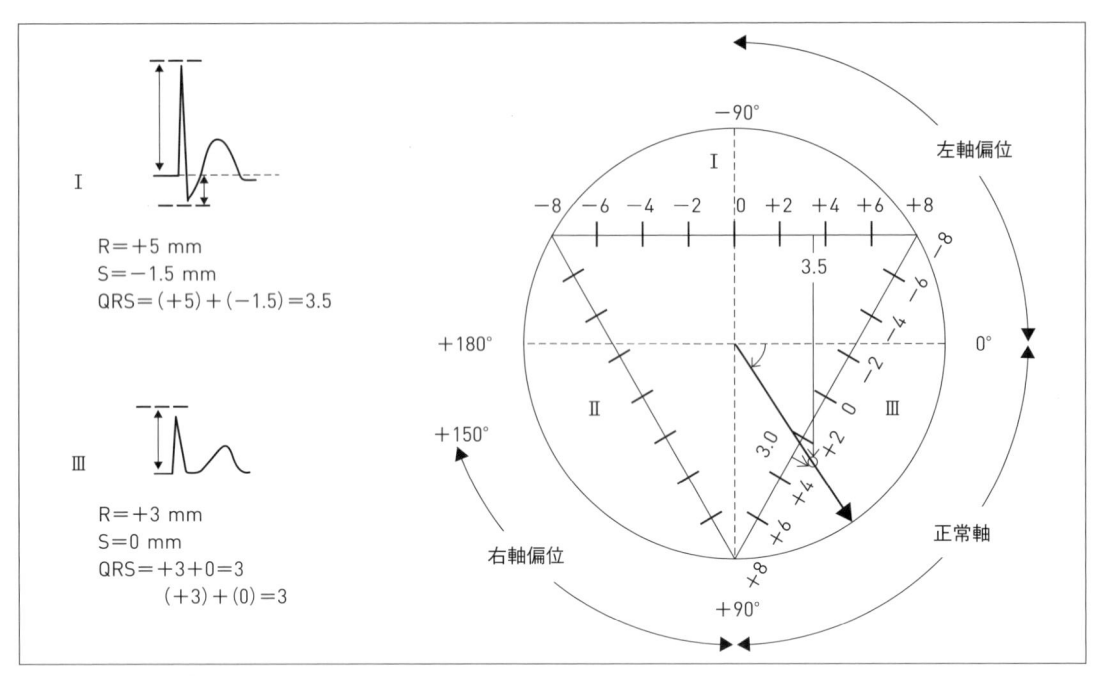

図2-13 双極誘導と電気軸

③QRS時間および心室興奮時間（VAT）

　QRS時間は，ヒス束の刺激を経た興奮が脚からプルキンエ線維に至り心室筋が興奮（脱分極）したことを示す．心室筋は，その厚みから心電図において高い電位（大きな振れ）を生じる．また，刺激伝導系でもヒス束からプルキンエ線維に続く伝導系がもっとも速い（2〜5 m/s）といわれており，大きな心室全体を同時に興奮させるためQRS時間は非常に短く，正常値は0.10秒以内である．QRS群の開始点からR波の頂点までの時間は，心室興奮開始から胸部におかれた各電極直下の心筋に興奮が届いたことを示し，心室興奮時間（VAT）とよばれる．V_1，V_2におけるVATの延長は右側（右脚）の伝導に時間がかかったことを示し，右脚ブロックにおいて観察される．V_5，V_6でのVATの延長は左脚ブロックを示す．

④QRS平均電気軸

　心室は立体的構造物であることから，心室の興奮の広がりと電極の位置によってQRSの形（大きさと方向：ベクトル）は異なる．R波とS波の大きさから心室の電気的軸方向を示したものが平均電気軸である．心室肥大は解剖学的位置の変化をきたし，電気的な軸方向変化にもつながる．刺激伝導系の異常によっても電気軸は変化する（脚ブロックなど）．QRS平均電気軸は，Ⅰ誘導のR波とS波の代数和とⅢ誘導のR波とS波の代数和を求め，図2-13のように前額面上の電気軸として計測する．電気軸は，左軸偏位，右軸偏位，正常軸の3つに分類され，正常軸は0〜90°をとる．左軸偏位は0〜−90°とし，−30°以上を病的な左軸偏位

とする．左室肥大や左脚ブロックでは左軸偏位になることが多い．右軸偏位は＋90〜150°である．＋110°以上を病的な右軸偏位とよんでいる．高度の右室肥大や右脚ブロックでは，右軸偏位となることが多い．

⑤QT時間

QRS群の開始点からT波の終了点までをQT時間という．心室の電気的興奮が開始されてから再分極が終了するまでの時間（電気的心室収縮時間）を示している．頻脈時には短く，徐脈時には長くなる．このような心拍数による影響を補正するため，その評価にはQTcが利用される．QTcの正常値は，成人で0.35〜0.44である．

$$QTc = \frac{QT時間}{\sqrt{R\text{-}R時間}}$$

⑥U波

T波に引き続いて非常に緩やかな陽性波が生じる場合がある．これをU波とよぶが，その成因ははっきりしていない．正常なU波はaV_R誘導以外で常に陽性であり，T波と比べるとその高さはかなり低い．とくに，陰性U波は虚血性心疾患との関連が指摘されている．

⑦キャリブレーション

通常，心電図は10 mm/mVのキャリブレーション（矩形波）で記録される．左室肥大など，心室が大きくなり高電位が生じた場合は，5 mm/mVで記録され，波形の大きさは記録上，半分になる．逆に，浮腫や心囊液貯留などで心電図電位が非常に小さい（低電位）場合，20 mm/mVで記録することで波形の大きさを2倍にできる．

2）誘導法

(1) 四肢誘導（双極誘導，単極肢誘導）

心電図の四肢誘導は，双極肢誘導と単極肢誘導に大別される．

双極肢誘導は，体表面における任意2点間（A，B）の電位差（A-B）を測定する誘導である．標準12誘導では，Ⅰ，Ⅱ，Ⅲ誘導が双極肢誘導であり，2点間として手足が使われる（表2-1）．四肢に接続する電極は，その胴体の接続部分（肩や腰）に変えても大きな変化はない．

単極誘導は文字通り，1点の電極によって誘導される電位である．単極誘導の場合，問題となるのは基準点である．体表面上の2点における電極のうち片方が0であれば絶対値の変動を取り出すことができるが，心臓が拍動をしているかぎり導体である人体において常に電位が0という部位は存在しない．ウィルソンは，この問題に対し右手・左手・左足に5 kΩ以上の抵抗をいれた結合点は0に近く，ほとんど電位変動を示さないとして擬似的な0点を作り解決した．これを心電計のマイナス側に結合して測定した単極肢誘導（ウィルソンの結合電極：不関電極）は，V_R，V_L，V_Fで表される．これに対し標準12誘導の単極肢誘導は，ゴールドバーガーが作り出した不関電極を用いて記録されている．この結合様式は，測定しようとする手足の部分をウィルソンの結合電極からはずして誘導しようとする方法である（図2-16）．ゴールドバーガーの結合

表2-1 標準12誘導

	誘導記号	誘導部位および極性	
		+	−
標準四肢誘導（双極誘導）	I	左手(L)	右手(R)
	II	左足(F)	右手(R)
	III	左足(F)	左手(L)
単極肢誘導	aV_R	右手	左手と左足の中間端子
	aV_L	左手	右手と左足の中間端子
	aV_F	左足	右手と左手の中間端子
単極胸部誘導	V_1	第4肋間胸骨右縁	ウィルソンの結合端子
	V_2	第4肋間胸骨左縁	ウィルソンの結合端子
	V_3	V_2とV_4の中間	ウィルソンの結合端子
	V_4	第5肋間鎖骨中線上	ウィルソンの結合端子
	V_5	第5肋間前腋窩線上	ウィルソンの結合端子
	V_6	第5肋間中腋窩線上	ウィルソンの結合端子

Tips 心電図波形の成り立ち

図2-14, 15に細胞の興奮と波形の振れ方について示す．ここで重要なのは，心電図では電極に向かってくる刺激が陽性に振れ，遠ざかる刺激が陰性に振れることを理解することである．興奮していない細胞内電位は，静止膜電位差（−90 mV）を保っている．これは，細胞内外のイオンポンプによって調節されている．細胞に刺激が加わることで，細胞の外からNaイオンが流入し細胞内電位が急上昇（+30 mV）する．この状態の心筋細胞を脱分極したともいい，興奮した状態にある．異なる細胞の状態（興奮状態と未興奮状態活動電位）が心臓を構成する細胞内外の電位差としてとらえられ，P，QRS，T波が記録される．

興奮部位と未興奮部位の電位差にしたがう実際の興奮は，複雑な伝播により均一なタイミングでの興奮を示さない．心電図計測は，心外膜細胞外電位から心内膜細胞外電位を引き算したものである．心電図において測定されているのは，心臓周囲で発生する細胞外電位を体外においた電極でとらえたものであり，心筋組織内で発生する電流ではないため，細胞内外の電位差による電流が流れるという考えは実際的ではない．2点間の細胞外電位差が心電図であると考えた方が実際にあっている．双極誘導（図2-14a）において，非興奮状態では電極間に電位差は生じないため，差動増幅は基線を示す．興奮が開始され右手電極側から細胞内が興奮によりオーバーシュートすると相対的に細胞外はマイナスとなるが，非興奮部位の左足電極の細胞外電位は大きく変化しないため，2電極間の差動増幅によりプラスに振れる（図2-14b）．興奮部位は拡大してゆく（図2-14c）が，電極からある程度興奮が離れると細胞外電位は固定され大きく変化しなくなる．同時にプラス電極（左足電極部位）でも興奮が始まることにより，細胞内電位がオーバーシュート，細胞外はマイナス電位に振れはじめ電位差は逆に小さくなる（図2-14d）．最終的に全体の興奮により電位差はなくなるため基線に戻る（図2-14e）．単極誘導電極の場合では，電極の真下に興奮が到達すれば棘波として観察できることを示した（図2-15）．

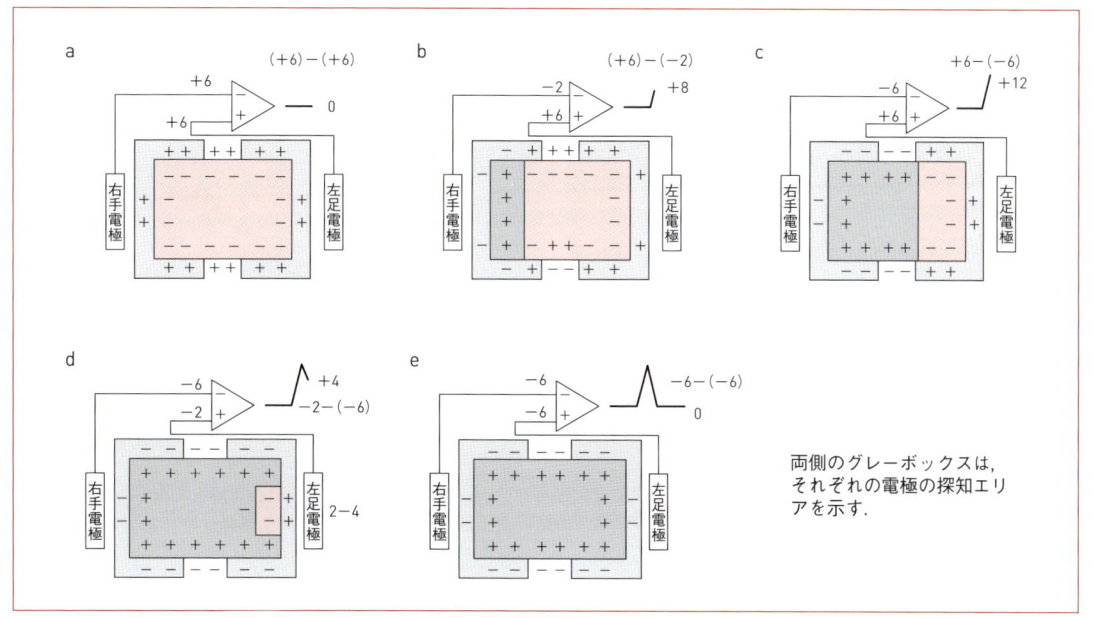

図2-14 細胞の興奮と波形の振れかた（双極誘導）

a：非興奮状態では，細胞内電位はマイナス（－90 mV）であり，細胞外は相対的にプラス電位である．
b：興奮の開始により細胞内はオーバーシュート，細胞外電位は相対的にマイナスへ興奮範囲が広がる．プラス電極では非興奮状態で電位変化なし．差動増幅によって電位は上昇してゆく．
c：興奮の拡大により細胞のオーバーシュート範囲は増大し（興奮範囲の拡大），プラス電極では非興奮状態で大きな電位変化なし．差動増幅により電位はさらに上昇してゆく．
d：右手電極は，刺激が右手電極からある程度離れたところで一定電位（－6）となり変化しなくなる．最終的に左足電極部位でも興奮開始．細胞外電位は小さくなり電極電位は小さくなる．
e：興奮が終了した瞬間は，2電極間の細胞外電位がほぼ同じとなることから差動増幅による電位差は生じなくなるため基線に戻る．

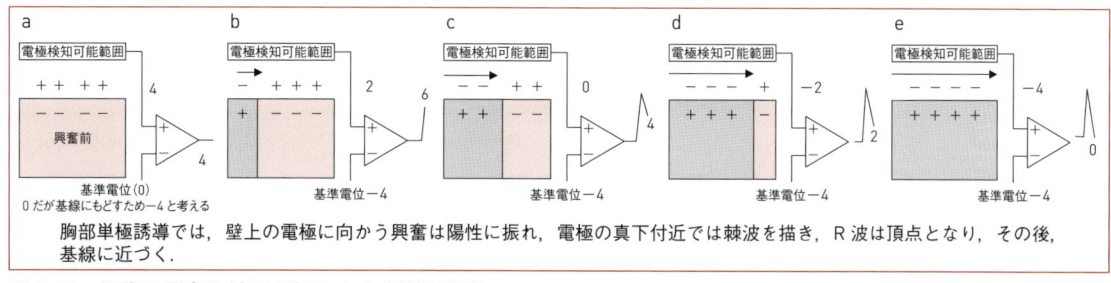

胸部単極誘導では，壁上の電極に向かう興奮は陽性に振れ，電極の真下付近では棘波を描き，R波は頂点となり，その後，基線に近づく．

図2-15 細胞の興奮と波形の振れかた（単極誘導）

a：興奮前：単極誘導は，電極電位と基準電位の差を測定する．この時点を基線とするため基準電位を－4と考えてもよい．
b：興奮による細胞外電位低下2（3－1）は，基準電位との差動増幅により6（2－（－4））の電位が描かれる．
c：電極の真下付近に興奮が近づくにつれ細胞外電位がさらに低下0（2－2），基準電位との差動増幅4（0－（－4））の電位を示す．bの電位より低下し，棘波となる．
d：電極の真下を過ぎてさらに細胞外電位変化－2（1－3）に低下，基準電位との差動増幅2（－2－（－4））の電位を示す．
e：電極検知可能範囲の脱分極終了．細胞外電位変化（－4）に低下，基準電位との差動増幅0（－4－（－4））の電位を示す．

電極では，ウィルソンの結合電極を用いて記録した場合の1.5倍の大きさに記録できる．ゴールドバーガーの結合電極を使った場合は，augment（増幅）のaをつけてaV$_R$，aV$_L$，aV$_F$と表す．これら6つの誘導は，おもに心臓の起電力ベクトルを前額面（前面）からみることに等しい．

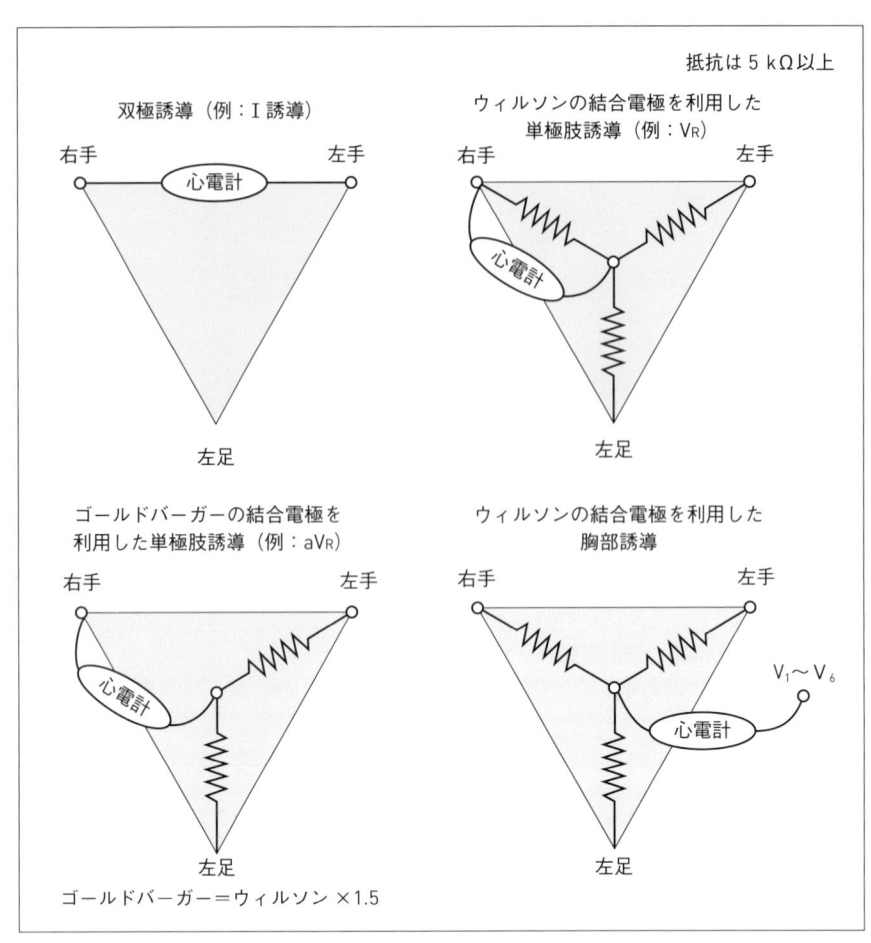

図2-16 誘導法

(2) 誘導とその観察部位

アイントーベンの三角形を心臓の中心に平行移動，さらに単極四肢誘導を重ねた6軸座標を図2-17に示す．図2-17によると，Ⅱ誘導，Ⅲ誘導，aV_Fはすべて足が絡んだ誘導であり，心臓の下壁を観察していることがわかる．Ⅰ誘導は側壁，aV_Lは左手が重なっており，高位側壁を観察している．

(3) 胸部誘導 ($V_1 \sim V_6$)

図2-18に示す位置に6つの胸部電極を配置し，心臓を取り囲む．心臓に対しておおむね胸郭断面上に置かれた各電極における心電図変化は，心起電力ベクトルを横断面（水平面）からみることに等しい．胸部誘導ではウィルソンの結合電極を不関電極として，陽極を$V_1 \sim V_6$のそれぞれの部位に配置した電極により記録した波形である．V_1，V_2は心臓に対する位置からみて右房や右室の前面にあり，心室中隔の診断にも使われる．右房のすぐ前にあることからP波の観察にも優れ，P波がみやすいということは不整脈の診断や心房に対する負荷の観察に有効である．V_3，V_4の位置は左室前壁の観察に優れ，腋窩線上のV_5，V_6は心臓

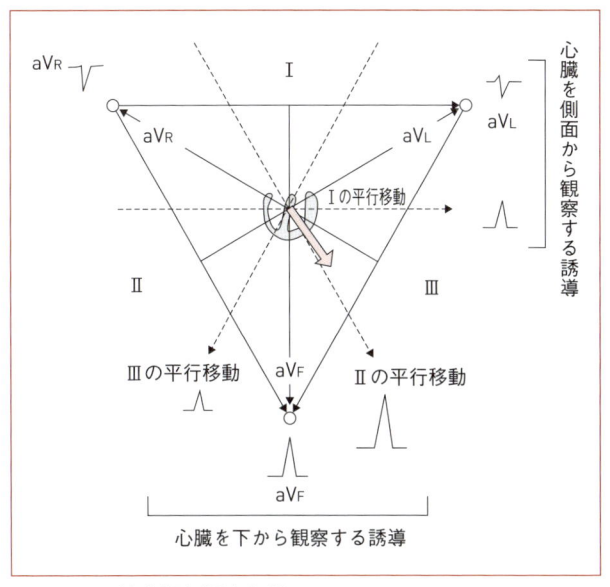

図2-17　6軸座標と観察部位

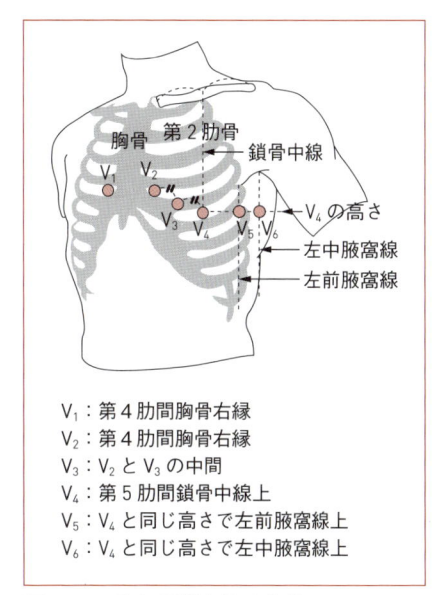

図2-18　胸部誘導と観察部位

の左室側壁の観察に有効である．

3) 心電計の工学的側面
(1) 心電図と波形の合成
　それぞれの誘導法から心電図をみた場合，その電位は方向と大きさをもっており，ベクトルとして考えることができる．四肢誘導相互間では，理論的に他の誘導を使って合成が可能である．アイントーベンの法則より，Ⅱ＝Ⅰ＋Ⅲである．また，単極肢誘導は各誘導を平行移動することによって，その合成ベクトルが0になる．アイントーベンの三角形からⅢ誘導のベクトルを平行移動しaV_Fと合成する．ベクトルの加算とするために，aV_Fを2倍する．したがって，aV_FはⅡ誘導とⅢ誘導の平均的な波形であることが理解できる．同様に，aV_RはⅠ誘導とⅡ誘導の平均的波形を上下反対にした形である．aV_LはⅠ誘導からⅢ誘導を減算した平均の形である．このように単極肢誘導は，双極誘導を用いて表すことが可能である．また，Ⅱ＝Ⅰ＋Ⅲであることから，Ⅰ～Ⅲのうち2つの誘導があれば，標準四肢誘導の双極，単極のすべてが合成可能である．この法則は，心電図の自動解析に適用されている（図2-19）．

(2) 心電計の増幅器周波数特性
　心電図はP波，QRS群，T波の連なった波の集合体であり，その周波数は0.05～100 Hzに分布する．したがって，心電図を増幅するときは，0.05～100 Hzの信号に対して平坦な増幅特性が必要となる．心電計に低周波発振器を接続し，いろいろな周波数信号を入力すると，低域遮断周波数0.05 Hz前後，高域遮断周波数100 Hz付近までの平坦な周波数特性をもっていることが確認できる（図2-20）．これらの遮断周波数は，中

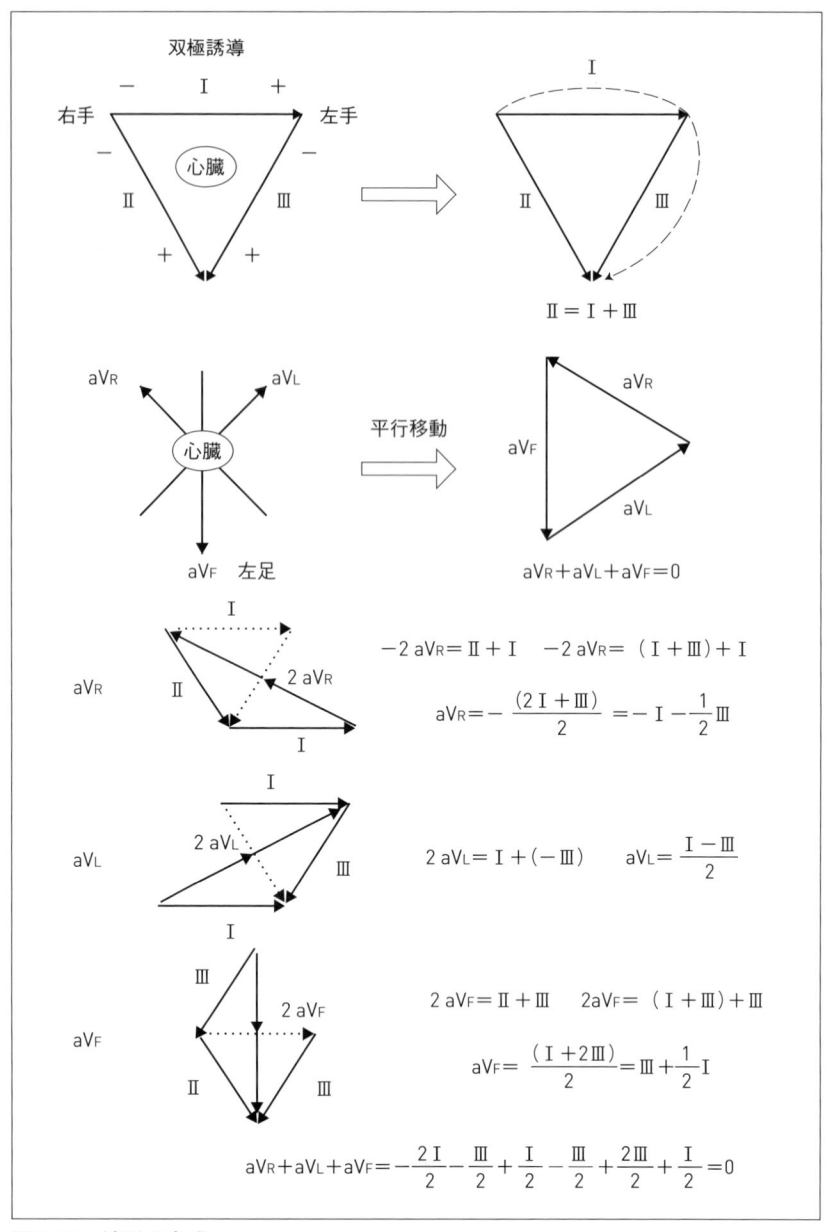

図2-19 波形の合成

域の平坦な部分の増幅利得に対する$1/\sqrt{2}$（－3 dB）となる周波数として決定される．心電図の周波数特性をみると，0.05 Hz以下は心電図信号ではなく雑音であるため，増幅をおさえる設計となっている．0.05 Hz付近の雑音には，発汗，体動や呼吸変動によるドリフトがあり，低域遮断周波数が小さくなればこの影響によって基線の動揺が起こり，安定した波形を得ることができないなどが想定される．ハムカットフィルタ（デジタルフィルタ）を入れると，特異的な50～60 Hz付近の増幅の低下が認められ，ハム雑音を除去することができる．しかし，ハムカットフィ

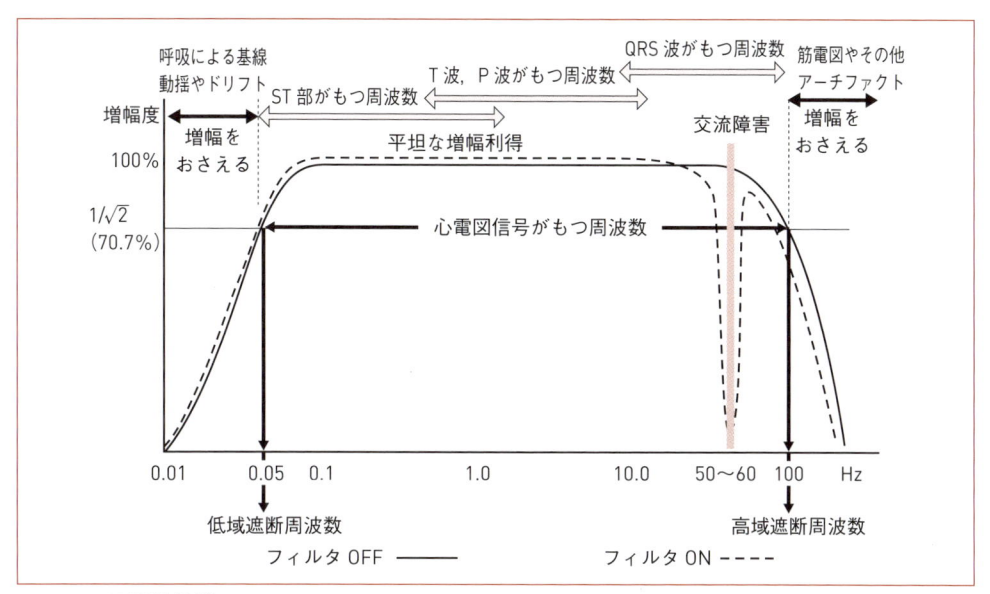

図 2-20 周波数特性

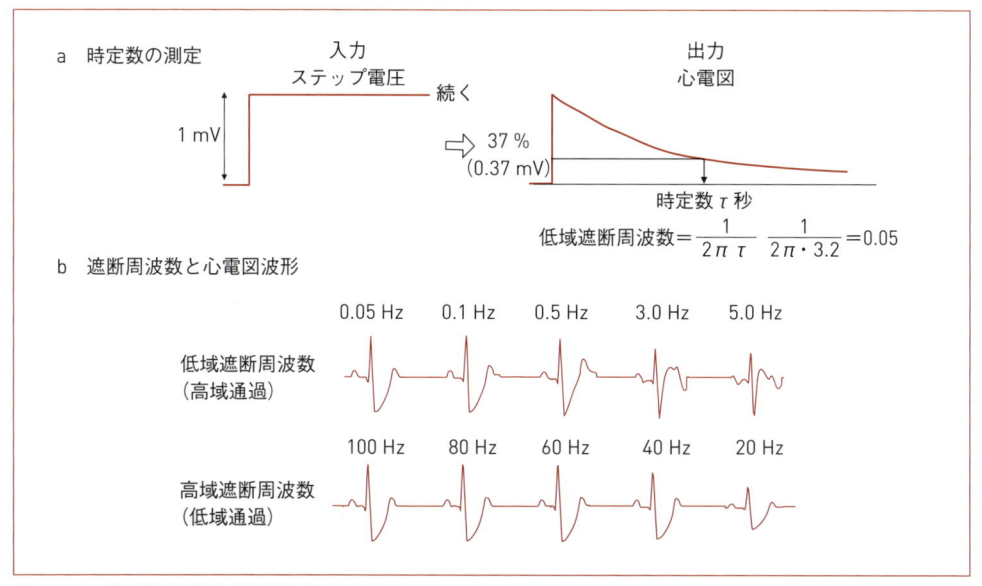

図 2-21 遮断周波数と波形変化

ルタをONにしてもOFFのままでも低い周波数成分の周波数特性（増幅度）は変化しないことから，ST部分は同じように測定されることがわかる．

　図2-21に低域遮断周波数の変化による心電図波形への影響を示した．低域遮断周波数の上昇（0.05 Hz以上）により心電図信号の低い周波数成分であるSTの信号が増幅されず，虚血性心疾患患者の心電図波形への影響が懸念される．図2-21のように，低域遮断周波数の上昇とともに最初にST波形が変化している．逆に，高域遮断周波数が小さくなる

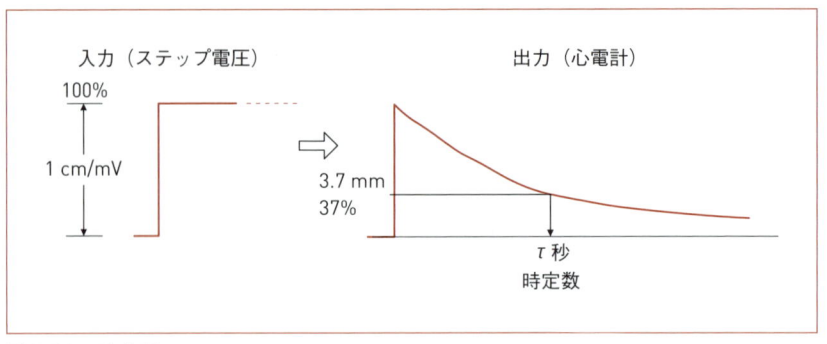

図2-22 時定数

と，速い周波数成分であるQRS群の振幅が最初に減衰している．これにより，心室肥大の心電図診断に影響があることも考えられる．

(3) 心電計の低域周波数特性（時定数）

　心電図の低い周波数信号に対する特性を表すのが低域周波数特性，すなわち時定数（τ）である．簡易的に低域周波数特性を確認する方法に時定数の測定がある．これは，ステップ電圧の入力（1 mVの電圧を加え続ける）に対する出力応答をみている．ステップ電圧に対する出力は徐々に減少してゆくが，最初の振れを100%として37%（$1/e$：eは自然対数2.718）になるまでの時間が時定数として定められている（図2-22）．1 mVの電圧を加えた直後の波形は高い周波数を含み垂直に上昇しており，心電計の出力も急激に上昇する．入力波形は，その後も1 mVであり続けるため，その周波数は時間とともに低くなる．直流（DC）は心電図として増幅すべき信号ではなく，雑音としてカットされるべきである．したがって，心電図の出力は時間経過にしたがい低下する．問題は，どの程度で下がってゆくのが理想であるかということである．この解答は，「0.05 Hz以上を増幅するように下がる」となる．時定数が大きいとは，時間経過による変化は緩やかであり，時定数が小さいほど減衰は速くなる．心電図では，時定数は3.2秒以上であることとされている（日本産業規格：JIS）．時定数からは低域遮断周波数が算出できる（低域遮断周波数＝$1/2\pi\tau$）．この式からわかるように，時定数と低域遮断周波数は反比例の関係にあり，時定数が3.2秒であれば低域遮断周波数は計算上0.05 Hzとなり，心電図の下限周波数と等しくなる．

(4) 心電図の記録上の注意点

① 四肢電極の付け間違い

　四肢誘導の誘導コードは，電極の付け間違いがないように色と記号で識別されている．一般的に起こる間違いとしては，左右の手の電極の付け間違いが多い．四肢誘導コードの長さが違うため，手足の電極を付け間違えることは少ないと考えられるが，付け間違えた場合でも元の波形を推測することはできる．パズルのようではあるが，誘導位置と極性を理解していればむずかしい問題ではない（図2-23）．右手電極と左足電

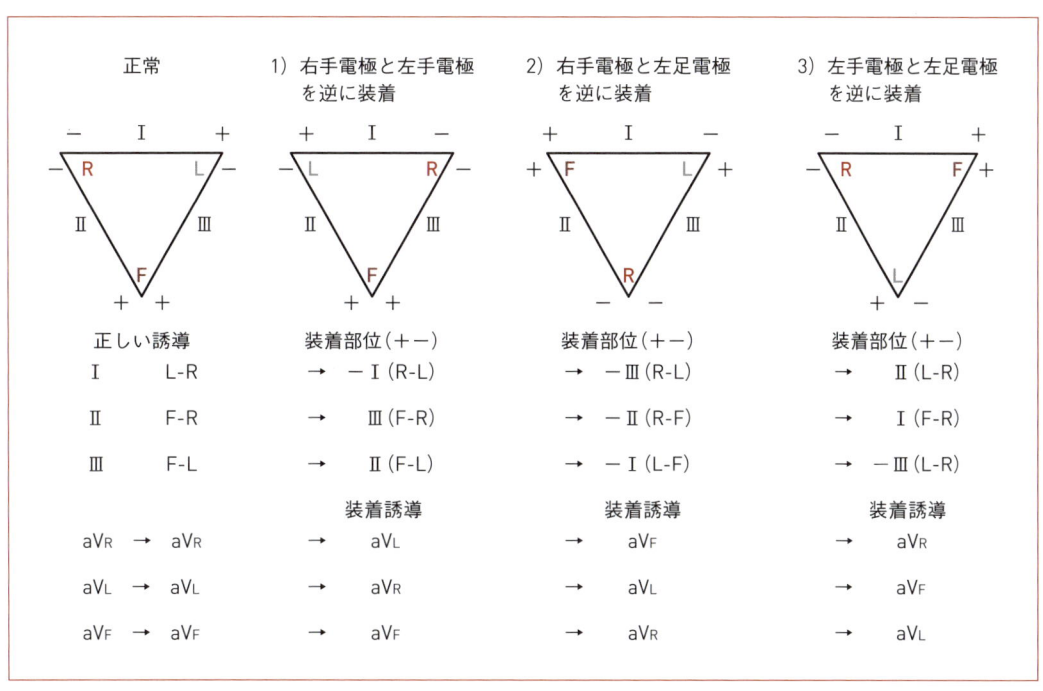

図2-23 四肢電極の付け間違い
正しい組み合わせの電極(L-R, F-R, F-L)が誤ってどこについているか確認する．さらに，正常と比べ，＋と－が逆に装着されていれば波形は陰転する．
単極誘導は，表示誘導と装着誘導が入れ替わる．

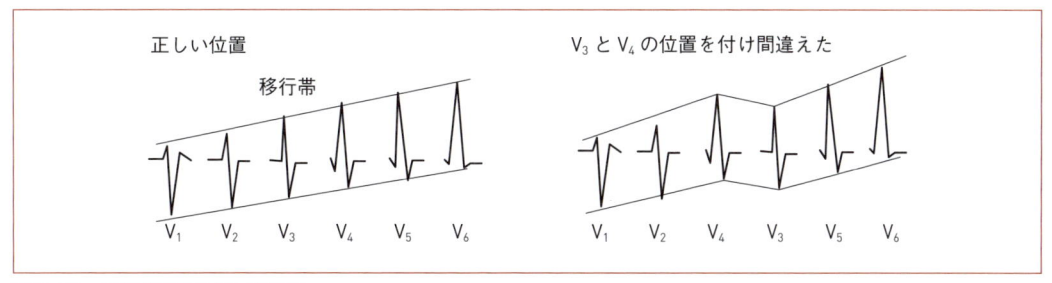

図2-24 胸部電極の付け間違い

極を間違えると，LとFの電極の組み合わせ（Ⅲ誘導）が本来のⅠ誘導に装着されていることから，Ⅲ誘導として記録されるのはⅠ誘導波形となる．さらに，Fが＋でLが－であるが，正常なⅠ誘導と比べると反対に装着してあるので，Ⅲ誘導に記録されるのは陰転したⅠ誘導となる．FとRの組み合わせ（Ⅱ誘導）は，同じⅡ誘導に装着されているが＋と－が逆転していることから，逆転したⅡ誘導が記録される．LとRの組み合わせはⅠ誘導であるが，本来のⅢ誘導に装着されている．Ⅰ誘導にはⅢ誘導が記録され，やはり極性が反対になっていることから，Ⅰ誘導にはⅢ誘導が逆転して記録される．単極四肢誘導（aV_R，aV_L，aV_F）は，付け間違い部位（装着部位）と単極誘導の間の交換が生じる．胸部誘導は，ウィルソンの結合電極（右手，左手，左足を結合）を0電位として

生体電気計測

利用していることから考えても，四肢誘導の電極の付け間違いによる影響を受けない（他の電極の付け間違いは図2-23を参照）．

②胸部電極の付け間違い

各胸部電極（V_1〜V_6）には色がつけてあり，間違いを防ぐようになっているが，胸部電極の付け間違いも起こりうる．たとえば，V_3（緑）とV_4（茶）の位置を間違えてしまうと，正常ではV_1からV_6へのR波の増高が順番に並ぶはずであるが，V_1からV_3で増高し，V_4で逆に小さくなりV_5で急な増高が確認される．V_1からのR波の増高が少ない場合も病的所見であるため，V_1からV_6の順にR波の増高をしっかり観察する必要がある．病的所見が乏しく移行帯の場所が急に変わる場合は，付け間違いや電極位置の間違いの可能性もある（図2-24）．

(5) 心電計の性能（T 0601-2-25：2014）

①校正電圧

心電図の校正波は，1 mVが10 mm振れるように設計されている．校正波形の切り替えによって，1 mV = 20 mmや1 mV = 5 mmに変更が可能である．左室肥大の胸部誘導では，電位が高いため1 mV = 5 mmが使用される．

②同相除去比（CMRR）

逆相成分（信号）に対して同相成分（雑音）の増幅度の比率をいう．心電計では，入力部にフローティング回路を構成しているものが多く，実際に計測した場合を考慮して測定時に電極インピーダンスの不均衡分を入れたCMRRは，JISでは89 dB相当と規定されている．心電図の増幅には差動増幅器が用いられる．2つの入力の差を増幅する差動増幅器において，異なる部位の入力は電位が異なるためその差を増幅できる．しかし，雑音は部位によって変わらず同じように入ってくる（同相）ため，差をとることにより小さくなる．これは交流雑音の抑制に役立つ．

③記録紙送り速度

記録紙は一定速度で排出し心電図を記録する．記録スピードによって1 mmあたりの時間は変化する．通常では，毎秒25 mm，50 mm，5 mmがあり，1 mmあたりの時間はそれぞれ0.04秒，0.02秒，0.2秒となる．

④入力インピーダンス

心電計の入力インピーダンスは約3 MΩ以上である（T 0601-2-25では2.5 MΩ以上とされている）．

⑤雑音レベル（内部雑音）

心電図の信号が入力されても増幅器自体の内部雑音が大きければきれいな記録はできず，内部雑音は小さい方が優れる．心電計の雑音レベルは最大30 μV以下と規定されている．これは，標準感度（1 mV/cm）の記録において0.3 mmと等価で記録線との区別がつかない（心電図の線幅に相当）．

⑥正弦波特性（T 0601-2-25：2014）

　心電計はA〜Eの試験において基準入力電圧をもつ正弦波（A-D）と三角波（E）において出力応答を満たす必要がある．

＜10 Hzの出力信号を基準としたとき＞

A：基準1 mV．0.67 Hzから40 Hzにおける正弦波の基準に対し±10％

B：基準0.5 mV．40 Hzから100 Hzにおける正弦波の基準に対し＋10％から－30％

C：基準0.25 mV．100 Hzから150 Hzにおける正弦波の基準に対し＋10％から－30％

D：基準0.25 mV．150 Hzから500 Hzにおける正弦波の基準に対し＋10％から－100％

E：基準1.5 mV．≦1 Hz，20 ms幅の三角波の基準に対し＋0％から－10％

⑦記録器

　記録器は，増幅した心電図を時系列にしたがって記録する機器であり，検流計（ガルバノメータ）が使われてきた．検流計の針の先端に熱ペンをつけたタイプの記録器は熱ペン式記録器とよばれる（アナログ信号を記録）．感熱紙をこすって記録する記録器の周波数特性は低く，100 Hz程度までしか記録できないため，一般の心電図には使用されるが，心腔内心電図のような高い周波数を含む心電図は記録できない．近年は，アナログ信号をADコンバータによりデジタル信号に変換し，デジタル化信号をサーマルアレイ式レコーダで記録している．これは，ガルバノメータなどを使用せずに，サーマルヘッドとよばれる発熱抵抗体を1 mmに8〜16本（1本を1ドット）の密度で1列に並べた記録デバイスを用い感熱記録紙を発色させるものである．デジタル信号専用の記録方式で，必要な点のみの素子を瞬時に発色させることでペンの回転や移動なしに記録を行うことができるため，非常に高い周波数特性（2,000〜3,000 Hz）をもち，ほとんどすべての生体情報記録に適応できる．現在では，心電計もすべてこの方式を採用している．とくに，ヒス束心電図など心腔内心電図では，体表面から測定する心電図より高い周波数特性が必要なため，サーマルアレイ式レコーダなどが使用される．サーマルアレイ式レコーダは多チャンネル化が容易であり，複数波形の同時記録だけでなく文字も記録できる（波形だけでなくトレンドグラフなども記録できる）．

4）その他の心電計

(1) ホルタ心電計

　ホルタ心電計の名称は，アメリカの物理学者であったNorman Holterに由来する．ホルタは，1947年に脳波の送信，引き続き心電図の送受信に成功した．当初，テレメータによって始まった技術は，小型テープ

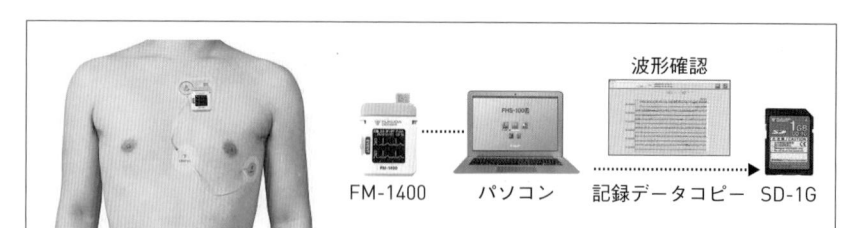

図2-25　ホルタ心電図
付属ユーティリティソフトをインストールしたパソコンと接続することにより，会社指定のSDカードへの転送や解析前の波形データの確認可能である．
記録したデータは，ホルタ心電図解析ソフトによる自動解析や多彩な編集機能による解析ができる．
(Digital Walk FM-1400)

レコーダで磁気テープに心電図を長時間記録するようになり，24時間連続記録が行われるようになった．現在は，アナログ方式からデジタル方式に変わり，記録媒体もUSBやSDメモリカードが用いられている．

ホルタ心電計の目的は，通常の心電図記録ではとらえられない動悸，脈の乱れ，胸痛，胸部圧迫感，欠神発作の記録であり，患者の自覚症状が出たときに心電図を記録するものである．記録日の行動記録（労作，入浴，食事，排泄など）をとり，自覚症状と照らしあわせる（自覚症状と記録を一致させるために本体にイベントスイッチが備わっている）．その他，不整脈の発生回数や重症度の評価，虚血変化の評価（自覚・無自覚を含む），抗不整脈薬や狭心症薬の薬効評価，リハビリテーション評価，ペースメーカの機能（ペーシング・センシング異常）評価にも用いられることがある．ホルタ心電図の解析により，STレベル，STスロープ，HRなどが時間経過にしたがってトレンドグラムで表示できる．長時間のSTレベル変化をみるのに有効であり，一定時間ごとの1心拍ごとの波形を平均加算したスーパーインポーズ機能により，STの低下，上昇を視覚的に把握できる．

圧縮心電図は，ホルタ心電図法で得られたすべての心電図を一定の縮尺で縮小表示したものである．自覚症状などと照らし合わせたり，圧縮心電図の観察をもとに不整脈部分を拡大心電図として表示したりする．自動的に分類されたこれらの解析データは，最終的に正常，異常波形の確認，アーチファクトの除去，自覚症状，行動記録と心電図波形のすりあわせなどの編集作業を行った後に報告される（図2-25）．

①ホルタ心電図の誘導法

ホルタ心電計では，12誘導が記録できるような機器もあるが，多くの場合，アース（右肩前胸部）を含めた5つの電極から2つの双極誘導を同時記録している．さまざまな誘導法が用いられているが，筋電図の混入の少ない誘導を選択する．一方の誘導に不整脈の診断に役立つようにP波が識別しやすいNASA誘導（胸骨剣状突起部－胸骨柄），もう一

方の誘導にST変化を反映しやすいCM5誘導（V_5－胸骨柄）が選択されることが多い．

(2) 生体情報モニタ

　モニタは監視するという意味であり，心電図だけではなく体温，血圧などの他の情報も含む．病棟や集中治療室，オペ室などで使用されるこれらの機器は患者監視装置とよばれる．患者の生理的状態を長時間にわたり監視し，必要に応じてアラームを発する役目をもっている．

　心電図のモニタは，正確な診断より監視という目的に重点が置かれているために，呼吸や体動などのアーチファクトや他のME機器の電気的な影響を受けにくいことが必須である．このために，低域遮断周波数を上げることで基線動揺の影響を受けず安定したモニタリングができるように設計されている（時定数を小さく設定している）機器もある．また，交流障害の影響を除去するために，必要に応じてハムカットフィルタが入れられる．このため，モニタ心電図の波形と心電計の波形はかならずしも同一とはならない．低域遮断周波数の上昇は，ST波形に影響を与え，60 HzをカットするハムカットフィルタはQRSを小さく記録する．心疾患患者や手術室のモニタリングではST観察が重要であり，心電計と同様の低域遮断周波数（0.05 Hz）に設定されたモニタが使用される．一方で，高域遮断周波数については低く設定してあり，交流雑音（60 Hz）や高周波ノイズを除去するように設定されていることが多い．

①医用テレメータ

　遠隔計測（テレはギリシャ語Tele：遠くに由来）は古くから行われていた．テレメータでは，患者は自由に歩くことができ，病室の患者を離れたナースステーションで監視できるなどのメリットも大きい．電波法により送信出力と周波数が指定された特定小電力無線局が定められ，医用テレメータは小電力医療用テレメータとよばれている（電波産業会規格：ARIB）．後述するチャンネル番号やゾーン配置は，電子情報技術産業協会規格（JEITA）で定められる．遠隔計測では，搬送波を用いて信号に応じた変化（変調）を加えて送信し，受信後に信号を取り出す復調が行われる．変調には，デジタル変調方式の一種であるFSK変調（frequency shift keying）が利用される．デジタル信号（0と1）に応じた低周波と高周波を送信する変調方法である．FMは，AMよりも雑音に強いが，信号を異なった周波数に乗せて送るため広い周波数帯域を必要とする．このため，小電力医療用テレメータの割り当て周波数は420〜450 MHzと定められ，この周波数帯はUHF（極超短波）帯に属している．搬送波に乗せられたデジタル信号はアンテナを通して送信され，受信機に送られた後，復調された信号はモニタ情報として描画される．医療用テレメータと周辺付近の割り当て周波数を図2-26に示す．医療用テレメータが使用できる周波数帯は，アマチュア無線バンドをはさんでバンド1〜6に大別される．それぞれ各バンドにおけるチャンネ

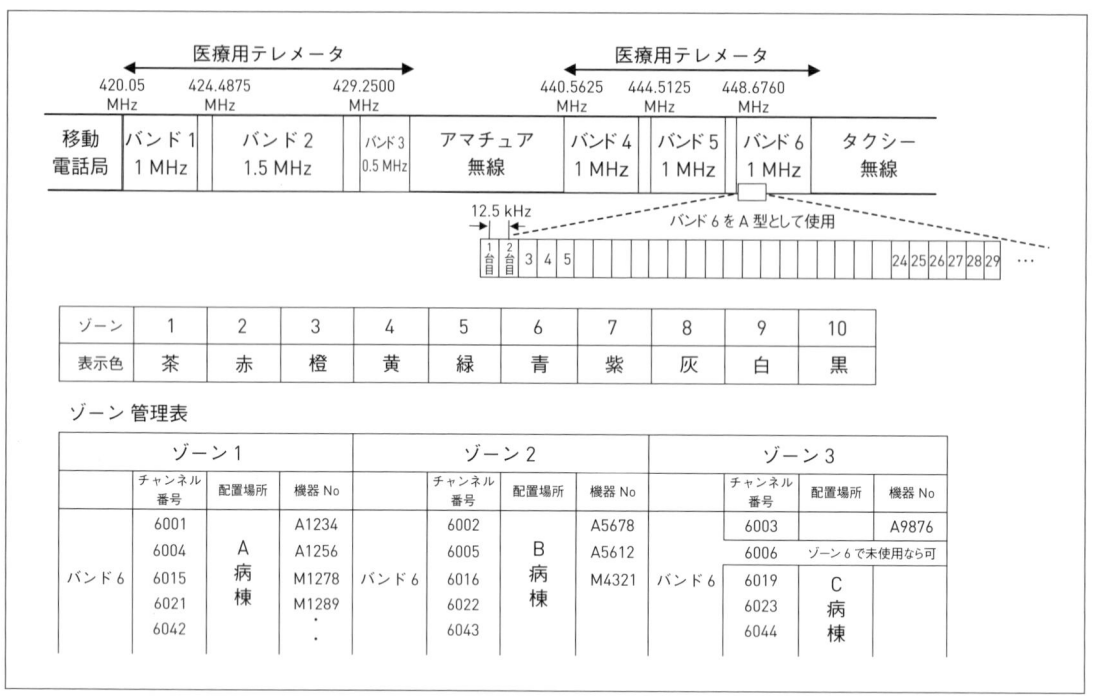

図2-26 医療用テレメータと周辺の割り当て周波数

ル間隔をどれにするかでA～E型に細別される．A型（1チャンネル）のチャンネル間隔は12.5 kHzごとであり，B型（2チャンネル）は25 kHzごと，C型（4チャンネル）は50 kHzごと，D型（8チャンネル）は100 kHzごと，E型（40チャンネル）は500 kHzごとの間隔をあけて中心周波数が各バンドに配置される．A～E型では，中心周波数の周りの周波数を占有して情報を送信するが，占有周波数帯域は各周波数間隔の値より小さくなる．たとえば，心電図の1つの誘導を送信する場合はA型でよいが，2つの誘導を同時に送信する場合は2チャンネルでB型となる．しかし，技術進歩によりA型12.5 kHzごとの中心周波数とその周りの占有周波数帯幅を使って複数の情報を送れるようになっており，現在ではA型のみが販売され，病院で利用されるのはA型モニタである．医療従事者は，技術基準に適合した機械であれば利用可能であり，無線従事者の資格は必要ない．無線通信方式では，送信機からセントラルモニタの片方向通信である「単向通信」に限定されている．バンド1～6のすべてをA型の占有帯で運用した場合，計算上は約480台のテレメータが使用可能であるが，実際は周波数の組み合わせにより利用できない周波数がある．無線方式における空中線電力は，アンテナ（モニタ心電図では誘導コード）から放出される電波の強さであり，電波法で規定値以下にすることが定められている．空中線電力は，占有周波帯の大きさ（A～E型）によって異なり，A～D型はすべて0.001 W以下，E型

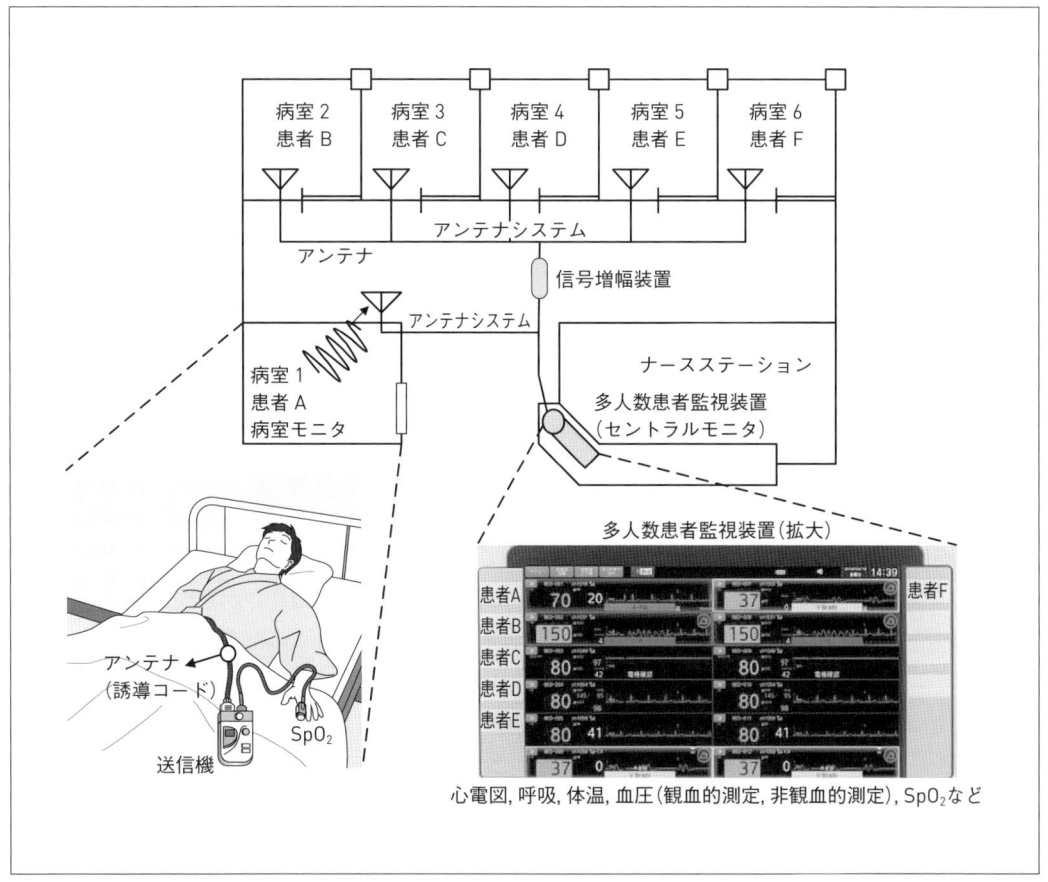

図2-27　多用途医用テレメータ

では0.01 W以下の強さである．近年，無線LAN方式（2.4 GHz帯および5 GHz帯）を採用した医用テレメータも利用されるようになった．無線LAN方式の医用テレメータの場合は，患者側端末からの電波は無線LANアクセスポイントで受信され，有線ネットワークを経由してセントラルモニタに送られ，生体情報が表示される．
②医用テレメータの構成

ナースステーションでは，複数の患者を同時に看護するため患者の生体情報（心電図，呼吸，血圧，SpO_2，体温など）をモニタリングする多用途医用テレメータが設置される．多用途医用テレメータは，送信機，セントラルモニタ，アンテナシステムから構成される（図2-27）．

　a. 送信機

送信機は，心電図や呼吸などの生体信号を測定するだけでなく，変調し電波にのせる働きをする．アナログ信号として記録された生体情報は，AD変換後，搬送波に組み入れられてアンテナに送られる．アンテナは，患者と接続する心電図の誘導コード（リード線）を送信アンテナとして兼用しているため，小児においてリード線の余長を小さく束ねたり，体

に巻き付けたりすると受信機に電波が届きにくくなることもある．空中に放出された電波は，アンテナシステムによって抽出され，セントラルモニタに送られる．送信機には4桁のチャンネル番号とゾーンを示す色が付けられており，同じゾーンに異なった色の送信機が使用されないようにしている（図2-26）．

　　b．セントラルモニタ

送信機から放出（送信）された患者それぞれの搬送波から信号だけを取り出し（復調）生体信号をリアルタイムに表示する．表示モニタの患者選択や計測心電図などの信号を解析（診断），トレンドグラムなどの表示も可能である．また，設定された異常を検知してアラームとして知らせる機能も必須である．

　　c．アンテナシステム

アンテナは，電波（電磁波）として空間に放出（送信），あるいは空間からの電磁波を受けとりエネルギーに変換（受信）する装置である．特定の電波を受信するためには，アンテナの長さが重要となる．送信波長とアンテナの共振により受信周波数が決まるためであり，受信する電波の波長の1/2または1/4の長さにより特定の周波数の電波に共振するアンテナとして機能する．アンテナには，2本アンテナからなるダイポールアンテナと，1本アンテナのホイップアンテナがある．たとえば，420 MHzの周波数を利用した場合，電波の速度を3×10^8 m/sとすると，その波長は$3 \times 10^8 / 420 \times 10^6 = 0.71$ mであり，その1/2（35 cm）または1/4（18 cm）がアンテナの長さとなる．

アンテナシステムは，患者から送信された信号をセントラルモニタに送るシステムである．アンテナシステムは，必要とされる範囲をカバーする必要があるが，患者は異なった領域に入らないことを前提としている．病棟を移る場合はテレメータ機器を変更する必要がある．アンテナ受信システムには，空中線方式と漏洩同軸ケーブル方式の2種類がある．いずれも必要とする範囲をカバーするように張り巡らされ，距離が長くなることによる減衰した信号を増幅するブースタをもつ．

空中線方式：空中線方式では，セントラルモニタから伸びたコードを病室や天井裏に設置したアンテナに接続し，必要エリアをカバーする．それぞれのアンテナがカバーする領域を重なり合うように配置して，受信エリア全体をカバーする（図2-28）．

漏洩同軸ケーブル方式：漏洩同軸ケーブルは，通信に使われる同軸ケーブルの1つである．漏洩同軸ケーブルには，スロットとよばれる穴が一定間隔で設けられ，この穴から信号を"拾い"，信号を"漏らす"ことができるため，病棟に配置されたケーブル沿いにだけ電波を発信または受信することができる．また，病棟では漏洩同軸ケーブルを2系統敷設して，どちらか強い電波を受信するダイバシティ方式を採っている（図2-28）．

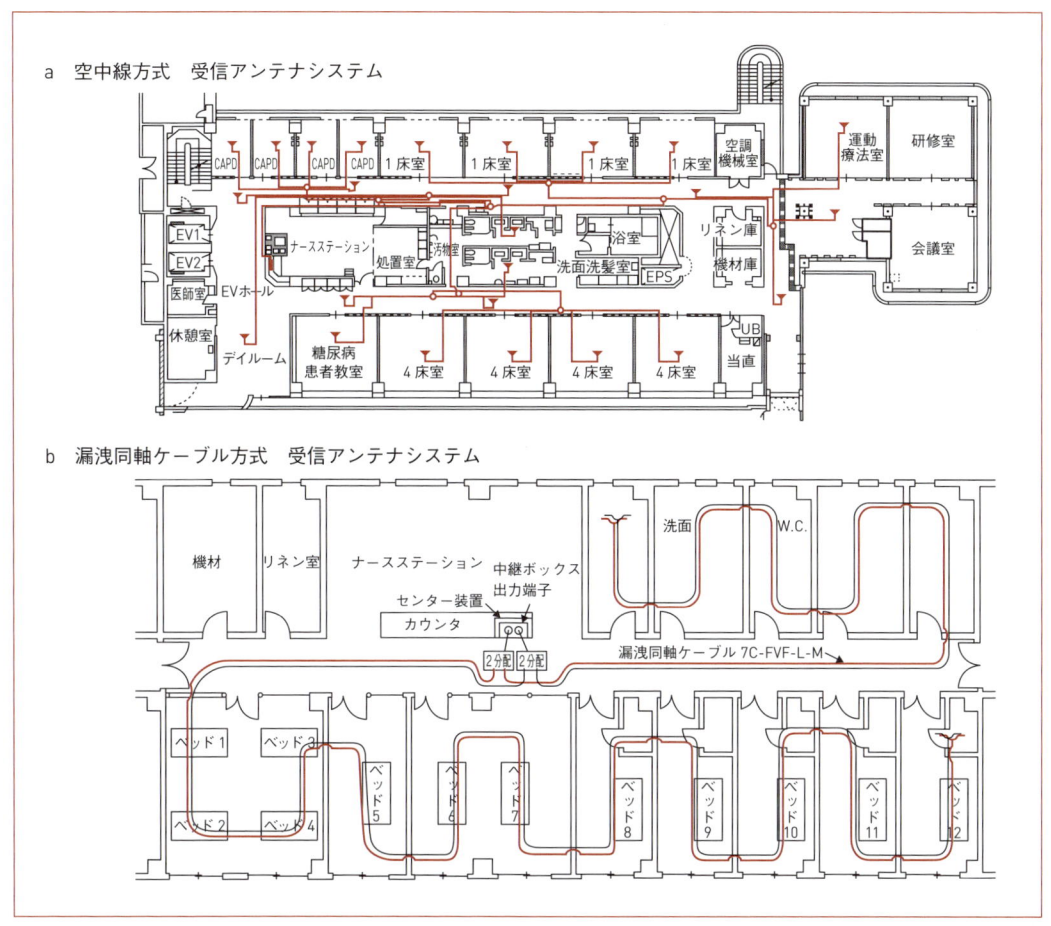

図2-28 医用テレメータアンテナシステム
a：空中線方式受信アンテナシステム，b：漏洩同軸ケーブル方式受信アンテナシステム．
（総務省：医療用テレメータの現状と課題をもとに作成）

　ダイバシティアンテナ：ダイバシティとは，複数のアンテナを使って受信し，電波状況のよいアンテナ信号を用いることである．または，複数のアンテナから受信信号を合成し，ノイズを除去して通信の質や信頼性の向上を図る技術である．アンテナ間の距離は受信波長の約1/4程度離れて配置される．これは，非常に近いアンテナの信号同士でも，信号が大きく異なることがあるためである．電波を反射する物質（建物の壁など）によって位相がずれ，本来の電波と反射波とがぶつかり合って，強め合ったり（1波長分ずれる）打ち消し合ったり（1/2波長分ずれる）する．これを避けるために，わずかにずらしてアンテナを配置するダイバシティ方式は大きな意味をもつ．周波数の異なる2つの電波の合成により，信号が強め合ったり弱め合ったりする現象をフェージングとよぶが，ダイバシティアンテナはこれに対して有効である．無線LANで使われる2.4 GHz帯では，波長はわずか120 mmで，位置が数十mm変化

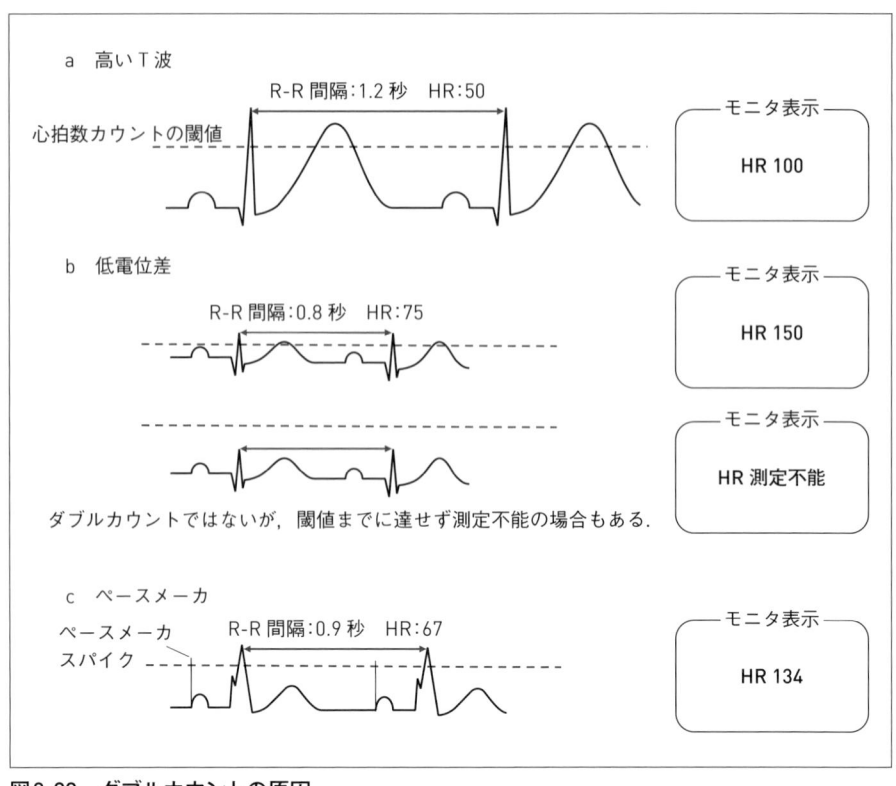

図2-29 ダブルカウントの原因

するだけでも，電波の強度は大きく異なる．

③テレメータ心電図におけるトラブル

 a．心拍数の異常表示

 モニタ心電計に起こる代表的トラブルは，心拍数の異常表示である．モニタ心電図の心拍数測定は，単位時間におけるQRS群の検出回数である．筋電図の棘波や体動の雑音をQRS群と誤って検出すれば間違った心拍数が表示されることになる．ペースメーカ心電図のスパイクによっても心拍数の表示に異常が出る場合がある．高すぎるT波やQRS波とT波の低電位差は，QRS波とのダブルカウントによって真値の2倍の心拍数として表示されることもある．逆に，低電位の心電図ではQRS群を感知できず心拍数が表示できない場合もある（図2-29）．ペースメーカスパイクの検出閾値を適切な位置に自動設定する機器や，ペースメーカのスパイクをカウントしない機能が装備されている機器もある．心拍数が正しく表示されない場合は，電極の位置を変えて良好な測定部位をみつけることが重要である．また，送信機の電池の消耗にも注意すべきである．

 b．基線の動揺

 心電計よりも低域遮断周波数を上げて安定した心電図をモニタすることなどは行われているが，呼吸や発汗による基線の動揺がみられること

がある．

c．ノイズの混入

電極が乾燥すると，心電図にノイズが混入することがある．また，異なった種類の電極の使用もノイズ混入の原因となる場合がある．

> **Tips** **相互変調による混信**

テレメータによる心電図送信では，異なった周波数であっても特定の組み合わせのチャンネル使用によって影響を受けるチャンネルが存在する．これは，送信周波数の高調波成分の影響による．異なる周波数 f_1 と f_2 があって，それが同じ空間に放出されるとき，含まれる高調波と基本周波数の干渉により送信周波数の和や差といった新たな周波数成分が発生することが原因である．これは，相互変調とよばれている．図2-30 に示すように，CH1002 と CH1003 の医用テレメータが同じ病棟で使用されると以下の干渉が生じる．

$2f_1 - f_2 = 2 \times 420.0875 - 420.100 = 420.075$
$2f_2 - f_1 = 2 \times 420.100 - 420.0875 = 420.1125$

$2f_1$，$2f_2$ は2次高調波を示す

2つの送信波（1002，1003）の干渉によって，420.075 MHz（1001）と 4201125 MHz（1004）が発生し，混信の可能性が生じる．

1001（420.075 MHz）と 1004（420.1125 MHz）と同じ周波数が存在することになり，混信の可能性がある．

相互変調を起こしやすい周波数の組み合わせはあらかじめわかっているので，チャンネル管理表によりその組み合わせを避けて色ラベルを使ったゾーン配置が行われている．

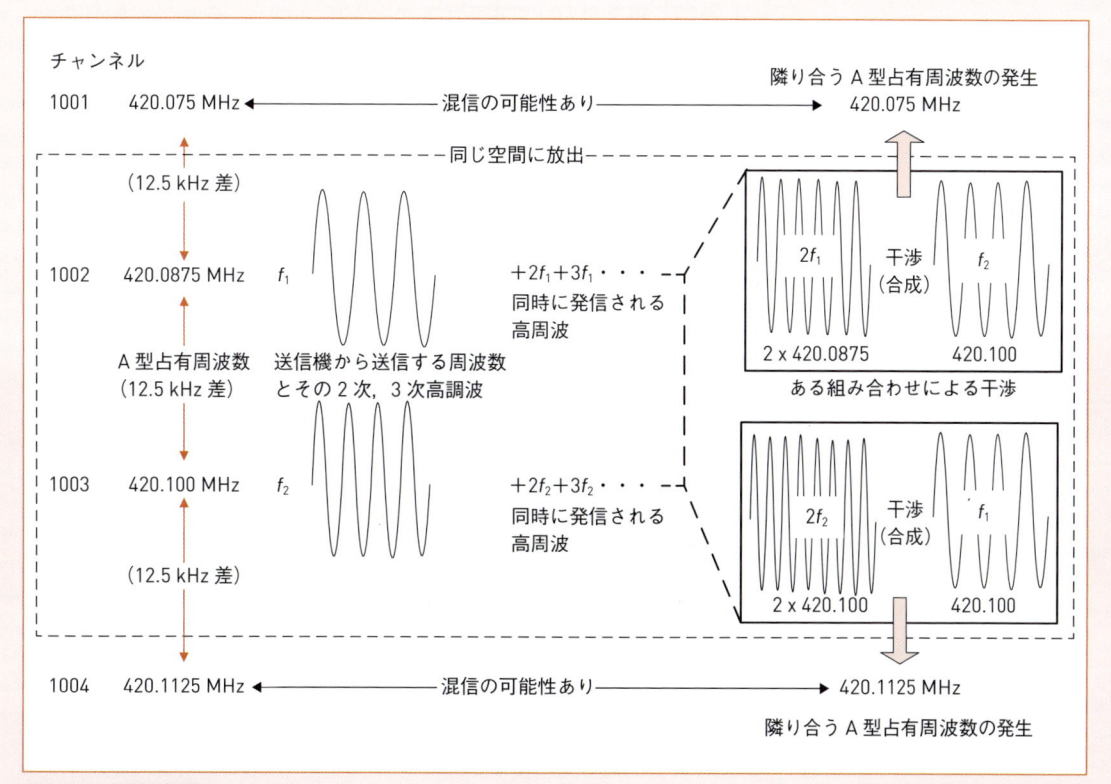

図2-30 相互変調
1001-1004は，A型占有周波数帯である．1002，1003が同じ空間に放出されるとき，その高調波との干渉によって1001と同じ周波数帯が合成される．

d. 受信不良

電池の消耗による受信不良がおもな原因であるが，フェージングによる影響や相互変調などが原因となることもある．空間においてさまざまな方向に電波が飛ぶとき，直接受信器に達する電波，壁に反射して届く電波，空間に存在する物質によって吸収，減衰してアンテナに届く電波が存在する．この経路長の差によりお互いの電波が干渉し，その位相が大きく変化することがある．同相であれば信号強度が強まるが，逆相では打ち消しあう．送信機（患者の位置）とアンテナの位置関係において，位相による影響がみられ信号が減弱する可能性がある．これは，特定の場所でスポット的に受信の減弱または受信ができなくなる現象が起こることを示している．これは，フェージング現象とよばれている．フェージング現象は，手術室など壁で囲まれた閉鎖空間で起こりやすいが，あらかじめフェージング現象が起こる場所を特定するのは困難とされる．

④混信対策

送信機の周波数が同一または近い周波数では，混信することにより問題が生じることがある．とくに，多くの台数を同時に使う病院では，テレメータ監視装置の電波管理が必要となる．テレメータによる患者監視装置は，移動して使用されることも多いので，フロアごとに限定した（混信しない）組み合わせを選択することが望ましい．チャンネルが違っていても相互変調によって受信障害を起こすためである．チャンネル管理表では，患者監視装置の使用領域（ゾーン）を10領域に分割し，色表示にしたがってバンドごとにそれぞれの機器のチャンネルを決定している（図2-26）．それぞれのチャンネルは4桁の数字で表され，最初の数字はバンドを示す．同一フロアは同一ゾーンとし，棟や階が異なればゾーン配置を変える，1つの病院内で同じチャンネルを使用しないなどの注意が必要である．隣の建物でのテレメータ使用による混信例も報告されており，棟が離れていれば安心とはいえない．同一施設での同一チャンネル設定や，同一ゾーンでの隣のチャンネル（A型では12.5 kHz離れた周波数）の使用は混信のリスクを増す．介護施設で用いられる徘徊老人検知システムや離床システムでは，医用テレメータ，バンド3と同じ周波数を利用しており，混信の原因となることがある．

(3) **デジタル心電計**

心電図の信号をデジタル信号として扱うためには，AD変換を行う必要がある．心電図の周波数は0.05〜100 Hzほどであり，サンプリング定理からいえば200 Hz以上でサンプリングを行う必要があるが，200 Hz程度では再現性に問題が生じるため，4,000 Hz，2,000 Hzなどの高い周波数で行われる．心電図データを電子媒体に保存でき紙媒体が不要で，収納スペースの節約ができる（離れた場所に送信も可能）．また，フィルタ操作を含む信号処理が容易になる（波形ひずみの改善），自動解析（ミネソタ分類）による自動診断が行える，電子カルテ上での閲覧が可

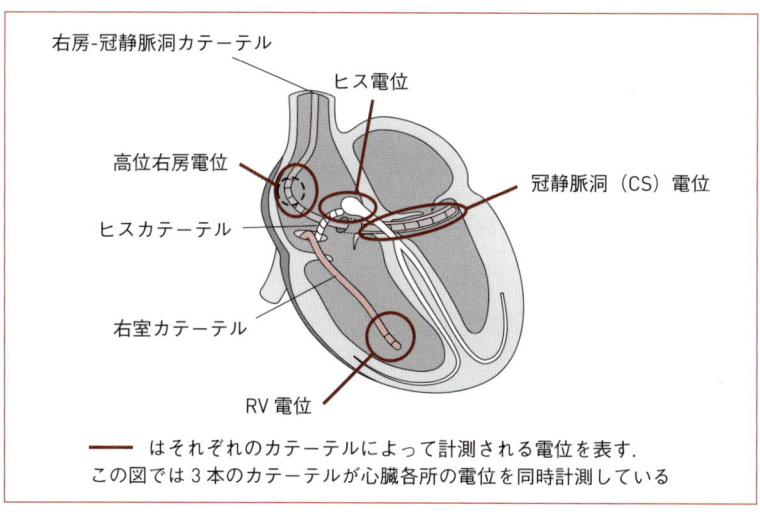

図2-31　心内心電図カテーテル

能などのメリットも大きい．

(4) 心内心電計

　不整脈の発生を予測することは困難であり，不快感のみならず心不全の原因ともなる．また，往々にして薬剤抵抗性であることも問題である．近年の医療技術の進歩により，不整脈診断だけでなくカテーテルアブレーションによる治療が行われるようになった．

　カテーテルアブレーションは，心内心電図によりリエントリなどの頻拍機序，異常興奮部位を決定後，カテーテルによる高周波通電により異常興奮部位を焼灼して不整脈を治療する手法である．近年，肺静脈開口部あるいは肺静脈に迷入している心筋からの異常刺激による心房細動の発生が確認され，右房からアブレーションカテーテルを心房中隔経由で左房に挿入し，肺静脈周囲を焼灼（肺静脈隔離術）することによって異常信号を電気的隔離することによる心房細動の根治を目指す治療も行われるようになった．このとき必須となるのが，心内心電図である．

　症例によって異なるが，1～3本程度のカテーテルを心臓内に挿入して心内局所の興奮を記録する．記録は，体表面心電図に加え，高位右房，ヒス束，冠静脈洞，右室などにカテーテルを配置し同時測定する（図2-31）．1本でヒス束と右室，高位右房と冠静脈洞の電位など複数の部位の電位を同時に測定可能なカテーテルもある．基本的に1本のカテーテルには5～20個（極）の電極が等間隔に配置されており，単極，双極誘導が可能になっている．心内心電図は，棘波様で非常に速いため，少なくとも100 mm/秒の記録スピードを必要とする．さらに，各カテーテル情報を同時に観察する多チャンネル化とそれを記録する情報処理機器が必要である．また，心臓への刺激装置やカテーテルの挿入・位置確認のためのX線透視装置などが必須で，アブレーションはハイブリッド手術室で行われる．カテーテル上の測定電極は直線上に配置されており，

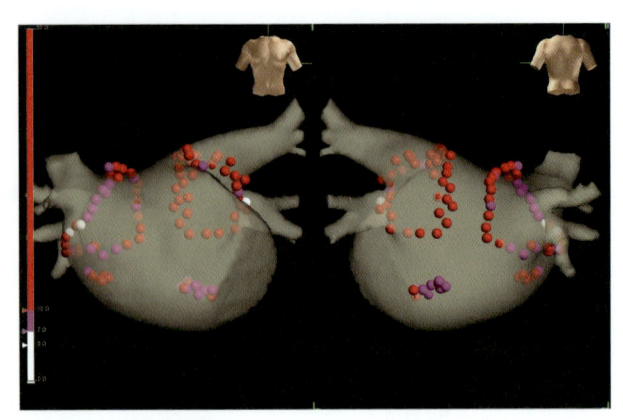

図2-32　心内心電図

二次元の同時変化をみるのはむずかしいため，多電極カテーテル（バスケットカテーテル，分枝カテーテル）を用いて一度に多くの電位情報を取得することもある．さらに，心臓CTデータを用いて，これに情報を重ねた3Dマッピングによって，心臓内のカテーテルの位置や焼灼ポイントを記録しながら治療が行われる（図2-32）．

参考文献
1) 高階經和：心電図を学ぶ人のために第4版．医学書院，2005．
2) 春見建一，他：最新心電学．丸善，1993．
3) M. ガブリエル・カーン：すぐ読める心電図．西村書店，2004．
4) Galen S. Wagner：マリオット臨床心電図．医学書院MYW，1995．
5) 清水昭彦：新・心臓病プラクティス（7）心電図で診る・治す．文光堂，2006．
6) Ken Grauer著，山口　豊，他監訳：わかりやすい心電図の読み方．メジカルビュー社，1995．
7) 大久保善朗，他：臨床検査学講座　生理機能検査学第2版．医歯薬出版，2003．
8) 田中義文：体表心電図波形の統一理論．日臨麻会誌，**35**（4）：447〜455，2015．
9) 山本誠一著，沢山俊民監：楽しく学ぼう心電図のすべて　臨床心電図診断学．日本医学出版，2020．
10) 総務省：1 医療用テレメータの現状と課題．
https://www.soumu.go.jp/soutsu/hokuriku/img/resarch/tm/1.pdf
11) 医療機関において安心・安全に電波を利用するための手引き（平成28年4月）．電波環境協議会．
12) 小野哲章，峰島三千男，堀川宗之，渡辺　敏編集：臨床工学技士標準テキスト．第3版，金原出版，2019．

3. 脳波計

　脳波は，神経細胞の活動に伴う電気現象を頭皮上に装着した電極によって導出したものであり，脳の活動を反映する．脳波はてんかんなどの確定診断，睡眠状態の分析，脳神経外科における術中の機能確認などに用いられ，その検査装置を脳波計（図2-33）とよぶ．

脳波
electroencephalogram：
EEG
脳波計
electroencephalograph：
EEG

1）脳波計測の歴史

　人間の頭から脳波をはじめて導出したのは，ドイツ・イエナ大学精神科教授のハンス・ベルガーで，1929年に論文を発表した（図2-34）．しかし，雑音ともとられやすい脳からの電位導出はなかなか認められず，世界で脳波の研究が広がっていったのは，1932年にノーベル生理学・医学賞を受賞したイギリス・ケンブリッジ大学生理学教授のエドガー・エイドリアンがその意義を認めてからである．

　脳波測定のむずかしさは，その信号の小ささによる．心電図は0.5～4 mVもあり，はっきりと脈拍と同期するのがわかるのに対して，脳波はその数十分の1の大きさであり，同期するものがなく，ノイズに埋もれやすかった．

　ベルガーやエイドリアンが行った脳波の研究では，頭皮の電流を測る

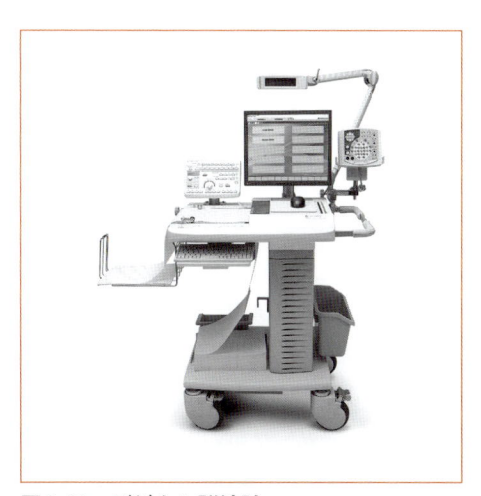

図2-33　デジタル脳波計

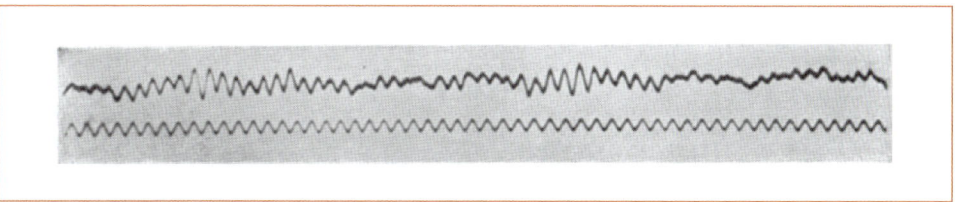

図2-34　黎明期の脳波記録
上段：ハンス・ベルガーが15歳の息子クラウスの頭皮より導出した脳波．
下段：時間軸を校正する10 Hzの正弦波．

（文献1より）

図2-35　国産第1号脳波計 木製号（三星電気製）
6電極から4電極を選択し，脳波を増幅する2チャネルのバッテリ駆動の装置であり，記録器は別に用意される．
（印西市立印旛医科器械歴史資料館）

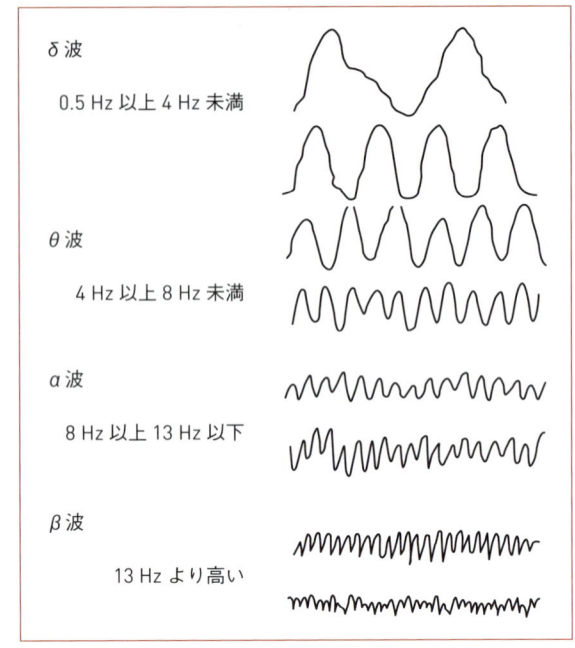

図2-36　周波数帯域による脳波の分類

検流計が使われた．日本では，第二次世界大戦前にヨーロッパに留学していた研究者が帰国後工学者らとともに脳波計の開発を始めた．戦後，真空管の出現とともに，原形となる電圧増幅器を用いたバッテリ駆動式の国産脳波計（図2-35）が完成したのは1951年のことである．

2) 脳波計測の基礎
(1) 脳波の性質

脳波は数〜数百μV（平均20〜30 μV）と非常に小さな電位の変動で，頭皮や頭蓋骨が電位を小さくする原因となっている．大脳皮質表面から直接導出した場合は数倍大きな波形が得られる．臨床上必要な周波数帯域は0.5〜60（あるいは100）Hz程度である．

脳波は周波数により，δ，θ，α，βの4つの帯域に分類され，それぞれ $0.5\,\mathrm{Hz} \leq \delta < 4\,\mathrm{Hz}$，$4\,\mathrm{Hz} \leq \theta < 8\,\mathrm{Hz}$，$8\,\mathrm{Hz} \leq \alpha \leq 13\,\mathrm{Hz}$，$13\,\mathrm{Hz} < \beta$ であり，健常者では覚醒状態で安静・閉眼するとα波が出現し，開眼するとα波は抑制されて，周波数の高い振幅の小さなβ波が出現する．睡眠に入るとα波は消失し，ゆっくりした振幅の大きな波が出現する（図2-36）．

閉眼と開眼，光刺激装置を使った数〜数十Hzの刺激，過呼吸を模擬した状態など賦活試験時の脳波を測定する他，睡眠時の脳波などが検査として実施されている．てんかんなどの疾患では出現頻度の高い棘波（spike）が高い頻度で観察される．

臨床とのつながり

脳波の帯域分類
β波を30 Hz未満として，30 Hz以上の脳波帯域をγ波と分類することもある．健常者の睡眠時には，浅い入眠状態ではθ波，深い睡眠状態ではδ波が観察される．

keyword

脳波賦活試験
高い頻度で深い呼吸を行う過呼吸や，高頻度の光の点滅による光刺激など，脳波に異常が出やすい状態にして脳波測定をすること．

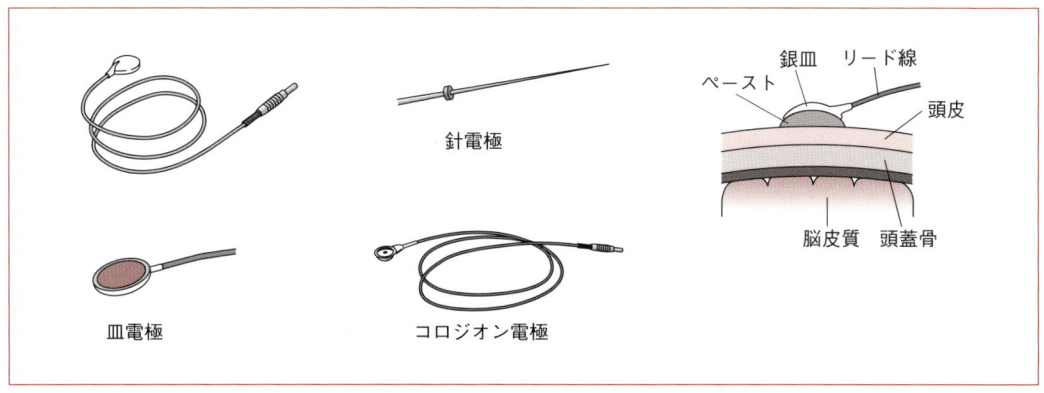

図2-37　脳波測定用電極と装着のイメージ

(2) 誘導法

①電極の種類

電極には皿電極と針電極がある．針電極は頭皮の皮脂や角質の影響をおさえることで電極インピーダンスが小さく，雑音を少なく測定できるが，痛みや感染の問題がある．そのため，術中の脳波（後述）など特殊な条件を除き，通常は皿電極（表面電極）が使用され，その材質は分極の小さなAg-AgClが使われる（不分極電極）．皿電極と頭皮の導電性を高めるため，脳波測定用ペーストを用いる．睡眠時など長時間の測定の際には，頭皮への固定ができるコロジオン電極が用いられることがある（図2-37）．

②導出法の種類と電極の配置

単極導出は通常，脳波電位の影響の少ない耳垂（耳朶）に取り付けた電極（不活性電極あるいは不関電極）を基準電極（reference electrode）として，電位のある頭皮上の電極（活性電極）との間の電位差を導出する（図2-38上段）．一般には，右半球の導出では右の耳垂を，左半球の導出では左の耳垂を使うが，両方の耳垂を結合させて基準電極とすることもある．

双極導出は，頭皮上の2つの活性電極間の電位差を導出する方法である（図2-38下段）．

keyword

針電極
材質はステンレスで，Ag-AgCl電極よりも分極が大きい．

単極導出
monopolar recording
双極導出
bipolar recording
導出
誘導ともいう．

Tips　Ag-AgCl電極

Ag-AgCl電極は市販の物を購入できるが，メーカによってはAg電極しか用意されていない場合もある．購入直後の新しいAg電極を利用すると分極が生じて，脳波測定において，被検者の状態には関係なく緩やかな大きな基線の動揺がみられ，正しく計測できない問題が生じる．新しいAg電極は脳波用ペーストを塗布したまま，あるいは水道水につけて一晩おいておくと，塩素イオンと反応してAgClの皮膜が形成されて，基線が安定した脳波を測定できるようになる．

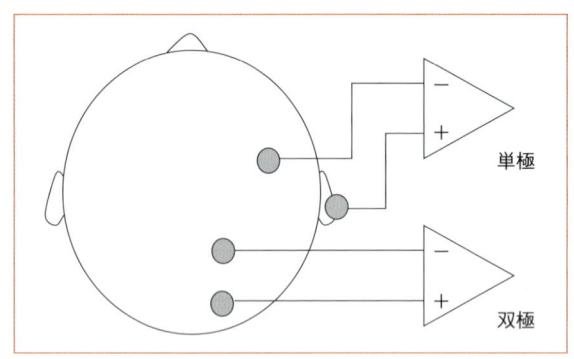

図2-38　単極導出と双極導出

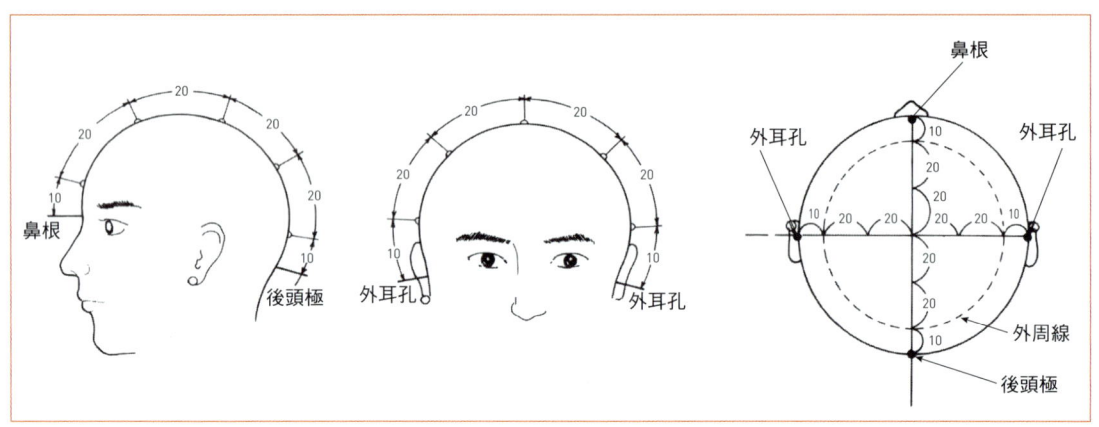

図2-39　10-20電極配置法

keyword
10-20 電極配置法
ten-twenty electrode system. カナダ・モントリオール神経学研究所のハーバート・ジャスパーが，1958年に国際神経生理学連合で提言した．

　頭皮電極の位置は，10-20電極配置法が広く使われている（図2-39）．これは，頭部に決めた基準の位置から，10％，20％，20％，20％，20％，10％の割合に分割して電極の位置決めをするところからそうよばれる．

　前額の下部にはニュートラル（中性点）電極を装着し，これを差動増幅器の基準点とする（図2-40）．デジタルの脳波計では，他にシステムリファレンス電極が必要となる（後述）．

③モンタージュ

　ニュートラル電極を除いて，10-20電極配置法で装着された21個の電極から2個を選択して差動増幅器のプラス・マイナス端子に接続する組み合わせを1チャネルとよぶ．そのチャネルを複数（機種によって14～24のバリエーションがある）用意して同時に記録する．この組み合わせ（導出）のパターンをモンタージュという．モンタージュは，単極導出と双極導出に分かれ，それぞれが複数のパターンに細分化され，目的に応じてモンタージュを切り替えて脳波が計測される．

(3) アナログ脳波計とデジタル脳波計

　現在市販されている脳波計は，脳波を増幅後AD変換を経てコン

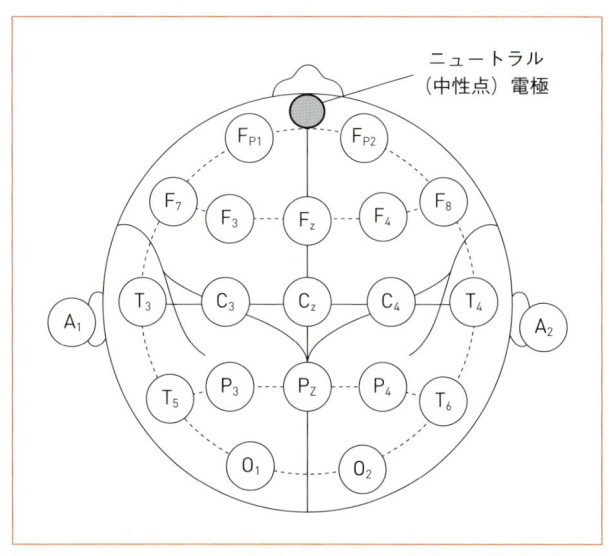

図2-40　ニュートラル電極と10-20電極配置法の位置関係

ピュータによるモンタージュの実現やフィルタリングをする仕組みであり，それらを総称してデジタル脳波計とよんでいる．1950年代の黎明期には電池式だった脳波計も，商用電源で連続動作するようになり，1960年代後半には真空管からトランジスタによる増幅へと移行していった．1980年代にはマイクロコンピュータを利用したモンタージュ制御へと利便性が向上していった．ここまでを現時点で振り返ってアナログ脳波計とよび，1990年代後半から出現する市販のコンピュータを利用した脳波計の出現によってデジタル脳波計という概念が生じた．

①アナログ脳波計

　アナログ脳波計では，頭皮上につけた電極は電極接続箱に接続され，バッファ増幅器（緩衝増幅器，バッファアンプ）を通して脳波計本体にあるモンタージュを実現する電極選択器（パターンセレクタ）に接続される．その後，差動増幅器で増幅され，低周波遮断（low-cut）フィルタ，高周波遮断（high-cut）フィルタ，AC（ハム）フィルタにより必要な周波数帯域に処理され，感度処理の後，記録器（ペンレコーダ）へ送られて紙に脳波が描かれる．

　バッファ増幅器は高入力抵抗・低出力抵抗なので，脳波計本体に入力するインピーダンス（抵抗）は小さくでき，差動増幅器出力の雑音が少なくなる．

②デジタル脳波計

　デジタル脳波計では，信号の増幅，アナログ信号からデジタル信号への変換は電極接続箱の中ですべて行われ，脳波計本体へと伝送される．本体に送られたデジタル信号は，モンタージュ処理，フィルタ処理，感度処理などの演算処理が行われ，ディスプレイに表示される（図2-41）．アナログ脳波計時代から継承しているインクペンによる紙幅20

生体電気計測　79

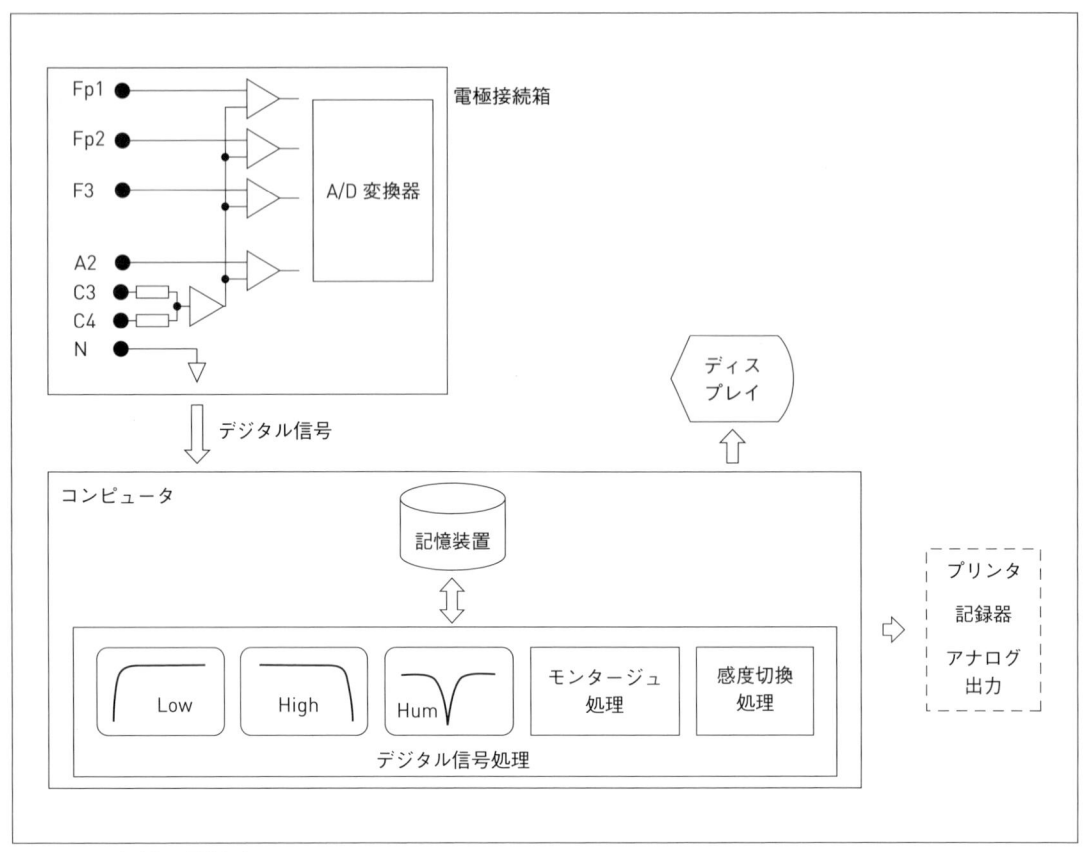

図2-41　デジタル脳波計

～30 cmにおよぶ記録は脳波計の特徴であったが，海外ではデジタルデータの大容量ディスクへの記憶，高解像度のフラットディスプレイ，ネットワークによる時と場所を選ばぬ遠隔判読へと発展し，記録器をもたない（ペーパーレス）デジタル脳波計（図2-42）が主流となり，ペン書き記録器をもつデジタル脳波計はわが国だけに残るものとなった．

(4) 脳波計を構成する要素

アナログおよびデジタル脳波計に共通な増幅器を中心に，重要な構成要素について説明する．

①電極接続箱

電極接続箱は，増幅器（バッファ増幅器，差動増幅器），基本的なフィルタといったアナログ回路から構成される．また，それらは商用電源からの漏れ電流や故障時の電撃から患者を守るために商用電源およびアース（大地）からは絶縁（アイソレーション）されており，そのための回路を含む．

　a．増幅器とシステムリファレンス

アナログ脳波計では，電極選択器（パターンセレクタ）により選択された2つの電極が差動増幅器に接続されるため，記録器のチャネル数と同じ数だけ実装されている．

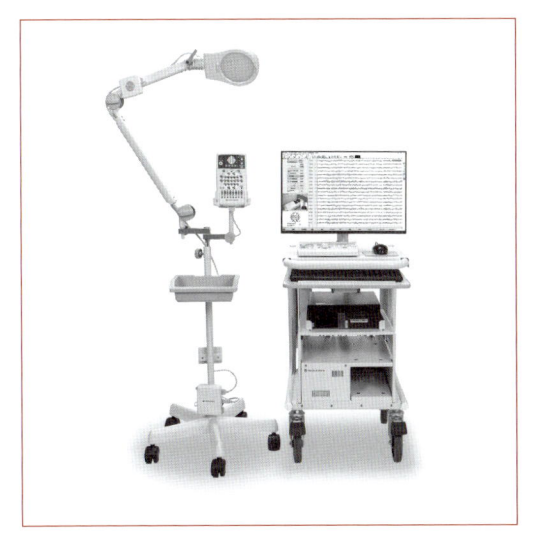

図2-42　ペーパーレス脳波計

　一方，デジタル脳波計では，電極接続箱の入力端子と同じ数の差動増幅器が内蔵されており，それぞれのプラス側の端子には各々の電極端子が接続されている．マイナス側端子には通常2つの電極が用いられ，すべての差動増幅器に共通の電極をシステムリファレンス電極とよぶ．システムリファレンス電極（複数の場合はその平均）の電位を基準として，各プラス側端子に接続された電極との差の電位が電極単位の信号として増幅されて保存される（図2-43）．保存された電極単位の脳波データはコンピュータの演算によってさまざまな組み合わせで表示される．

　差動増幅器には基準となる電位を定める必要があるが，前述のとおり回路は大地（アース）から絶縁されているため，相対的な基準となるニュートラル（中性点）電極を前額部に装着する（図2-40）．

b. 同相除去比

　脳波のように入力レベルの小さい信号を増幅する場合は，電源からの交流雑音の影響を受けやすいため，高い同相除去比が求められる．脳波計の規格であるJIS T1203：1998（以下JIS）では60 dB以上となっているが，日本臨床神経生理学会（以下学会）では少なくとも100 dB，できれば120 dB以上が望ましいとしている．

c. 雑音レベル

　小さな電位である脳波では，外来の雑音とともに，増幅器がもつ内部からの雑音もおさえる必要がある．前述のJISにおいては，1〜60 Hzの3 μVp-pをこえる雑音が1秒あたり1回をこえてはならないと規定されている．

　また，学会では，商用交流など連続する雑音については0.5〜100 Hzの帯域にわたって0.5 μVrms以下でなければならないとしている．

keyword

システムリファレンス電極

頭皮上で雑音混入の少ない電極部位（たとえばFzとCzの中間付近）に脳波計測用途とは別に装着する脳波計もあるが，複数の脳波導出電極（たとえばC3とC4）から得られる平均電位を用いる機種もある．

生体電気計測　81

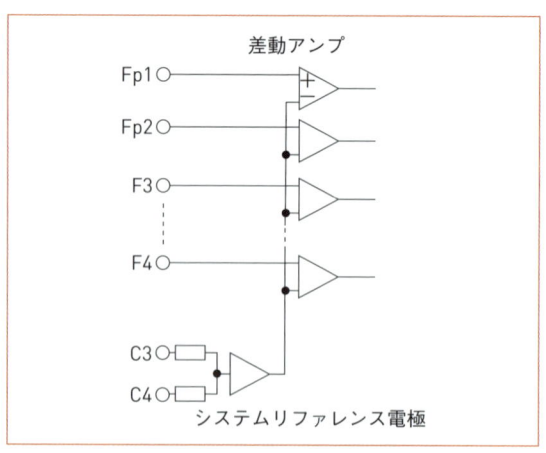

図2-43 システムリファレンス電極の概念

d. 入力インピーダンス

複数ある電極のインピーダンスのばらつきによる差動増幅器の同相除去比への影響をおさえるため，脳波計では高い入力インピーダンスが求められる．

JISでは，2つの入力端からみた入力インピーダンスは10 MΩ以上（1つの入力端では5 MΩ）となっているが，学会では少なくとも80 MΩ以上，できれば100 MΩ以上が望ましいとしている．

e. 電極インピーダンス測定回路

電極接続箱には，電極インピーダンス（電極の接触抵抗）を測定する回路が内蔵されている．

各電極における電極インピーダンスのばらつきが同相除去比を下げる（雑音が大きくなる）要因となるため，皮脂を取り除き，専用の脳波用ペーストを用いて値を小さくする必要がある．学会では，「電極間の接触抵抗は30 kΩ以下で実用上は問題ないが，できれば10 kΩ以下とすることが望ましい」としている．そして，「個々の電極インピーダンスのばらつきは数kΩ以下にすることが望ましい」としている．

f. AD変換

デジタル脳波計では，差動増幅器で増幅された電極単位のアナログ信号は，電極接続箱の中でAD変換される．

エイリアシングの影響を除くために，標準的な高域遮断周波数フィルタ60 Hzの設定では，AD変換におけるサンプリング周波数は200 Hz以上に設定される．一方，AD変換器のビット数は振幅の分解能に影響し，要求される最小分解能0.5 μVを最大振幅1 mVのダイナミックレンジで表現するためには12 bitが必要となる．

② 脳波計本体

アナログ脳波計では増幅とフィルタ処理が，デジタル脳波計では各種デジタル信号処理が本体で行われる．

臨床とのつながり

禁止事項
針電極は接触面積が小さいため，電流を流すインピーダンス測定はしてはならない．

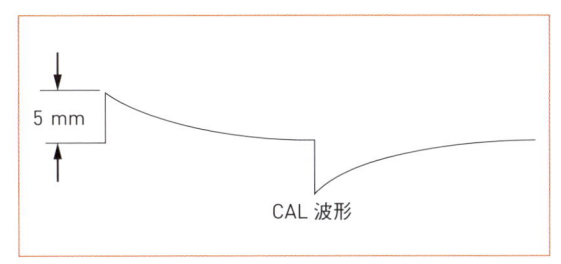

図2-44　校正波形（キャリブレーション）

　デジタル信号処理には，デジタルフィルタ（高域・低域遮断フィルタおよび商用交流雑音除去フィルタなど），感度切替機能，種々の導出のためのリモンタージュ機能などが含まれ，それらの処理に必要な脳波のデータはファイリングされる．

a. 感度

　記録された脳波の縦軸の単位は電圧で表現されるが，1 mmあたりの電圧値（感度）は10 μV/mm（50 μV/5 mm）を標準としている．学会では，必要に応じて1/5，1/2，2，5倍のステップで切り替えられることが求められている．脳死の判定では10 μV/5 mm（標準感度の5倍）以上の感度で計測することが求められている．

　アナログ脳波計では，増幅器の増幅率を変えて感度を切り替えるが，デジタル脳波計では，デジタル変換されたデータを演算しているので，計測した後でも表示感度を自由に切り替えられる．

　脳波計の感度を記録紙あるいはディスプレイ上から知ることができるように，差動増幅器の入口に校正波形（キャリブレーションあるいはCAL波形）とよばれる電圧を加える．たとえば，50 μVの電圧を加えると，標準感度（10 μV/mm）では図2-44のように記録紙上に5 mmの高さの波形が記録される．

b. 周波数特性とフィルタ

　JISにおいては，記録器も含めた総合周波数特性について，「10 Hzの記録の振れを基準（100%）として，1〜60 Hzの周波数範囲内で振れが90〜110%であり，この周波数の範囲外でも110%をこえてはならない」としている．

　脳波計測において必要とされる周波数帯域は0.5〜60 Hzである．

　高域遮断フィルタ（ハイカットフィルタ）について，JISでは60 Hzと定めているが，学会では「100 Hz以上が望ましく，60 Hzフィルタを備えていること」としている．メーカによっては，120 Hz，60 Hz，30 Hzと切り替えられるようになっており，120 Hzを一般的に用い，筋電図など高い周波数成分の雑音が多い場合は低い周波数に切り替えられる．高域遮断周波数を30 Hzに切り替えたとき，30 Hzの信号成分は−3 dB減衰することを示し，ゼロにはできないことは理解しておくべきである．

---

keyword

最高感度

JIS T1203：1998では「記録感度の最大値は0.4 mm/μV以上」としている．

臨床とのつながり

脳死判定時の感度

法的脳死判定マニュアル（平成22年）では「標準感度10 μV/mmに加え，高感度2.5 μV/mm（またはそれより高い感度）の記録を脳波検査中に必ず行う」としている．

生体電気計測

> **臨床とのつながり**
> **時定数（τ）と低域遮断周波数（f）の関係**
> 次式で表される.
> $$\tau = \frac{1}{2\pi f}$$

keyword
高域遮断周波数
サンプリング周波数を1,000 Hzとして測定した脳波は，高域遮断周波数を15〜300 Hzの範囲で選択することができる．

keyword
リモンタージュ
アナログ脳波計では電極の組み合わせ（モンタージュ）を切り替えながら，そのときの脳波を記録紙に残すが，デジタル脳波計ではどんなモンタージュであっても電子ファイルに脳波を残しておけば，患者が検査を終えて帰宅した後でも任意の電極の組み合わせで脳波を読み出すことができる．デジタル脳波計の大きな利点のひとつが再度モンタージュを切り替えること（リモンタージュ）である．

keyword
最小入力
JIS T1203：1998では，「1〜60 Hzの周波数帯域にわたって2.5 μV_{pp} の入力信号が記録できなければならない」としている．

　低域遮断フィルタ（ローカットフィルタ）は，0.5 Hzに設定される．低域遮断周波数は時定数［秒］で表現することができ，0.5 Hzは時定数0.3秒に相当する．基線の動揺が大きい場合は時定数0.1秒で使用することもある．時定数を小さい値に設定すると，低い周波数成分（とくにδ波，θ波）が減衰することに注意する．

　ハムフィルタ（ACフィルタ）は，商用電源からの交流障害を取り除くため，50 Hzまたは60 Hz成分だけを減衰させる．しかし，どうしても交流障害の原因を取り除くことができない場合の使用に限定することが望ましい．

　デジタル脳波計では，帯域幅を十分広くとったデジタルデータを保存しているので，これを読み出し，帯域幅をこえない範囲で自由にフィルタ条件を変えて再生，記録を行うことができる．これをリフィルタリング機能という．

　c．リモンタージュ

　アナログ脳波計では，電極の切換スイッチで差動増幅器に入力する電極の選択をしてモンタージュ（電極の組み合わせ）していた．デジタル脳波計では，システムリファレンスを基準としたそれぞれの電極ごとの信号を保存しているので，後で電極信号を組み合わせて自由にモンタージュを再現できる．これをリモンタージュといい，デジタル脳波計の大きな特徴となっている．

③表示・記録装置

　a．記録器

　脳波の記録には，チャネル数用意された磁気で動作するガルバノメータによるインクペンが使われている．紙送り速度は30 mm/sと規定されている．また，目的に応じて，さらに速い速度，遅い速度での紙送りも可能である．

　デジタル脳波計では，いったんデジタル化された脳波データをアナログに再変換して記録しているが，ペーパーレス脳波計では判読結果のレポートを一般的なレーザプリンタに印字することが主流となっている．

　b．判読用ディスプレイ装置

　デジタル脳波計ではディスプレイに脳波を表示することができる．学会では，表示画面の大きさは，「少なくとも脳波計記録用紙1ページ分（300 mm/10 s）が十分表示できる17インチ以上でなければならない」としている．

　また，画面上で判読を行うので，ある程度の解像度が必要である．X軸1,600 dots，Y軸1,200ライン以上を用いなければならない．この場合，画面上に10秒の脳波を表示するときに30 msのスパイク波形は約5 dotsで構成される精度となる．

図2-45　加算平均処理

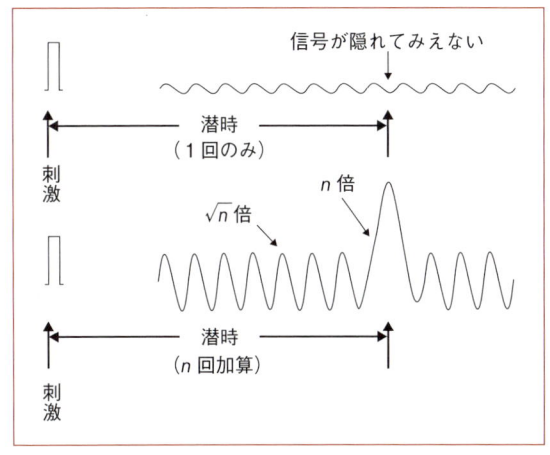

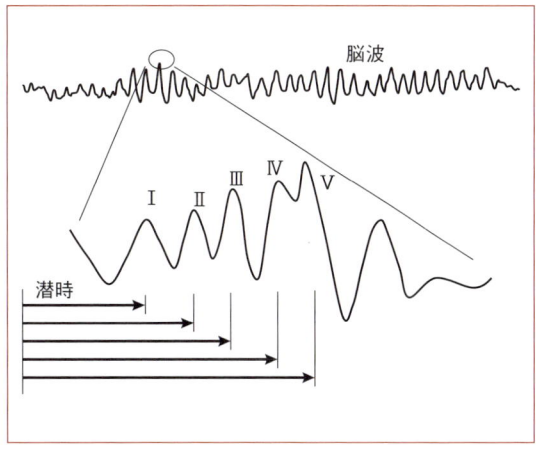

図2-46　ABR波形

3) 誘発電位計測

　感覚受容器に音，電気，光などによる刺激を与えると，脳内の神経経路および大脳のそれぞれの感覚野に微小な電位変化が誘発される．これを総称して誘発電位（その反応を誘発反応）といい，末梢神経から大脳に至る刺激の伝達と処理が反映される．

　誘発反応を解析することにより，感覚受容器から大脳のそれぞれの感覚野に至る経路の伝達異常の検出や，神経系の手術時の機能モニタリング，あるいは脳死判定のための補助診断に役立つ．脳波計にはないさまざまな機能が必要なため，専用の誘発電位検査装置が市販されている．

(1) 原理

　誘発電位は0.1～10 μV程度の微小な電位変動であり，数十μVある通常の自発脳波のなかに埋もれてしまう．そこで，刺激に同期して加算平均処理をすることで，脳波〔雑音（noise：N）〕のなかの誘発電位〔信号（signal：S）〕を取り出す．n回加算でS/Nは$\sqrt{n}$倍に改善される（図2-45）．

　大脳誘発電位が小さいほど多くの回数の加算が必要で，視覚誘発電位計測では100～200回，聴性誘発電位計測では500～2,000回程度行われる．

(2) 誘発電位の種類

　大脳誘発電位は，感覚器の種類に応じて聴覚誘発電位，体性感覚誘発電位，視覚誘発電位の3つに分かれる．刺激を加えてから応答が始まる（あるいは目的とする波形が出る）までの時間を潜時（latency）といい，波形解析には重要である（図2-46）．

①聴覚誘発電位

　音刺激に対する反応で，小児科，耳鼻科，脳神経内科，脳神経外科で広く用いられている．とくに潜時の短い聴性脳幹反応（ABR）は脳幹部での病変の診断に有用であり，特徴のある5つのピークはその起源が

keyword

誘発電位検査装置

増幅器の性能と専用の刺激装置が共通することから，筋電計の機能を共有する機器もある．

keyword

加算平均

n回加算すれば，刺激信号に同期して誘発される反応波の大きさはn倍になる．しかし，自発脳波は刺激信号に同期しているわけではないので，n回加算後の波形の大きさは$\sqrt{n}$倍となる．したがって，S/Nは$n/\sqrt{n}=\sqrt{n}$となる（図2-45）．

聴覚誘発電位
auditory evoked potential：AEP

聴性脳幹反応
auditory brainstem response：ABR

生体電気計測　85

図2-47　ヘッドホン

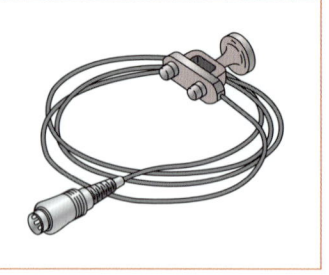

図2-48　体性感覚誘発電位のための刺激電極

図2-49　視覚誘発電位のためのLEDゴーグル

ある程度わかっているため，脳死判定の補助検査として利用されている（図2-46）．

聴覚誘発電位はおもにヘッドホン（図2-47）から矩形波として観察されるクリック音をきかせ，それに伴って生じる電位を頭皮上に装着した電極から導出し，加算平均して記録する．誘発電位の周波数帯域はおおよそ2 Hz～3 kHzである．

②体性感覚誘発電位

体性感覚誘発電位
somato-sensory evoked potential：SEP

上肢または下肢の感覚神経を皮膚表面から電気刺激し（図2-48），末梢神経から大脳皮質の感覚野までの伝導機能を検査する．ABRと同様に脳死判定の補助診断に用いられる他に，脳神経外科あるいは整形外科における手術の神経機能のモニタとしても利用される．誘発電位の周波数帯域はおおよそ1 Hz～3 kHzである．

③視覚誘発電位

視覚誘発電位
visual evoked potential：VEP

脳波の賦活試験で用いられるのと同様なキセノン管あるいはLED（図2-49）によるフラッシュ刺激，またはディスプレイ上に表示した格子模様や縞模様によるパターン刺激により誘発される電位である．視覚障害の客観的評価や網膜−視神経−視覚野に至る経路の診断に用いられる．誘発電位の周波数帯域は，低域が0.5～1.0 Hz，高域が200～300 Hz程度である．

(3) 誘発電位検査装置の構成

誘発電位検査装置は，①電極，②微弱な信号を増幅し，アナログからデジタルに変換する電極接続箱，③フィルタ処理および音・光・電気による刺激装置を有するメインユニット，④同期加算処理しデータを保存するコンピュータ，⑤表示，記録，記憶装置からなる（図2-50）．

4) 脳波の応用

今日，脳波計測は，てんかんの診断に利用されるだけではなく，以下の検査に応用されている．

(1) 終夜睡眠ポリソムノグラフィー

睡眠時無呼吸症候群の確定診断には，外来患者が宿泊して受ける夜間

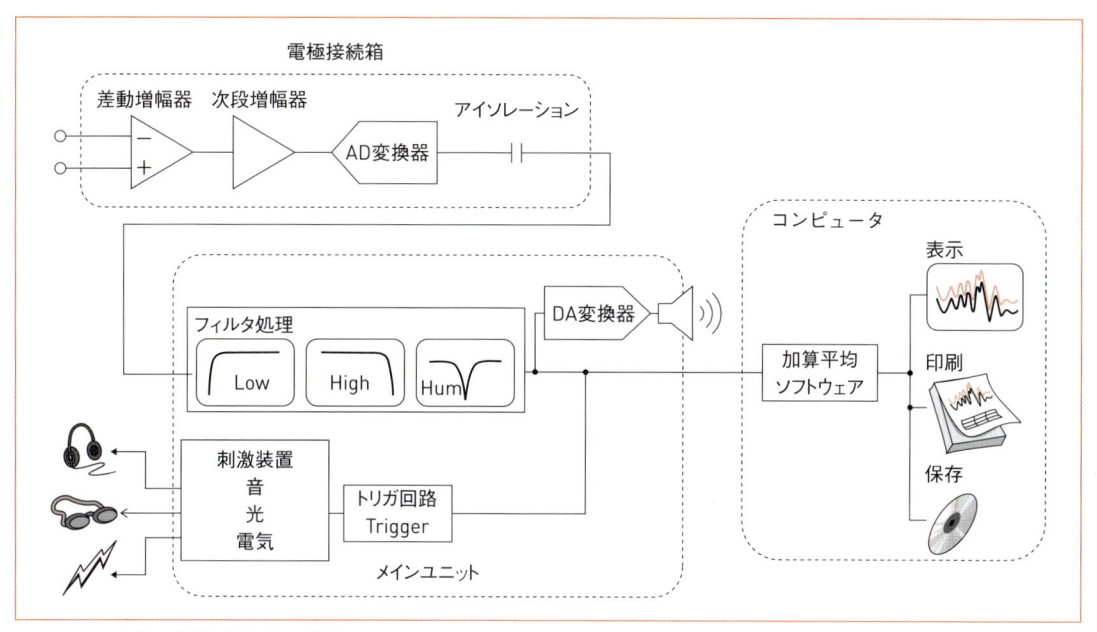

図2-50 誘発反応検査装置の構成

の脳波検査が行われている．

　脳波検査での10-20電極配置法によるモンタージュとは異なり，前頭部，中心部，後頭部から単極誘導で睡眠中の脳波を導出する．その他に装着するセンサを表2-2に示す．

(2) てんかんモニタおよび術中脳波

　てんかんの外科的治療において，脳神経外科医により頭蓋内に留置された電極から直接導出する脳波のモニタリングが行われる．頭皮脳波とは異なり，格子状あるいは線上に配置された電極から単極誘導するため，患者の状況によって64チャネルから256チャネルまでのさまざまなチャネル数が求められ，発作波は高い周波数帯域（最大3 kHz）をもつ専用

Tips ヘッドセット型脳波計

　バイタルサインに異常はなく意識のない救急搬送患者に，簡便に電極を装着して脳波を測定するために，電極が一体となったヘッドセット型脳波計が市販されている（図2-51）．10-20電極配置法から電極を間引いた配置で脳波測定し，データを無線でデジタル脳波計に送信する．救急外来あるいはICUなどで意識障害のある患者に利用することを目的としている．

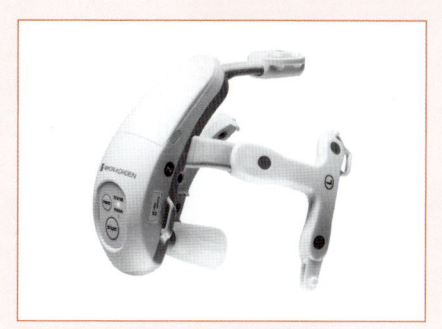

図2-51 ヘッドセット型脳波計

表 2-2 終夜睡眠ポリソムノグラフィーを測定するためのセンサ位置と用途

測定項目	装着位置	センサ
脳波	前頭部, 中心部, 後頭部	脳波用電極
眼球運動	左眼角上と右眼角下	脳波用電極
呼吸	鼻孔および口元	圧センサあるいはサーミスタ (温度) センサ
呼気 CO_2	鼻孔および口元	カプノメータ (CO_2)
歯ぎしりによる筋電図	おとがい筋およびおとがい下筋	筋電図用電極
いびき	首	圧電素子センサ
心電図	CS5誘導	心電図用電極
呼吸	胸郭および腹部	伸展による抵抗変化示す呼吸センサ
体位	胸郭	圧電素子を内蔵した体位センサ
SpO_2	手指	LEDおよびフォトダイオードからなるセンサ
下肢運動による筋電図	左右前脛骨筋	筋電図用電極

の入力箱が使用される.

　入院中の患者の行動をビデオで測定しながら, てんかん発作時の様子と脳内のてんかんの原因となる焦点をみつけることが目的となる. 焦点がみつかると, その部位から出る線維を外科的に分離(切断)するため, 脳波を確認しながら手術が行われる.

(3) 術中神経機能モニタ

　脳神経外科あるいは整形外科での手術操作による治療の効果を, 誘発電位の波形の振幅あるいは潜時の変化から判断する専用の機器が用意されている.

　手術中, 誘発電位を定期的に計測し, 振幅あるいは潜時の変化を術者に警告する機能が設けられている.

(4) BIS™ モニタ

　麻酔の深度によって脳波の周波数が変化することは古くから知られていた. アメリカのアスペクト社(現在はメドトロニック社)がこれを応用し, バイスペクトラルインデックスとして0～100のスコアで麻酔の深度を数値化したものがBIS™モニタとして販売されている(図2-52).

　この解析手法はメドトロニック社の知的財産として登録されており, 詳細については公開されていない.

　BIS™モニタ使用時に注意すべき点として, 麻酔薬が決められており, プロポフォール, ミダゾラム, アルフェンタニルおよびイソフルランを用いた場合に限られる. その背景として, 多施設においてこれら4種の麻酔薬による脳波の解析結果がデータベース化され, その解析論理に基づいている. その数値の示す患者の状態を表2-3に示す.

臨床とのつながり

BIS™ モニタ
図2-52に示すディスプレイつきの単体機の他に, 生体情報モニタに接続し, スコアがモニタ画面に表示されるタイプのモジュールも市販されている.

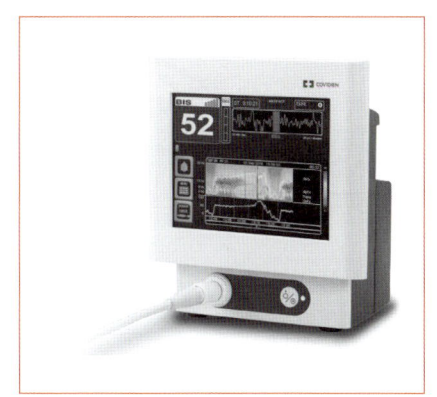

図2-52　BIS™モニタ

表2-3　BISが示すスコアと催眠状態

BIS	催眠状態	患者の状態
100〜70	覚醒／浅い催眠〜中程度の鎮静	全身麻酔からの覚醒
70〜60	浅い催眠状態	
60〜40	適切な催眠状態	手術中の維持範囲
〜40	深い催眠状態	

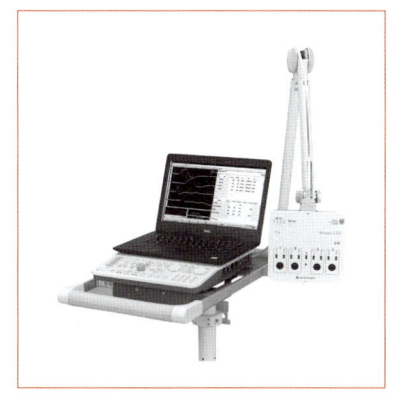

図2-53　筋電計

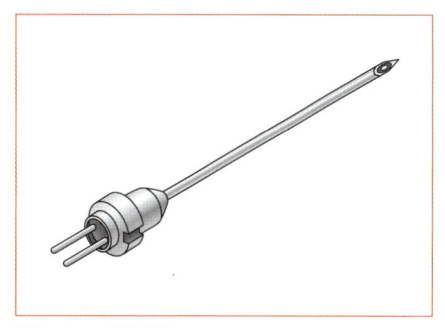

図2-54　針電極

4. 筋電計

　筋電計（図2-53）は，筋収縮時に発生する筋線維の活動電位である筋電図を記録，解析する装置である．

　骨格筋の活動状態とそれを支配する運動神経の機能を調べるために針電極を筋に刺入して活動電位を記録する針筋電図，動作解析などに利用される皿電極による表面筋電図，末梢神経の伝導速度を反映する誘発筋電図がある．

筋電計
electromyograph：EMG
筋電図
electromyogram：EMG

1）筋電図計測の基礎
(1) 電極の種類
　電極には，筋電図を導出する針電極と表面電極，筋を支配する運動神経を電気刺激する刺激電極がある．
①針電極
　電極近傍の複数の筋線維の活動電位を測定するためのものである（図2-54）．直径0.3〜0.4 mmの中空の針の中に直径約0.1 mmの白金線の電極を入れ，その間を絶縁物で埋めたものである．他に，ステンレス針をテフロンコーティングした単針電極などがある．

生体電気計測　89

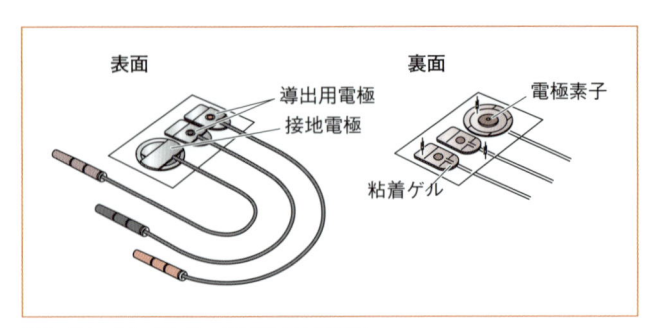

図2-55 ディスポーザブル表面電極

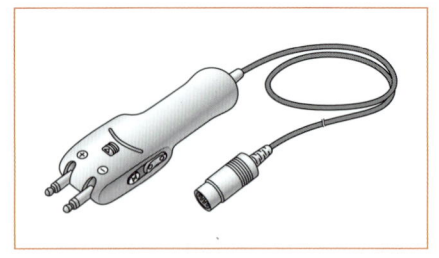

図2-56 神経伝導検査のための電気刺激電極

②表面電極

前述の脳波電極と同じAg-AgCl電極が使われ，導電性ペーストを介し皮膚に装着する．あるいは，ディスポーザブルのAg-AgClシートにゲルが塗布された電極も用いられる．広範囲な筋の活動状態を導出する（図2-55）．

③刺激電極

神経伝導検査の際，神経を体表面から電気刺激するためのものである（図2-56）．体性感覚誘発電位で用いられる刺激電極（図2-48）と共用できるが，さまざまな神経を短時間で刺激することができるように手持ち型で刺激強度を変える機能を有する．

(2) 筋電図の種類

①針筋電図（図2-57）

針電極により運動単位の筋活動をみることができる．筋線維レベルの活動状態を記録でき，筋肉を支配する運動神経あるいは筋の診断に利用される．

筋電図は，数十μV～数mVの振幅をもち，波形を構成する周波数が数Hz～数十kHzと非常に広範な帯域をもつ電位である．筋電図波形は図2-58のような測定パラメータがあり，神経原性あるいは筋原性の疾患の判断基準となる．

②表面筋電図

表面筋電図は，表面電極近傍の筋全体の活動状態を計測するものである（図2-59）．針筋電図と異なり，皮膚表面から電位を導出することにより，多くの運動単位が干渉した波形となるため，周波数帯域は狭くなる．複数の筋を同時に観察する動作解析や運動の研究に応用される．

③誘発筋電図

皮膚の上から運動神経を電気刺激すると，その神経が支配する筋から，潜時を有する誘発筋電図を記録することができる（図2-60）．

神経は，伝導速度が異なった線維の束で構成されているので，その各々が興奮する刺激の強さもさまざまである．すべての神経線維が興奮すると，それが支配する筋線維もすべて興奮することになり，測定される振

keyword

運動単位

脊髄からの1つの運動神経で支配される一群の筋線維を運動単位（motor unit：MU）という．その電位は運動単位電位（motor unit potential：MUP）とよばれる．

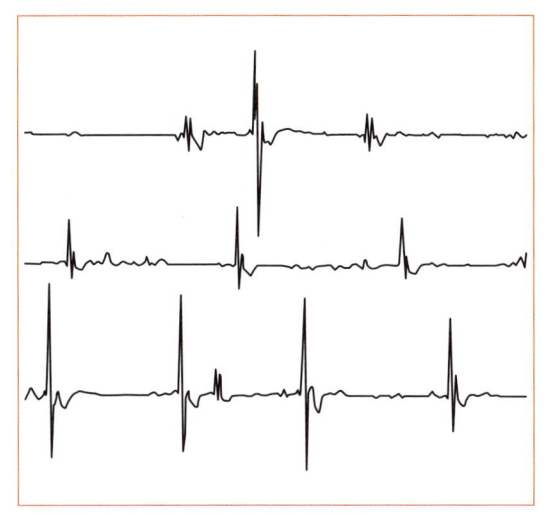

図2-57 針電極による運動単位電位

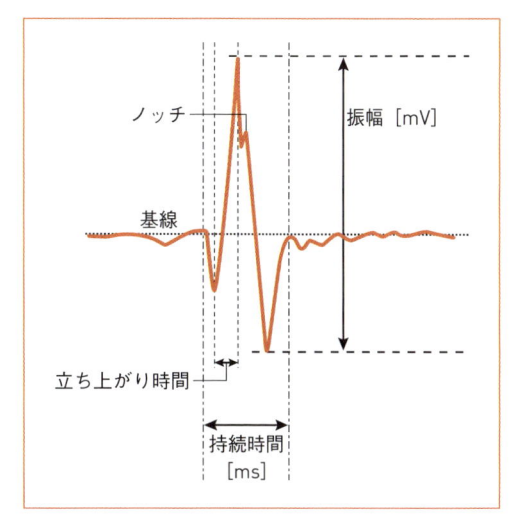

図2-58 運動単位電位の測定

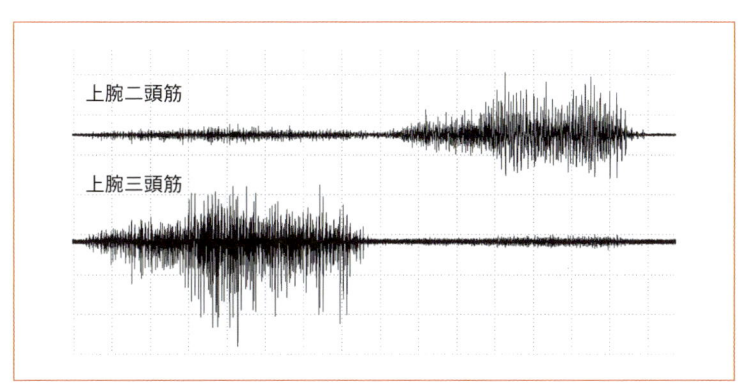

図2-59 表面筋電図

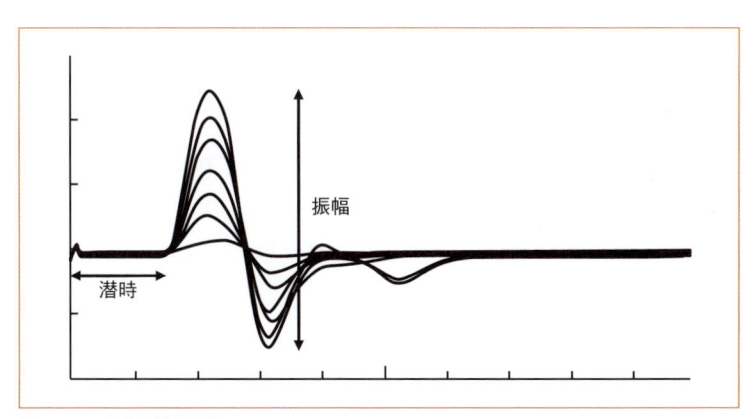

図2-60 誘発筋電図
刺激強度を変えて測定した複数の誘発筋電図を重ねて表示している．

幅は最大になる．これを複合筋活動電位とよぶ．したがって，電気刺激強度を徐々に強くしていくと振幅も徐々に大きくなり，ついには振幅が最大になる．次に述べる神経伝導速度の計測では，この振幅が最大とな

複合筋活動電位
compound muscle action potential：CMAP

生体電気計測 91

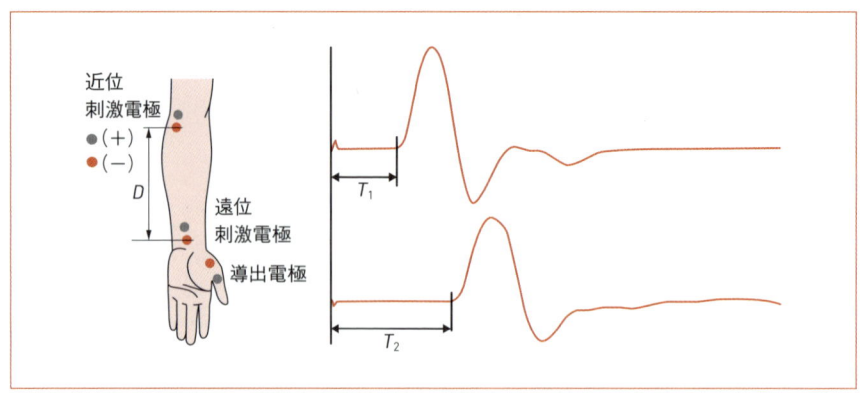

図2-61　運動神経伝導速度の計測

る刺激強度以上の電気刺激をして，測定を安定的に行う．

(3) 神経伝導速度

運動神経（末梢神経）を近位部と遠位部の2点で皮膚上から別々に電気刺激し，末端の筋で誘発された電位（誘発筋電図）を導出すれば，その潜時の時間差から神経伝導速度がわかる．これにより，運動神経の異常の有無を調べるのが，運動神経伝導速度検査である．

図2-61は運動神経伝導速度の計測法を表し，Dは刺激点と刺激点との距離，T_1, T_2はそれぞれの潜時である．伝導速度は$D/(T_2 - T_1)$で表される．

導出電極を神経線維の上に配置すると，数μVの小さな電位が得られる．誘発電位計測と同じように，加算平均して得られる反応は複数の神経軸索の興奮を導出するもので，刺激電極と導出電極のマイナス極間の距離（D）を潜時（T）で割ったものは感覚神経伝導速度とよばれる（図2-62）．

2) 筋電計を構成する要素

筋電計は差動増幅後にAD変換され，デジタル演算処理，解析がなされ，表示，記録される．その構成は基本的には前項で述べた誘発電位の測定装置と変わらない（図2-50）．

臨床とのつながり

筋電計と誘発電位検査装置

共通する構成ではあるが，筋電図の計測には誘発反応では使用しないスピーカが必要である．針筋電図では筋電位を音で確認し，神経・筋疾患の診断に利用される．

Tips　筋弛緩モニタ

手術中の体動や侵襲による反射を防ぐために，全身麻酔を受ける患者は筋弛緩薬を投与される．筋弛緩薬の効果は，おもに尺骨神経を電気刺激し，小指外転筋から得られる誘発筋電図が出ないことで確認する．そのために，生体情報モニタに接続される専用の機器が市販され，前節で説明したBIS™モニタとともに，麻酔管理に欠かせない機器となっている．

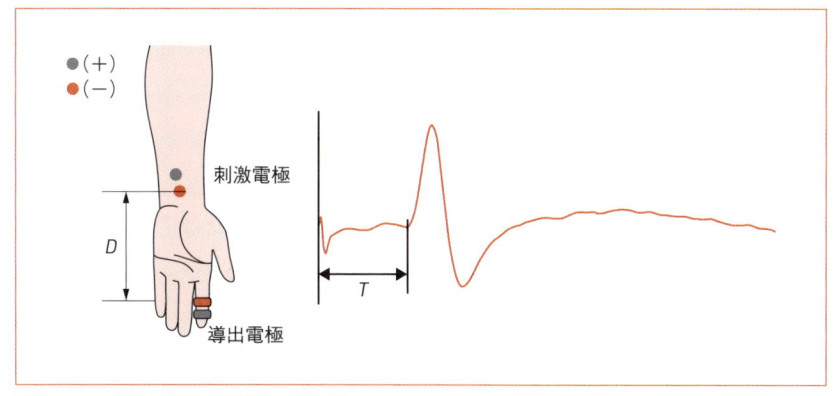

図2-62　感覚神経伝導速度の計測

(1) 増幅部

筋電図信号は振幅数μV～数mVと広いダイナミックレンジを有し，電極インピーダンスは脳波計と同じく数kΩと大きいので，増幅器の入力抵抗は100 MΩ以上，同相除去比も100 dB以上と設定されている．

針筋電図では周波数帯域が5 Hz～10 kHzと広く，低域遮断フィルタと高域遮断フィルタの設定は広い範囲で可変となっている．

(2) AD変換

サンプリング周波数は50 kHz以上，量子化精度（分解能）は12～16 bitでAD変換され，本体演算部に送られる．

(3) 演算・制御部

波形のピーク値や持続時間などの波形解析，加算平均処理，データの記憶，外部刺激装置の制御などを行う．

(4) 表示・記録部

①表示部

筋電図の波形（振幅，位相，持続時間）を観察するための表示装置で，ノートブック型に内蔵される，あるいはデスクトップ型コンピュータに接続される液晶が使用される．臨床検査では，陰性で上向きに，陽性で下向きに波形が表示される．

最大感度は10 μV/cm以上必要で，これをディスプレイの1目盛（DIV）を使い，10 μV/DIVと表すのが一般的である．標準的な感度として，500 μVまたは1 mVの校正電圧が1 DIVになるように調整される．

②記録部

非常に高い周波数帯域のため，高速記録が可能なサーマルアレイ式記録器を搭載した筋電計が市販されていたが，コンピュータとプリンタの発達により，内部メモリに記憶してから必要な部分のみ印刷する方式が一般的となっている．

(5) スピーカ部

筋電図検査では，ディスプレイで波形を観察するとともに，筋電図を

---

keyword

JIS T1150

入力抵抗は10 MΩ以上，同相信号弁別比は60 dB以上を必要とした筋電計JIS T1150は2006年に廃止され，JIS T 0601-2-40：2005に統合された後，これも2021年に廃止された．この規格の参照元となる国際規格IEC 60601-2-40：2016が残っている．

臨床とのつながり

筋電計のフィルタ

誘発電位検査など各種用途のために，たとえば低域フィルタは0.01 Hz～3 kHz，高域フィルタは10 Hz～20 kHzの範囲で可変となっている．

keyword

DIV

divisionの略語．1目盛分を表す．

音の高低で確認するためにスピーカが内蔵されている．音の高低に加え，周期的なリズムなどから筋電図の異常を鑑別し，診断に役立てる．

脳波計の記録部と同様に，デジタル信号を再度アナログ変換してスピーカに出力する．

(6) 電気刺激部

誘発筋電図や神経伝導速度を測るため，定電流または定電圧の方形波パルスを出す電気刺激装置が内蔵されている．

最大出力強度は，定電圧出力の場合は約300 V，定電流出力の場合は約100 mAであり，パルス幅は0.05～1.0 msec，刺激周波数は0.1～50 Hzの範囲で設定できる．

電気刺激装置は，電極接続箱の増幅器とは別にアイソレーションされ

keyword

アイソレーション
従来，刺激アーチファクトを減じ患者の電気的安全を確保するため，アイソレータとよばれるトランスから構成される絶縁回路を使ってきた．最近は，電気刺激装置の回路そのものを絶縁している．

Tips 脳波計と筋電計の比較

JIS規格で定められている脳波計と筋電計の性能について表2-4にまとめた．本文の説明にあるように，市販されている機器は規格で定められた数値以上の性能をもっている．

表2-4 脳波計と筋電計の比較

種別（規格） 項目	脳波計（JIS T 1203：1998）	筋電計（JIS T 1150：1986）	備考
入力インピーダンス	5 MΩ以上	10 MΩ以上	
校正電圧誤差	±5%	±5%	
最大感度	0.4 mm/μV	10 μV/DIV	市販の脳波計では感度はmm/μVと表現される
周波数特性	1～60 Hz	2～10 kHz	
時定数	少なくとも0.1 sおよび0.3 sを備える	ー	一般的には時定数あるいは低域遮断(low cut)フィルタとよばれる
高域通過ろ波器	ー	少なくとも2, 5, 10 Hzから1つ，10, 20, 50 Hzから1つ，100, 200, 500 Hzから1つずつ選択できる	
フィルタ	60 Hzで3 dBの減衰特性をもつ	ー	一般的には高域遮断(high cut)フィルタとよばれる
低域通過ろ波器	ー	1 kHzおよび10 kHzを含む1-2-5系列の遮断周波数のステップ切替器を備える	
雑音	1～60 Hzの3 μVp-pをこえる雑音が1秒あたり1回をこえてはならない	10 μVp-pより大きいものが1秒に1回をこえてはならない	
同相除去比	1,000 (60 dB)以上	60 dB以上とする	
記録紙の送り速さ	設定値の±5%の誤差	ー	
掃引速度	ー	0.2～100 ms/DIVの範囲をステップ切替器で切り替えられ，精度は±5%以内とする	

ており，増幅器や大地に刺激電流が流れ，電撃とならないように設計されている．

参考文献
1) ミユキ技研：テクニカルノートVol.1. 脳波計のあゆみ.
   https://miyuki-net.co.jp/jp/web_seminar/eegProgress/
2) Hans, B.：Über das Elektrenkephalogramm des Menschen. *Archiv für Psychiatrie und Nervenkrankheiten*, **87**：527〜570, 1929.
3) 大熊輝雄, 松岡洋夫, 上埜高志, 齋藤秀光：臨床脳波学. 第6版 医学書院, 2016.
4) JIS T 1203：1988脳波計.
5) IEC 80601-2-26 Ed.1.0b Cor.1：2021医用電気機器-第2-26部：脳波計の基礎安全及び基本性能の特定要求事項.
6) 日本臨床神経生理学会 臨床脳波検査基準改訂委員会：改訂臨床脳波検査基準2002. 臨床神経生理学, **31**(2)：221〜242, 2002.
   http://jscn.umin.ac.jp/files/guideline/ClinicalEEGtest.pdf
7) 日本臨床神経生理学会（旧日本脳波・筋電図学会）ペーパレス脳波計検討委員会：ペーパレス脳波計の性能と使用基準2000. 臨床神経生理学, **28**(3)：270〜276, 2000.
   http://jscn.umin.ac.jp/files/guideline/paperless.pdf
8) 臓器提供施設における院内体制整備に関する研究班：法的脳死判定マニュアル, 厚生労働省.
   https://www.mhlw.go.jp/file/06-Seisakujouhou-10900000-Kenkoukyoku/noushi-hantei.pdf
9) 日本臨床神経生理学会：誘発電位測定マニュアル2019. 診断と治療社, 2019.
10) Glass, P.S., et al.：Bispectral analysis measures sedation and memory effects of propofol, midazolam, isoflurane, and alfentanil in healthy volunteers. *Anesthesiology*, **86**(4)：836〜847, 1997.
11) 木村 淳著, 栢森良二訳：新 神経・筋疾患の電気診断学―筋電図・神経伝導検査 原理と実際. 西村書店, 2019.
12) JIS T 1150：1986筋電計.
13) IEC 80601-2-40 Ed.2.0：2016（b）医用電気機器-第2-40部：筋電計及び誘発反応機器の基礎安全及び基本性能の特定要求事項.

2　生体磁気計測

　生体内で神経伝導などの電気的活動が起こると，その活動電流に伴って磁場（磁界）が発生する．生体から発生する磁気計測を行うことによっ

keyword

T（テスラ）
国際単位系（SI）で表した磁束密度の単位．1 T = 1 Wb/m².

G（ガウス）
CGS 単位系で表した磁束密度の単位．1 T = 10000 G.

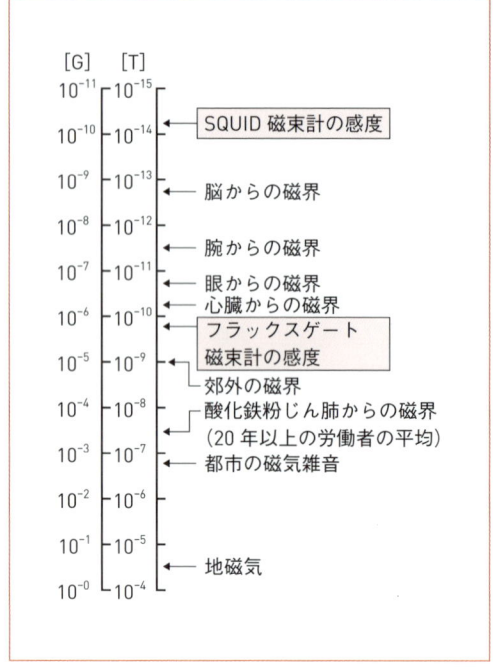

図 2-63 生体から発生する磁場（磁界）の比較
（小谷　誠，他：生体磁気とその計測法，BME，2（10）：651〜659，1988 より引用）

て，心電図や脳波とは異なる情報が得られるため，必要に応じて心磁図や脳磁図の測定が行われることがある．ただし，生体から発せられる磁場（磁界）は地磁気や日常の環境磁場よりもはるかに微弱であるため（図2-63），高感度の磁気計測が必要となる．ここでは，心磁図計測と脳磁図計測について述べる．

1. 心磁図計測

　心臓のはたらきを調べる検査としては，心電計を用いるのが一般的である．一方，心臓の電気活動の際には，イオン電流の流れに伴って磁場（磁界）が発生するため，それを利用して心電図では得られない心筋活動の情報を記録したものが心磁図（MCG：magnetocardiography）である．心臓の磁場（磁界）計測自体の歴史は古く，1960 年代には始まっているが，1970 年頃に高感度で磁気計測が可能な SQUID による計測が行われるようになり，研究開発が進んだ．心磁図計測では，心臓全体，あるいは心臓の各部位の電気活動をマッピングでき（図2-64），拡張型心筋症の予後予測や，胎児不整脈の診断などに有効であるとして注目されている．

　心筋細胞の静止電位は−90〜−60 mV 程度であるが，興奮（脱分極）時には，細胞外の Na$^+$ イオンの急速流入により，＋30〜＋40 mV 程度まで上昇する．心筋細胞の興奮は刺激伝導系を通って順次伝わっていく

keyword

SQUID
superconducting quantum interference device：超伝導量子干渉計．

―臨床とのつながり―
拡張型心筋症
心筋の一部が線維化するため，心電位の異常が生じることから心磁図により変化が検出される．

活動電位と脱分極については，臨床工学講座「生体物性・医用材料工学」第 2 章参照．

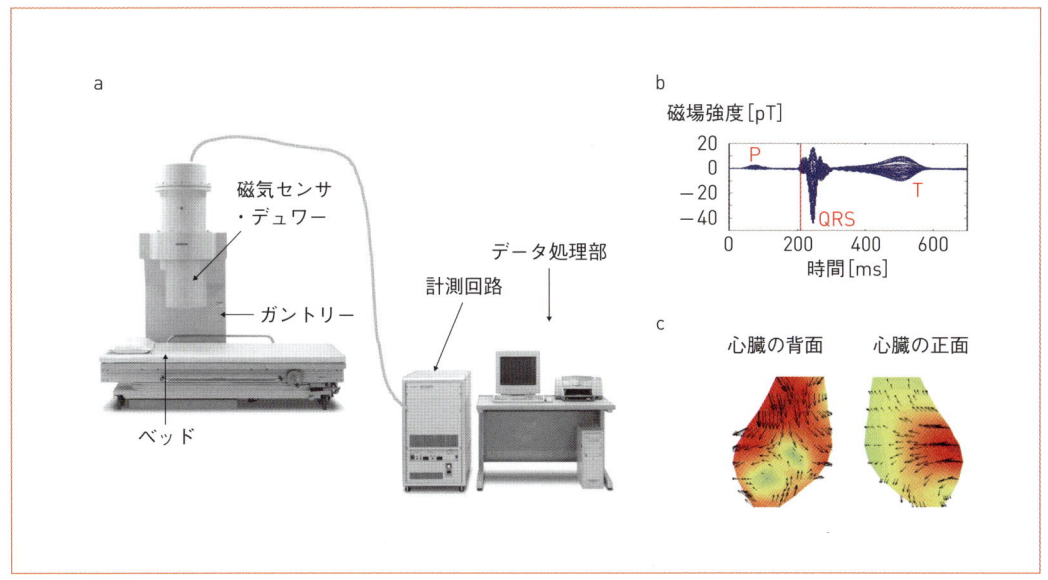

図2-64　64 ch心磁計とその測定例
a：心磁計の外観，b：心電図波形に対応した磁場変化，c：接線方向の電流ベクトルの分布図．
（塚田啓二：最近の心磁計．低温工学，42（9）：296～302，2007より引用）

ため，興奮している部分としていない部分で電位差が生じる．心磁図計測では，この電位差によって生じる電流に起因する電流双極子（電流ダイポール）が作る磁場（磁界）をとらえるというのが基本原理となっている．

図2-63に示したように，心臓から発生する磁場（磁界）は非常に微弱であるため，高感度の磁気計測技術と外界の磁気ノイズの軽減が必須となる．高感度の磁気計測に用いられているのがSQUID磁束計である．

2. 脳磁図計測

脳の電気的活動に伴って発生する磁場（磁界）をとらえるのが脳磁図（MEG：magnetoencephalography）である．脳神経の場合も，心臓の電気活動と同様に神経細胞の興奮に伴って生じる電流双極子（電流ダイポール）の周囲に発生する磁場（磁界）をとらえる．図2-65に脳磁計（MEG）の基本構成例を示す．SQUIDセンサの入った測定部に頭を入れて測定する．MRI画像との比較を行うことで，脳の活動部位を推定している．脳活動推定における位置の分解能は1 mm程度，時間分解能は0.1～1 ms程度とされており，fMRIやNIRSなどと比較して時間分解能が高い（表2-5）．頭部表面に配置できるセンサの数には限度があるが，現在は最大で300～400程度となっている．図2-63に示したように，心磁図に比べると3桁近くさらに微弱な信号であるため，雑音対策が重要となる．

脳磁図計測の際の解析法としては，加算平均法，等磁場線図の描画，

keyword
等磁場線図
ある瞬間において，磁場が等しい部分を結んで描画したもの．地図の等高線図をイメージするとよい．

生体磁気計測　97

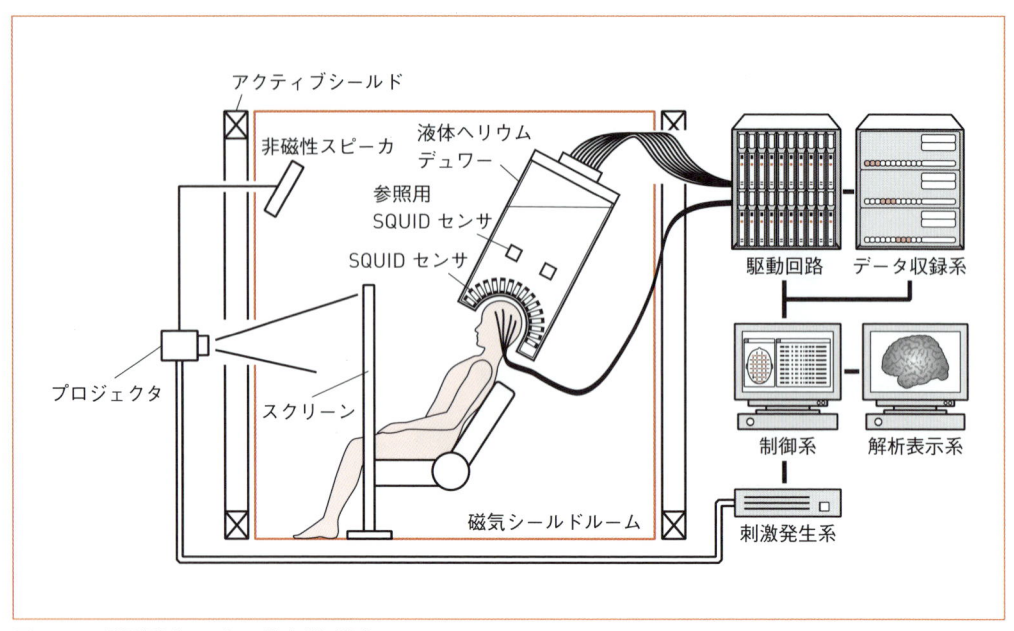

図2-65 脳磁計(MEG)の基本構成例

(横澤宏一:脳磁計(MEG)の50年. 生体医工学, 57(4・5):113～118, 2019より引用)

表2-5 各種脳機能計測法の特徴

計測方法	計測対象	空間分解能 [mm]	時間分解能 [秒]	長所	短所
EEG	神経活動(電位)	30～40	10^{-3}	高時間分解能, 低拘束性, 低コスト	低空間分解能
MEG	神経活動(磁場)	5～7	10^{-4}～10^{-3}	高時間分解能 高空間分解能	深部での低感度
fMRI	神経活動に伴う 血流動態	3～5	4～5	高空間分解能	低時間分解能
NIRS	神経活動に伴う 血流動態	20	4～5	低拘束性	低時間分解能 低空間分解能

(菅田陽怜, 他:脳磁図(MEG)を利用した脳機能計測とその応用. 理学療法学, 43(6):514～519, 2016より引用)

透過電流双極子の推定などがある(図2-66). 加算平均法は, 繰り返し測定により得られた各チャネルごとの脳磁図波形を加算平均し, 磁場強度変化をとらえたものである(図2-66a). 等磁場線図は, 磁界の等しい部分を地図の等高線のように結んで描画したものである(図2-66b). この等磁場線図から磁場の湧き出している部分や吸い込んでいる部分を推定したものが透過電流双極子である(図2-66c).

3. 生体磁気計測装置の点検・保守管理と患者確認
1) おもな点検項目

心磁計, 脳磁計は, いずれも低温で起こる超伝導現象を利用している

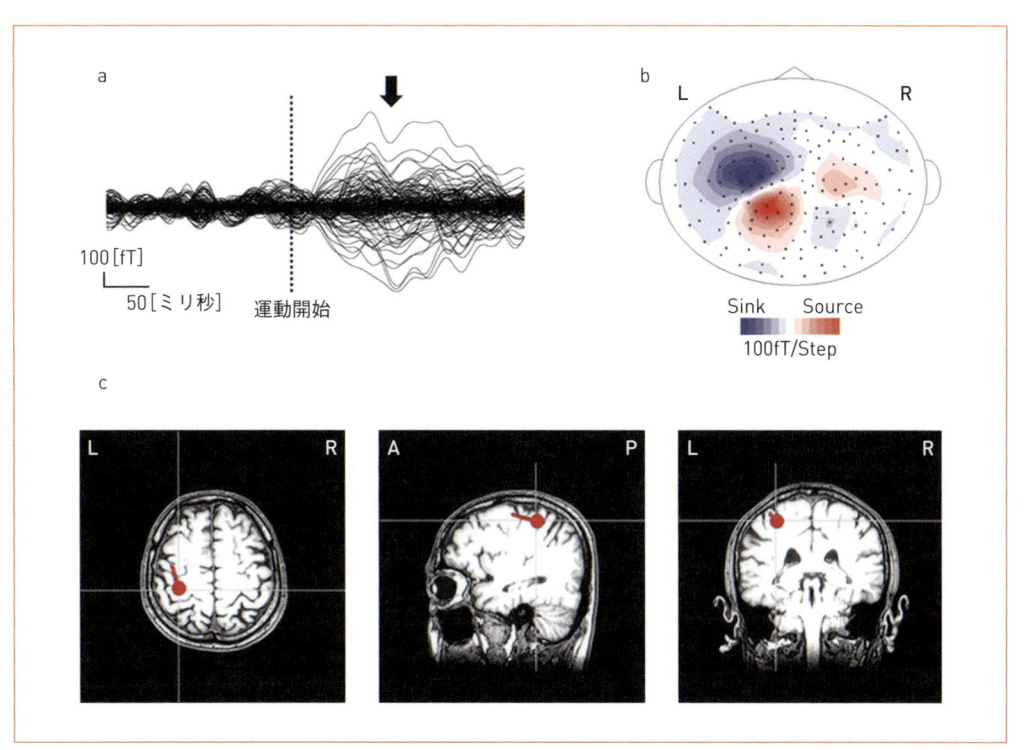

図2-66　右手指屈曲時の反応を示す脳磁図の例
a：加算平均波形，b：等磁場線図，c：aの矢印時点における透過電流双極子．
　　（菅田陽怜，他：脳磁図（MEG）を利用した脳機能計測とその応用．理学療法学，43（6）：514〜519，2016より引用）

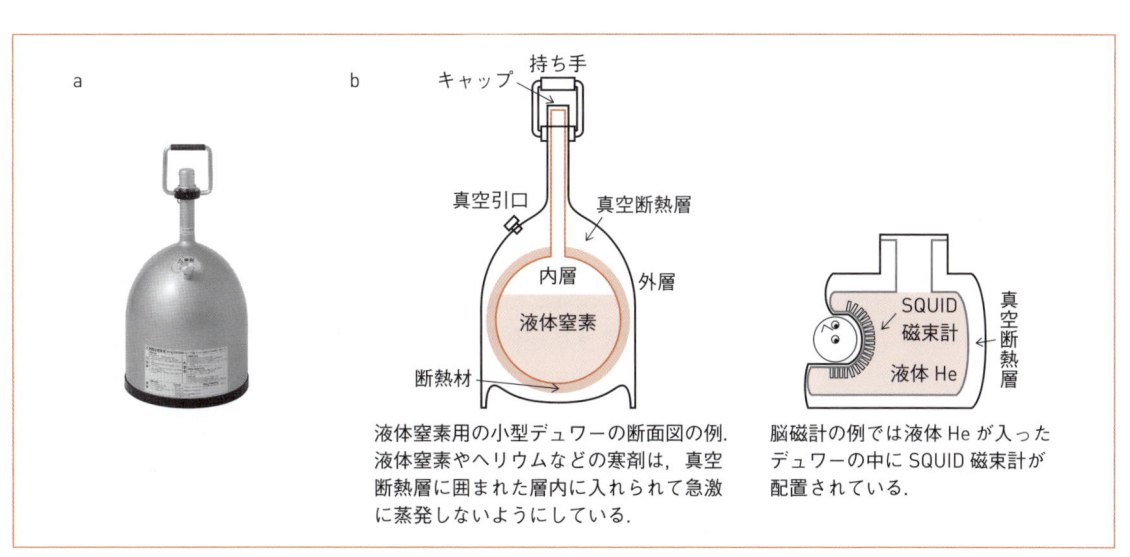

図2-67　デュワー瓶
a：(株)ジェック東理社製シーベル10．
b：脳磁計のデュワーの図は生体医工学ウェブ辞典：脳磁図・脳磁計・MEG．をもとに作成．

ため，デュワー瓶とよばれる冷媒用容器（図2-67）のなかに液体ヘリウム（He）を入れてSQUID磁束計を冷却する必要がある．したがって，デュワー瓶内の液体He残量チェックが必要である．また，液体Heは，

蒸発すると約700倍も体積が大きくなるため，密閉された空間に入れた状態で温度が上昇すると爆発の危険がある．したがって，デュワー瓶内の圧力が指定の圧力範囲内にあることを確認しておく必要がある．また，液体Heが漏れ出すと酸素欠乏症になる危険があるため，Heが通る配管や接続部などから漏れがないことも確認しておくと同時に，室内の酸素モニタも確認しておく必要がある．デュワー瓶は断熱容器となっているが，異常時には表面に結露が生じることがあるため，デュワー瓶の底面や側面に露や霜がついていないか確認する必要がある．その他は他の医療機器と同様，添付文書を参考に保守点検を行う．

2) 患者の確認

心磁計や脳磁計は，非常に微弱な信号を計測するため，患者の体内や衣服を含む装着物に磁性体や電子機器，金属物などがないことを確認しておく．植込み型医療機器（ペースメーカ，ICD，人工内耳など）や，骨折治療用のプレートやボルト，義歯用インプラント，脳血管クリップ，ステント，補聴器などは測定結果に影響を及ぼすことがある．

4. SQUID磁束計とジョセフソン効果

SQUIDは，超伝導という量子力学的な物理現象を利用した磁気計測素子である．超伝導とは，超伝導体とよばれる物質を冷却するとある温度（臨界温度）を境に現れる現象であり，①電気抵抗がゼロ，②完全反磁性（マイスナー効果）が現れることが特徴である．超伝導状態にある物質の温度を上昇させると，臨界温度をこえた時点で常伝導状態に戻り，電気抵抗が発生する．超伝導状態では電気抵抗がゼロであるが，電流が増加していくと，ある値を境にふたたび超伝導状態から常伝導状態に戻る．このときの電流を臨界電流とよぶ．

図2-68aのような超伝導体のリングを冷却して，超伝導状態になった状態でリングに微弱な磁束Φを近づけると，リングを貫こうとする磁束Φを打ち消すように超伝導電流I_{sc}が超伝導体内を流れる．超伝導状態では，通常の物質と違って電気抵抗がゼロであるため，リングのなかでは電流が減衰することなく流れ続ける（永久電流とよぶ）．このとき，リングを通り抜ける全磁束Φは，

$$\Phi_0 = \frac{h}{2e} = 2.07 \times 10^{-15} \quad \text{Wb}$$

で表される磁束量子Φ_0の整数倍となる．つまり，$\Phi = n\Phi_0$（nは整数）という離散的な値となる．ここで，$h = 6.626 \times 10^{-34}$ J·sはプランク定数，$e = 1.602 \times 10^{-19}$ Cは電気素量である．分母が$2e$となっているのは，超伝導現象が電子がペアを組むことによって起こる現象であることに由来する．

常伝導状態で個別のエネルギー状態をとっていた電子は，超伝導状態

keyword

完全反磁性

超伝導体の内部に磁場を印加した状態で冷却すると，超伝導状態になった際に磁場（磁界）が外部に押し出される．これは，電磁誘導では説明できない超伝導特有の現象である．

keyword

プランク定数 h

光子のもつエネルギーεと光の振動数νの間の比例定数．光子1個のエネルギーは，
$\varepsilon = h\nu$
で表される．

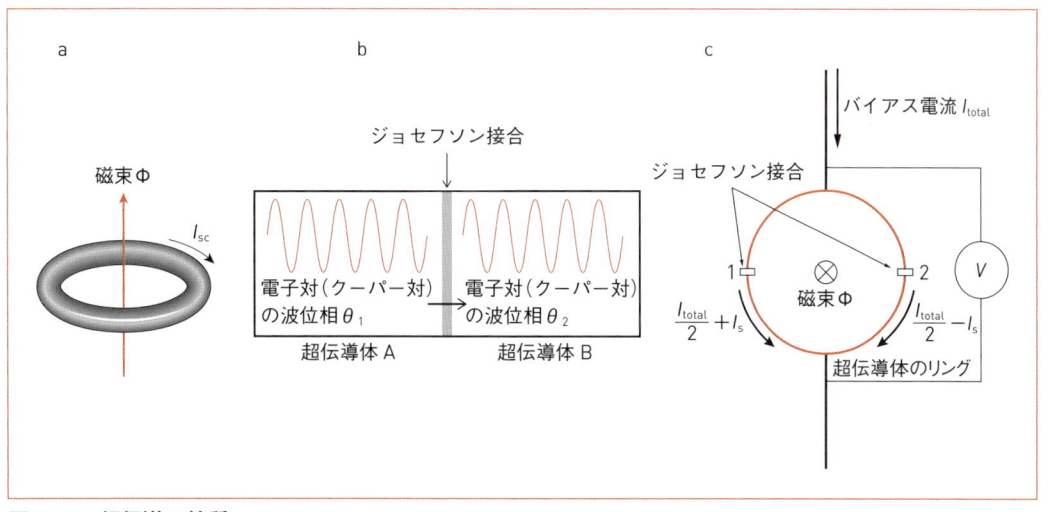

図2-68　超伝導の性質
a：超伝導体のリングを磁束が貫くと超伝導電流が永久電流として流れる．
b：ジョセフソン効果の概念図．超伝導体A，Bの間のジョセフソン接合には，電圧を加えなくても超伝導状態における電子対の波の位相差（$\theta_2 - \theta_1$）によって電流が流れる．
c：2つのジョセフソン接合をもつSQUID磁束計の例．

になると，超伝導体の内部で，すべての電子が位相のそろった波として振る舞うようになる．図2-68bのように，2つの超伝導体A，Bを薄絶縁膜や細いくびれ，あるいは小さな接点などで接合して超伝導状態にすると，超伝導体AとBそれぞれの電子の位相が異なるので，位相をそろえようとして電圧を加えなくても絶縁膜を電流が流れるという現象が起こる．このように，電圧を加えなくても電流が流れる現象をジョセフソン効果とよぶ．また，このような接合をジョセフソン接合とよび，流れる電流（ジョセフソン電流）I_sは，

$$I_s = I_c \sin\theta$$

と表される．ここで，I_cはジョセフソン接合を流れることができる最大の電流（臨界電流）で，θは2つの超伝導体A，Bの中でそれぞれ超伝導電流を運んでいる電子対（クーパー対）の波の位相差である．

2つの超伝導体を図2-68cのように2つのジョセフソン接合1，2をもつ回路にバイアス電流I_{total}を流したときを考える．ループを貫く磁束がゼロのときは，ジョセフソン接合1，2の両方に同じ電流（$I_{total}/2$）が流れる．一方，外部から磁束Φが貫くと，それを打ち消すように遮蔽電流I_sが流れるため，両者で均衡が崩れることになる．磁束量子をΦ_0，ジョセフソン接合部分1，2の位相差をそれぞれθ_1，θ_2，臨界電流をともにI_0，回路全体の臨界電流をI_cとすると，

$$I = I_c \sin\theta_0 \quad \left(\text{ただし，}\theta_0 = \frac{\theta_1 + \theta_2}{2}\right)$$

$$I_c = 2I_0 \left|\cos\left(\pi\frac{\Phi}{\Phi_0}\right)\right|$$

keyword

超伝導状態における電子対

クーパー対という．

keyword

ジョセフソン電流

理論的に現象を予言したB. D. Josephsonの名前にちなんで，ジョセフソン電流とよぶ．

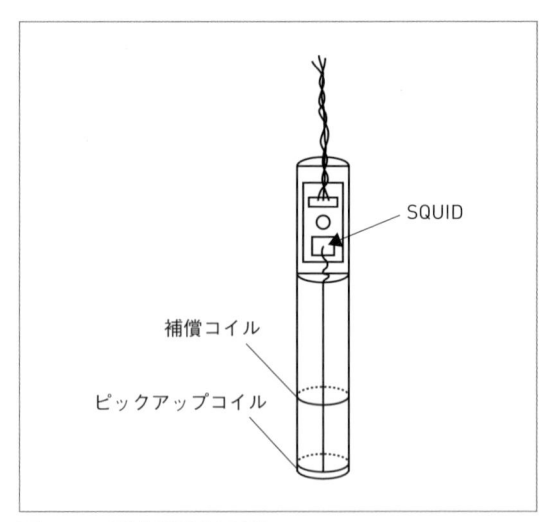

図2-69 磁束検出部の例
(神島明彦：心磁計の基本技術と臨床応用技術. 電学論A, **125**(2)：81〜84, 2005より作成)

のような関係が成り立つことが知られている．つまり，定電流のバイアス電流を流し，外部磁場（磁界）を変化させると，ジョセフソン接合部分に発生する電圧が周期的に変化することになるため，磁束と電圧を変換する素子として機能する．このような素子をSQUID磁束計とよぶ．とくに，図2-68cのように2つの接合をもつものをdcSQUID，接合が1つのものをrfSQUIDとよぶ．心磁計や脳磁計では，rfSQUIDに比較して感度のよいdcSQUIDが用いられている．

実際の計測においては，SQUID磁束計そのもので直接磁場（磁界）をとらえるのではなく，超伝導線で作られたピックアップコイルと，雑音を打ち消すための補償コイルで構成されるグラジオメータとよばれるもので検出し，SQUID磁束計に導入するようになっている（図2-69）．

SQUID磁束計は地磁気でさえ影響を受けるため，シールドルームとよばれる外部からの電磁界を遮断する部屋で測定するのが一般的である．

参考文献
1) 小谷　誠，他：生体磁気とその計測法. *BME*, **2**(10)：651〜659, 1988.
2) 塚田啓二：最近の心磁計. 低温工学, **42**(9)：296〜302, 2007.
3) 菅田陽怜，他：脳磁図（MEG）を利用した脳機能計測とその応用. 理学療法学, **43**(6)：514〜519, 2016.
4) 横澤宏一：脳磁計（MEG）の50年. 生体医工学, **57**(4·5)：113〜118, 2019.
5) 神島明彦：心磁計の基本技術と臨床応用技術. 電学論A, **125**(2)：81〜84, 2005.

第3章 生体の物理・化学現象の計測

1 循環系の計測

1. 血圧計
1) 観血式血圧計
(1) 目的

血圧は，血管内の圧力（内圧）という意味で，心室の収縮によって拍出された血液が，それを受け取る動脈系のなかで作り出す圧力（動脈圧）のことを指す．

血圧は，心臓の周期によって図3-1のように変動し，心臓の収縮初期にもっとも高く，拡張末期にもっとも低くなる．左心室の収縮に伴う圧を収縮期（最高・最大）血圧，左心室の拡張に伴う圧を拡張期（最低・最小）血圧という．そしてこの収縮期血圧と拡張期血圧の差を脈圧という．また，平均血圧とは，1心拍ごとに変化する血圧の平均圧のことで，近似的には脈圧の1/3を拡張期血圧に加えて算出することができる．

血圧を決定するおもな因子は，心拍出量と末梢血管抵抗，および循環血液量である．心拍出量は心臓の収縮力と心臓に戻ってくる血液量，心拍数によって規定される．末梢血管抵抗は全身の細動脈の形状で決定さ

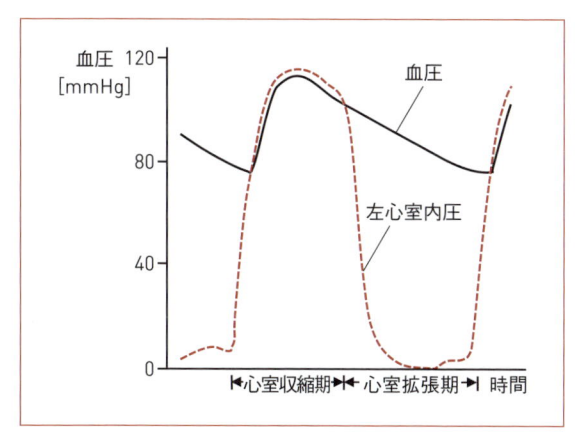

図3-1 血圧と左心室内圧の関係
（渡辺　敏：ME早わかりQ&A3．血圧計・心拍出量計・血流計・脈波形・血液ガス分析装置・心臓カテーテル検査．南江堂，1988[1]）をもとに作成）

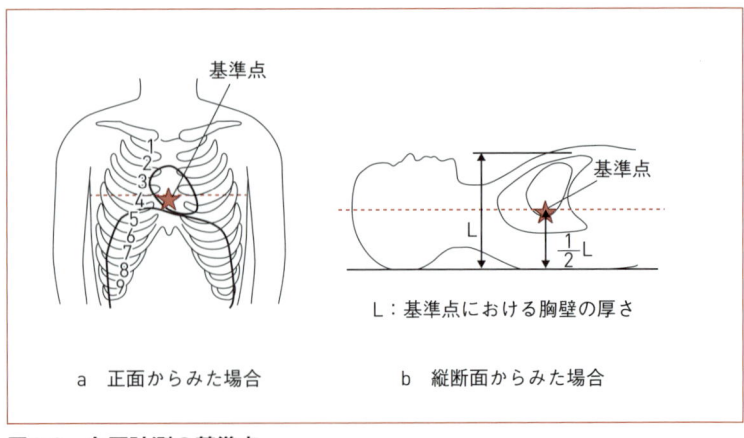

図3-2 血圧計測の基準点
（山越憲一, 他：生体用センサと計測装置. コロナ社, 2007をもとに作成）

a　正面からみた場合　　b　縦断面からみた場合

L：基準点における胸壁の厚さ

れる.

　このように, 血圧の測定により, 心臓のポンプ機能や血管系の状態を把握でき, 心臓血管系における重要なバイタルサインといえる. そして, 測定した血圧が異常に高いときや異常に低いときには, これらの因子のうちのどれが原因であるかを見定めることで, 病態の把握や治療法の理解につながるといえる.

(2) 原理

　観血式血圧計は, 血管にカテーテルを挿入し, カテーテル内の圧力を体外に導き, 圧力トランスデューサに接続して血圧を測定するものである. カテーテルの内部に液体（通常は生理食塩液）が満たされていれば, この液体を介して血管内に圧力が伝わり, 血圧を血管の外側に導出することができる. カテーテルに伝わる血圧には, 血管内の側圧（血管壁に加わる圧力）と動圧（流れによる圧力）がある. 血圧とは, このうちの側圧のことをいうので, 血圧を正しく測定するためにはカテーテルの向きを考えなくてはならない.

①計測条件

　生体は, 体位を変えても体内圧のバランスが保たれる構造になっている. とくに, 右心房近傍の静脈圧である中心静脈圧は, 体位変換をしてもほぼ一定に保たれていることが知られている. また, 正常な換気状態では, 心臓はほぼ大気圧に保たれている胸腔内にあり, 心臓からの血液駆出は重力の影響を直接受けないようになっている. そのため, 心臓の流出部の動脈圧も体位による変化は少ない.

　右心房は圧計測の基準点として重要であり, とくに静脈圧のように小さい圧の計測では, 基準点を正確に決める必要がある. 図3-2は, 基準点の位置を体外から推定する方法を示したものである. 基準点は, 正面では第4肋骨・肋軟骨接合部の高さの中央を（図3-2a）, 縦断面では第4肋骨の高さの胸壁の厚さの1/2に設置する（図3-2b）.

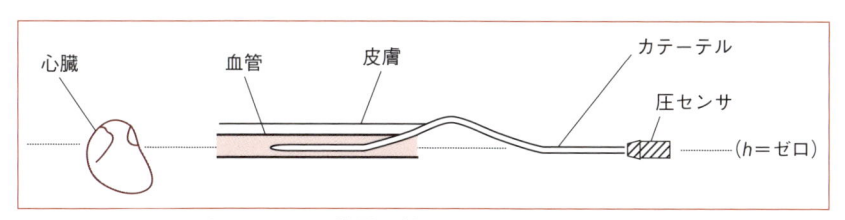

図3-3 カテーテルと圧センサの位置関係
（嶋津秀昭：入門医用工学．菜根出版，1996をもとに作成）

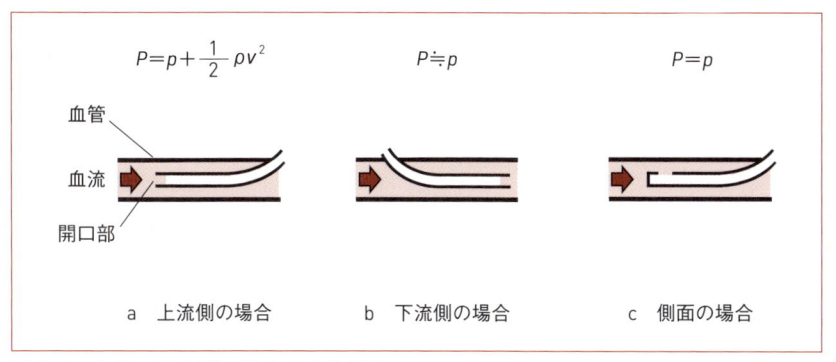

図3-4 カテーテル開口部の方向と総圧
（岡田正彦：生体計測の機器とシステム．コロナ社，2007をもとに作成）

②カテーテル

　血管内圧の計測には，血管径に対して細い中空カテーテルを利用し，外径は1～4 mm（3～12 F：フレンチサイズ）程度のものを利用する．カテーテルは適度な弾性をもち，生体適合性がよく，抗血栓性に優れていることが求められる．なお，血圧モニタでは，血栓による内腔の閉塞を防ぐため，ヘパリンを加えた生理食塩液を連続注入している．

　カテーテルを血管に留置して血管内の圧力計測を行う場合，血液の流れによる影響について把握する必要がある．血管内に血液が流れているとき，血流のもつ全エネルギーは圧力として測定できるため，すべての圧力（総圧）Pはベルヌーイの法則により，

$$P = p + \frac{1}{2}\rho v^2 + \rho g h$$

と表すことができる．ここで，pは静圧（側圧），ρは血液の密度，vは血流速度，gは重力加速度の大きさ，hは基準点からの高さとなり，右辺の第1，2，3項はそれぞれ圧，運動，位置のエネルギーを示す．とくに第2項（$1/2\rho v^2$）は動圧とよび，血液の運動エネルギーに対応する．

　実際の血管内の圧力計測におけるカテーテルと圧センサでは，圧の基準点を右心房近傍に決めるので，$h = 0$となる（図3-3）．ここで，血液の流れに対するカテーテルの開口部を血流の上流側，下流側，側面としたときの総圧について図3-4に示す．

　開口部が血流の上流側の場合，計測される総圧は静圧に動圧が加わる

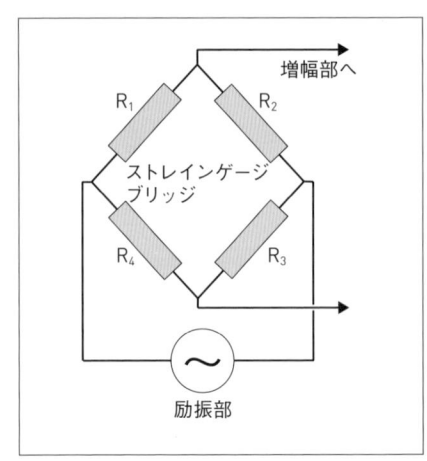

図3-5 ストレインゲージブリッジ（ホイートストンブリッジ）
(日本生体医工学会ME技術教育委員会監修：MEの基礎知識と安全管理改訂第7版，南江堂，2020をもとに作成)

（図3-4a）．次に下流に向けた場合，開口部はよどむため，$v=0$ となり，$P=p$ となるはずであるが，実際には渦が生じることなどにより，カテーテルの側面の圧力とほぼ同じ（$P \fallingdotseq p$）となる（図3-4b）．また，開口部が側面の場合，$P=p$ となる（図3-4c）．

このように，カテーテルによる動圧は，血流速度が大きく静圧が小さいときに影響を受けるので，中小動脈の計測には側孔付きカテーテルを用いる．

③圧力トランスデューサ

血圧という力学的な量を電気信号に変換する役目をもつ．血圧は，カテーテルを通った後，まず圧力トランスデューサ内のダイアフラムに伝わる．圧力によるダイアフラムのゆがみをひずみゲージ（ストレインゲージ）で計測する．

ひずみゲージは，ダイアフラムのゆがみを電気的抵抗の変化としてとらえるもので，抵抗線がブリッジ回路を構成している（図3-5）．ブリッジ回路の出力は圧力に対応する電気信号となる．

圧力トランスデューサには，ストレインゲージが再利用できるよう，受圧ダイアフラムと生理食塩液が充満される部分（ドーム部）のみを取り換えるリユーザブル型がある．また，すべてを一体化したディスポーザブル（使い捨て）型も利用されている（図3-6）．

④カテーテル－圧力トランスデューサの周波数特性

カテーテルと圧力トランスデューサを接続して血圧の動的変化を計測するには，圧力の変化を速く忠実にセンサに伝達する必要がある．しかし，カテーテル内部の液体の慣性や粘性，カテーテルや受圧ダイアフラムの弾性により，圧力の減衰や振動が発生すると，センサによる正確な圧変化が記録できない．観血式血圧計を使用するにあたり，カテーテルと圧力トランスデューサ系の周波数特性は把握しておく必要がある．

カテーテル先端からの圧力の変化がダイアフラムに伝わる間に，カテーテル内で歪みを受けてしまうと，正確な血圧波形の測定は不可能となる．

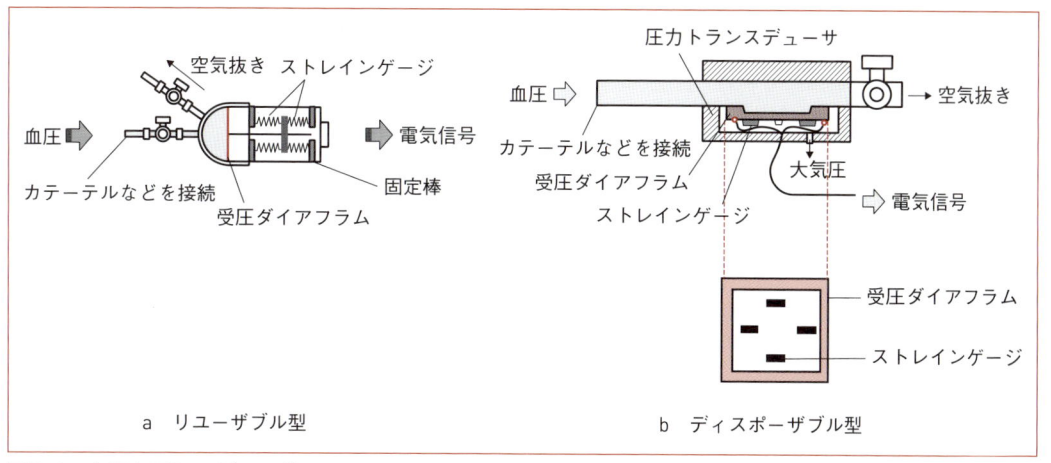

図3-6 血圧トランスデューサ
(渡辺　敏:ME早わかりQ&A3. 血圧計・心拍出量計・血流計・脈波形・血液ガス分析装置・心臓カテーテル検査. 南江堂, 1988, 日本生体医工学会ME技術教育委員会監修:MEの基礎知識と安全管理改訂第7版, 南江堂, 2020をもとに作成)

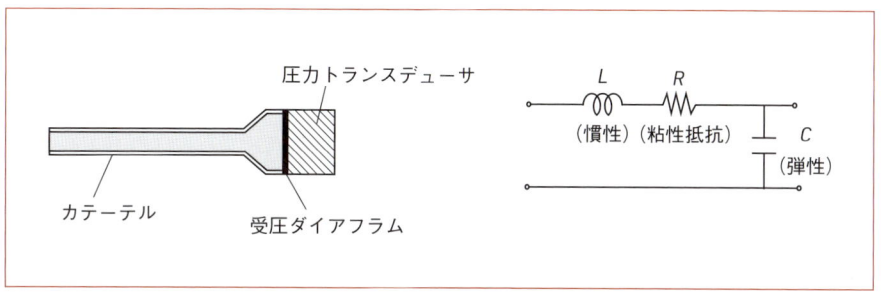

図3-7 カテーテル-圧力トランスデューサ系の電気的等価モデル
(小野　等, 他:観血式モニタ・チューブ系の周波数特性試験と測定波形への影響の検討. 体外循環技術, 10 (1):29〜35, 1984[11]をもとに作成)

　このような血圧測定系の周波数特性は, 図3-7に示すような簡単な電気的等価回路モデルで概要を知ることができる.

　カテーテル内が生理食塩液で満たされた場合, Lは単位長さあたりのカテーテル内の液体の慣性, Rは粘性抵抗, Cはカテーテル全体の弾性と等価なものとして表すことができる. なお, この回路は共振系であり, 共振周波数fと共振の程度を示すダンピング定数Dを以下の式で求めることができる.

$$f = \frac{1}{2\pi\sqrt{LC}} \quad \cdots\cdots\cdots\cdots\cdots\cdots\cdots\cdots\cdots\cdots\cdots\cdots(3\text{-}1)$$

$$D = \frac{R}{2}\sqrt{\frac{C}{L}} \quad \cdots\cdots\cdots\cdots\cdots\cdots\cdots\cdots\cdots\cdots\cdots\cdots(3\text{-}2)$$

　式(3-2)のRが小さいほどDの値は小さくなり, 共振が顕著となる. 図3-7に示すLRC回路から, ダンピング定数の違いによる周波数特性を曲線で示した結果を図3-8に示す. 一般的には, $D = 0.7$程度が最適とされている.

循環系の計測　　107

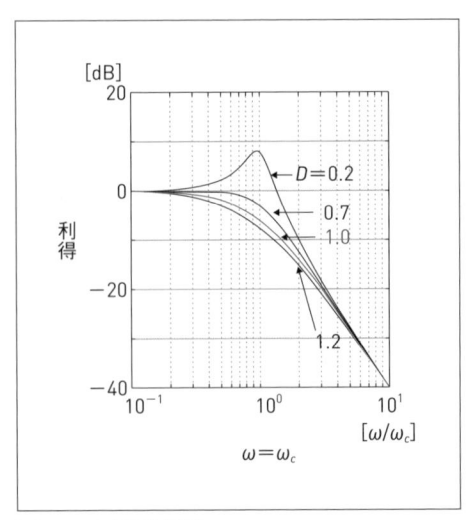

図3-8 周波数特性
(小野 等,他:観血式モニタ・チューブ系の周波数特性試験と測定波形への影響の検討. 体外循環技術, **10**(1):29〜35, 1984をもとに作成)

(3) 構造
①観血式血圧計の全体構成
　観血式血圧測定を行うために,動脈留置針またはカテーテル,エクステンションチューブなどの導管系,血圧トランスデューサ,三方活栓,輸液セット,フラッシュ装置などを組み立てる(**図3-9**).血圧トランスデューサは加圧バッグに専用の輸液バッグをセットし,エクステンションチューブと三方活栓で構成しているモニタリングラインに接続する.
　血圧トランスデューサ内およびモニタリングラインをヘパリン入り生理食塩液で満たす.加圧バッグは250〜300 mmHg程度(動脈圧より十分高い圧)まで加圧しておく.そのときに,モニタリングラインに残留気泡がないことを確認する.
　次に,三方活栓を操作し,圧力トランスデューサを大気開放状態にし,ゼロ点調整を行う.その際の血圧トランスデューサの位置を右心房の高さ(胸壁の厚さの1/2の点)に設置する(**図3-10**).
　動脈留置針またはカテーテルを経皮的に挿入し,モニタリングラインの先端部と接続する.そのなかをヘパリン入り生理食塩液で十分にフラッシュして,導管系に空気や血液が残留しないようにし,適正な血圧波形がモニタリングされていることを確認する.そのとき,動脈針およびカテーテルは,患者の身体にしっかり固定する必要がある.

②血圧計本体の構成
　血圧計本体は,カテーテルを含む圧力トランスデューサのほか,血圧アンプと表示部で構成されている.
　　a. 血圧アンプ(増幅部)
　圧力トランスデューサにより電気量に変換した血圧信号を,電圧の形

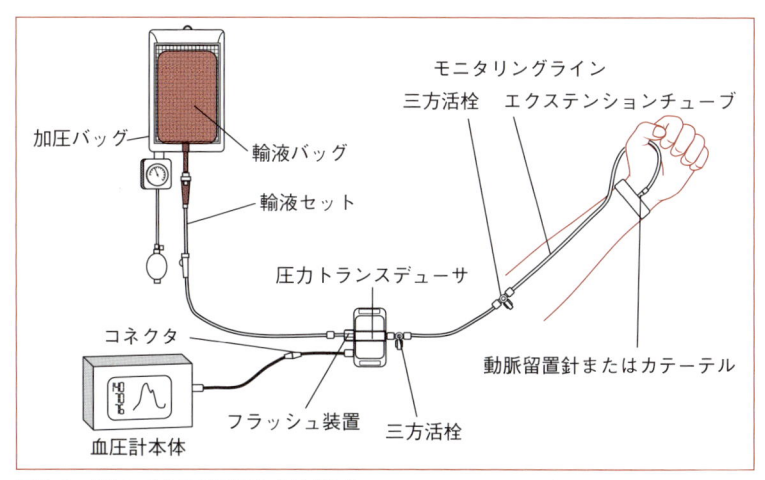

図3-9 観血式血圧測定の全体構成
(加納 隆, 他：ナースのためのME機器マニュアル. 第2版, 医学書院, 2021をもとに作成)

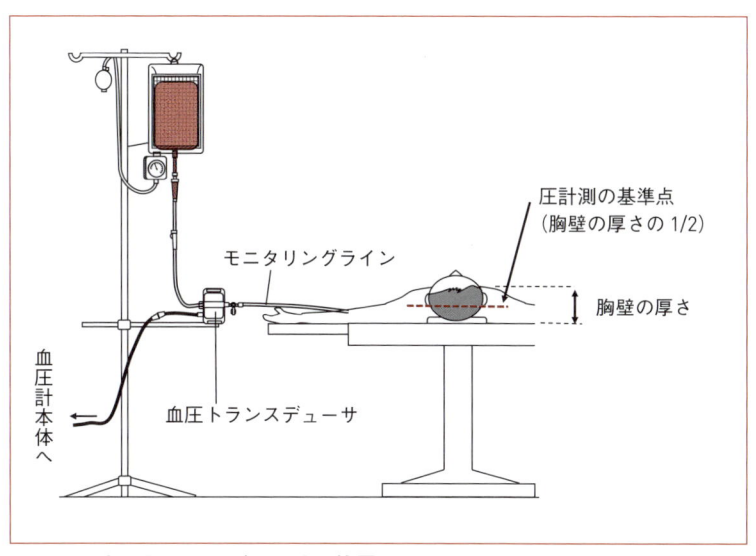

図3-10 血圧トランスデューサの位置
(加納 隆, 他：ナースのためのME機器マニュアル. 第2版, 医学書院, 2021をもとに作成)

で増幅をする回路をもつ．この血圧信号は連続的であるため，血圧波形として処理し，収縮期血圧，拡張期血圧，脈拍数を1拍動ごとに得られるだけでなく，血圧波形の観察を可能とする．また，圧力トランスデューサ固有のオフセットを取り除くためのゼロバランス回路があり，大気開放によりトランスデューサにかかっている圧力の値をゼロと表示する．

  b．表示部

　血圧波形と血圧波形から得られた収縮期血圧，拡張期血圧，脈拍数，平均血圧の数値を表示する部分である．ブラウン管や液晶モニタなどのモニタディスプレイや，記録器などに表示される．

表3-1 観血式血圧測定法の誤差要因とその対策

誤差要因	測定される血圧値 最高	測定される血圧値 最低	測定される血圧値 平均	表示される血圧波形	対策
血圧トランスデューサの位置が基準点より低い(高い)	↑(↓)	↑(↓)	↑(↓)	変化なし	・トランスデューサの位置を修正
ゼロ点のずれ,ドリフト	同じ方向に同じだけずれる			変化なし	・トランスデューサのゼロ点のチェック ・ゼロ点の再調整
導管系に気泡の残留,混入	↓	↑	変化なし	ナマる	・気泡抜きとヘパリン入り生理食塩液の充填
動脈留置針やカテーテルの先端のつまり,凝血	↓	↑	変化なし	ナマる	・凝血した血液の吸い上げとフラッシング ・カテーテルを少し引き,先端の位置を変更
導管系の共振	↑	↓	変化なし	局所に鋭い波	・カテーテルやチューブを交換 ・チューブをふらつかせない

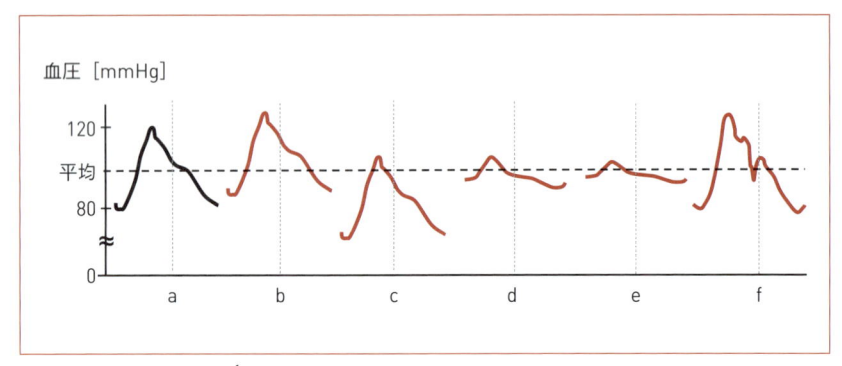

図3-11 誤差要因による血圧波形の例
a：正常.
b：血圧トランスデューサの位置(基準点より低い場合).
c：ゼロ点のドリフト(正常波形より低く変動した場合).
d：気泡の混入.
e：カテーテル先端のつまり,凝血.
f：共振.
(日本生体医工学会ME技術教育委員会監修：MEの基礎知識と安全管理改訂第7版.南江堂,2020をもとに作成)

(4) 誤差の発生要因

　観血式血圧計による測定時に,トランスデューサの設置の仕方,血圧計本体の調整,モニタリングラインにおける生理的現象などにより誤差が生じる場合がある.誤差の発生要因とその対応をまとめたものを表3-1に,誤差要因による測定血圧波形の例を図3-11に示し,詳細は以下に解説する.

①血圧トランスデューサの位置
　血圧トランスデューサを右心房の高さに正しく位置させない場合,高さの差の分の水柱圧に相当する誤差が発生する.

②ゼロ点のドリフト
　血圧トランスデューサを大気開放にし,圧力がかかっていない状態のときの表示部の波形や数値は通常はゼロとなる.しかし,周囲の温度の

表3-2 日常点検

点検項目	点検内容	判定基準
外観点検	外装のキズ,割れ,サビなどの目視	異常のないこと
	コード類の破損などの目視	異常のないこと
	スイッチやツマミの動き	異常のないこと
	圧力トランスデューサの接続	ゆるみがなく確実に接続していること
機能点検	本体スイッチ	本体に電源が入り,基本画面が表示されること
	ゼロ点スイッチ	ケーブル・血圧トランスデューサを接続した状態でゼロバランススイッチが取れること
	アラーム警報・音量	異常のないこと
その他	設置場所	傾斜,振動,衝撃などのない場所である
		温度,湿度などの条件に合っている

変化や電源電圧の変動による影響で,ゼロ点が変動することがある.
③気泡の混入
　モニタリングラインの残留気泡や,フラッシュ時に混入した気泡は,圧力の伝達を悪くし,圧力変化が血圧トランスデューサに十分に伝わらなくなる.
④先端のつまりや壁当たり,凝血
　動脈留置針やカテーテルの先端が,血流のつまりや血管壁に当たることによって,圧力変化が伝わりにくくなる.この場合,本来の血圧波形より脈圧が小さくなる.また,導管系で凝血がある場合も圧力変化が伝わりにくくなる.
⑤共振
　血圧が動脈留置針またはカテーテルからモニタリングラインを通して血圧トランスデューサに伝わるとき,ときに非常に振動的になることがある.これは,血圧波形がもつ周波数帯域のなかに導管系の共振周波数(固有振動数)が入っている場合,共振現象が生じ,波形が強調されることによる.

(5) 点検

　医療機器を安全に使用するためには,日頃の点検が必要となる.観血式血圧計も同様で,患者に使用するときに実施する日常点検と,一定期間ごとに実施する定期点検を行う.なお近年は,血圧計・血圧モニタが単独である場合よりも,マルチチャネル方式のモニタの一部として組み込まれている場合が多いため,観血式血圧計に関係する項目のみを示す.
①日常点検
　表3-2のように,観血式血圧計の外観や機能などの項目について点検を行う.なお,使用中や使用後にも同様の点検を行う必要がある.

表3-3 定期点検

点検項目	点検内容	判定基準
電気的安全性	漏れ電流	規格内である
	接地線抵抗	規格内である
	絶縁抵抗	規格内である
電気的性能	血圧値・波形の表示	正しく表示しているか
	警報	正しく動作するか
	圧力トランスデューサ	圧力を加えたとき，正しい値を示すか
	波形表示・波形記録	波形の表示や記録の搬送速度が規定どおりである

a 簡易周波数特性試験法

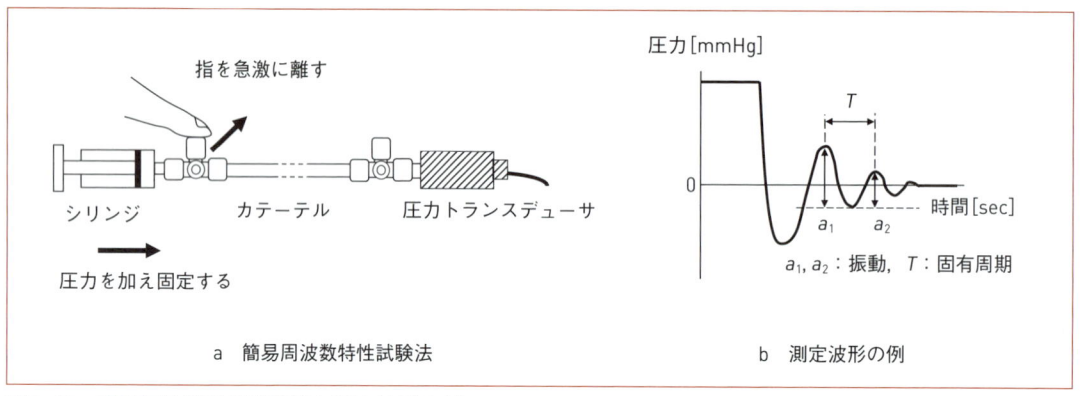

b 測定波形の例

図3-12 簡易周波数特性試験法と測定波形の例
（小野　等，他：観血式モニタ・チューブ系の周波数特性試験と測定波形への影響の検討．体外循環技術，10（1）：29～35，1984をもとに作成）

②定期点検

表3-3のように，観血式血圧計の安全性や性能について点検を行い，故障や事故を未然に防ぎ，安全性・有効性を維持する．おもに電気的性能を点検する．

③周波数特性試験

心臓・血管内で発生した血圧が圧力トランスデューサに伝わるまでに，血圧測定ラインの形状（長さや太さなど）や物理的な性質（軟らかさなど）から，共振現象が起こることがある．共振における特性を知るために，導管系にステップ状の圧力波を加え，その応答から周波数特性やダンピング定数を求める手法がある．この周波数特性試験法を図3-12aに示す．

この試験には，三方活栓とシリンジを必要とする．導管系にこれらを接続し，全体を生理食塩液で満たした後，シリンジにて圧力を加えて固定する．内部が加圧された状態から指を急激に離して圧力を開放したときに，圧力トランスデューサが応答した波形を得ることができる．得られた波形の例を図3-12bに示す．この波形からダンピング定数Dが算出

表3-4 非観血式血圧計と分類

手動血圧計(聴診法, 触診法)	水銀式	間欠法
	電子式（水銀レス）	
	アネロイド式	
自動血圧計	コロトコフ式	
	オシロメトリック式	
	超音波式	
	トノメトリ式	連続法
	容積補償式	

（白崎　修：循環器分野における血圧計の役割と進化. 医療機器学, 80 (6)：16～24, 2010をもとに作成）

でき,

$$D = \frac{1}{\sqrt{\left(\frac{\pi}{\ln\left(\frac{a_1}{a_2}\right)}\right)^2 + 1}}$$

となる．さらに，導管系における共振特性（共振周波数 f とそのときのゲイン A）は以下の式で算出できる．

$$f = \frac{1}{T}\sqrt{\frac{1-2D^2}{1-D^2}}$$

$$A = \frac{1}{2D\sqrt{1-D^2}}$$

2) 非観血（非侵襲）式血圧計

(1) 目的

コロトコフによる血管音の発見と，リバロッチによる水銀血圧計の発明により，カフ付きの血圧計による聴診法が標準的な血圧測定法として用いられてきた．さらに最近は，技術進歩により血圧の間接的な推定が正確かつ簡便になっている．そして現在，コロトコフ法やオシロメトリック法は，自動血圧計の測定原理として広く普及している．

非観血式血圧測定法は，動脈の圧力（内圧）と体外から動脈に加える圧力（外圧）との相互作用として生じる物理現象を用いる．これは，被検者に対しては非侵襲的に血圧を推定することができる測定法である．非観血式血圧計は，表3-4に示すように手動血圧計と自動血圧計に分け

Tips 水銀血圧計の製造終了と今後

日本では「水銀に関する水俣条約」にしたがい，2021年1月1日以降，水銀血圧計の製造と輸出入が禁止となった．これにより，水銀血圧計の精度管理が困難となることが予測される．

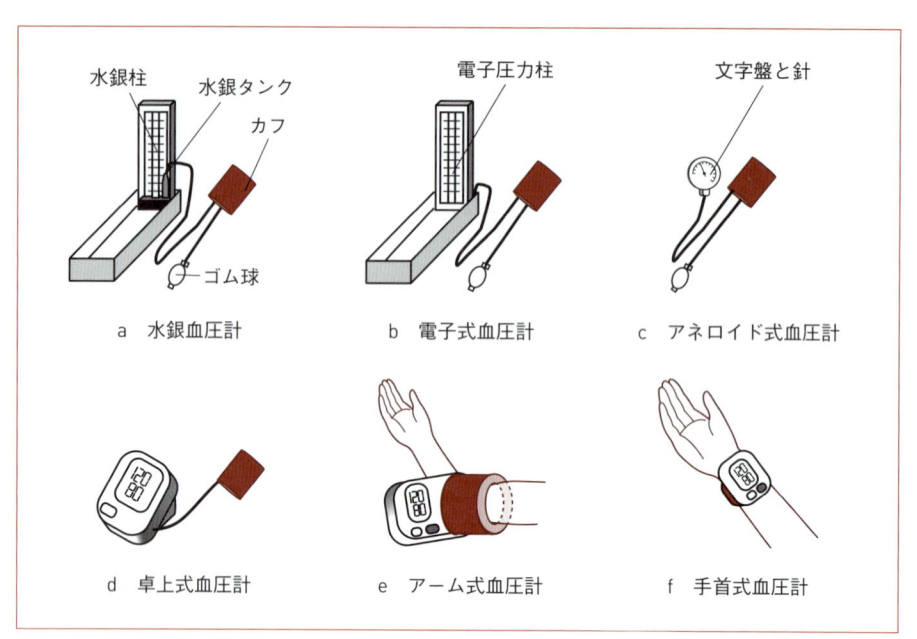

図3-13 各血圧計の模式図

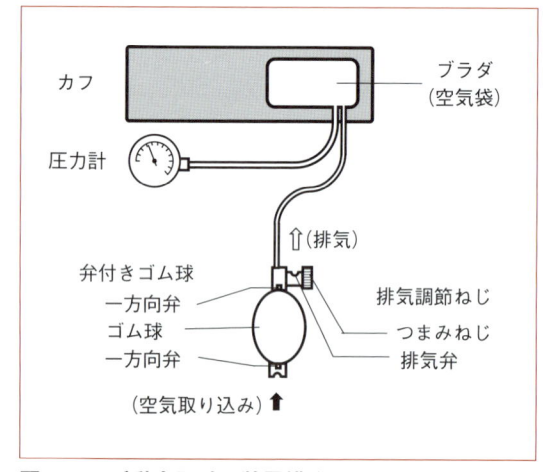

a 水銀血圧計
b 電子式血圧計
c アネロイド式血圧計
d 卓上式血圧計
e アーム式血圧計
f 手首式血圧計

図3-14 手動血圧計の装置構成
(渡辺　敏：臨床工学(CE)とME機器・システムの安全. コロナ社, 2006をもとに作成)

られる.
　手動血圧計において，従来は水銀血圧計が多く用いられてきたが，水銀の環境汚染から現在は製造されておらず，アネロイド式や電子式に移行している．自動血圧計は，上腕だけでなく手首で計測するタイプも普及しており，自宅での血圧管理に大きな役割を果たしている（図3-13）．

(2) 非観血式血圧計の構成
　非観血式血圧測定を行うための手動血圧計の構成を図3-14に示す．一般的に，カフ，圧力計，弁付きゴム球，排気調節ねじで構成している．

①カフ

　マンシェットや圧迫帯ともよばれ，布またはポリエステル不織布で作られており，その内部にブラダ（空気袋）が収められている．また，面ファスナーがついており，決定した圧迫帯の固定位置がずれることを防止する．

②圧力計

　カフの内側の圧力を表示するもので，水銀式，電子式，アネロイド式がある．

③弁付きゴム球

　カフの加圧に必要で，ゴム球と2つの一方向弁で構成されている．ゴム球は，ゴム袋に空気を送り込む（送気する）ために必要で，ゴム球を握る程度によって送気量を調整することができる．ゴム球の上下にある一方向弁は，ブラダへの送気に必要である．まずゴム球を握ると，上側の弁が開き下側の弁が閉じることで，ゴム球の中にある空気がブラダに送られる．次にゴム球を緩めると，上側の弁が閉じ下側の弁が開き，大気から空気を取り込むことができる．

④排気調節ねじ

　ゴム球とブラダの間にあり，空気を外へ出す（排気する）ための弁（排気弁）とつまみねじで構成されている．カフを加圧するときは，つまみねじを締めることで排気弁が塞がり，空気が逃げたり漏れたりしないようになる．一方，減圧するときは，つまみねじを緩め，排気弁からの排気を促す．

(3) **コロトコフ法とオシロメトリック法**

①コロトコフ法

　もともと手動血圧計における聴診法として臨床の現場で用いられている方法であり，現在は自動血圧計にも採用されている．

　図3-15aに示すように，上腕にカフを取りつけ，ゴム球によってカフ圧を上げると，動脈の血管が狭まり，コロトコフ音が発生する．さらにカフ圧を上げると，血管が塞がることで血流が遮断され，コロトコフ音がきこえなくなる．この状態からカフ圧を段階的に下げていくと，図3-15bに示すようにふたたびコロトコフ音が出現する．さらに下げ続けると，最終的にコロトコフ音が消失する．それらを聴診器やマイクロフォンによりききわける方法である．なお，音が出現したときの血圧を最高血圧，音が消失したときの血圧を最低血圧としている．

　コロトコフ音は，カフ圧を下げることで音の性状が変化し，5つの音に分かれる．そのなかで第1点が最高血圧，第5点が最低血圧にあたる．自動血圧計で用いられるマイクロフォン法は，聴診法と同様コロトコフ音をとらえて実測値を表示する方法であるが，測定中に雑音が入るとコロトコフ音が検出不能となることがある．また，マイクロフォンの位置がずれると，コロトコフ音の検出不能や雑音混入などの問題が発生する．

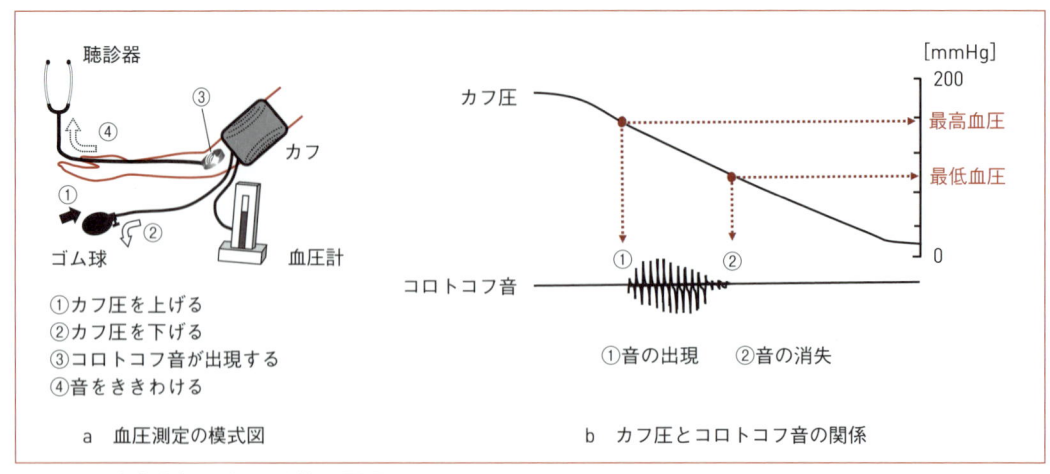

図3-15 聴診法（コロトコフ法）の原理
（高田正信, 他：オシロメトリック型自動血圧計の現状と課題. 総合健康, 42(6)：36〜44, 2015をもとに作成）

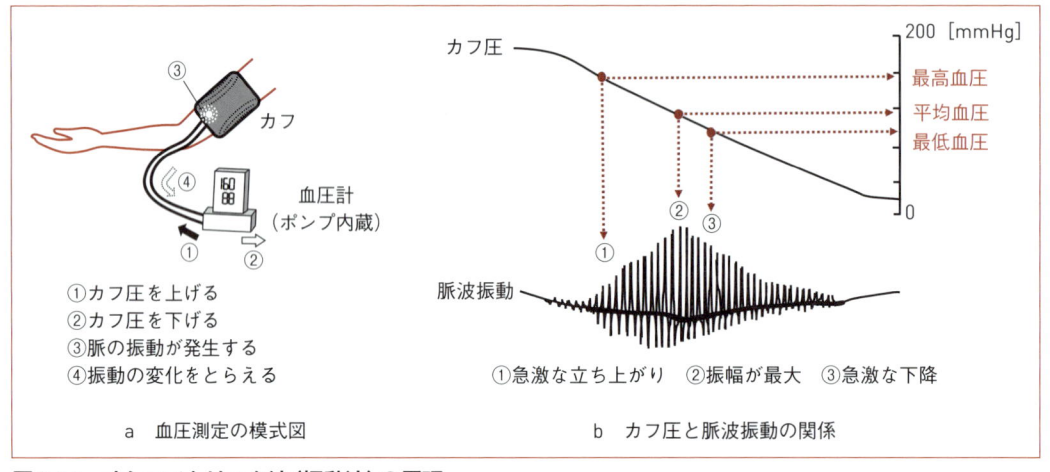

図3-16 オシロメトリック法（振動法）の原理
（高田正信, 他：オシロメトリック型自動血圧計の現状と課題. 総合健康, 42(6)：36〜44, 2015をもとに作成）

さらに，測定が成功するまでカフの加圧と減圧を繰り返すと，何度も腕を圧迫することになり，被検者に苦痛を与える場合もある．

②オシロメトリック法（振動法）

現在の自動血圧計の大半がこの原理を用いている．カフが動脈を圧迫すると，心臓の拍動に同期して圧力振動（オシレーション）を起こす．圧力振動がもつ振幅の大きさは，血圧とカフ圧との相対関係により変化する．このように，カフを加圧したときに発生する，カフ自体の機械的な振動を利用する方法である．

図3-16aに示すように，上腕にカフを取りつけ，ポンプによりカフ圧を上げて動脈の血流を遮断する．その後カフ圧を下げていき，最高血圧を下回ったとき，圧力振動は急激な立ち上がりをもたらす．さらにカフ圧を下げ続けると，平均血圧付近で振幅が最大となった後，急激な下降

表3-5 非観血式血圧測定法の誤差要因とその対策

誤差要因	測定される血圧値 最高	測定される血圧値 最低	対策
カフ幅が狭い カフ幅が広い	↑ ↓	↑ ↓	腕の太さの1.2〜1.5倍のカフを使用
カフの巻き方がゆるい カフの巻き方がきつい	↑ 変化なし	↑ ↓	指が1〜2本入る程度に巻きつける
カフの脱気速度が速い	↓	↑	1心拍あたり2〜3 mmHgで下げる
測定位置が心臓より高い 測定位置が心臓より低い	↓ ↑	↓ ↑	心臓（右心房）と同じレベルにする
測定部位による違い	場合による	場合による	測定部位を統一する
水銀柱の傾き 水銀量が少ない 水銀柱のフィルタの詰まり	↑ ↓ ↑	↑ ↓ ↑	垂直にして使用 適正な水銀量の保持 フィルタ交換

をする．そして最終的に圧力振動は消失する．

オシロメトリック法は，圧力振動の振幅変化に基づいてカフ圧と血圧との相対関係を得ることと，圧力センサで検出したカフ圧を対応させることで血圧値を算出する方法である．

この方法は，カフの圧力振動を検出するため，圧力センサを用いている．また，血管音を検出しないため，マイクロフォンの位置ずれによる問題がなく，カフの装着が容易である．そして，周囲雑音の影響も受けないので，測定の成功率や信頼性（実用精度）が高い．

(4) 誤差要因

カフの取り扱い方法や測定部位の誤り，また血圧計の取り扱いに誤りがあると，測定値に誤差が生じる可能性がある．表3-5に血圧測定における誤差要因とその対策を示す．

(5) 保守・点検

非観血式血圧計の操作中にトラブルを起こさないためにも，保守と点検は必要となる．表3-6に示す使用前点検，使用中点検，使用後点検を行い，被検者の安全を守る必要がある．

> **Tips その他の非観血式血圧測定法**
>
> その他の非観血式血圧測定法には以下のものがある．
> ・触診法：カフ末梢側の血管拍動を検知する方法．
> ・フラッシュ法：皮膚の色調変化を検知する方法．
> ・超音波法：血管内で発生する音（コロトコフ音）の音調変化を検出する方法．
> ・トノメトリ法：血管壁を介しての圧平衡を利用する方法．
> ・容積補償法：血管壁を心拍間で，常に無負荷状態に維持するように制御して血圧曲線を計測する方法．

表3-6 保守・点検

点検項目	点検内容	判定基準
使用前点検	外装の破損や汚れ	異常がない
	カフ・ブラダまでのチューブ	亀裂がない
	電源コード	異常がない
使用中点検	測定値の表示部	正しく表示されている
	カフ圧の設定	適切である
	測定回数や測定間隔	設定どおり行われている
	記録	正しく行われること
使用後点検	外装やコード類,スイッチ類	劣化・破損などがない
	物品	付属品・消耗品・記録紙などが揃っている

参考文献

1) 渡辺　敏：ME早わかり Q&A3. 血圧計心拍出量計・血流計・脈波計・血液ガス分析装置・心臓カテーテル検査．南江堂，1988．
2) 嶋津秀昭：入門医用工学．菜根出版，1996．
3) 加納　隆：フローチャートでみるナースのためのME機器トラブルチェック．南江堂，2005．
4) 渡辺　敏：臨床工学（CE）とME機器・システムの安全．コロナ社，2006．
5) 山越憲一，戸川達男：生体用センサと計測装置．コロナ社，2007．
6) 岡田正彦：生体計測の機器とシステム，コロナ社，2007．
7) 加納　隆，広瀬　稔：ナースのためのME機器マニュアル．医学書院，2011．
8) 日本高血圧学会：高血圧治療ガイドライン2019．ライフサイエンス出版，2019．
9) 日本生体医工学会ME技術教育委員会監修：MEの基礎知識と安全管理改訂第7版．南江堂，2020．
10) 鈴木良次，辰巳仁史，宮原英夫：知っておきたい医工計測技術入門．朝倉書店，2020．
11) 小野　等，百瀬直樹，小野哲章：観血式モニタ・チューブ系の周波数特性試験と測定波形への影響の検討．体外循環技術，**10**(1)：29〜35，1984．
12) 浅原実郎：新しい血圧測定と脈波解析マニュアル．メジカルビュー社，2008．
13) 久保田博南：バイタルサインモニタ入門．秀潤社，2000．
14) 高田正信，他：オシロメトリック型自動血圧計の現状と課題．総合健康，**42**(6)：36〜44，2015．
15) 白崎　修：循環器分野における血圧計の役割と進化．医療機器学，**80**(6)：16〜24，2010．

2. 血流計
1) 超音波を用いた血流計
⑴ トランジットタイム（伝送）型超音波血流計
①概要

　トランジットタイム型超音波血流計（transit-time ultrasonic blood flow meter）は，人工心肺，PCPS，ECMOなどの体外循環回路における流量計測，CABG（冠動脈バイパス術）の際のバイパスグラフトの開存度の確認や定量評価，脳外科手術時などさまざまな場面で利用されている（図3-17）．

　本血流計の特徴は以下のとおりである．
- ゼロ点や感度補正が不要
- 測定精度が高い（±15%程度）
- 複数チャネルの同時測定が可能
- 電気的干渉を受けない
- 細径動脈でも計測できる

　本血流計は，人工血管には使用できないが，体外循環回路に用いられるPVC（ポリ塩化ビニル）チューブや，その他シリコーンチューブ，ポリウレタンチューブなどで流量を計測することができる．

②原理

　血液，水などの流体が速度vで一様に流れている管（体外循環回路のチューブ，血管など）を挟んで超音波振動子（振動子A, B）を距離Lで配置する（図3-18）．上流方向（振動子AからB）から発射された超音波の到達時間をt_1，下流方向（振動子BからA）から発射されたそれをt_2とすると，t_1は液体の流れに乗って進むため短く，t_2は流れに逆らって進むため長くなる．管軸と超音波ビームのなす角をθ，音速をcとすると，t_1，t_2はそれぞれ，

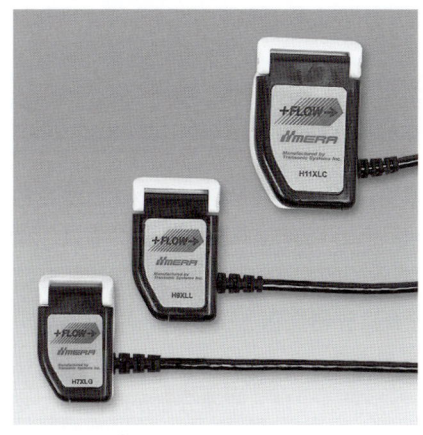

図3-17　プローブ（MERA）

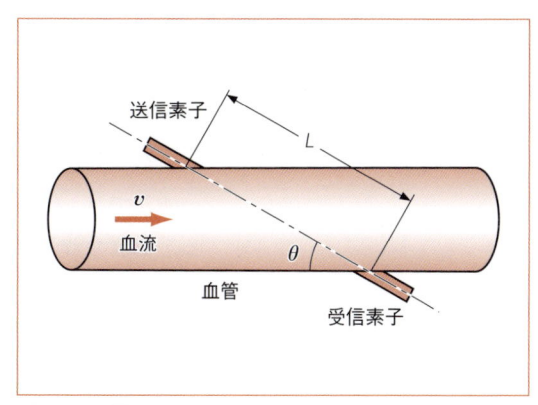

図3-18　原理図

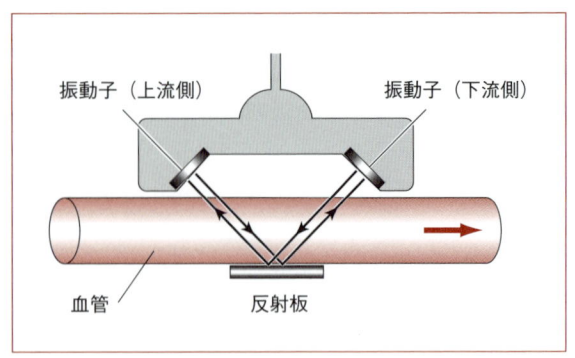

図3-19　プローブ模式図

$$t_1 = \frac{L}{c + v\cos\theta}, \quad t_2 = \frac{L}{c - v\cos\theta}$$

で表すことができる．生体での平均血流速度は，速くても100 cm/sec程度と音速に比べると非常に遅いので，$c \gg \theta$ とみなせ，伝搬時間の時間差 $\Delta t \;(= t_2 - t_1)$ は，

$$\Delta t = \frac{2Lv\cos\theta}{c^2 - v^2\cos^2\theta} \approx \frac{2Lv\cos\theta}{c^2} \quad \cdots\cdots\cdots\cdots\cdots\cdots\cdots\cdots\cdots\text{(3-3)}$$

となり，Δt を測定することにより v を求めることができる．

③構造

装置は，計測プローブ，接続ケーブル，本体からなる（図3-19）．プローブには，透過型と反射型の2種類があるが，体外循環回路における流量計測では透過型が，血管での血流計測では反射型が用いられる．本体には，流量表示装置，順逆切換機構が備わる．

透過型，反射型いずれもプローブには，流路の上流と下流部分に超音波振動子が配置される．反射型では，流路を挟んだ反体側に超音波反射板が配置される．上流・下流の2つの振動子で超音波（0.1～10 MHz程度）を1秒間に数百回程度交互に送受信し，伝搬時間を 10^{-12} 秒程度の精度で検知し血流量を算出する．なお，流路全体は十分広い超音波音場に置かれるため，伝搬時間に差が生じるのは流路断面の流体部分だけになり，この領域の流速を積分すれば平均流量を求めることができる．流路を横切らない超音波ビームは流量計算に関与しない．

④特徴と問題点

本法では，0.1 mL/minから100 L/minの流量を測定することができる．計測される血流量であるが，厳密には実際の管内の流速分布は一様ではなく，前述の式（3-3）より求められる流速と実際の平均流速とは一致しない．層流の場合，流速分布は放物線状となるが，式（3-3）から算出される流速は実際の平均流速より33%速く，乱流では5～8%程度速い．その他，動脈血流のような拍動流では，流速分布が時間的に変化するため，拍動流による誤差も生じる．

⑤取り扱い上の注意

　本血流量計が，CABGの際のバイパスグラフトの開存度の確認に用いられることはすでに述べたが，その際の使用手順を以下に示す．

1. グラフトを締め付けないサイズのプローブを選ぶ．
2. グラフトへの装着前に，プローブを滅菌生理食塩液に浸し，よく揺すってプローブに付着した気泡を取り除く．
3. 適量の超音波ゲルをプローブにつける．
4. 血管とプローブが直角になるように装着する．

⑥アーチファクトの要因

　アーチファクトの要因には以下のようなものがある．

1. プローブの不要な動き（モーションアーチファクト）
2. 超音波反射板の変形
3. 血管のねじれ
4. 血管の折れ曲がり
5. 血管の痙攣

⑦その他の注意点

　その他，以下のことに注意が必要である．

1. プローブと接続ケーブルの接合部位の断線が多くみられる．取り扱いに注意を要する．
2. 温度の影響：チューブ内の流量を計測する場合，血管などの生体での流量計測に比べ温度の影響を受けやすい．プローブとチューブ境界面，チューブとチューブ内の液体の境界面における温度の変動は超音波の音響特性に影響を与えるので，常に温度を一定にする必要がある．
3. 超音波ゲルの影響：体外循環回路ではプローブがクランプ式となっている．この場合，プローブとチューブの隙間を専用の超音波ゲル，あるいはワセリンなどの乾燥しにくいもので充填する．生体に用いる一般的な超音波ゲルは，時間が経過するとともに水分が蒸発し乾燥するので使用しない方がよい．乾燥したゲルはチューブとプローブの間に層状に蓄積し，流量計のゼロ点がずれるオフセットエラーの原因となる．

(2) ドプラフローワイヤー（Doppler flow wire）

　冠動脈ドプラフローワイヤーは冠動脈内で血液流速を測定するために使用される装置で（**図3-20**），1990年Gouldらによって提唱され，以後，冠動脈の機能的評価方法として確立されてきた．

　ドプラフローワイヤーは，PCI用ガイドワイヤーと同径（直径0.014インチ，1 Fr）で，冠動脈内に挿入し血流速波形の計測に用いる．先端に装着された12，ないしは15 MHzの超音波振動子から約30°の角度で超音波パルスが発信され，その約5 mm先に設定したサンプルボリューム（1×2 mm程度の大きさ）の血流速を計測する．

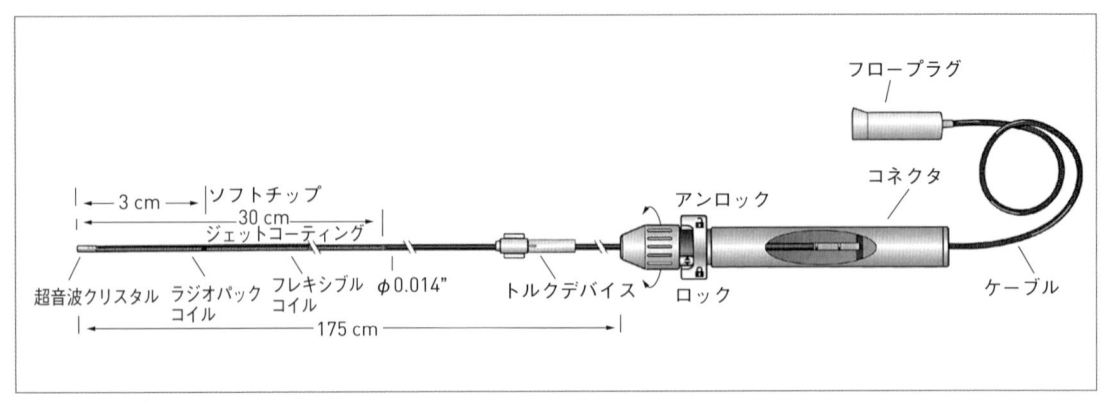

図3-20 ドプラフローワイヤー

　超音波振動子が装着されたドプラフローワイヤー先端は，やや硬く曲がりにくいので，無理に押し進めると血管を損傷する危険があり，注意が必要である．血流速の計測に際し，ドプラフローワイヤーを血管壁に沿わせず血管の中央に血流と平行な位置関係を保持しなければ，計測誤差の要因となる．

(3) 経食道心エコー（transesophageal echocardiography：TEE）

　先端に小型の探触子を装着したプローブを食道内に挿入し，食道や胃の内側から心臓と大動脈の超音波像を撮像し，得られた超音波像から心拍出量（cardiac output：CO）などを算出する．開心術中のTEEの役割は，手術の施行の最終確認，血行動態の把握，術直後の評価などである（表3-7）．加えて，臨床工学技士に関連したところでは，人工心肺開始時の脱血カニューラや逆行性心筋保護液注入針のカニュレーションのガイドとして利用される．その他，TEEは経胸壁心エコーと異なり，胸骨，肋骨，肺の影響を受けないため，描出範囲が広く，心腔の大きさや弁の動きなどが解像度の高い鮮明な画像として得られる．TEEでは，次のような各種パラメータが測定できる．

　①左室収縮能：左室内径短縮率，左室駆出率（ejection fraction）：Pombo法，Gibson法，Teichholtz法，Area-length法，Method of discs（modified Simpson）法

　②左室拡張能：左室流入血流速波形，肺静脈波形，propagation velocity，組織ドプライメージを用いたM弁輪動態

　③その他：ドプラ血流波形からCOなど

(4) 経食道ドプラ法

　先端にMモードとドプラの2種類のセンサを内蔵したプローブを食道に留置し，下行大動脈の断面積と血流速度から流量を，さらに下行大動脈と上行大動脈の血流比からCOを計算で求める．

表3-7　術中TEEの役割

冠動脈バイパス術	心機能，壁運動の評価 オフポンプバイパス術時の壁運動の評価
心臓弁膜症	逸脱や逆流口の部位の確認 残存逆流の評価
大動脈解離	エントリー，解離の広がり，偽腔の血流の確認 大動脈弁逆流，冠動脈への解離の進展の確認

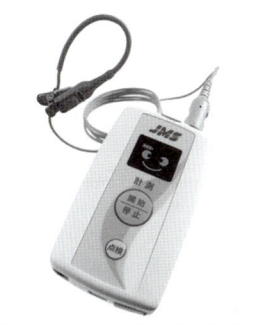

図3-21　レーザドプラ組織血流量計装置（JMS）

2）レーザを用いた血流計

(1) レーザドプラ組織血流量計（laser Doppler flowmetry：LDF）

　組織内に照射されたレーザ光が毛細血管内を運動する物体（主として赤血球）に衝突すると，ドプラ効果によりレーザの周波数がシフトする．周波数のシフトした光の割合は赤血球数に比例し，周波数のシフトの大きさは血流速度に比例するので，赤血球数と血流速度の積から血流量が算出できる．本装置はこの原理を応用したもので，皮膚表面から1 mm程度の深さにある毛細血管内血流を測定できる．

　本法を用いた装置には，非接触型と接触型の2種類があり，非接触型は，皮膚や臓器表面といった広い範囲（数cm^2〜数百cm^2程度）の血流分布をとらえ，二次元カラーマップとして表示する．非接触型は，レーザ照射のスキャニングに時間を要するため連続測定はできない．接触型は，狭い範囲にレーザを照射し，局所の微小循環を連続的に測定する．計測値は絶対値ではなく，一般に組織重量あたりの血流量（mL/min/100 g）で表示される．計測可能な測定範囲は0〜100 mL/min/100 g程度である．

　非接触型と接触型いずれも，波長700 nm前後の半導体レーザが用い

Tips　レーザスペックルフローグラフィ（laser speckle flowgraphy：LSFG）

　LSFGは，レーザを生体組織の比較的広いエリアに照射し，生ずるスペックルパターンをエリアセンサ，またはラインセンサにより定量的に測定，コンピュータによりその信号を解析することにより，末梢血流速度分布として二次元カラーマップし，局所の循環動態を非侵襲的に定量評価する装置であり，眼底末梢循環動態の定量や皮膚血流測定に用いられている（図3-22）．

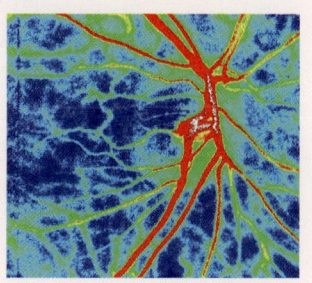

図3-22　スペックルパターン

られ，その出力は1～2 mW程度である．

(2) レーザドプラ血流速計 (laser Doppler velocimeter：LDV)

血管の中を流れる赤血球にレーザ光を照射すると，ドプラ効果により周波数がシフトするが，この周波数シフトが血流速度に比例することを利用し，血流速度を測定する方法である．

3) その他

(1) 電磁血流計

血管を流れる血液はそれ自体導体として働くので，血管に磁界をかけると，ファラデーの法則にしたがって，血流速度に比例して誘導起電力が生じる．電磁血流計は，この誘導起電力を電極で検出し血流速度を測定する．本法は，精度の高い流量計測装置であるが，ゼロ点が不安定で，電磁干渉や心電の影響を受けやすいなどの理由で，臨床ではほとんど使用されなくなった．

参考文献

1) 日本生体医工学会 ME技術教育委員会：MEの基礎知識と安全管理（改訂第7版）．南江堂，2021．
2) 医療機器センター：ME機器保守管理マニュアル（改訂第3版）．南江堂，2009．
3) Wong, D. H., et al.：Comparison of changes in transit time ultrasound, esophageal Doppler, and thermodilution cardiac output after changes in preload, afterload, and contractility in pigs. *Anesth. Analg.*, **72**：584～588, 1991.
4) Lundell, A., et al.：Volume blood flow measurements with a transit time flowmeter：an in vivo and in vitro variability and validation study. *Clin. Physiol.*, **13**：547～557, 1993.
5) Hartman, J. C., et al.：In vivo validation of a transit-time ultrasonic volume flow meter. *J. Pharmacol. Toxicol. Methods*, **31**：153～160, 1994.
6) Beldi, G., et al.：Transit time flow measurement: experimental validation and comparison of three different systems. *Ann. Thorac. Surg.* **70**：212～217, 2000.
7) 財田滋穂，赤阪隆史：Flow wireを用いた冠動脈狭窄の機能的評価．冠疾患誌，**12**：121～127, 2006．
8) 新見能成，他監訳：心臓手術の麻酔．第5版．メディカル・サイエンス・インターナショナル，2020．
9) 藤居 仁，小西直樹，李 旻哲：レーザー散乱を利用した血流画像化装置開発の現況．応用物理，**75** (6)：699～701, 2006．

3. 心拍出量計

　心臓の主要な機能は，血液を一方向に向かって駆出することである．心臓は，組織が要求する酸素を単に運搬するだけでなく，需要の変化に見合った量を供給する必要がある．心ポンプ機能の指標となる心拍出量は，一回心拍出量と心拍数の積で表され，一般的には体表面積で補正した値（心係数）で表す．正常成人の心拍出量は，4～8 L/min（2.5～4.5 L/min/m^2）である．心拍出量を規定する因子としては，心拍数，心臓の前負荷，後負荷，収縮性の4つがある（図3-23）．心拍数が早くなればなるほど心拍出量は増えるが，直線関係にはなく，一定の心拍数以上ではむしろ減少する．心臓の電気的な頻回興奮に物理的な血液の移動がついていかなければ拍出が増加できないためである．前負荷は，収縮開始直前に心筋にかかる負荷をいい，拡張末期の心室の容積がこれにあたるため，容量負荷とよばれることがある．代表的な前負荷として，心臓に流れ込む静脈の還流量の増加があり，循環血液量の増加でも前負荷は増大する．後負荷とは，血液駆出時に心臓にかかる負荷をいい，大動脈圧および肺動脈圧が高いほど後負荷は大きく，圧負荷とよばれることが

正常な状態

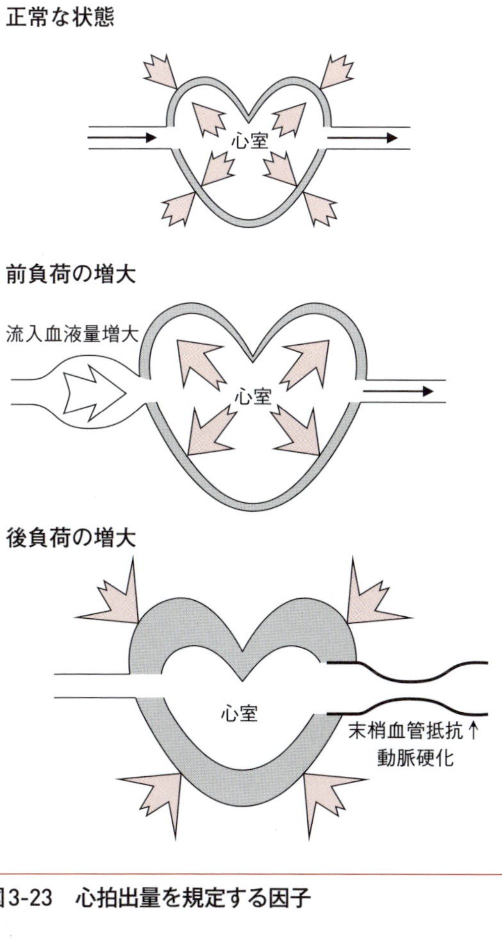

スターリングの法則
心臓の血液を送り出す能力は，心筋がより伸びた状態で収縮に入ると拍出量は大きくなる（心筋の収縮エネルギーは心筋線維の初期長に比例する）．心臓に異常が生じている場合はこの法則は適応されない．

前負荷の増大

前負荷は，心臓が収縮する直前（拡張末期）に心室にかかる負荷（心室を押し広げる力）をいう．流入血液量が増大すると，心室を内側から押し広げる力は大きくなり，前負荷は増大する．脱水や循環血液量減少では前負荷は減少する．前負荷の増大が慢性的に続くと，心臓はすべての血液を拍出できず1回の拍出により心室内に残る血液が増え，これにより心室拡大が生じる．

後負荷の増大

心臓の収縮期に大動脈圧または肺動脈圧に対して血液を送り出す力を後負荷という．末梢血管抵抗，動脈硬化によるコンプライアンス低下によって後負荷が増大する．後負荷の増大によって血液を送り出すために，より強い力で収縮する必要があるため，心筋の肥大が起こり心室壁は厚くなる．

図3-23　心拍出量を規定する因子

ある．この原因には，末梢血管抵抗増大，動脈のコンプライアンス低下（動脈硬化），血液の粘稠度なども関連する．心臓の収縮性は，心筋がより伸びた状態で収縮に入ると心拍出量は大きくなるとしたスターリングの法則に関係する．しかし，前述の負荷が亢進した状態や心不全ではこのかぎりではない．また，心筋細胞のCa^{2+}濃度，活動心筋量にも影響される．

　心臓のポンプ機能の指標となる心拍出量は，循環制御や心不全治療において重要なパラメータとなることは間違いなく，循環器疾患から心臓外科手術，呼吸不全症例において測定されてきた．

　重症患者における心血管系モニタリングとして，観血的動脈圧測定やサーモダイリューションカテーテルによる血行動態モニタリングが行われている．サーモダイリューションカテーテルから得られる中心静脈圧（CVP）や肺動脈楔入圧はすべて圧力測定であり，この変化から心機能を推し量ろうとするものであった．血管内圧＝血管容量とする従来の考え方は，とくに血行動態の不安定な患者における中心静脈圧や肺動脈楔入圧が，胸腔内血液量と左室拡張末期容量とは相関が低いことが報告されており，問題とされてきた．一方，胸腔内血液量と心臓拡張末期総容量係数は，心係数や一回心拍出量係数の変化ときわめてよく相関することが証明されている．

　1970年代に肺動脈カテーテルを使った心拍出量測定が開始されて以来，さまざまな原理に基づく測定法が開発されてきた．近年では，カテーテルを心臓内に長期間留置する侵襲性を嫌い，より生体に対する侵襲が低く連続測定が可能な方法が開発されている．非侵襲的に心拍出量を測定しようという試みは以前から行われており，拍動に伴う抵抗変化を測定するインピーダンス法や超音波ドプラ法（経胸壁心エコー）を用いた測定法に代表される．インピーダンス法の臨床応用はいまだ実現されておらず，超音波ドプラ法による心拍出量測定は連続測定などの問題がある．近年，新たな心拍出量測定法として，動脈圧波形解析から心拍出量を連続測定する方法が取り入れられるようになった．動脈圧波形の面積は心拍出量と相関があると考えられるが，それだけでは正確な測定はできず，さまざまな手法により補正ファクターを勘案し，心拍出量の連続測定を実現している．

　本項では，心拍出量測定法としてFick法，色素希釈法，熱希釈法，インピーダンス法，経食道心エコー法や，近年，臨床で用いられている動脈圧波形分析式心拍出量測定としてフロートラック®，PiCCO®心拍出量モニタリング，LiDCO®を加えて解説する．

1）Fick法の原理

　Fick法の基本原理は，心拍出量測定に限ったものではない．特定の物質が，ある臓器において一定スピードで吸収または生成されるとき，

CVP : central venous pressure

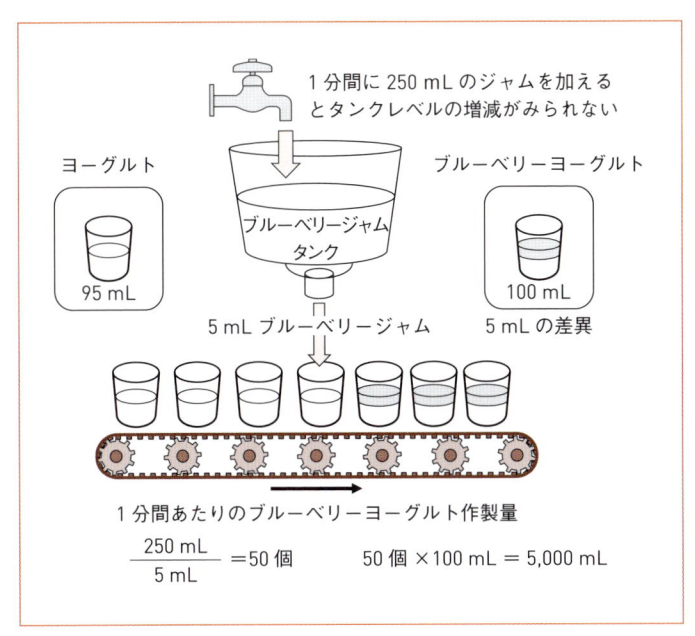

図3-24　Fick法の原理

　流入動脈と流出静脈中の物質の濃度差と血流量との積が物質の摂取量（または生成量）になるという考えに基づいている．

　　臓器摂取（消費）量＝流入量×動静脈特定物質含有較差

　図3-24に，Fick法の原理について，1分間あたりのブルーベリーヨーグルト作製量を例に説明した．1つのカップのヨーグルトの量は95 mLで，5 mLのブルーベリージャムを加えて完成である．ジャムは1分間に250 mLの追加でタンクレベルが変わらないことがわかっていた場合，ブルーベリーヨーグルトを1分間に50個作製している計算となり，1分間あたりのブルーベリーヨーグルト作製量は5,000 mLとなる．これを人体にあてはめて計算する方法をTipsに示した．

　Fick法による心拍出量測定は，肺に流入する血流量を心拍出量として肺での酸素摂取量と動脈と静脈酸素含量の差（動静脈酸素含有較差）から心拍出量を求めたものである．Fick法は正確な測定方法と考えられており，他の方法（色素希釈法や熱希釈法）の基準として使われることもある．とくに低心拍出量の場合には有用であるとされている．

2）色素希釈法の原理

　ある色素5 gをバケツに溶解して均一な濃度にしたとき，その濃度が2 g/dLであったとすると，その溶液量は5/2×100 mLで250 mLとなり，溶かした溶液量が計算できる．この法則は流体においても利用できるとされ，生体に一定量の色素を注入しその濃度変化から心拍出量を求めたのが色素希釈法（指示薬希釈法）である．流体においても，心臓の流入口から流出口に向けて一定の流量があるとき，流入口に注入された

指示薬量は，流出口で時間変化する指示薬濃度の時間積分値に等しいとされている（図3-26）．色素希釈法では，色素の急速注入のために中心静脈が，末梢から注入されるときは太い静脈が選択される．血流量を正確に計測するには，指示薬が完全に攪拌される必要があり，色素を攪拌するために注入部位と採血部位の間に心房と心室がある必要がある．

　色素検出には，侵襲的方法と非侵襲的方法がある．非侵襲的方法は耳朶においたイヤーピースによる透過光検出であり，耳朶の血管を動脈化するために加温などが行われる．侵襲的方法は，動脈穿刺を行いキュベットに導いた動脈血を比色することによって色素を検出する．精度としてはキャリブレーションを正確に行うことができる後者の方が優れるが，動脈穿刺の必要がある．

Tips: Fick法測定に必要なパラメータ

1）動静脈酸素含有較差（動脈の酸素含有量－静脈の酸素含有量）

　血液中の酸素には，結合型酸素と溶解型酸素の2種類がある．結合型酸素はヘモグロビンと結合している酸素であり，ヘモグロビン1 gあたり1.34 mLの酸素と結合する（ヘモグロビンの酸素運搬能理論値）．成人男性の正常値15 g/dL（100 mL中に15 g含まれる）のヘモグロビンは，酸素飽和度が100％であれば，15 × 1.34（20.1）mLの結合型酸素を含有する．酸素飽和度が99％であれば，20.1 × 0.99 mLとなる．

　溶解型酸素とは，物理的に血液中に溶けこむ酸素をいう．これは，血液中の酸素分圧に比例する（酸素分圧：P_{O_2}，1 mmHgあたり0.003 mL溶けこむ）．一般的に溶解型酸素による含有量は微量であるため無視されることも多い．動脈の酸素飽和度は，全身どこでもほぼ一定であるため測定部位を限定しない．動脈酸素含有量測定には，採血により酸素量を測定することも行われるが，血液中の酸素飽和度を測定し，ヘモグロビンの酸素運搬能理論値から算出することも一般的である．また，経皮的なパルスオキシメトリ法もよく用いられる．静脈は，動脈と異なり臓器により酸素消費量が異なるため，測定場所により酸素含有量が異なる．右房の冠静脈洞から心筋内を還流した静脈血の酸素含有量は，全身の静脈血中もっとも少ない．もちろん，上大静脈と下大静脈でも異なることから，右房では均一な測定ができない．そこでFick法では，右室を通過し，混ぜ合わされた肺動脈血（混合静脈血）での測定が行われる．光ファイバを内蔵したサーモダイリューションカテーテルを肺動脈に留置して，オプティカルファイバにより混合静脈血酸素飽和度を測定できるようになった．

2）酸素消費量

　単位時間内の肺からの酸素摂取量は，吸気酸素量と呼気酸素量の差から求める．ダグラスバッグ（呼気を回収する袋）によって平均呼気酸素濃度を求め，吸気酸素量は，大気呼吸であれば酸素濃度から計算する．重要なポイントとして，Fick法では，常に肺からの酸素摂取が一定の状態で行われている必要がある．したがって，急激な酸素摂取量が変化する状態（運動時）や，吸気酸素濃度，換気量が変化すると誤差を生じる．

　前述の動静脈酸素含有較差と酸素摂取量（1分間に生体に取り込まれた酸素量）から，1分間あたりの心拍出量が4,237 mLであることがわかる（図3-25）．

　Fick法による心拍出量測定は，かなりの時間と手間が必要であると感じられるが，代謝ガスモニタ（酸素摂取量測定用であり挿管が必要），パルスオキシメータ（動脈酸素飽和度），オキシメトリカテーテル（混合静脈血酸素飽和度測定）などから経時的にデータを取り込めば，Fick法による心拍出量の連続測定も可能となる．また，Fick法では，右室（肺静脈酸素飽和度と肺動脈酸素飽和度測定）と左室（大動脈と混合静脈血酸素飽和度測定）の心拍出量をそれぞれ測定することが可能であることから，短絡性心疾患の短絡量測定にも有用である．

> 例:成人男性 Hb 15 g/dL 空気呼吸下　1 g/dL の Hb は 1.34 mL の酸素と結合可能
>
> ①動静脈酸素含有較差(溶解型酸素を無視)
> 　動脈酸素含有量結合型酸素
> 　　20.1×0.99*＝20.2 mL　　(20.2−14.3＝5.9 mL/dL)
> 　静脈酸素含有量(結合型酸素)　血液 100 mL あたり 5.9 mL の酸素が血液中に溶け込んだ
> 　　20.1×0.7**＝14.3 mL
>
> 　＊:パルスオキシメータによる動脈血酸素飽和度測定 → 99%
> 　＊＊:サーモダイリューションカテーテル(オプティカルファイバ)による肺動脈混合静脈血酸素飽和度測定
> 　　　→ 70%
>
> ②酸素摂取量
> 　呼気酸素量:呼気の回収(ダグラスバッグ)による平均呼気酸素濃度測定
> 　吸気酸素量:大気呼吸であれば酸素濃度から計算
>
> 　　例)吸気酸素含有量−呼気酸素含有量
> 　　　成人男性 250 mL/分
>
> $$心拍出量=\frac{250}{5.9}\times 100\ \mathrm{mL}=4237\ \mathrm{mL/分}$$

図3-25　Fick法測定に必要なパラメータ

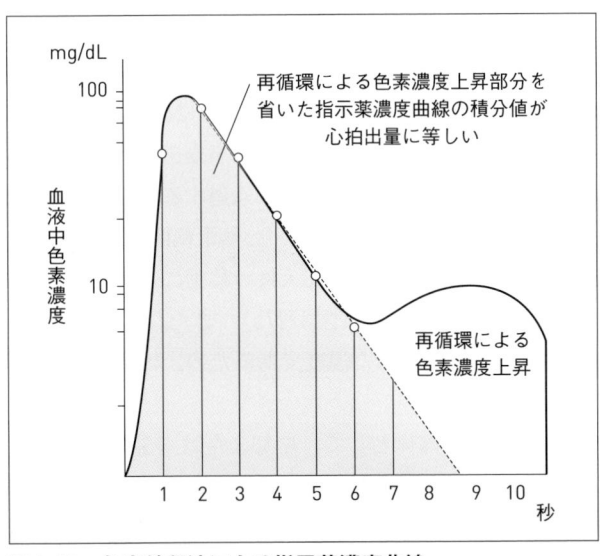

図3-26　色素希釈法による指示薬濃度曲線

　色素希釈法の指示薬として,インドシアニングリーン(カルジオグリーン)を用いる.図3-26にあるように,色素希釈法では再循環による色素濃度上昇があり,繰り返し測定が困難である.したがって,指示薬希釈法では心拍出量の連続測定はできない.色素希釈法は,指示薬が計測部位に至る途中で一部消失すると計測精度に大きく影響することもあるため,臨床で利用されなくなった.後述する熱希釈法は,反復測定が簡単なこと,色素を用いないこと,モニタの一部として心拍出量以外の情報が得られることなどから,臨床において支持されるようになった.

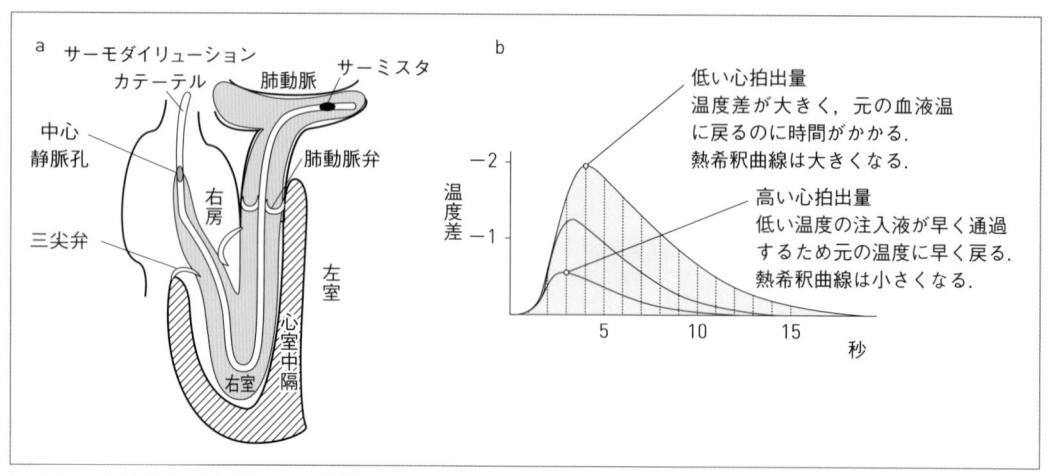

図3-27 熱希釈法による熱希釈曲線

3）熱希釈法

　色素希釈法と同様，指示薬希釈法の原理に基づく．熱希釈法は，指示薬として色素でなく血液と温度の異なる熱媒体をサーモダイリューションカテーテル（スワン・ガンツカテーテル）の注入用側孔から急速注入し，血液に希釈されて血液温が変化するのを肺動脈に挿入した先端から4 cmほどにあるサーミスタで検出する（図3-27a）．この温度変化を経時的にグラフ（熱希釈曲線）化して，心拍出量を求める．心拍出量が少なければ，低い温度の注入液がゆっくり通過するので温度差は大きく，元の血液の温度に戻るのに時間がかかり，熱希釈曲線面積は大きくなる．逆に，心拍出量が多ければ素早い注入液の移動により温度差は小さく，熱希釈曲線面積は小さくなる（図3-27b）．また，熱希釈法では，測定対象が熱媒体によって変化した温度であるため，再循環による影響を除外できる．

　一般的に使われる熱媒体として，冷却または室温の5％ブドウ糖液，あるいは生理食塩液をサーモダイリューションカテーテルで右房に注入する．多くの場合，注入液との温度差が大きいほど，血液温を変化させるだけの大きな熱量によって熱希釈曲線の面積は大きくなり，精度を上げることができるため，冷却して使われる．高度心不全や腎不全がある場合には，繰り返す測定が水分負荷にならないように注意する．臨床では，正確を期すために3回以上測定を繰り返し，近い2つの値の平均とすることが一般的である．

(1) サーモダイリューション（スワン・ガンツ）カテーテルと挿入方法

　1970年，H. J. C. SwanとW. Ganzは，先端にバルーンのついた血流誘導式の肺動脈カテーテルを発表した．成人では，右内頸静脈から15 cmでカテーテル先端が右房に達したところで圧波形，心電図モニタの情報を確認しながら右室-肺動脈主幹部-肺動脈末梢へと進める．右室から10〜15 cm（挿入部位から40〜50 cm）で肺動脈楔入圧が得られれ

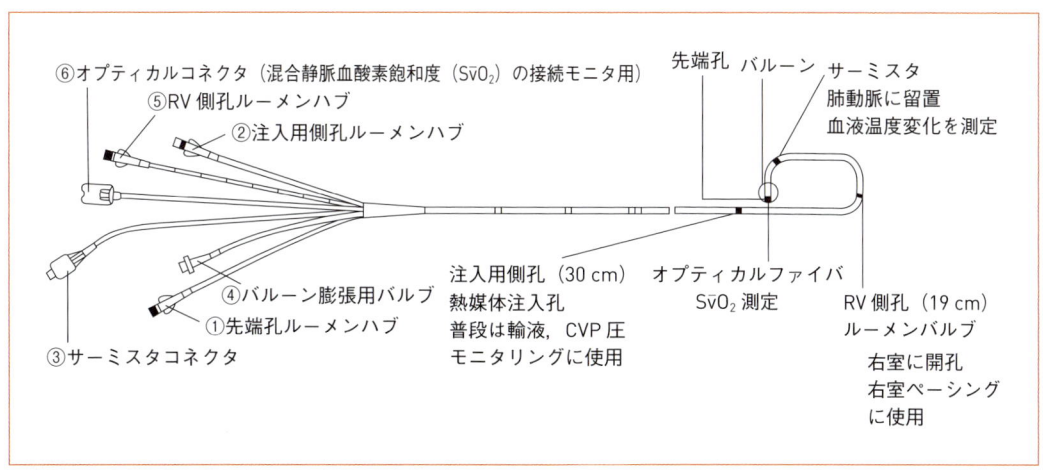

図3-28 サーモダイリューション（スワン・ガンツ）カテーテル

ば，バルーンを脱気して肺動脈圧を確認する．位置が決定した後は，X線写真を撮影する．カテーテルバルーンを膨らませていないのに肺動脈圧波形が楔入状態になっていると心拍出量が正しく測定できないため，楔入状態が解除されるまでカテーテルを引き戻す．最初からカテーテルをX線透視下で挿入する場合もある．サーモダイリューションカテーテルの挿入部位としては，内頸静脈，鎖骨下静脈，大腿静脈がある．

(2) サーモダイリューションカテーテルの構造

サーモダイリューションカテーテルの構造を図3-28に示す．

①先端孔ルーメンハブ

先端孔と先端孔ルーメンハブがつながっている．肺動脈圧（バルーンが収縮）および肺動脈楔入圧（バルーンが膨張）の測定に用いられる．

②注入用側孔ルーメンハブ

カテーテルの先端から30 cmのところにある側孔をつないでいる．中心静脈圧測定および心拍出量測定用の冷却水の注入に用いられる．

③サーミスタコネクタ

カテーテルから4 cmの位置にあるサーミスタがつながる．サーミスタで測定された血液温度をサーミスタコネクタを介して心拍出量計に伝える．

④バルーン膨張用バルブ

カテーテル先端にあるバルーンとつながっている．カテーテルを挿入し，バルーン送気孔より空気（約1.5 mL）を送りバルーンを膨らませると，カテーテルは血流に導かれX線透視下でなくても容易に右房，右室，肺動脈へ挿入することができる．また，肺動脈に入った後，バルーンを膨らませることによって肺動脈楔入圧を測定することができる．

⑤RV側孔ルーメンバルブ

先端から19 cmの位置につながる．ペーシングプローブを挿入するこ

循環系の計測　131

$$CO = \frac{V \times (T_B - T_I)}{\int_0^t \Delta T_B(t)dt} \times \frac{S_I \times C_I}{S_B \times C_B} \times 60 \times C_T \times K$$

CO：心拍出量　　　　V：注入溶液量
T_B：血液濃度　　　　T_I：注入溶液温度
S_B：血液比重　　　　S_I：注入溶液の比重
C_B：血液比熱　　　　C_I：注入溶液の比熱
C_T：注入溶液のカテーテル内での温度上昇に対する補正係数
K：キャリブレーション定数
$\int_0^t \Delta T_B(t)dt$：熱希釈曲線の積分値

図3-29　Stewart-Hamiltonの式

とによって心室ペーシングが可能である．
⑥オプティカルコネクタ
　オプティカルファイバにより，混合静脈血酸素飽和度を測定できるようになっている．

(3) サーモダイリューションカテーテルによる心拍出量誤差要因
　指示薬として熱媒体を用いるのは反復測定が可能である反面，取り扱いがむずかしく，熱損失などが測定に影響することが問題になる場合もある．熱希釈曲線の積分値は，Stewart-Hamiltonの式の分母に代入され計算される（図3-29）．したがって，誤差要因により熱希釈曲線が小さくなると測定値は誤って大きくなる．以下に，サーモダイリューションカテーテルによる心拍出量誤差要因とその対策について列記する．
①注入速度が遅い
　熱希釈曲線が小さくなるように変化するため正確な測定ができない．冷生理食塩液（4℃）は成人で5 mLまたは10 mL，小児で3 mLが用いられる．成人の場合，2〜4秒/10 mLのスピードで注入されることが望ましいとされる．生理食塩液は使用直前まで冷やし，熱損失を避ける．
②低心拍出量
　冷却液のサーミスタ通過時間が遅くなり，正確な熱希釈曲線が得られなくなることから不正確になる．
③期外収縮などの不整脈
　正確な熱希釈曲線が得られなくなることから不正確になる．
④三尖弁，肺動脈閉鎖不全，左右短絡
　逆流，心内短絡は，温度測定値に影響し，精度が落ちるとされる．
⑤サーミスタ位置不良（血管壁への接触）
　サーミスタの位置が適切でないと血液温が正確に測定できないため，測定に誤差が生じる．とくに，血管壁への接触では，温度が高く測定されることから，熱希釈曲線の面積は小さくなり，心拍出量は多くなる．

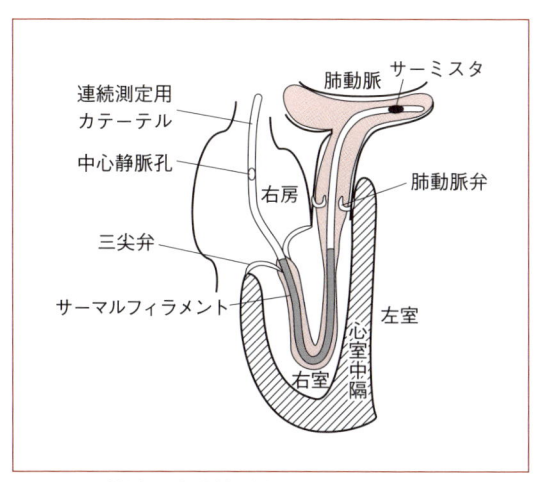

図3-30　熱希釈法連続測定

⑥測定間隔が短すぎる

　サーミスタの温度が戻らないうちに次の測定を行うと，心拍出量は誤って大きく測定される．30〜60秒の間隔は必要である．

⑦熱媒体の温度が予定より高い

　熱希釈曲線の面積は小さくなり，心拍出量が誤って大きく測定される．

⑧呼吸の影響

　呼吸の回数と深さにより，肺動脈温が変化する．生理的な影響であるが，室温の注入液を使う場合には影響がより大きいため注意する．

⑨人工呼吸管理による胸腔内圧上昇

　PEEPなどによる胸腔内圧上昇により，静脈還流量が変化する．静脈還流量の変化は，直接，心拍出量変化につながる．

⑩体位

　体位によって静脈還流量が変化することが知られている．

⑪カテーテル係数の設定間違い

　注入液がカテーテル内で温度上昇する分を補正する．太さ，サイズ，注入液量により異なる．

(4) 熱希釈法を応用した連続心拍出量測定

　熱媒体の急速注入による心拍出量測定の原理は，血液温度の低下だけでなく上昇の場合にもあてはめることができる．連続測定用カテーテルは，サーマルフィラメントとよばれる血液加温用のヒータをもっている．サーマルフィラメントは，右房と右室の間に置かれるが，フィラメントの近位端を三尖弁後に，またフィラメントが右室内で自由に動く状態に配置される．熱希釈法を応用した連続心拍出量測定では，このサーマルフィラメントから熱エネルギーをパルス状にして加熱，停止を繰り返し，右室内の血液を加温，肺動脈に留置したサーミスタで得られる血液温変化から熱希釈曲線を得て心拍出量を算出する（図3-30）．サーマルフィ

ラメントが心内膜に接触したり，深く入りすぎて肺動脈弁をこえたりしても正しく測定できない．熱希釈法を応用した連続心拍出量測定は，患者への水分負荷も必要ないため，心不全患者への余分な冷却液投与や測定手技によるばらつきもなく連続測定できるなどの利点は大きい．

(5) 色素希釈法と熱希釈法の精度

心拍出量の測定における精度は，心拍出量研究においてFick法が基準とされ，その信頼性は高い．熱希釈法の精度は，色素希釈法と比較した結果十分であるとされており，臨床でも多く用いられている．

4) インピーダンス法

胸郭に微弱な高周波電流を流した場合のインピーダンスは，1心拍ごとに変化する．これは，心臓や大血管の血液量と関係がある．このインピーダンス変化を測定することにより一回心拍出量を計算する方法が，インピーダンスカルジオグラフィーによる心拍出量の測定である．頸部と胸部にテープ電極を巻くだけで，非侵襲的にかつ連続的に心拍出量の測定が可能である．生体のインピーダンスを測定し，その波形変化を解析して心拍出量を求める方法であり完全な無侵襲測定であるが，直接血流を測るのではなく間接的な方法であるため，測定精度に問題がある．

インピーダンス法とは異なるが，胸部に配置した電極における電流と電圧の位相差から心拍出量を測定するバイオリアクタンス法も有望視されている．解析方法の進歩により信頼精度も上がってきているとされており，今後の利用が期待される．

5) 超音波断層法を利用した心拍出量測定

とくに心臓手術や麻酔中において，経食道心エコー（TEE）は術野を妨げず使用でき，下行大動脈の血流速度を測定することによって心拍出量を評価できる．心臓断層図からは，心拍出量だけでなく左室駆出率，左室内径短縮率など詳細な心機能を測定できる利点から，心機能評価や治療に対する反応の評価に用いられる．経食道心エコーによっても，パルスドプラ法により左室流出路，大動脈弁，肺動脈弁などを通過する血流量を求め，その流路の断面積から心拍出量を測定できるが，長時間プローブを挿入し続けることができないため連続測定はできない．

Tips 連続心拍出量測定装置 PiCCO® (Pulse indicator continous cardiac output)

上腕動脈または大腿動脈の1心拍ごとの観血的血圧波形から一回心拍出量を測定するPiCCOは，熱希釈法などと比較して低侵襲，低リスクな心拍出量の連続測定法として臨床応用されている．冷却液を注入するための中心静脈へのカテーテル留置を必要とするが，熱希釈法のように，心臓内へのカテーテル留置を必要としないことから侵襲性は低い．PiCCOでは，基本原理として，観血的動脈波形における収縮期が作

り出す面積（収縮開始から切痕まで）は左室の一回拍出量と比例関係があることを利用している．PiCCOは冷却液注入を中心静脈から行い，血液温度測定は血圧測定のために大腿動脈または上腕動脈に留置したカテーテルで行う．右房，右室から肺，左房，左室さらに体躯を通過した冷却液による血液温変化（経肺熱希釈曲線）から心拍出量測定を行うため，熱希釈曲線と同じように，Stewart-Hamiltonの式をもとに計算し，このキャリブレーションから補正係数を得て，動脈圧波形解析から連続的に心拍出量を測定している．

PiCCOの特徴は，経肺熱希釈曲線を解析（熱指示薬平均通過時間や熱指示薬指数降下時間）して，冷却液が通過した部分の血管内容量に関する情報を得られる点にある（図3-31）．PiCCOでは，中心静脈から注入した冷水の温度変化を末梢動脈で検出し，その通過時間からその熱容量（胸腔内熱容量：ITTV）を計算している．また，心臓と肺は直列につながるが，熱希釈曲線の下降脚の接線（傾き）は，肺を循環する血液量に依存するとして肺内熱容量を求めている．また，この減算（ITTV − PTV）は，拡張末期心臓血液容量（GEDV）を示すことになる．ここで，右心（右房・右室）と左心（左房・左室）の大きさと肺の血管容量は相関しているとして定数化，GEDVの1.25倍が胸腔内血液容量（ITBV）であるとした．これによって，肺血管外水分量はITTV − ITBVとして算出することが可能となった．肺血管透過性係数は，肺血管外水分量（EVLW）と肺血管内容量（PBV）の比であり，心源性の肺水腫，または非心源性肺水腫の鑑別に役立つ．PiCCOによってモニタリングされるこれらの情報は，心不全や肺水腫の患者には非常に有用である．

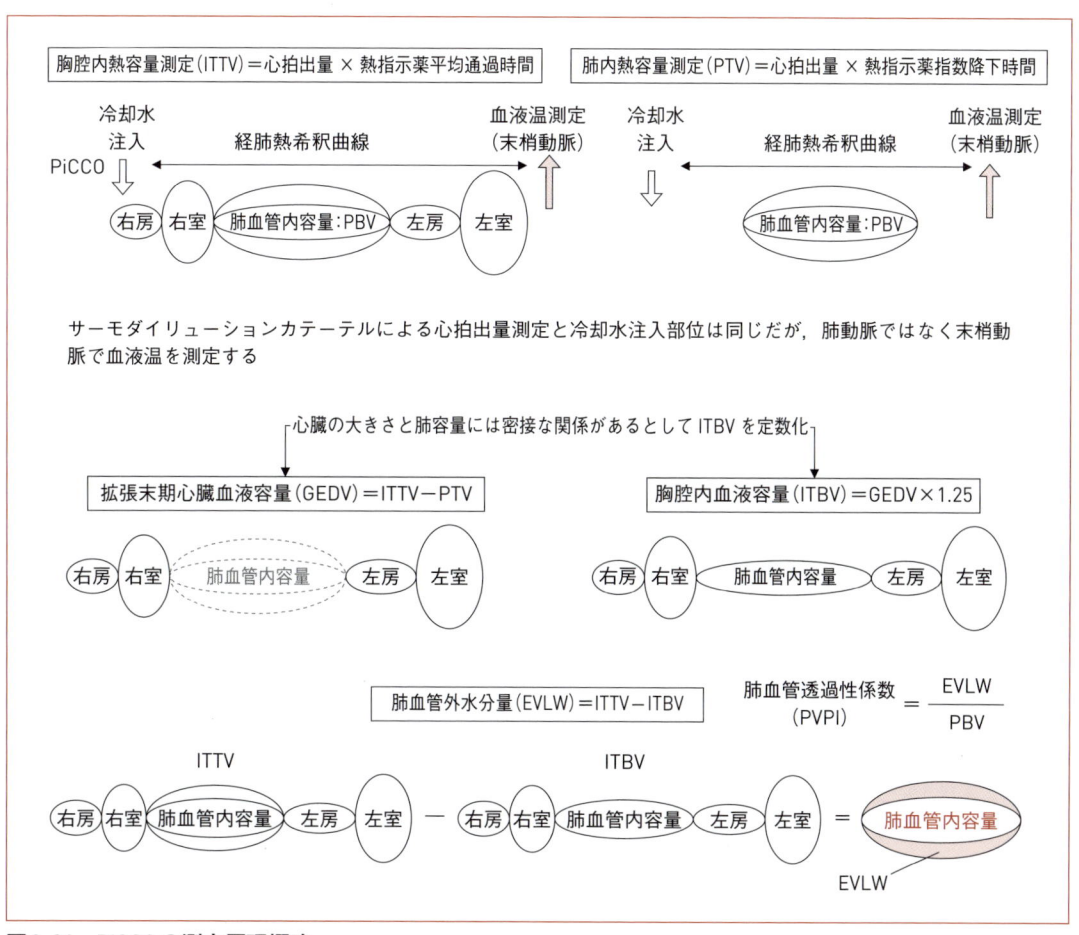

図3-31 PiCCOの測定原理概略

Tips フロートラック®

大動脈のコンプライアンスと末梢血管抵抗が変化しない状態で，心臓収縮による血液の拍出は収縮期と拡張期の差（脈圧）に依存すると考えられ，心拍出量と脈圧に相関するという原理に基づいている．フロートラックでは，動脈穿刺と圧力センサによる血圧の連続測定が必要となるが，心臓内へのカテーテル留置を必要としないなど，熱希釈法より侵襲度は低い．フロートラックも PiCCO 同様，動脈圧波形を解析することによりキャリブレーションすることなく連続的に心拍出量を測定しているが，圧脈波面積を測定しているわけではない．実際は，20 秒間の血圧波形を記録して各ポイントの標準偏差を求めている．血圧波形の実効値である面積の積分値は，血圧波形の標準偏差を求める式と等しく，心拍出量の相関が高いと考えられる（図 3-32a）．実際には，血管のコンプライアンスと末梢血管抵抗を考慮せずに測定はできず，年齢・性別，身長・体重，平均血圧などにより影響を受ける．この点は，献体の大動脈を用いて圧と膨張率，血管のコンプライアンスを含め血圧から得られた標準偏差にこれらの変数を加えて補正し，前述の因子を加えモデル化を行い連続的に心拍出量を表示している．これは APCO（arterial pressure-based cardiac output）として算出される．

心拍出量測定の一次情報に一回心拍出量変動（SVV: stroke volume variation）がある（図 3-32b）．人工呼吸管理下患者にみられる呼気時の拍出量低下は（図 3-32b），とくに，循環血液量が不足した状態では吸気時と呼気時に SVV は大きくなることから，この不足を輸液による負荷によって是正，一回心拍出量の増加を見込む指標として利用されている．SVV が 10 ～ 15％をこえると，輸液反応性があり心拍出量の改善が見込まれるとされる．測定対象患者は，人工呼吸による調節呼吸の必要があり，不整脈による測定値への影響があるとされている．

フロートラック方式でも，経肺熱希釈曲線を測定するためのカテーテルを挿入することによって，PiCCO のように血管内容量に関するパラメータを測定できる．

Tips LiDCO (lithium dilution cardiac output measurement)

熱希釈法では，右室のサーマルフィラメントによる血液温の上昇から心拍出量を連続測定する方法に発展した．しかし，心腔内に配置するカテーテルの侵襲性の高さが問題であった．この問題を解決するために経肺熱希釈法が開発され，一方では熱以外の希釈を行う方法が開発された．LiDCO では，冷注入液の代わりにリチウムを用いる．中心静脈または末梢静脈から注入した塩化リチウム溶液を，動脈圧測定カテーテルに留置したリチウムセンサで検出する．色素希釈法同様に，再循環による影響を考慮したうえで希釈曲線を描出して心拍出量を求める．わが国ではリチウムを人体に使うことが未承認であるが，海外においてはその信頼性が確認されている．わが国における LiDCO は，蓄積された臨床データをもとに作成されたアルゴリズムを用いて，ノンキャリブレーションシステムとして心拍出量の連続測定が行われている（図 3-33）．

LiDCO は，動脈圧波形を利用した低侵襲の心拍出量測定法であるが，非観血的に血圧を連続測定するモジュール（continuous noninvasive arterial pressure: CNAP）によって得た血圧連続信号を解析することによって心拍出量を連続測定することも可能である（図 3-33）．非観血的血圧測定法は，容積補償法に基づいている．指先にカフを巻き，LED と受光センサによって指の容積脈波を測定する．この方法では，血管外部から圧力を加え血管をつぶさずに一定の血管径に保つ（透過光を一定に保つ）．このとき，血管径を変化させないためには血管内圧力と等しくなければ血管径が変化してしまう．血管径は，拍動による張力がかからない状態のカフ内圧によりコントロールされ，このときのカフ内圧は血管内圧力と等しいとされる．カフ内圧をモニタリングすることによって非観血的に血圧の連続測定が可能となる．動脈圧波形を解析した低侵襲の心拍出量測定法と同様に，非観血的に求められた血圧をもとに心拍出量の測定が行われる．

a 積分による血圧波形の面積測定

実効値：瞬時値と平均値の差の2乗の平方根

面積を求める 縦(実効値)× 横

$$実効値 = \sqrt{\frac{1}{T}\int_0^T (P(t)-P_{ave})^2 dt} = \sqrt{\frac{1}{T}\sum_{t=1}^{N}\frac{T}{N}(P(t)-P_{ave})^2} = \sqrt{\frac{1}{N}\sum_{t=1}^{N}(P(t)-P_{ave})^2}$$

収縮期　拡張期

計算方法はほぼ等しい 血圧の標準偏差は一回拍出量の変数として利用できる

血圧の標準偏差

一回拍出量　収縮期

AD変換

P(t)
1. 72 [mmHg]
2. 75
3. 79
4. 82
  :
N. 95

$$血圧の標準偏差 = \sqrt{\frac{1}{N}\sum_{t=1}^{N}(P(t)-P_{ave})^2}$$

P_{ave}＝平均血圧

b 人工呼吸管理患者

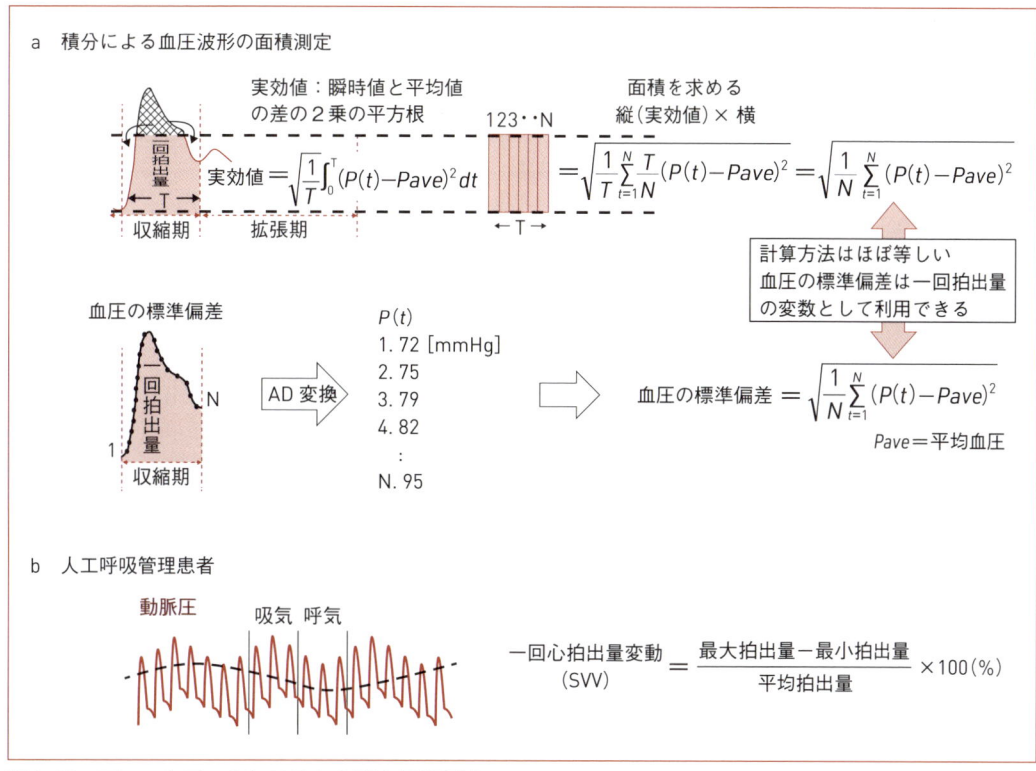

動脈圧　吸気　呼気

$$一回心拍出量変動 (SVV) = \frac{最大拍出量 - 最小拍出量}{平均拍出量} \times 100(\%)$$

図3-32　フロートラックシステムの測定原理概略

人工呼吸管理下の患者は，胸腔内圧上昇による静脈還流減少から右室一回拍出量減少，それに伴い左室一回拍出量の減少が観察される．この一連の現象は，約2秒のタイムラグをもって吸気時の左室前負荷低下による左室一回拍出量の減少として血圧モニタ上の呼吸に伴う血圧測定のゆらぎとなる．

a

Lithium Dilution Cardiac Output measurement (LiDCO) → 動脈圧波形解析を基にした心拍出量測定法

→ 動脈圧波形解析によるノンキャリブレーションによる心拍出量連続測定
→ リチウムを用いた希釈法をキャリブレーションとする心拍出量測定法（わが国未承認）
→ 非観血的に血圧を連続測定するCNAPを利用した心拍出量測定

b CNAP (continuous noninvasive arterial pressure) 測定原理

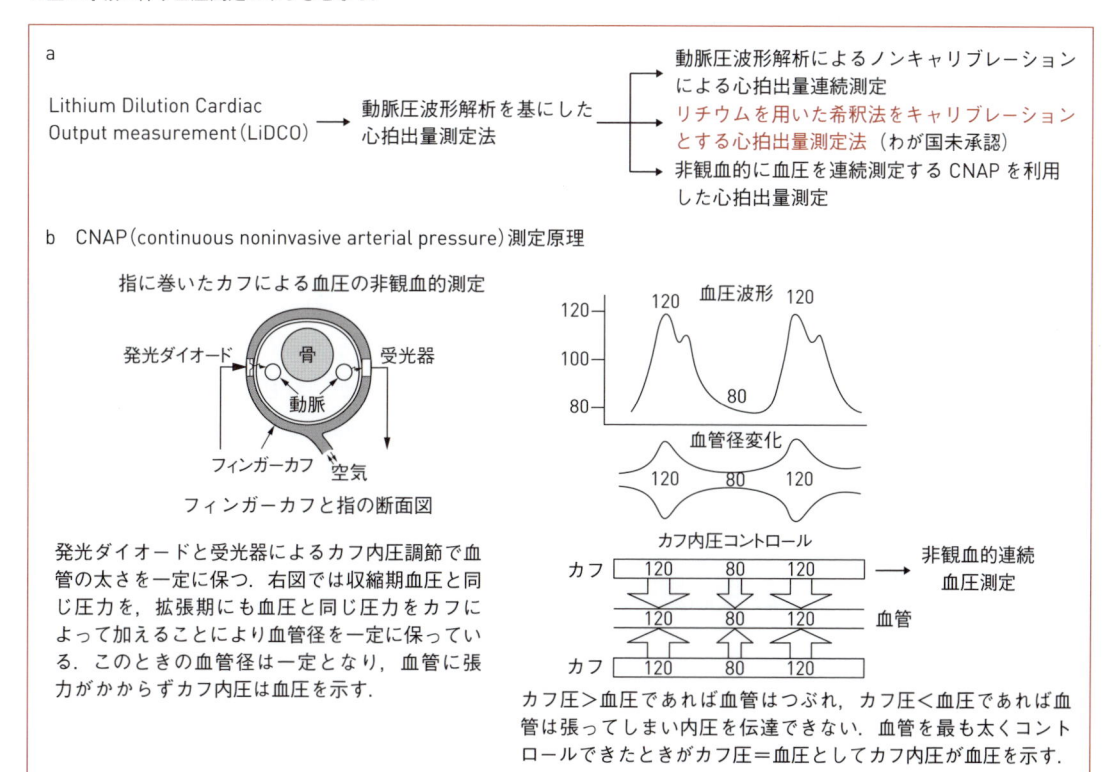

指に巻いたカフによる血圧の非観血的測定

発光ダイオード　骨　受光器　動脈　フィンガーカフ　空気

フィンガーカフと指の断面図

血圧波形　120　120　100　80　80

血管径変化　120　80　120

カフ内圧コントロール
カフ 120 80 120
血管 120 80 120
カフ 120 80 120

→ 非観血的連続血圧測定

発光ダイオードと受光器によるカフ内圧調節で血管の太さを一定に保つ．右図では収縮期血圧と同じ圧力を，拡張期にも血圧と同じ圧力をカフによって加えることにより血管径を一定に保っている．このときの血管径は一定となり，血管に張力がかからずカフ内圧は血圧を示す．

カフ圧＞血圧であれば血管はつぶれ，カフ圧＜血圧であれば血管は張ってしまい内圧を伝達できない．血管を最も太くコントロールできたときがカフ圧＝血圧としてカフ内圧が血圧を示す．

図3-33　LiDCOの測定原理概略

循環系の計測　137

参考文献

1) 鈴木　紳：目で見る循環器病シリーズ6心臓カテーテル（第2版）．メジカルビュー社，1999．
2) 松崎益徳，本郷　実編：新・心臓病診療プラクティス3心機能を識る（第2版）．文光堂，2004．
3) モートン・J・カーン著，髙橋利之，他監訳：心臓カテーテルハンドブック（第2版）．医学書院，2004．
4) 渡辺　敏編：ME早わかりQ＆A　3．血圧計・心拍出量計・血流計・脈波計・血液ガス分析装置・心臓カテーテル検査．南江堂，1988．
5) 亀山良亘，星　邦彦：血管外肺水分量のモニタリング：経肺熱希釈法による血管外肺水分量測定．人工呼吸，**32**：169〜172，2015．
6) 佐藤　慎，国沢卓之：低侵襲連続的心拍出量モニタシステム「LiDCOrapid」．循環制御，**35**（2）：166〜176，2014．
7) 福島正美：動脈圧心拍出量測定装置フロートラックセンサー測定原理．麻酔・集中治療とテクノロジー2011，1:69〜73，2011．

4．脈波計

1）脈波

　心臓の収縮により血液が血管に駆出されると，血管内で圧力変化が生じる．中枢側の血管内で生じた圧力変化は，波動として末梢側の血管へ伝播する．この波動を駆出波という．駆出波の一部は，末梢血管の分岐部のような血管抵抗が増大する部位で反射し，末梢から中枢へ逆行する反射波となる．反射波は血管内で駆出波に重畳する．この駆出波と反射波の合成波をとらえたものが脈波である．なお，血管によって，駆出波に重畳する反射波の大きさや，重畳するタイミングなどに差異がみられる．そのため，脈波の波形は測定部位で異なる．

　脈波には，血管内の圧力変化から得た圧脈波と，血管の容量変化から得た容積脈波がある．これを圧，光電，ストレインゲージ，インピーダンスなどの方式を用いて波形として描出する装置が脈波計である．

　脈波は，測定方法でも記録される波形に違いがみられる．図3-34に，代表的な脈波である指尖容積脈波の波形と各部位の名称を示す．脈波の測定は，動脈，静脈の両者が対象となるが，おもに動脈を対象に，血管の進展性や血流障害を判定する目的で行われる．また，脈波とともに心電図や心音図を記録することで，心周期の時相（収縮期，拡張期）など，循環器系に関する多くの情報が得られる．

2）圧脈波の測定

　血管内で生じた圧変動を血管内から直接とらえたものが圧脈波である．ベルヌーイの法則から，脈波の測定部位が心臓の高さと等しい（静水圧を考慮しない）場合，圧脈波は，血管壁へ垂直に及ぼす静圧（側圧）と動圧からなる．一方，血管内の圧変動は，血管外（体表面）からもと

---

keyword

ベルヌーイの法則

管内を理想流体（非圧縮性で粘性係数がゼロ）が流れているとき，総圧 P（単位体積あたりの流体の全エネルギー）は，

$$P = p + \rho gh + \frac{1}{2}\rho v^2$$

で表される．ここで，第1項の p は静圧（側圧），第2項の ρgh は静水圧（高さの差による圧力で，ρ は流体密度，g は重力加速度の大きさ，h は基準点からの高さ），第3項の $\frac{1}{2}\rho v^2$ は動圧（v は流速）となる．

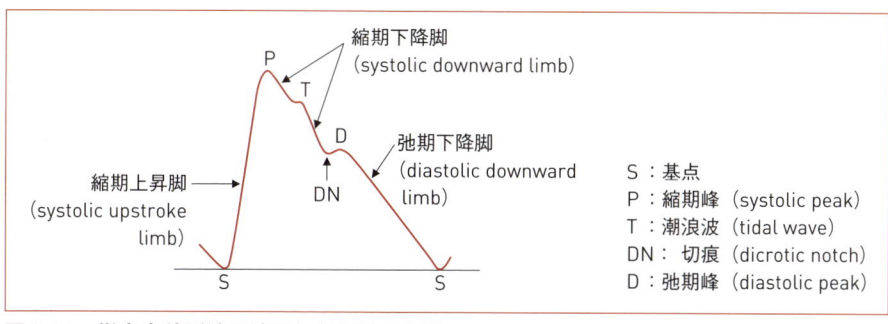

図3-34 指尖容積脈波の波形と各部位の名称

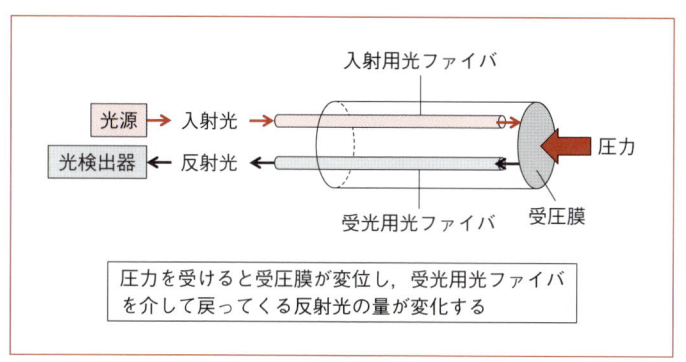

図3-35 光ファイバ方式の圧力センサの構造

らえることができる．この場合，静圧（側圧）のみをとらえたものとなるため，厳密には側圧脈波とよび，前述の圧脈波とは区別される．

圧脈波は，圧トランスデューサを先端部にもつカテーテルを血管内に挿入する観血的な方法で測定される．カテーテル先端に装着される圧トランスデューサとして，ホイートストンブリッジ回路を内蔵したピエゾ抵抗式圧力センサや，光ファイバ方式の圧力センサ（図3-35, 36）などがある．また，血管内に管腔をもつカテーテルや留置針を挿入し，血管内の圧変動を体外の圧トランスデューサに導くことでも，圧脈波を得ることができる（観血式血圧計の項を参照）．

側圧脈波は，非観血的な方法で測定される．側圧脈波の測定では，振動ピックアップとよばれる脈波センサを，体表面から血管の上に固定する．振動ピックアップには，空気伝導型と直接伝導型がある．空気伝導型の振動ピックアップ内には空間が設けられており，血管の脈動に伴い生じた空間内の圧力変動を圧電素子などで電気信号に変換し，脈波として出力する．一方，直接伝導型の振動ピックアップには，金属またはプラスチック製のペロッテがあり，これを血管の上に当てる（図3-37）．血管上に当てたペロッテは，血管の脈動に合わせて変位するので，この変位を圧電素子などで電気信号に変換し，脈波として出力する．

keyword

ペロッテ

直接伝導型振動ピックアップの構造のうち，血管の真上に当て，血管の脈動を圧電素子に伝える部分をペロッテとよぶ．ドイツ語のpelotteに由来し，日本語のパッドに該当する用語である．

循環系の計測　139

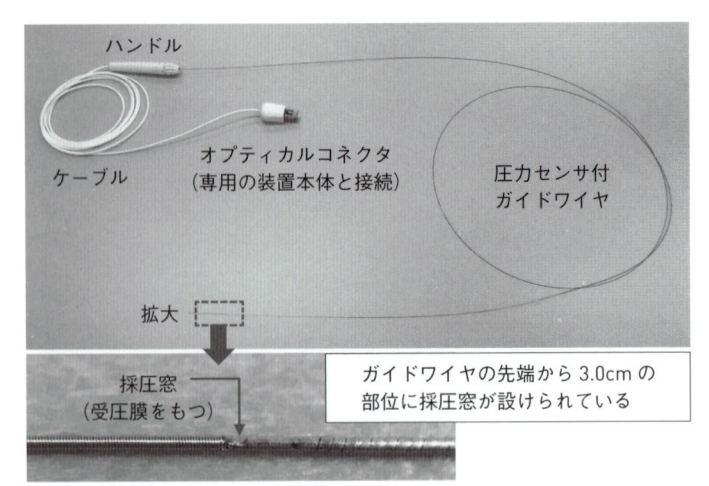

図3-36　光ファイバ方式の圧力センサを搭載したガイドワイヤ
冠動脈などの血管に挿入することで，血管内圧と脈波を観血的に測定することができる．

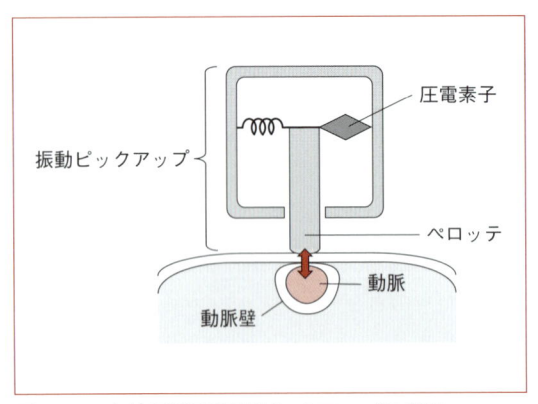

図3-37　直接伝導型振動ピックアップの構造

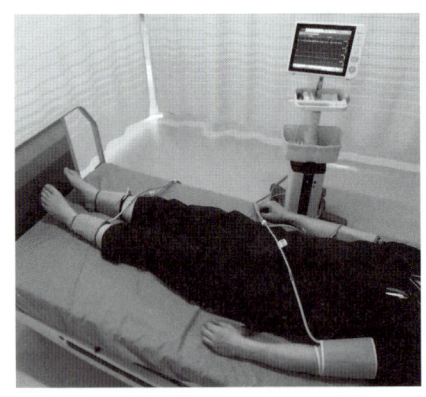

図3-38　空気容積式脈波法による測定

Tips

脈波伝播速度

　脈波伝播速度（pulse wave velocity：PWV）は，心臓から血液が送り出される際に生じる波動（脈波）が血管壁を伝わる速度である．PWVは2点で脈波を検出して，2点間の脈波の時間差（Δt）と距離（L）から次式により算出される．

$$PWV = \frac{L}{\Delta t}$$

　従来，頸動脈-大腿動脈間脈波伝播速度（carotid-femoral pulse wave velocity：cfPWV）が測定されてきたが，近年では，上腕-足首間脈波伝播速度（brachial-ankle pulse wave velocity：baPWV）がおもに測定される．なお，①血管が硬い，②血管壁が厚い，③血管内腔が細いほど，脈波は速く伝播する．そのため，血管に①〜③がみられる場合，PWVは高い値を示すことから，動脈硬化の指標として用いられる．

3) 容積脈波の測定

心臓の収縮で血液が血管に駆出されると，血管内の圧力変化とともに血管の容量変化も起こる．この血管の容量変化をとらえたものが容積脈波である．容積脈波の測定方法として，空気容積式脈波法，光電式容積脈波記録法，ストレインゲージ式脈波記録法などがある．

空気容積式脈波法では，カフ振動法（オシロメトリック法）で血圧を測定した後，カフを一定圧で10秒程度保持することで脈波を測定する．一般に，上腕と足首間の脈波伝播速度（Tips参照）を算出する目的で，左右の上腕と足首の容積脈波が同時に測定される（図3-38）．

光電式容積脈波記録法では，波長700～800 nmの近赤外線を利用しており，生体に照射した近赤外線の吸収から動脈の容量変化をとらえる．おもに，光電式容積脈波計のピックアップを指尖部に装着して，指尖容積脈波が測定される．光電式容積脈波計のピックアップには，透過式と反射式がある．透過式では，発光部を指の背側，受光部を指の腹側に配置し，指尖部の組織を透過してきた近赤外線を受光部で検出する．一方，反射型では，発光部と受光部が同じ側にあり，皮下数mmにある血管や組織で吸収，反射を受けた近赤外線を受光部で検出する．なお，発光部には，発光ダイオード（light emitting diode：LED）などの発光素子が，受光部にはフォトダイオードなどの受光素子が装着されている．この光電式容積脈波記録法は，パルスオキシメータの測定原理にも応用されている．

ストレインゲージ式脈波記録法では，インジウムガリウムを満たした細いシリコンチューブを四肢に巻くことで，動脈の容量変化をとらえる．シリコンチューブ内には電流を流しており，四肢の容量変化に伴いシリコンチューブが伸縮すると，インピーダンスが変化するため，この変化から脈波を得ている．

4) 測定上の注意点

室温が低いと血管の収縮をきたし，脈波の振幅が低下するおそれがある．測定時には，室温を25℃前後に保つことが望ましい．また，側圧脈波や容積脈波の測定時にピックアップで血管を強く圧迫すると血流が阻害され，脈波の変形をきたす．そのため，ピックアップを固定，装着する際には，血管を強く圧迫しないよう注意を払う．光電式容積脈波記録法で指尖容積脈波を得る場合，爪にマニキュアが塗布されていると，測定光の近赤外線が吸収されてしまう．そのため，マニキュアは測定前にかならず除去する．さらに，光電式容積脈波計のピックアップに蛍光灯などの周辺光が入射すると雑音となる．対策として，ピックアップに蛍光灯などの周辺光が強く当たらないよう配慮し，必要に応じてピックアップ装着部を不透明な布などで覆う．

参考文献
1) 東條尚子, 川良德弘編：最新臨床検査学講座 生理機能検査学 第2版. 医歯薬出版, 2022.
2) 菅野範英：機能検査「特集：静脈疾患—新たなる展開」. 脈管学, **49**：207～212, 2009.
3) 増田善昭, 金井 寛：動脈脈波の基礎と臨床. 共立出版, 2000.

2 呼吸器系の計測

1. 呼吸計測と換気力学

　呼吸の目的は、ガス交換、すなわち新鮮な酸素を取り込み、不要となった炭酸ガスを排出することである。このことにより、血液のpHを正常に保ち細胞が正常に活動できるようにしている。細胞内のミトコンドリアでは、グルコースと酸素が結合してエネルギーを発生し、二酸化炭素が生成されるという呼吸代謝的な過程が営まれる。呼吸は通常、換気、分布、拡散（ガス交換）の3つの過程からなる（図3-39）.

　①換気：空気を出し入れする機能. 大小気管支の狭窄程度が関係する.
　②分布：吸入した空気が左右の肺に均等に入る機能. 肺の弾性などが関係する.
　③拡散：肺胞膜を通しての肺胞と血液間のガスの移動の効率.

　それぞれの過程における機能を評価するため、表3-8に示すさまざまな検査が行われる.

　換気力学とは、呼吸筋の作用によって生じる力が胸腔、気道、肺実質、肺胞などの呼吸器系に作用し、肺内に空気が出入りする換気運動を力学的に解析することである。換気力学では、圧力、換気量、気流量の3つ

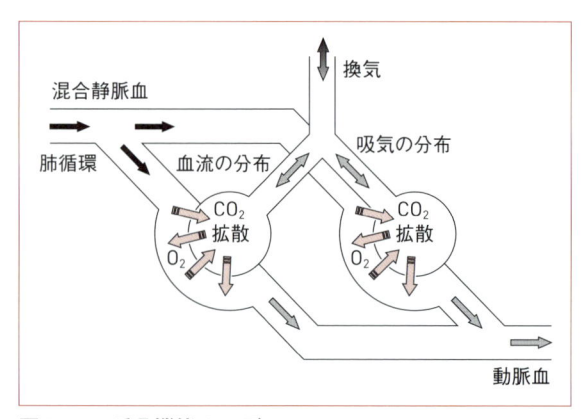

図3-39　呼吸機能のモデル

表3-8 呼吸機能に関する検査

換気機能に関する検査	肺気量分画の測定 強制呼出曲線 換気諸量の測定 換気力学的測定	肺活量, 残気量, 機能的残気量, 全肺気量 努力肺活量, 1秒量, 1秒率 一回換気量, 呼吸数, 分時換気量, 肺胞換気量, 最大換気量 コンプライアンス, 気道抵抗
肺胞機能に関する検査	気相における検査 液相における検査	酸素消費量, 二酸化炭素産生量, 肺拡散能力 酸素分圧, 二酸化炭素分圧, pH, 酸素飽和度
肺循環に関する検査	肺循環系圧測定 肺循環系血液ガス分析 肺循環時間 肺循環血流量 心電図	心臓カテーテル法 心臓カテーテル法 RI RI
その他の検査	呼吸中枢活動に関する検査	airway occlusion pressure ($P_{0.1}$)

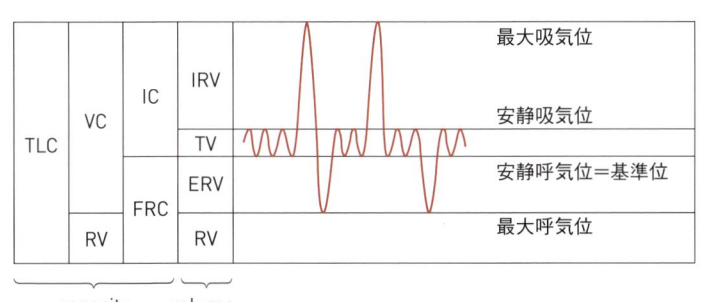

図3-40 肺気量分画（スパイログラム）

IC：最大吸気量, IRV：予備吸気量, FRC：機能的残気量, TV：一回換気量,
VC：肺活量, ERV：予備呼気量, TLC：全肺気量, RV：残気量

IC: inspiratory capacity
IRV: inspiratory reserve volume
FRC: functional residual capacity
TV: tidal volume
VC: vital capacity
ERV: expiratory reserve volume
TLC: total lung capacity
RV: residual volume

の要素の測定が行われる．これらを換気力学の3要素という．

これらの要素から求められるさまざまな力学的パラメータを，等価的な電気的要素（電気抵抗 R，コンデンサ C，コイル L）で置き換えた電気的モデル（集中定数回路）を用いて換気運動を解析し，肺・胸郭系の特性を評価するのが一般的である．肺・胸郭系の特性を評価するための代表的な力学的パラメータとして，コンプライアンスと抵抗がある（後述）．

1) 肺気量分画

呼吸機能を評価する際にもっとも基本となるのが肺気量分画（図3-40）である．肺気量分画は，呼吸位置によって予備吸気量，一回換気量，予備呼気量，残気量という4つの1次分画（volume）に分けられる．それらを分けているのは，安静呼吸をしているときの呼気の位置である安静呼気位（これを基準位という），安静呼吸をしているときの吸気の位置である安静吸気位，最大限に吸ったときの吸気の位置である最大吸気位，最大限に吐いたときの呼気の位置である最大呼気位の4つの呼吸

位置である．

さらに肺気量分画は，2つ以上の1次分画からなる2次分画（capacity）で構成される．2次分画には，全肺気量，肺活量，最大吸気量，機能的残気量の4つがある．これらの肺気量を計測する装置をスパイロメータ，経時的な肺気量の変化を記録した曲線をスパイログラム（図3-40）という．スパイロメータについては後述する．

2）呼吸抵抗と気道抵抗
(1) 呼吸抵抗
①呼吸抵抗とは

呼吸抵抗は，全呼吸器（気道，肺組織，胸郭）の粘性抵抗という意味で用いる場合（狭義）と，全呼吸器の抵抗（呼吸インピーダンス）という意味で用いる場合（広義）の2つある．換気に際して気流の妨げになるのは粘性だけではなく，弾性や慣性もその因子となるので，粘性抵抗，弾性抵抗，慣性抵抗のすべてを合わせたものを呼吸抵抗という．

呼吸抵抗の測定は，換気の際の呼吸器系全体の抵抗を評価でき，とくに気管支喘息やCOPDなどの呼吸機能評価法として，病状や治療効果を評価できる有用な検査である．

a. 粘性抵抗

換気によって気道の中を空気が出入りする際，空気と気道の間に生じる摩擦によって生じる抵抗である．細い気道は太い気道に比べて空気が流れにくく，作用する粘性が大きいため粘性抵抗が大きい．粘性抵抗は，気道の太さ（半径）の他，気道の長さ，流れる気体の性質，気体の流れ方（層流か乱流か）に依存する．

b. 弾性抵抗

肺の弾性収縮力によって生じる抵抗である．弾性収縮力は肺の容積（肺気量）に比例するため，弾性抵抗も容量に比例する．

c. 慣性抵抗

慣性とは，物体が静止しているときは静止し続けようとする性質，また物体が移動しているときはその速度を維持し続けようとする性質である．静止している物体が移動し始めるとき，また移動している物体がその速度を変える，あるいは静止するときには力が必要となる．その力は物体の質量に比例する（ニュートンの運動の法則）．

気道・肺組織などの呼吸器系内に存在する空気も質量をもつが，換気によって空気は呼吸器系を常に移動しているため慣性が作用する．空気の量（肺気量）が多いほど空気の質量は大きくなるので，移動する際の力は大きくなり移動しにくくなる．このように，気道や肺組織などの呼吸器系も含めて，空気が移動するときに生じる抵抗をいう．

ここで，粘性抵抗，弾性抵抗，慣性抵抗を直列に配列した力学的モデルを，粘性抵抗に抵抗 R，弾性抵抗にコンデンサ C，慣性抵抗にコイル

COPD : chronic obstructive pulmonary disease, 慢性閉塞性肺疾患

keyword

ニュートンの運動の法則

第一法則（慣性の法則）
物体は，他のすべての物体から何らの作用も受けなければ静止または等速直線運動を続ける．同じ状態を続けようとする物体の性質を慣性という．

第二法則（狭義の運動の法則）
物体に他の物体から力 F が働くと，その力の方向に加速度 a を生じ，その大きさは力 F の大きさに比例し，物体の質量 m に反比例する．
　$F = ma$

第三法則（作用・反作用の法則）
2つの物体相互に作用する力は，それらを結ぶ直線上にあって，大きさが等しく向きが反対である．

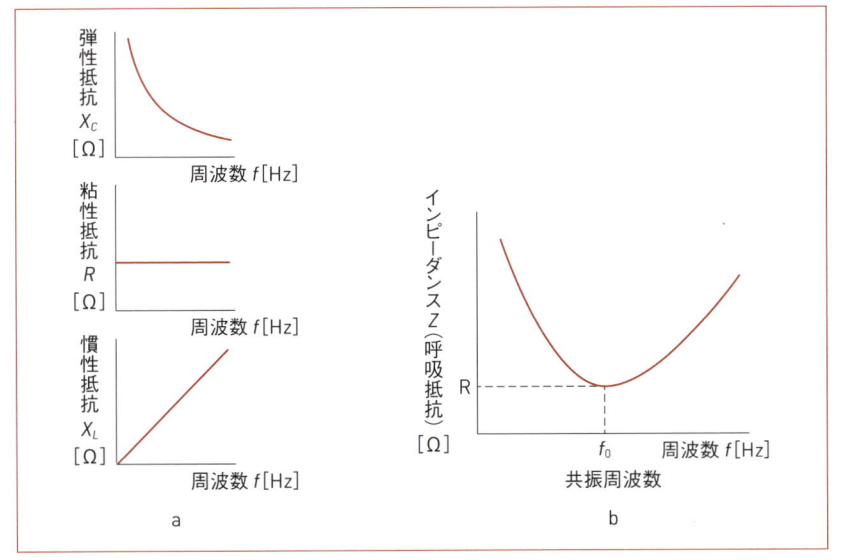

図3-41 呼吸抵抗（呼吸インピーダンス）の周波数特性
a：周波数の変化に伴うX_C（弾性抵抗），R（粘性抵抗），X_L（慣性抵抗）の変化．
b：周波数の変化に伴うCRL直列回路のインピーダンスZ（呼吸抵抗）の変化．

Lを対応させた電気的モデルのRCL直列回路で考えると，次の関係がある．

$$Z = \sqrt{(R^2 + (X_C - X_L)^2)}$$

ただし，コンデンサCのリアクタンスをX_C（弾性を反映），コイルLのリアクタンスをX_L（慣性を反映）とし，インピーダンスZは呼吸抵抗に相当する．

呼吸抵抗には，低い周波数範囲では弾性抵抗が，高い周波数範囲では慣性抵抗が関与すると考えられている．低い周波数から次第に周波数を上げて測定すると，呼吸抵抗は次第に減少し，6 Hz付近に最小値があり，さらに周波数を上げていくとふたたび増加する．呼吸抵抗が最小となる周波数を共振周波数という（図3-41）．正常例の共振周波数は5〜7 Hzとされる．この周波数では，弾性抵抗と慣性抵抗が打ち消し合い，呼吸抵抗は粘性抵抗と一致し，狭義の呼吸抵抗を求めることができる．

②オシレーション法（図3-42）

呼吸抵抗を測定する方法に，オシレーション法がある．安静呼吸中に口腔内から音波振動を与え，それによって生じた気流量と口腔内圧の変動の比を算出し，呼吸抵抗とする方法である．振動発生装置から発せられる振動波を，マウスピースを介して被検者の口腔内から下気道に送り込む．振動波には正弦波，ノイズ波，パルス波が使用されるが，現在の主流はパルス波である．正弦波は単一周波数の波であるが，パルス波は複数の周波数を含む波である．パルス波を用いることにより，1回の測定で多くの周波数における情報を得ることができる．また，オシレーショ

RLC回路：医用電気工学1 第2版, p.103〜106参照．

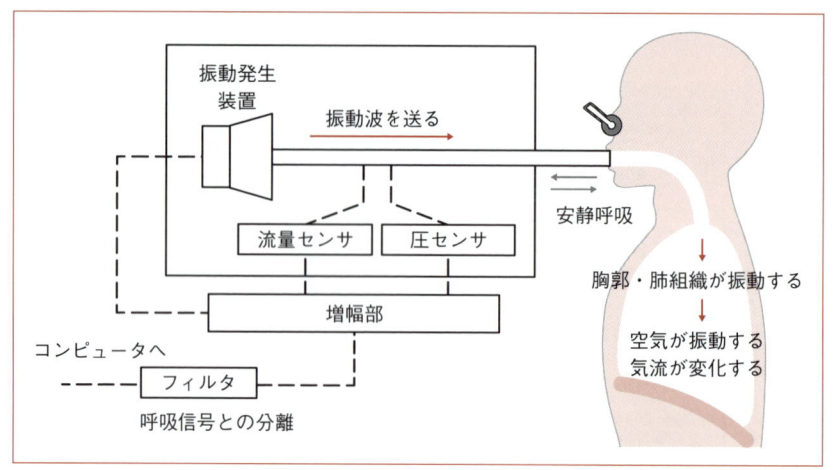

図3-42 オシレーション法における呼吸インピーダンス測定の原理図
(内田明美:換気力学的検査. JAMT技術教本シリーズ呼吸機能検査技術教本(一般社団法人日本臨床衛生検査技師会監). 85, じほう, 2016 より引用)

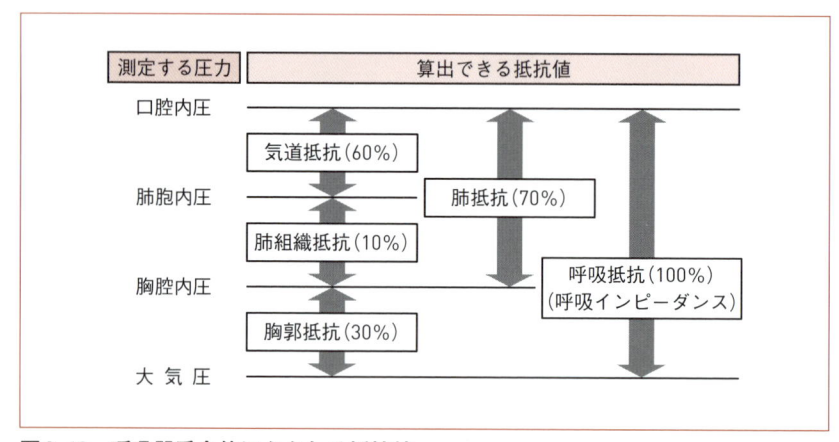

図3-43 呼吸器系全体にかかわる抵抗値
圧差をどこにするかで意味する抵抗が変わる. ( )内の数字は, 呼吸抵抗を100%としたときの各抵抗が占める割合を示す.

ン法は最大呼気努力・最大吸気努力を必要とするスパイロメトリーとは異なり, 安静呼吸で短時間のうちに実施できるため, 小児や高齢者, 呼吸困難度の高い被検者にも負担が少ないという利点がある.

③呼吸抵抗と気道抵抗の関係

呼吸器系全体にかかわる抵抗を図3-43に示す. 抵抗は圧差とそこを流れる気流量の比で求めるため, 圧差をどこにするかで意味する抵抗が変わる.

人工呼吸器による呼吸管理においては, 肺に十分な換気量を送る必要がある. そのためには, 気道の状態を常時モニタリングする必要がある. その意味では, 気道抵抗は非常に重要な意味をもつ.

(2) 気道抵抗

換気に伴い気体が気管や気管支などの気道を流れる際に生じる摩擦抵抗（粘性抵抗）を表す．肺胞内の圧力（P_A）と気道の出入り口の圧力（口腔内圧：P_O）との差圧を，そのとき気道を流れる気流量Fで除した値である．すなわち気道抵抗（R）は，1 L/sの気体が流れるために，何cmH$_2$Oの圧力差が必要かを表す（図3-44）．

喘息やその他の閉塞性肺疾患で，気道の抵抗の著しい増加は呼吸困難の原因になる．気道の抵抗を測定して気道閉塞の程度を定量的に把握することは，臨床的に重要である．

図3-44　気道抵抗

3）肺コンプライアンス

肺や胸郭組織の弾性的な伸びやすさを示す指標であり，肺あるいは胸郭組織内外の圧力の差を1 cmH$_2$O変化させたときに，肺や胸郭組織が何mL容積を変えるかを表す．肺コンプライアンスといえば，肺のみを分離して取り出し，肺が単独で存在する状態における肺のコンプライアンスのことを指すが，肺と胸郭のコンプライアンスを分離して測定するためには，胸腔内圧を反映する食道内圧を測定する必要がある．しかし，その操作が煩雑なため，通常は肺と胸郭を合わせて測定した肺-胸郭コンプライアンスで評価する．ある量のガスを肺に送り込み，容積が$\varDelta V$増加した結果，圧力が$\varDelta P$増加したとき，コンプライアンス（C）は，

$$C = \frac{\varDelta V}{\varDelta P} \ [\text{mL/cmH}_2\text{O}]$$

で表される（図3-45）．

コンプライアンスは，肺や胸郭組織の弾性的な伸びやすさを示すものであるので，純粋に弾性成分だけを知ろうとするには，気流がない（抵抗成分が関与していない）状態で測定しなければならない．このようにして測定した，弾性成分のみのコンプライアンスを静的コンプライアンスとよぶ．一方，気流があるときでも，各時点における換気量をそのときの気道内圧で除すれば，純粋な弾性成分のみによるコンプライアンスとは異なる値が求められる．これを動的コンプライアンスとよび，静的コンプライアンスと区別する．肺線維症のように弾性力が強い肺ではコンプライアンスは低下し，肺気腫のように弾性力が弱い肺ではコンプライアンスは上昇する．

最近の呼吸管理に使われている人工呼吸器は，コンプライアンスと気道抵抗を自動的に計算し表示する機能をもつものがほとんどである．この場合，コンプライアンスと気道抵抗は気道内圧と流量の変化から図3-46のように求めている．

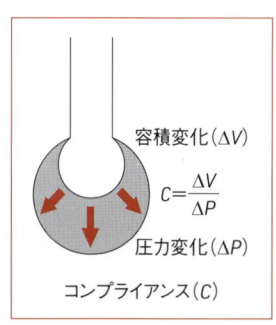

図3-45　コンプライアンス

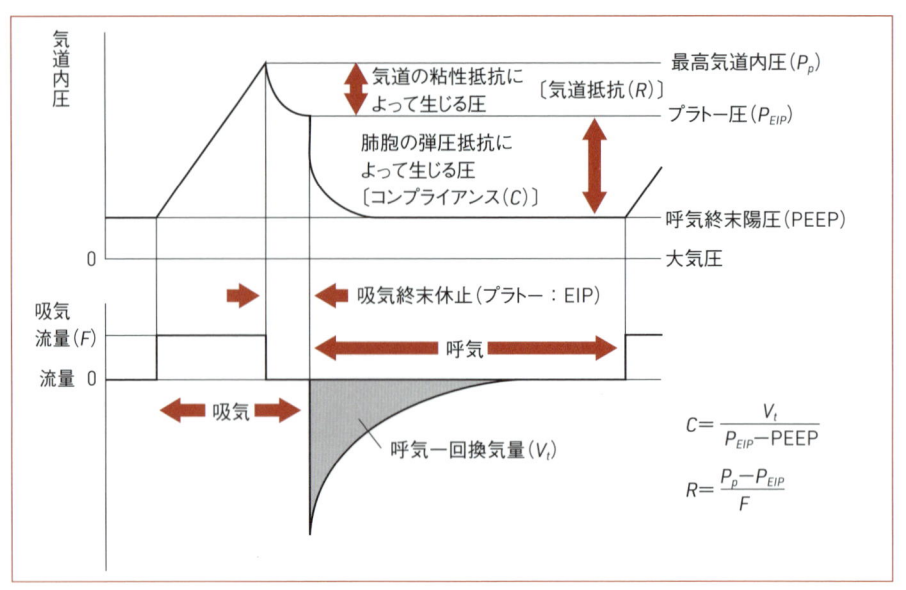

図3-46 コンプライアンスと気道抵抗の求め方

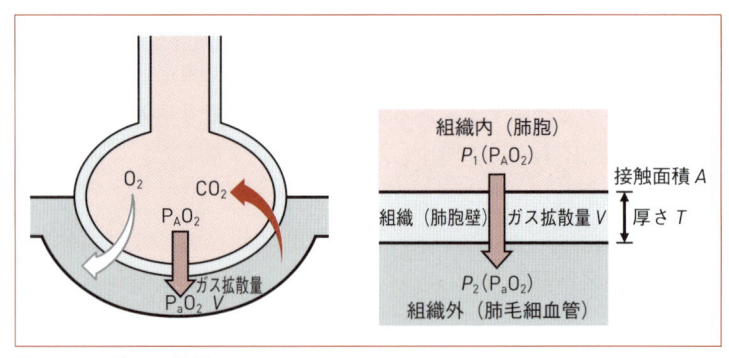

図3-47 ガスの拡散

4) 肺拡散能力

(1) 肺拡散能力とは

　酸素と二酸化炭素は，肺胞気中の分圧と肺毛細血管血中の分圧の差によって移動しガス交換が行われる．この分圧差によって起こるガス分子の移動を拡散という．肺胞気と肺毛細血管血の間での拡散が正常に行われないと，低酸素血症となり呼吸不全に陥る．肺拡散能力は，間質性肺炎やCOPDなどの低酸素血症を呈する患者の，肺胞での拡散障害の程度や重症度の評価に用いられる．

　一般に，組織を通過するガスの拡散量Vは，組織の接触面積Aと，組織の内側外側におけるガスの分圧差$P_1 - P_2 = \Delta P$に比例し，組織の厚さTに反比例する（図3-47）．また，ガスの移動のしやすさを表す拡散定数Dに比例する．すなわち，拡散量Vは，

$$V = \frac{A \cdot \Delta P \cdot D}{T} \cdots\cdots\cdots\cdots\cdots\cdots\cdots\cdots\cdots\cdots (3\text{-}4)$$

となる．拡散定数Dは，ガスの溶解度Sに比例し，分子量Mの平方根に反比例する．つまり，溶解度が高いほど拡散しやすく，分子量が小さい（大きさが小さい）ほど拡散しやすい．肺胞と肺毛細血管のように非常に複雑な構造については，生体でその面積や厚さを測定することは不可能なため，$A \cdot D / T = D_L$とおき，このD_Lを肺拡散能力（diffusing capacity of the lung）という．D_Lを用いると式（3-4）は，

$$V = D_L \cdot \Delta P \cdots\cdots\cdots\cdots\cdots\cdots\cdots\cdots\cdots\cdots (3\text{-}5)$$

と表すことができる．酸素について式（3-5）を立てると，酸素の拡散量Vは，

$$V = D_L O_2 \cdot (P_A O_2 - P_c O_2) \cdots\cdots\cdots\cdots\cdots\cdots\cdots\cdots (3\text{-}6)$$

と表せる．ただし，肺胞気の酸素分圧を$P_A O_2$，肺毛細血管血の酸素分圧を$P_c O_2$，酸素の拡散能力を$D_L O_2$とした．

式（3-6）より，肺における酸素の拡散能力$D_L O_2$は，

$$D_L O_2 = \frac{V}{P_A O_2 - P_c O_2} \cdots\cdots\cdots\cdots\cdots\cdots\cdots\cdots (3\text{-}7)$$

となる．

式（3-7）から，$D_L O_2$は1 mmHgの分圧差で単位時間（1分間）に何mLの酸素が通過できるかということを意味している．

本来は，酸素の拡散能力$D_L O_2$そのものの測定が望まれるが，一般的には一酸化炭素を指標とする拡散能力$D_L CO$が測定される．その理由は，

① 酸素を用いると，元々血漿中に存在している酸素と肺胞から取り込まれた酸素を区別することはできない．

② 肺毛細血管内のCO分圧は0とみなすことができるため，$D_L CO$の算出が容易である．

③ COのヘモグロビンに対する親和性が酸素の210倍ときわめて大きいため，低濃度のCOで拡散能力を測定することができる．

④ 酸素およびCOの物理的性質（拡散性，溶解性）の違いを利用して，$D_L CO$を1.23倍することにより$D_L O_2$に換算可能である．

(2) 計測法

計測の方法には，1回呼吸法，恒常状態法，連続呼気採取法がある．手技が簡単で再現性もよいことから，もっとも普及している1回呼吸法について述べる（図3-48）．

検査には4種混合ガス（組成：CO 0.3%，He 10%，O_2 20%，N_2 バランス）を使用する．

安静換気の後にまず最大呼出し，その後4種混合ガスを最大吸気位まで一気に吸気する．続けて10秒間息止めを行う．息止め終了後，急速に最大呼出させ，呼気の最初に得られる死腔部分の0.75 Lを洗い出し，次に得られる肺胞気の部分1.0 Lを採取する．息止め中に肺胞より血中

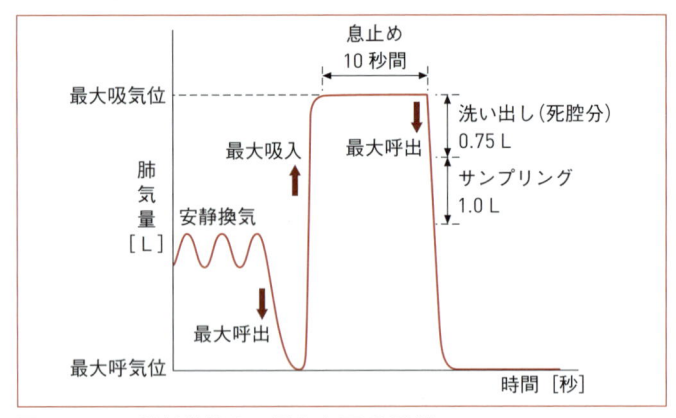

図3-48 CO肺拡散能力の測定（1回呼吸法）

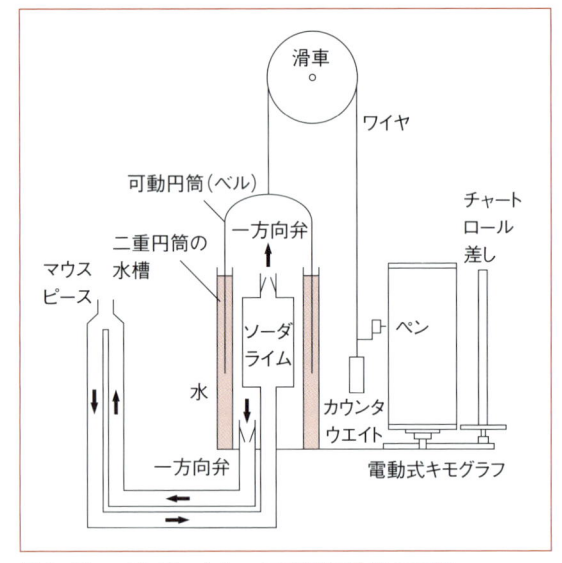

図3-49 ベネディクト・ロス型呼吸計の原理

へ移動したCOの量を測定することにより，D_LCOを求めることができる．

2. 呼吸計測装置

　気量を計測する装置には，気量を直接計測するスパイロメータと，気速を計測し気速を積分することで気量を求める呼吸流量計（気速型スパイロメータ）がある．

1) スパイロメータ
(1) ベネディクト・ロス型呼吸計
　気量型スパイロメータの代表にベネディクト・ロス型呼吸計（図3-49）がある．閉鎖式回路を用い，呼気をベル（可動円筒）内に集め，この円筒の上下の移動距離とその移動速度から呼気量と呼気流量を測定

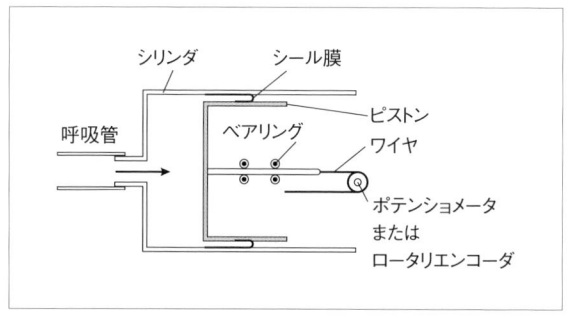

図3-50 ローリングシール型呼吸計のシリンダとピストンの構造
(遠藤和彦：気体の流れを測定する機器④ ローリングシール型測定器. クリニカルエンジニアリング, 9(3)：259〜262, 1998より)

する方法である．もっとも古典的な方法であるが，現在もよく用いられている．

円筒と円筒の間に水を満たした二重円筒の水槽と，その中を自由に上下するベルからなる．二重円筒の水槽の底面には外部と連絡する空気の出入り口があり，2本のチューブによってマウスピースにつながっている．吸息時は，ベル内のガスが一方向弁を介してチューブを通りマウスピースに至る．一方，呼息時はマウスピースから一方向弁を介してベル内部に至る．水槽内部の炭酸ガス吸収剤（ソーダライム）は，酸素消費量の測定に用いる．ベルはその内部のガス量の変化に応じて自由に上下に運動する．ベルの上下運動は，滑車を経てワイヤの反対側に取り付けられたペンを動かす．ペンの動きは電動式キモグラフ（記録器）により，一定の速度で移動する記録紙上に記録される．

この方式の欠点は，ベルが大きく重いため，気量の早い変化に十分追従できない点にあり，フローボリューム曲線の測定には不適である．

(2) ローリングシール型呼吸計

ベネディクト・ロス型呼吸計の欠点を克服するために作られた呼吸計で，固定された円筒形のシリンダと，その内部を自由に移動できるピストンからなる．測定原理はベネディクト・ロス型と同じであるが，ピストンはベネディクト・ロス型呼吸計のベルよりも軽量化され，ピストンの軸は摩擦抵抗の小さいベアリングにより支えられている（図3-50）．

シリンダとピストンの間にはシリコン薄膜が貼られており，シリンダ内部の気密が保たれている．また，シリンダとピストンは接触することがないため，さらに摩擦抵抗を小さくすることが可能となる．ピストンの運動は滑車により回転運動に変換され，さらにポテンショメータまたはロータリエンコーダによって電気信号に変換される．ポテンショメータは回転によって電気抵抗が変化するため，これを電圧の変化（アナログ信号）として取り出している．ロータリエンコーダは，回転によって発生するパルス数が変化する．発生するパルス数を計数することで気量

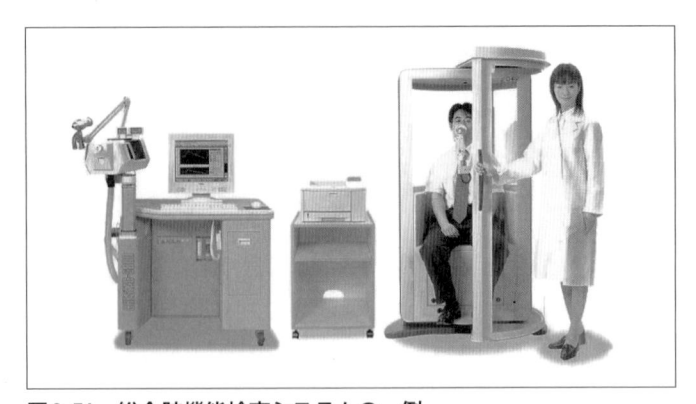

図3-51 総合肺機能検査システムの一例
(チェスト(株):総合肺機能検査システム CHESTAC-9800 BDN型)

を求める．気量型の呼吸計は，気量を直接測定しているので気量についての信頼性が高く，吸気ガスの種類によって測定値が影響されないため，総合的な肺機能検査システム（図3-51）ではもっともよく使用されている．

2) 呼吸流量計（気速型スパイロメータ）

気速の測定に用いる代表的なトランスデューサには，差圧式，熱線式，超音波式の3種類がある．

⑴ 差圧式（ニューモタコメータ，気流速度計）

気体は圧力の高い側から低い側に向かって流れ，単位時間に流れる気体の量（気流量）は，気体の上流側と下流側の圧力差の関数で表される．ニューモタコメータは，気流により生じる圧差を測定し気速を求めるトランスデューサで，もっとも標準的な方式であり，差圧型流量計ともいわれる．

気流が層流の場合，気流量 Q と差圧 ΔP はハーゲン・ポアズイユの式に基づいており，次のように表される．

$$Q = \frac{\pi r^4}{8\mu L} \Delta P \quad \cdots\cdots\cdots\cdots\cdots\cdots\cdots\cdots\cdots\cdots\cdots\cdots\cdots\cdots\cdots\cdots(3\text{-}8)$$

r：管の半径，μ：流体の粘性率，L：管の長さ

通常の気体の流れでは，気流量がかなり低くないと層流にならない．そこで，フライシュ型は抵抗体として断面積 1 mm^2 程度のステンレスの細管を束ねたものを用いて，気体の流れが層流となるようにしている（図3-52，53）．

気体の流れが乱流のときは，次式のベルヌーイの定理が成り立つことを利用している．

$$\frac{\rho v^2}{2} + \rho g h + P = 一定 \quad \cdots\cdots\cdots\cdots\cdots\cdots\cdots\cdots\cdots\cdots\cdots\cdots(3\text{-}9)$$

流路に穴の開いた絞り板（オリフィス）を設け，このオリフィスの前

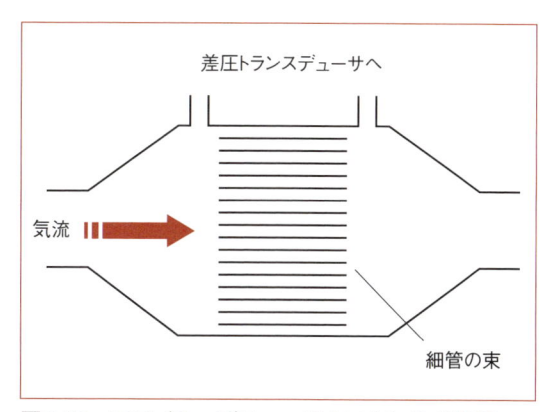

図3-52　フライシュ型ニューモタコセンサの構造

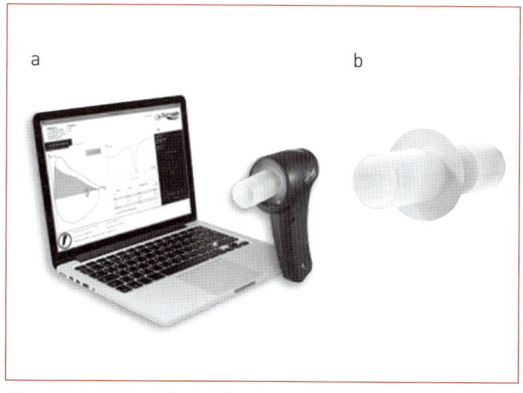

図3-53　フライシュ型ニューモタコセンサを用いた
　　　　スパイロメータの一例
a：コンピュータベース手持ち型スパイロメータ Spirolyser Q13.
b：シングルユースフライシュ型センサ Q flow.
（https://www.fim-medical.com/wp-content/uploads/Brochure-Q13-EN.pdf）

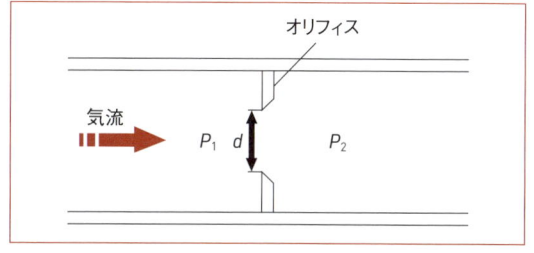

図3-54　オリフィスによる気流量測定の原理

後における圧力の差から気流量を測定する（図3-54）．

$$Q = \alpha \frac{\pi d^2}{4}\sqrt{\frac{2}{\rho}\Delta P} \quad \cdots\cdots\cdots\cdots\cdots\cdots\cdots\cdots\cdots\cdots\cdots (3\text{-}10)$$

α：流量係数，d：オリフィス孔の直径，ρ：密度

気流量は2点間の圧力差の平方根に比例する．

リリー型はこのタイプに属し，流路にメッシュを設けたものである．メッシュをオリフィスの集合体と考えれば，メッシュの前後における圧力差から上式より気流量を求めることができる（図3-55，56）．

(2) 熱線式（熱線式流量計）

流路に置かれた熱線に気流が当たると，熱が奪われ温度が低下し，熱線の抵抗値も低下する．気流速度が大きいと奪われる熱も多くなるので，気流速度と温度の低下量は比例する．熱線の温度を一定に保つためには，気流速度が小さいときには温度低下も小さいのでわずかな電流を流すだけでよいが，気流速度が大きいときには温度低下が大きいので大きな電流を流す必要がある．したがって，熱線に流す電流の大きさは温度の低下量に比例，すなわち気流速度にも比例することになるので，熱線に流す電流から気流速度を求めることができる．熱線として直径数〜数十

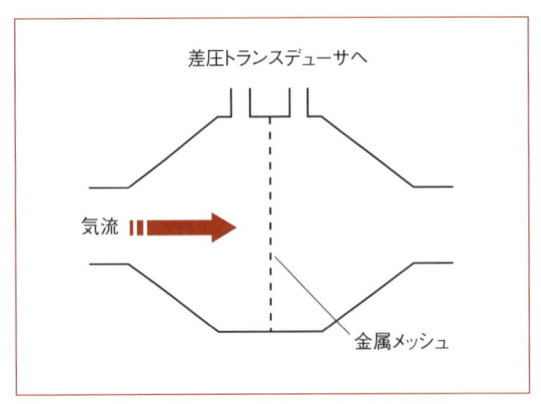

図3-55　リリー型ニューモタコセンサの構造

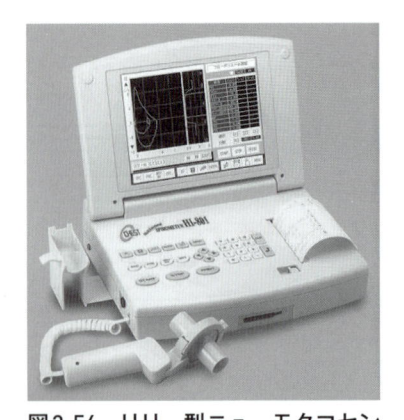

図3-56　リリー型ニューモタコセンサを用いたスパイロメータの一例
（チェスト(株)：マルチファンクショナルスパイロメータ HI-801）

μmの白金あるいはタングステンの細線が用いられ，この熱線に電流を流して約400℃の高温に保つ（図3-57，58）．

熱線式流量計は，気流抵抗が小さく，低流量から高流量までの広い範囲で高い応答性をもっており，応答が早いことが特徴であるが，ガス組成によって出力が異なる点（麻酔ガス，吸気・呼気におけるガス組成の差など）については注意が必要である．また，熱線が細線であるため，長時間モニタリング時の断線の問題や汚れなどによる感度低下が生じることもある．

気速型スパイロメータの欠点は，吸気ガスにより測定値が大きく影響されることと，気量を気速の積分により求めているために，気量型に比べ気量の測定精度が低くなる可能性があることである．しかし，気速の急激な変化に追従できるため，強制呼出（努力性呼出）曲線の理論的解

Tips　熱線式流量計の原理

熱線の温度T_wにおける抵抗をR_T，電流をIとすれば，熱線が発生する熱量Hはジュールの法則より，

$$H = R_T I^2 \quad \cdots\cdots\cdots(3\text{-}11)$$

となる．一方，気流速度をU，気体の密度，熱伝導率および定圧比熱をそれぞれρ，k，c_p，熱線の長さをl，直径をd，熱線の温度をT_w，気体の温度をT_gとすると，熱線より奪われる熱量Hはキングの式より，

$$H = kl(T_w - T_g)\left(1 + \sqrt{\frac{2\pi\rho d c_p U}{k}}\right)$$
$$= A(\sqrt{U} + B)(T_w - T_g)$$

となる．ただし，$A = l\sqrt{2\pi\rho d c_p k}$，$B = \sqrt{k/2\pi\rho d c_p}$とおいた．

熱量Hについて両者が等しいとおくと，

$$R_T I^2 = A(\sqrt{U} + B)(T_w - T_g)$$

と表される．

熱線の温度を一定に保てばR_Tは定数となり，T_gが一定であると仮定すれば$T_w - T_g$も定数となる．A，Bも定数であるから，上式より，IからUを求めることができる．

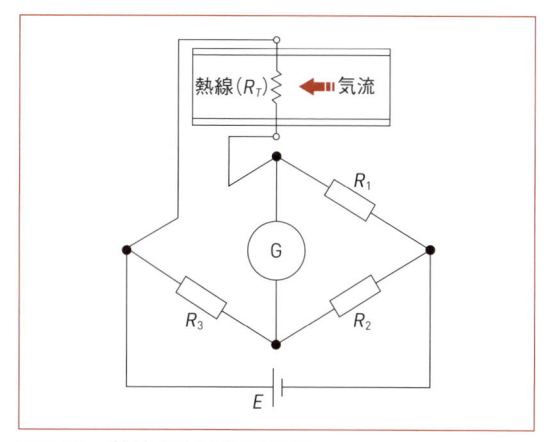

図3-57 熱線式流量計の原理

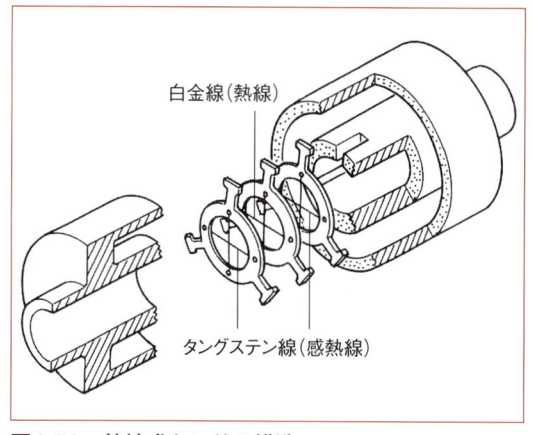

図3-58 熱線式センサの構造
(Yoshiya, I., et al.：Evaluation of a hot-wire respiratory flowmeter for clinical applicability. J. Appl. Physiol., **47**(51)：1131, 1979 より)

析などには気量型よりも適している．

(3) 超音波式（超音波流量計）

　超音波流量計では，流体の流れている管路の外側から超音波を送り，反射波や透過波を管路の外でとらえることにより，管路内に流れる流体の速度を測定している．超音波送受信センサaから発信されセンサbで受信される超音波の伝送時間をT_{ab}，センサbから発信されセンサaで受信される超音波の伝送時間をT_{ba}とすると，

$$T_{ab} = \frac{L}{c + V\cos\theta}$$

$$T_{ab} = \frac{L}{c - V\cos\theta}$$

となる．ここで，Lはセンサ間の距離，cは音速，Vは気流速度，θはガスの流れる方向と超音波の進行方向からなる角度である．T_{ab}とT_{ba}を逆数とし両者の差を求めると次式となる．

$$\frac{1}{T_{ab}} - \frac{1}{T_{ba}} = \frac{2V\cos\theta}{L}$$

　これにより，伝送時間の逆数の差から気流速度が得られることがわかる（図3-59）．このような超音波流量計を伝送時間差型という．音速に関する因子，すなわちガスの種類，圧力，温度，湿度による測定値の影響（誤差）を除くことができる．この種類のセンサは，流量と出力信号の直線性がよく，センサ部を管路外に置いた場合，圧力損失もなく理想的なセンサであるが，その重量やメータ部の複雑さなどに問題が残る．

　カルマン渦型は，流体中に三角柱状の渦発生体（障害物）を置くと，これを通り抜けたのち流速に比例した数の乱流による渦（カルマン渦）が発生する．これを超音波で検出するセンサである（図3-60）．1秒間に発生する渦の数（発生周波数）をfとすると，以下のようになる．

呼吸器系の計測　155

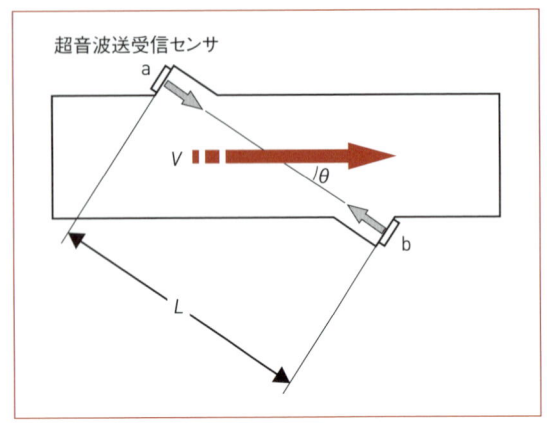

図3-59　超音波流量計の測定原理

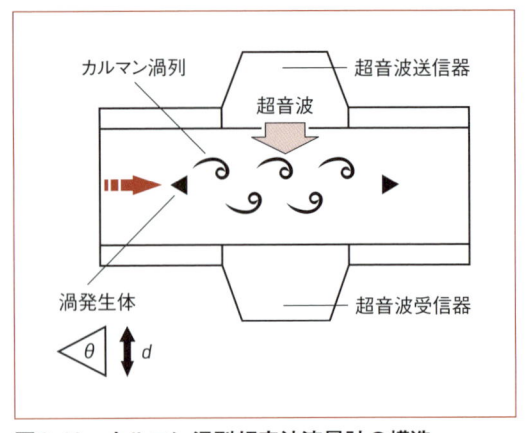

図3-60　カルマン渦型超音波流量計の構造

$$f = S_t \frac{V}{d}$$

V：流速，S_t：ストローハル数，d：三角柱の底辺の長さ

　このストローハル数は，レイノルズ数が1,000から400,000くらいの間では$S_t = 0.2$で一定となるので，この範囲でfを求めれば上式より流速が求められる．また，上式から，流体の温度，圧力，密度，粘性などには関係しないことを示している．

　発生周波数は，超音波で直接デジタル信号として出力できるうえに，センサが非常に強固であり，信頼性も高い．また，校正も不要で，ガスの種類や温湿度などによる誤差がほとんどない．渦発生体を渦検出部の両側におくと，吸気と呼気の流量計測が可能となる．原理的に低流量においてレイノルズ数を上記乱流の領域にするのは困難なため，低流量における精度は悪い．

3. 呼吸モニタ

1) インピーダンス式呼吸モニタ

　いわゆるインピーダンスプレチスモグラフィである．胸壁表面においた一対の電極の間に交流電圧を加える．吸気時には胸郭が広がり胸壁が薄くなるため，電気的なインピーダンスが増加する．呼気時にはインピーダンスは減少する．この変化を記録すれば呼吸曲線が描ける．加える電圧は高周波であるため，心電図モニタ用電極とセンサを兼用でき，多くの患者監視装置において，呼吸数，無呼吸のモニタとして使われている．インピーダンスの変化量は換気量と相関があるといわれており，その測定にあたっては電極の形，数，貼り方など種々の方法が試みられているが，電極の位置や患者の体位などに影響を受けやすく，定量的な評価は非常にむずかしい（図3-61）．

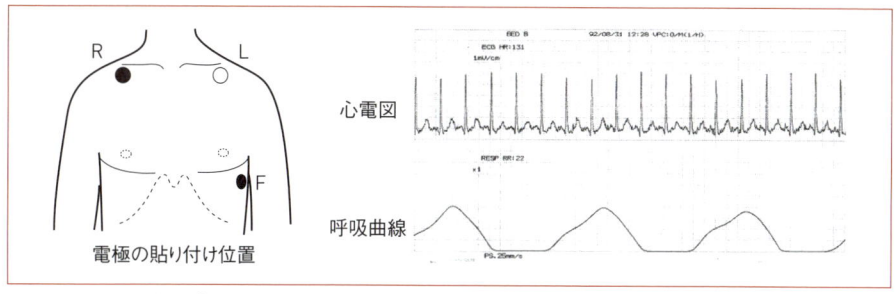

図3-61　インピーダンス式呼吸モニタによる呼吸曲線

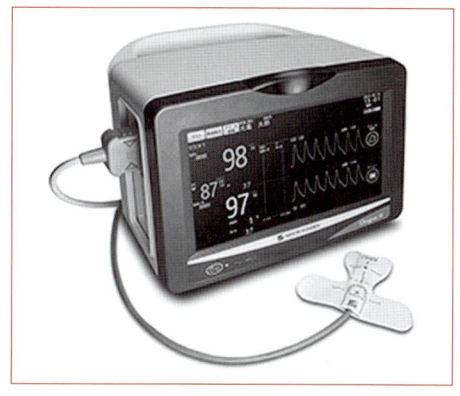

図3-62　パルスオキシメータの一例
日本光電（株）：パルスオキシメータ OLV-4202 (2ch)
Oxypal R.
(https://medical.nihonkohden.co.jp/iryo/products/
monitor/01_bedside/olv4201.html#rel_b)

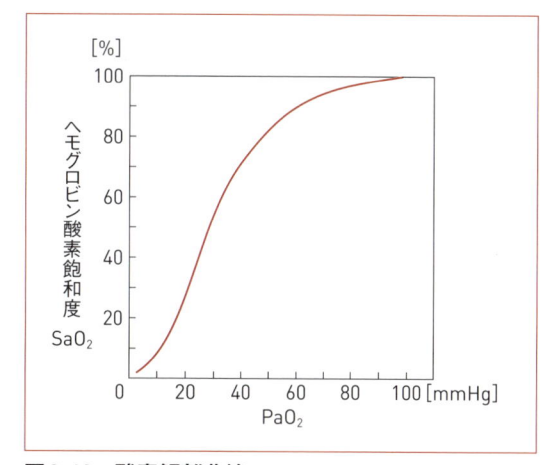

図3-63　酸素解離曲線

2）パルスオキシメータ
(1) パルスオキシメータとは

　パルスオキシメータとは，心拍動に伴う動脈の血液量の変動を光によって検出し，連続的かつ無侵襲に動脈血の酸素飽和度（SaO_2）を測定する装置である（図3-62）．酸素飽和度とは，血液中のヘモグロビンのうち酸素と結合しているヘモグロビン（酸素化ヘモグロビン）の占める割合のことであり，次式で表される．

$$SO_2 = \frac{酸素化Hb}{酸素化Hb + 脱酸素化Hb} \times 100 \ [\%]$$

　酸素化Hb：酸素化ヘモグロビン濃度，脱酸素化Hb：脱酸素化ヘモグロビン濃度

　酸素飽和度は呼吸管理において重要な指標の1つである．通常，酸素化の指標には動脈血酸素分圧（PaO_2）が用いられるが，採血が必要であり，重症な患者の場合は頻回の採血は負担が大きい．

　PaO_2とSaO_2の間には図3-63に示すような関係があり，この曲線を酸素解離曲線という．この曲線から，PaO_2の代わりにSaO_2をみることでPaO_2を推測することができる．ただし，SaO_2は呼吸機能のうち酸素

呼吸器系の計測　157

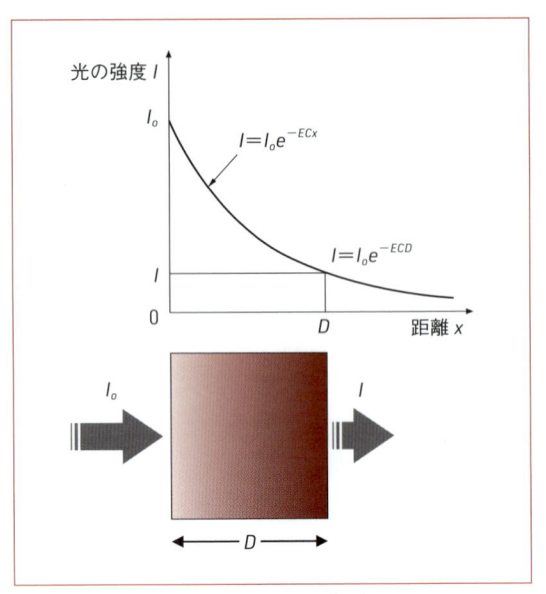

図3-64 ランベルト・ベールの法則

化能の指標にはなるが，換気能の指標にはならない．換気能の評価には，採血により$PaCO_2$を測定するか，カプノメータ（呼気二酸化炭素モニタ）を使用する必要がある．

(2)パルスオキシメータの原理

①ランベルト・ベールの法則（図3-64）

色素が溶けている水溶液は光を吸収するが，水溶液中の色素の濃度が高いほど光の吸収が強く，吸収の程度は吸光係数（E：物質固有の定数，波長に依存），色素の濃度（C），光路長（D）に依存する．入射光強度をI_o，透過光強度をIとすると，次式が成り立つ．

$$\ln\frac{I_o}{I} = A = ECD$$

A：吸光度

すなわち，入射光強度（I_o）と透過光強度（I）を測定し，吸光度（A）がわかれば濃度（C）が求められる．水溶液中に複数の色素が存在する場合は，それぞれの色素が単独で存在するときの和となる．すなわち，

$$A = E_1C_1D + E_2C_2D = (E_1C_1 + E_2C_2)D$$

②動脈血の吸光成分の弁別

心周期に伴う指尖の脈動を模式的に示す（図3-65）．

この状態で，ランベルト・ベールの法則を適用すると，動脈血の他に組織や静脈血も含まれた吸光度が求められてしまう．動脈血のみの吸光度を求めるには，①血液以外の組織，静脈血は拍動しないため吸光度は一定，②動脈血のみ拍動しており吸光度はそれに伴って変動している，ということを利用する．

拡張期における透過光強度をI_1，収縮期における透過光強度をI_1'と

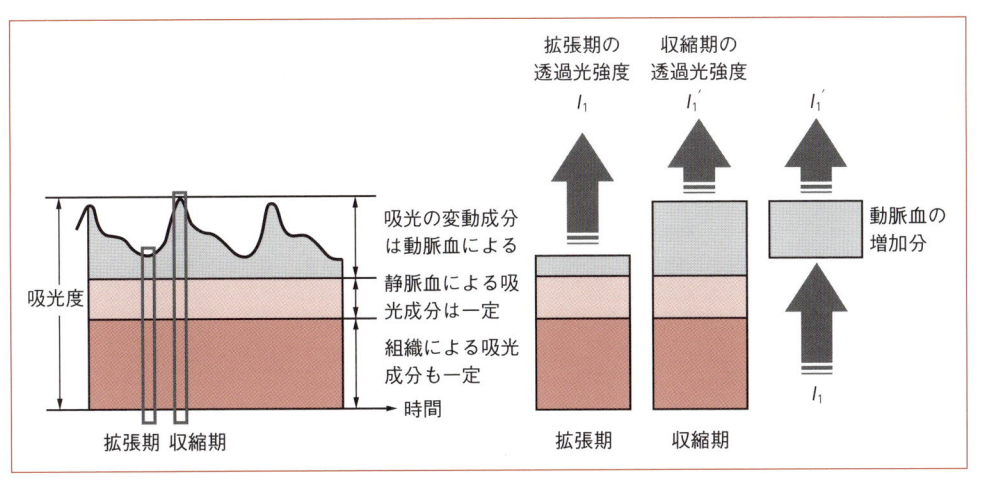

図3-65 指尖における脈動の模式図と吸光度

すると，I_1が動脈血の増加分を通過したことによってI_1'に減少したことになる．動脈血の増加分についてランベルト・ベールの法則を適用すれば，動脈血のみの吸光度を求めることができる（図3-65）．

③動脈血酸素飽和度の算出

動脈血の増加分の光路長をD，血中の酸素化ヘモグロビン，脱酸素化ヘモグロビンの濃度をそれぞれC_o，C_dとする．まず，血液に赤色光を当てる．赤色光に対する酸素化ヘモグロビンおよび脱酸素化ヘモグロビンの吸光係数をそれぞれE_{o1}，E_{d1}（図3-66）とし，拡張期の透過光強度をI_1，収縮期の透過光強度をI_1'とすると，赤色光に対する吸光度であるA_1はランベルト・ベールの法則より，

$$A_1 = \ln \frac{I_1}{I_1'} = E_{o1}C_o D + E_{d1}C_d D = (E_{o1}C_o + E_{d1}C_d)D \cdots\cdots(3\text{-}12)$$

となる．次に，血液に赤外光を当てる．赤外光に対する酸素化ヘモグロビンおよび脱酸素化ヘモグロビンの吸光係数をそれぞれE_{o2}，E_{d2}（図3-66）とし，拡張期の透過光強度をI_2，収縮期の透過光強度をI_2'とすると，赤外光に対する吸光度のA_2はランベルト・ベールの法則より，

$$A_2 = \ln \frac{I_1}{I_1'} = E_{o2}C_o D + E_{d2}C_d D = (E_{o2}C_o + E_{d2}C_d)D \cdots\cdots(3\text{-}13)$$

となり，A_1とA_2の比ϕを求めると，式（3-12），式（3-13）より，

$$\phi = \frac{A_1}{A_2} = \frac{E_{o1}C_o + E_{d1}C_d}{E_{o2}C_o + E_{d2}C_d} \cdots\cdots\cdots(3\text{-}14)$$

となる．この式（3-14）から酸素化ヘモグロビンと脱酸素化ヘモグロビンの濃度の比（C_d/C_o）を求めると，

$$\frac{C_d}{C_o} = \frac{\phi E_{o2} - E_{o1}}{E_{d1} - \phi E_{d2}} \cdots\cdots\cdots(3\text{-}15)$$

となる．ここで，酸素飽和度（SO_2）は，

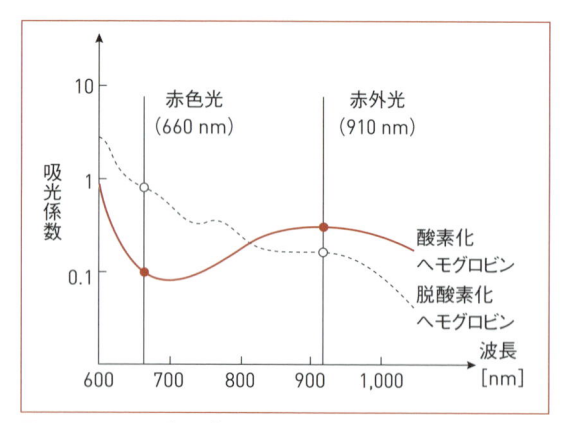

図3-66 ヘモグロビンの吸光特性
(石山陽事：光を用いた生体計測．クリニカルエンジニアリング，7(2)：93〜101, 1996をもとに作成)

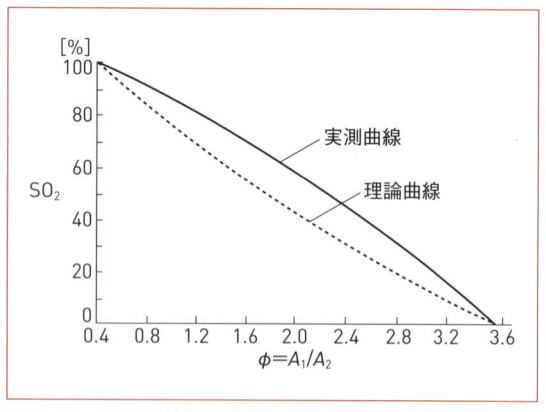

図3-67 吸光度比（φ）と酸素飽和度（SO₂）の関係
(諏訪邦夫：パルスオキシメーターの構造と動作原理．パルスオキシメーター．3〜10, 中外医学社，1989をもとに作成)

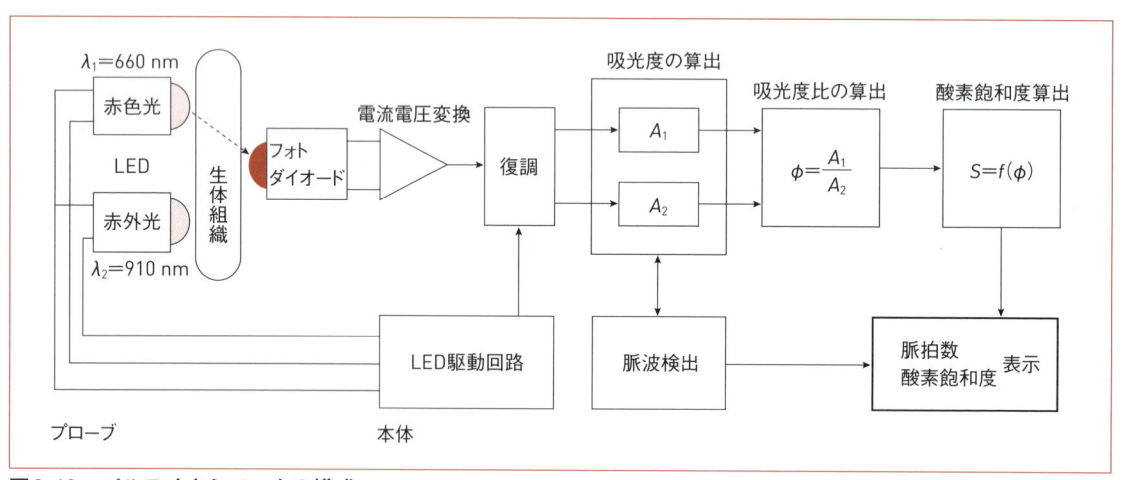

図3-68 パルスオキシメータの構成
(青柳卓雄，鵜川貞二：パルスオキシメータの原理と構造．クリニカルエンジニアリング，7(2)：102〜110, 1996より)

$$\mathrm{SO_2} = \frac{C_o}{C_o + C_d} = \frac{1}{1 + C_d/C_o} \quad \cdots\cdots\cdots\cdots\cdots\cdots\cdots\cdots\cdots(3\text{-}16)$$

となるので，式（3-15）を式（3-16）に代入すればSO₂が求められる．ただし，理論値と実測値には隔たりがあるため，補正が必要となる（図3-67）．

(3) パルスオキシメータの構成

プローブ（センサ）と本体からなる．プローブは波長λ_1（660 nm）付近の赤色光のLEDと，波長λ_2（900〜940 nm）付近の赤外光のLEDからなる発光部と，波長に関係なく透過光の強度に応じた電流の大きさに変換するフォトダイオードからなる（図3-68）．図3-69に各種のプローブを示す．

本体は，プローブ内の発光部にある2つのLEDの発光のタイミングを制御するLED駆動回路，電流に変換された透過光強度信号を電圧に

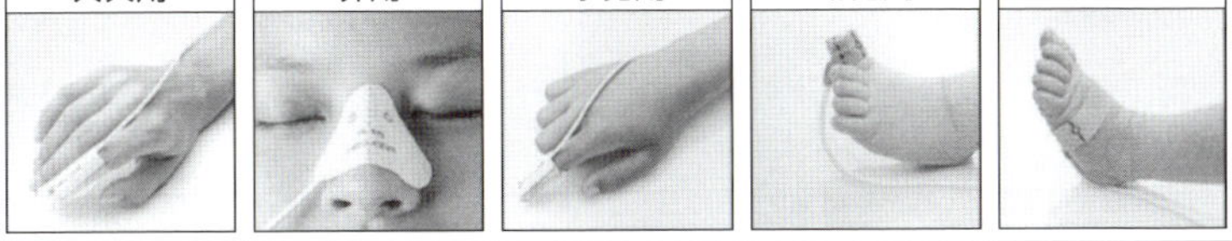

	大人用	鼻用	小児用	幼児用	新生児用
患者体重	50 kg以上	50 kg以上	15〜60 kg	3〜15 kg	3 kg以下
使用目的	単回使用 長時間用	単回使用 長時間用	単回使用 長時間用	単回使用 長時間用	単回使用 長時間用
滅　菌	滅菌パック入	滅菌パック入	滅菌パック入	滅菌パック入	滅菌パック入

図3-69　パルスオキシメータの各種プローブ

変換する電流電圧変換回路，電流電圧変換回路からの出力信号を赤色光，赤外光それぞれの吸光度算出回路に分離する復調回路（分離する際には，LED駆動回路からの信号によって赤色光，赤外光それぞれの信号を判別している），吸光度の脈動成分から1心拍ごとの脈波を検出し，

Tips パルスオキシメータ

　脈波を検出することにより動脈血の酸素飽和度を測定するというアイデアは，日本人の工学博士，青柳卓雄氏によるものである．

　色素希釈法による心拍出量の測定をイヤピースを用いて行っていた青柳氏は，動脈の拍動（脈波）による影響に悩まされていた．この影響を解消しようと試行錯誤する過程で，この動脈の拍動を逆に利用したら動脈血の酸素飽和度が測定できるのではないか，という発想に至った．

　1974年に日本エム・イー学会（現：日本生体医工学会）で発表，理論解析から試作器を作り日本の特許は取得したが，直後に同様な特許を申請したカメラ会社がアメリカを含めて外国の特許を取得した．青柳氏の所属するメーカでは試作器を作ったが，製品化したのはカメラ会社であった．

　後に青柳氏を世界に紹介したのは，あのセバリングハウス氏である．セバリングハウス氏は1980年代の終わりにアストラップ氏と協力して血液ガスの歴史を執筆したが，パルスオキシメータの項目執筆の際に千葉大学の故本田良行先生と協力して，原理発見者が青柳氏であることを突き止めた．このことを雑誌と書籍とで紹介したのを契機に，日本を含めて世界に知られるようになった．

　2015年，日本人として初めてIEEE（米国電気電子学会）より「IEEE Medal for Innovations in Healthcare Technology」受賞．

　2020年，老衰のため逝去．

参考文献

1) 諏訪邦夫：青柳によるパルスオキシメトリーの創始．パルスオキシメーター．74〜75，中外医学社，1989．
2) ラジオメーター（株）公式サイト内
　①アオヤギ：青柳卓雄：パルスオキシメーターの原理の発見と試作機製作
　http://www.acute-care.jp/document/bloodgas-museum/aoyag307.html
　②パルスオキシメーターと青柳卓雄氏
　http://www.acute-care.jp/document/bloodgas-museum/pxmbm411.html

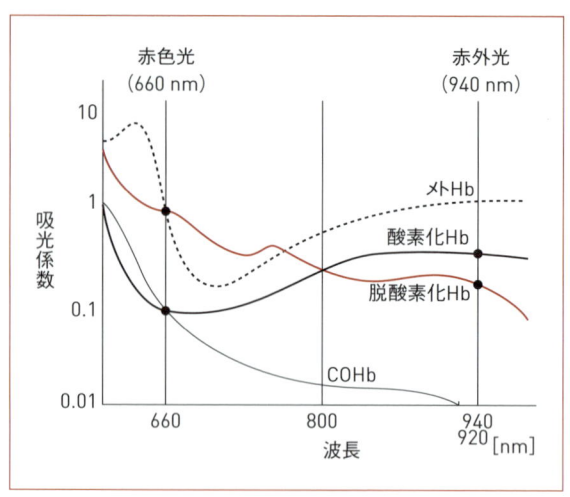

図3-70　各種ヘモグロビンの吸光特性
(藤原康嗣：パルスオキシメーター動脈血酸素飽和度の測定．クリニカルエンジニアリング，15(11)：1077〜1082, 2004をもとに作成)

収縮期，拡張期を判定する脈波検出回路(脈拍数の計数も行っている)，赤色光，赤外光それぞれにおける吸光度を算出(対数計算)する吸光度算出回路，吸光度の比を算出(除算計算)する吸光度比算出回路，吸光度比から酸素飽和度を求める酸素飽和度算出回路，酸素飽和度と脈拍数を表示する表示部からなる．

(4) 測定値に影響を及ぼす要因

　低体温時などの末梢循環不全や心房細動，期外収縮などの不整脈がある場合，また出血性あるいは心原性ショック時のように脈波が検出しづらい，あるいは検出できない場合は，測定値が不安定になったり測定不能となる．間接法による血圧測定時は，血管の圧迫によって一時的に血流が低下し測定不能となる．

　患者の体動や痙攣，寒さによる戦慄などによって光量が変化し，脈波による光量の変化と誤認してしまうことがある．心電図のR波に同期して脈波を検出するなど，脈波検出の精度を高めたものもある．

　測定原理上，血中には酸素化ヘモグロビンと脱酸素化ヘモグロビンの2種類のヘモグロビンしか存在しないと仮定している．しかし，実際には微量のメトヘモグロビンやカルボキシヘモグロビンなどの異常ヘモグロビンが存在する．これらの量が多くなるような病態では測定値に影響する．酸素との結合能力を失ったメトヘモグロビンは，酸素化ヘモグロビンより赤色光の吸収が多いため測定値は低値となる．一酸化炭素と結合したカルボキシヘモグロビンは，酸素化ヘモグロビンと同じような赤色光の吸収特性をもつ．また，一酸化炭素のヘモグロビンとの親和力は酸素に比べ300倍あるといわれており，同じ値でも実際には酸素と結合していない場合があるので注意を要する(図3-70)．

　皮膚のメラニン，ビリルビンなどの生体内色素や，インドシアニン

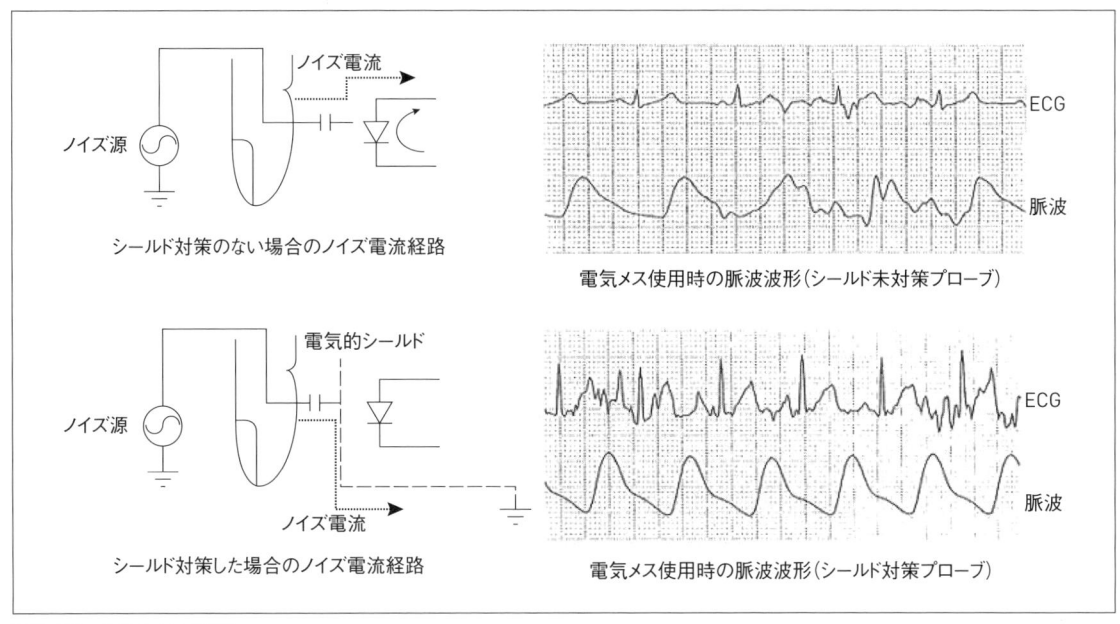

図3-71 電気メス対策
(青柳卓雄, 鵜川貞二：パルスオキシメータの原理と構造. クリニカルエンジニアリング, 7(2)：102〜110, 1996より)

リーン（ICG），メチレンブルー，インジゴカルミンなどの検査用色素によっても影響を受ける．蛍光灯の近くや，新生児保温用の赤外線ヒータなどの近くでも影響を受けるといわれている．また，電気メスによる電磁障害により脈波に雑音が乗ってしまうと，脈波を正しく認識できず測定不能となってしまうことがある．しかし，現在はプローブに電磁シールドが施されているものがほとんどなので，以前ほど電気メスによる障害を受けることはなくなっている（図3-71）．

(5) 保守管理

①始業点検

自己診断機能を有する場合にはこれを利用する．本体にプローブを接続したとき，赤色光の点灯を確認すると同時に，異常な発熱がないことを確認する．空気呼吸下の健常者にプローブを装着して96〜98%を表示することや，「息こらえ」を続けると値が低下すること，その他アラーム機能が確実に動作するか点検を行う．

②使用中点検

プローブの装着状態を常に確認することと，脈波の検出レベルが適正であることを確認する．心電図をモニタしている場合は，パルスオキシメータ上の脈拍数と，心電図モニタ上の心拍数が一致していることを確認する．必要に応じて血液ガス分析を行い，パルスオキシメータの測定値と比較し測定精度を確認する．

③終業点検

本体，プローブの汚染，破損の有無などを確認する．

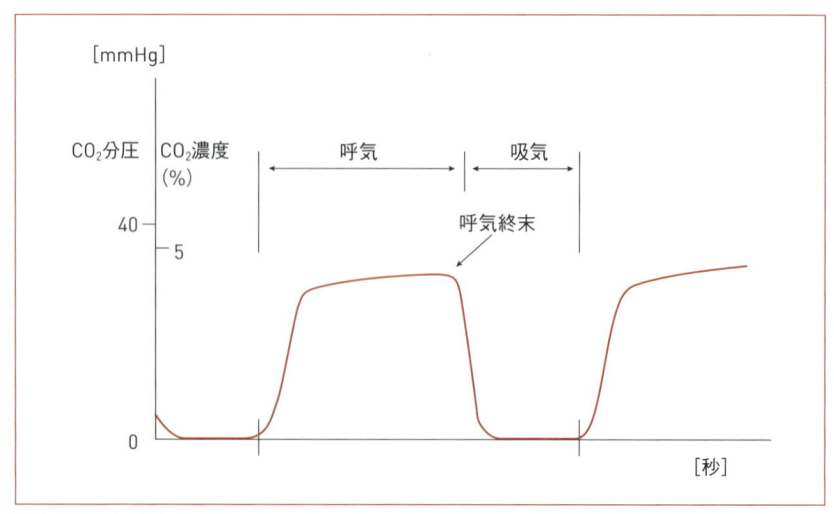

図3-72　カプノグラム

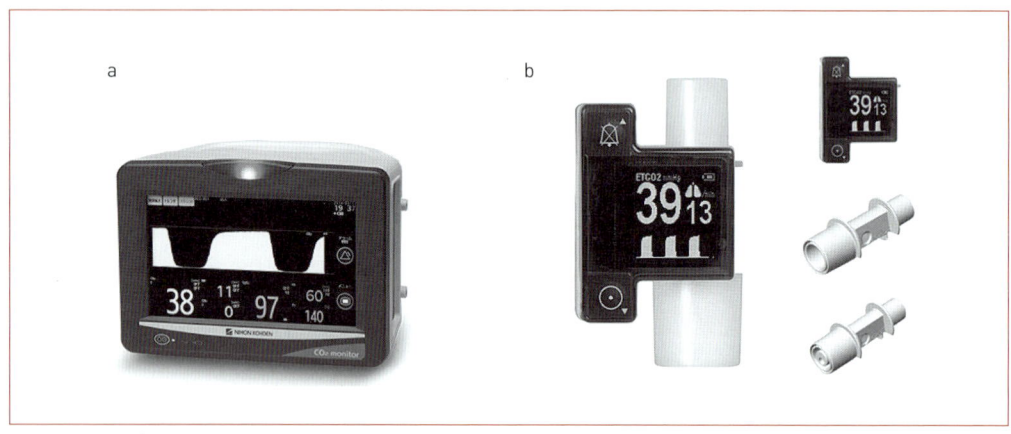

図3-73　カプノメータの例
a：日本光電工業：呼気炭酸ガスモニタ OLG-3800.
https://medical.nihonkohden.co.jp/iryo/products/monitor/01_bedside/olg3800.html
b：アイ・エム・アイ：マシモ EMMA カプノメータ.
https://www.imimed.co.jp/int/productnavi/emma/

3）カプノメータ
(1) カプノメータとは

呼気中の二酸化炭素濃度（または分圧）を測定することをカプノメトリ（capnometry）といい，呼気中の二酸化炭素濃度（または分圧）の経時的変化を波形として記録したものをカプノグラム（二酸化炭素呼出曲線，図3-72）という．また，呼気終末のPCO_2値を1呼吸ないし数呼吸ごとに測定し表示する装置をカプノメータ（図3-73）という．

二酸化炭素は酸素に比べて20倍も膜の透過性がよく，肺胞気のP_ACO_2は動脈血の$PaCO_2$とほぼ等しい．また，呼気の終わりには肺胞気が呼出されると考えられるため，呼気終末の二酸化炭素分圧（呼気終末二酸化炭素分圧：$P_{ET}CO_2$）は$PaCO_2$とほぼ等しい．一方，$PaCO_2$と

keyword

呼気終末二酸化炭素分圧

$P_{ET}CO_2$ で表す．ここで，添え字のET は呼気終末（end tidal）に由来する．

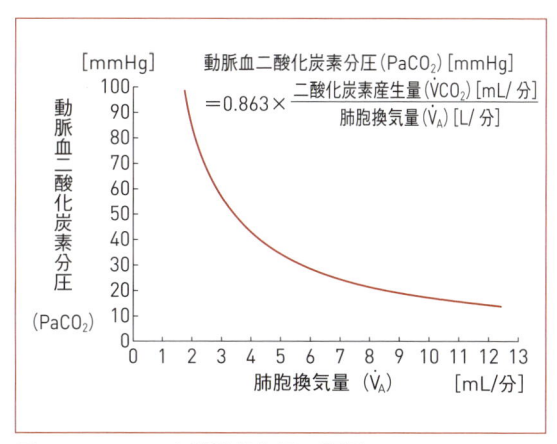

図3-74 PaCO₂と肺胞換気量の関係
(真茅孝志, 戸畑裕志:換気量計とカプノメータ. クリニカルエンジニアリング, **18**(1):28〜35, 2007より)

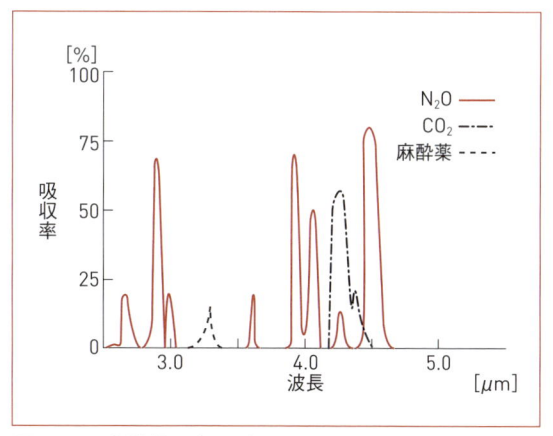

図3-75 赤外線吸収スペクトラム
(アイ・エム・アイ:INT, 7:1999より)

肺胞換気量$\dot{V}_A$の関係は次式となる.

$$\mathrm{PaCO_2[mmHg]} = 0.863 \times \frac{\dot{V}\mathrm{CO_2[mL/分]}}{\dot{V}_A\mathrm{[L/分]}}$$

細胞や組織内の二酸化炭素産生量$\dot{V}\mathrm{CO_2}$が一定ならば, 肺胞換気量は$\mathrm{PaCO_2}$に反比例する(図3-74). $\mathrm{P_{ET}CO_2}$は肺胞レベルでの換気状態のよい指標となる.

(2) カプノメータの原理

一般に, $\mathrm{CO_2}$, CO, $\mathrm{N_2O}$, $\mathrm{H_2O}$など2種の異なった元素で構成される気体は, ある一定の波長の赤外線を吸収することが知られている. たとえば, $\mathrm{CO_2}$は4.3 μmの波長に急峻な吸収特性をもち, この波長の赤外線をよく吸収する(図3-75). サンプルガスに波長4.3 μmの赤外線を通してその吸光度を測定すると, サンプルガス中の$\mathrm{CO_2}$に吸収された量に応じて赤外線が減衰する. この減衰量は$\mathrm{CO_2}$濃度に比例することから, 赤外線の減衰量より$\mathrm{CO_2}$濃度を求めることができる(赤外線吸光分析法).

(3) サンプリング方式 (図3-76)

①メインストリーム (フロースルー) 方式

呼吸回路にセンサを備えたアダプタ(セル)を挿入し, 回路内を流れる$\mathrm{CO_2}$を直接計測する方式である. サンプルガスがセンサへ至るまでの時間的な遅れがなく応答時間が早いため, 気道確保の確認や蘇生術などを行う救急領域で使用されている. また, 水滴などの混入によるトラブルが少なく長時間安定した測定ができるため, 人工呼吸器を用いるICUなどでの長期間にわたる呼吸管理に用いられている.

一方, 非挿管例での測定が困難なこと, アダプタが死腔になること(成人用5 mL, 小児用2 mL), センサの重量により気管内チューブに荷重がかかりやすく, チューブが屈曲しやすくなるなどの欠点がある. 最近

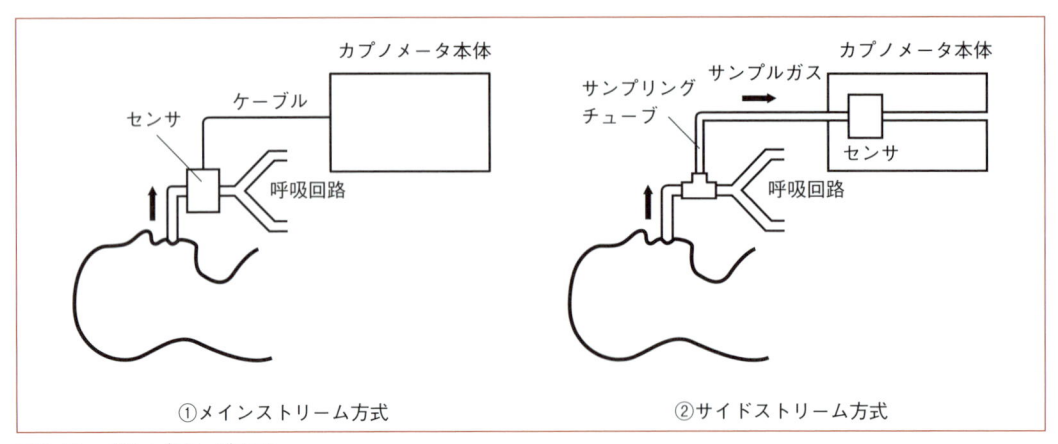

図3-76 サンプリング方式
①メインストリーム方式
②サイドストリーム方式

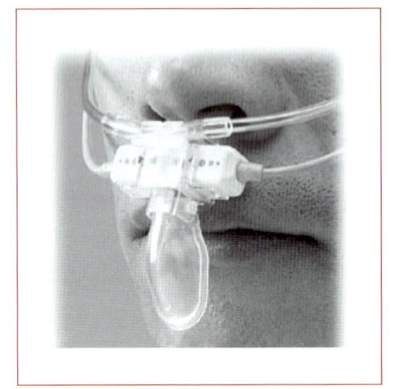

図3-77 非挿管例での測定に用いるアダプタ
（日本光電工業：小型CO₂センサ）
https://medical.nihonkohden.co.jp/iryo/techinfo/co2sensor/kogata.html

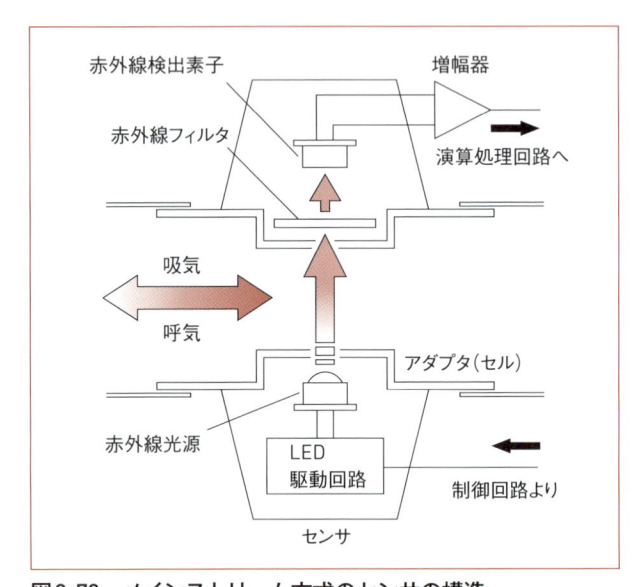

図3-78 メインストリーム方式のセンサの構造

では，非挿管例でも専用のアダプタを用いることで測定が可能となっている（図3-77）．

②サイドストリーム方式

　呼吸回路から持続的にサンプルガスを吸引し（サンプル量は，成人で200 mL/min，小児で65 mL/min程度），本体内のセンサで測定する方式である．センサが本体内部にあるので気管内チューブに余計な荷重がかからずにすむが，呼吸回路からセンサまで距離があるためサンプルガスを吸引してからガスがセンサに至るまで時間がかかり，測定に時間的な遅れを生じる．また，サンプリングチューブが細いため，水分・分泌液の付着による閉塞が起こりやすい．

　最近は，サンプリングしてから測定するまでの時間が短縮され，水分の処理も向上して持続的に長時間モニタすることが可能になっている．

(4) 構造

メインストリーム方式は，センサ，アダプタ（セル），本体からなり，サイドストリーム方式はサンプルチューブ付アダプタ，本体からなる．

センサは，赤外線の光源（LED），赤外線フィルタ，赤外線検出素子（サーモパイル，PbSe光導電素子，Ge-As光電セルなど）からなる（図3-78）．光源からの赤外線がセル内のサンプルガス中のCO_2に一部が吸収され検出素子に入る．検出素子の受信波長範囲には幅があるため，前面に赤外線フィルタ（中心波長4.3 μm，帯域幅0.07 μm）を挿入し，CO_2の検出精度の向上を図っている．

(5) 測定方式

①絶対値式

測定前に空気または窒素（N_2）で0点校正を行い，回路内を流れるCO_2の赤外線吸収量から，呼気および吸気中それぞれのCO_2分圧を測定する．

②吸気補正式

吸気時にCO_2ガスがない点に着目し，吸気時に0点校正を行っているので，測定前の0点校正が必要ない．呼気中のCO_2の赤外線吸収量と，CO_2を含まない吸気中の赤外線吸収量の比から，呼気中のCO_2分圧を算出する．再呼吸法などの吸気にCO_2ガスが混入している場合では，精度が低下する．

(6) 測定値に影響を及ぼす要因

校正ガスはかならずメーカ指定のものを使用し，マニュアルに従って校正を行う．校正ガスの組成の違いは測定値に影響を及ぼす．

メインストリーム方式では，セルに汚れ（患者の喀痰など）や水滴が付着すると測定誤差を生じる．センサの取り付け位置や向きはメーカの指定に従う．

麻酔中のモニタではN_2Oの使用が問題となる．麻酔ガスとして頻用されるN_2Oも赤外線を吸収するため，N_2Oを使用する際には波長4.3 μm付近のごく狭い範囲の赤外線のみを通すようなフィルタが必要である．装置本体でも，N_2O使用時には吸入ガスの組成を設定することで補正を行えるようになっている．

(7) 保守管理

①始業点検

自己診断機能を有する場合にはこれを利用する．センサの取り付け位置や向き，サンプルチューブなどの接続部，ウォータートラップなどを確認する．

ウォーミングアップが必要な機種では十分なウォーミングアップを行う．その後校正が必要な機種はマニュアルに従って校正を行う．その他，アラーム機能が確実に動作するか点検を行う．

呼吸器系の計測

②使用中点検

メインストリーム方式の場合は，センサの装着状態を常に確認する．センサに汚れや水滴が付着していないか確認する．サイドストリーム方式では，サンプリングチューブ内の水の貯留やウォータートラップの水の貯留がないか確認する．

呼吸回数を表示する機種の場合は，モニタの呼吸数と一致していることを確認する．必要に応じて血液ガス分析を行い，カプノメータの測定値と比較し測定精度を確認する．

③終業点検

本体，プローブの汚染，破損の有無などを確認する．

3 ガス分析装置

1. 血液ガスの計測

1) 血液ガス分析装置

血液ガスとは，血液中に存在する呼吸ガス，すなわち酸素と二酸化炭素（炭酸ガス）を指すが，通常血液ガス分析といえば，これらの量と血液のpH，さらには酸塩基平衡に関する指標を加えたものを測定することをいう．今日，血液ガス分析は多くの臨床の現場で日常的な検査となっており，とくに患者の状態が変化しやすく不安定な手術室やICUでは患者の全身管理上重要である．患者の呼吸状態を評価し，酸素療法や人工呼吸療法などの治療効果を評価するためには必須の検査であり，その結果に基づいて，酸素投与量や換気条件など，治療方針の決定に用いられる．

血液ガス分析に用いられている測定法には，電位差測定法（ポテンショメトリック法）と電流測定法（アンペロメトリック法）がある．電位差測定法は，電極間に発生する電位差から対象物質の量を測定する方法で，pHと二酸化炭素分圧の測定に用いられる．電流測定法は，電極間に流れる電流値から対象物質の量を測定する方法で，酸素分圧の測定に用いられる．

(1) pH，CO_2の計測

①電位差測定法（ポテンショメトリック法）

比較電極（参照電極）と測定電極（イオン選択電極でpH，二酸化炭素のときはガラス電極）によってサンプルの電位を測定する．比較電極は発生する電位が一定の電極で，その電位を基準にして測定電極の電位を測定している（図3-79）．

比較電極には電位が安定している飽和カロメル電極（塩化第1水銀，

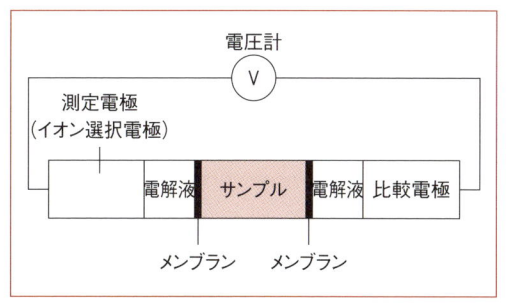

図3-79 電位差測定法

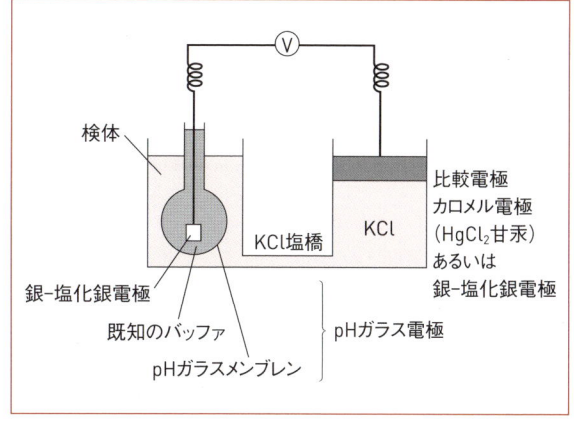

図3-80 pH電極
（石山陽事：臨床工学技士標準テキスト. pp. 431〜484, 金原出版, 2002より）

通称甘汞：かんこう）や銀–塩化銀電極などがあるが，取り扱いが容易で電位の再現性がよい銀–塩化銀電極が用いられている．一定濃度の塩化カリウム溶液の中で塩化銀は，

$$AgCl + e^- \Leftrightarrow Ag + Cl^- \quad \cdots\cdots\cdots\cdots\cdots\cdots\cdots\cdots\cdots\cdots\cdots\cdots(3\text{-}17)$$

のように，銀と塩素イオンに解離し平衡状態を維持する．

測定回路によって得られた電位から，ネルンストの式を用いてサンプルの活量（a）を求める．活量（a）とは，溶液中における電解質の実効濃度を表し，溶液の濃度（C）にイオンの活量係数（f）を乗じたもので表される．すなわち，$a = f \times C$ で，活量係数（f）は溶液中のイオンの反応力を示す．

$$E = E_o + \frac{2.3\,RT}{nF} \log a$$

E_o：標準電極電位，R：ガス定数，T：絶対温度，n：イオンの電荷，
F：ファラデー定数，a：サンプルの活量

活量（a）はサンプルの電位（E）の関数になっており，他の値はすべて既知であるので，Eを測定することによりaを求めることができ，最後に活量を濃度に変換する．

②pHの計測

pH電極は，pHに感受性のあるガラスの薄膜（ガラスメンブラン）を用いたガラス電極である．ガラスメンブランは電極の先端にあり，内部にはpHが一定で既知の緩衝液と銀–塩化銀電極が封入されている．ガラスメンブランの内側は緩衝液，外側はサンプルに接しており，これらの溶液のpHが異なると，ガラスメンブランの水素イオンの濃度勾配が生じ，膜電位が変化する．この変化は水素イオンの活量（濃度）に比例するため，電位の変化を測定することによりpHを求めることができる（図3-80）．ネルンストの式は次のようになる．ただし，$\log a = \log[H^+]$

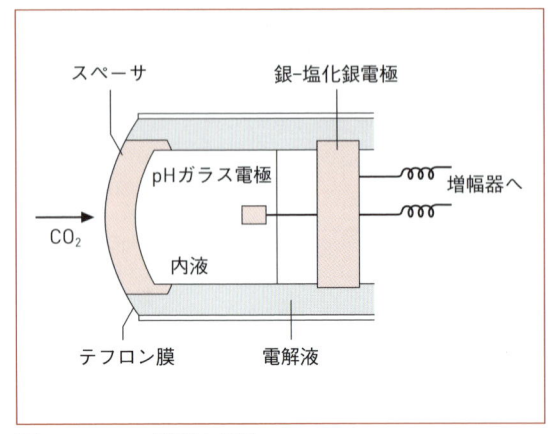

図3-81 P$_{CO_2}$電極の構造
(石山陽事:臨床工学技士標準テキスト第4版. p. 536, 金原出版, 2022より)

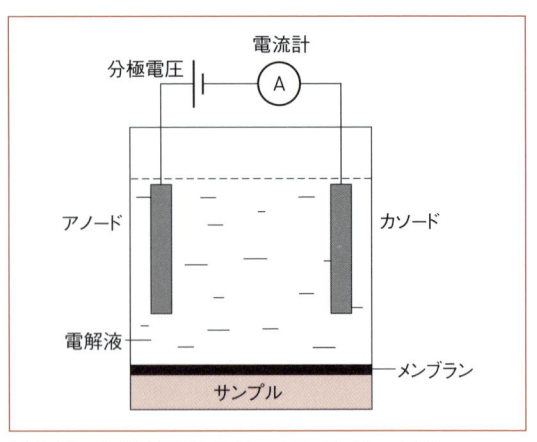

図3-82 電流測定法（アンペロメトリック法）

$= pH$とおいた．
$$E = E_o - 61.5 \times pH \ [mV]$$

③ CO_2の計測

P$_{CO_2}$電極は，pHガラス電極（測定電極），比較電極には銀-塩化銀電極（比較電極），テフロン膜とスペーサからなる（図3-81）．テフロン膜はH^+，Na^+のような荷電粒子は通さず，CO_2やN_2のような非荷電粒子のみを通す．スペーサはナイロンメッシュなどでできた薄膜で，テフロン膜とpH電極の間に置かれ，$NaHCO_3$を主体にした中間液を含んでいる．サンプル中のCO_2がテフロン膜を通り，スペーサに移動し，

$$CO_2 + H_2O \rightarrow H_2CO_3 \rightarrow H^+ + HCO_3^-$$

の反応でH^+が放出され，中間液のpHが変化する．

テフロン膜はH^+を通さないので，中間液のpHの変化はCO_2のみに依存することから，スペーサのpHの変化をpH電極で測定すれば，間接的にP$_{CO_2}$を測定することができる．P$_{CO_2}$電極を開発したSeveringhausの名をとり，セバリングハウス電極ともいう．

(2) O_2の計測

① 電流測定法（アンペロメトリック法）

測定回路は，サンプル，アノード（＋極）とカソード（－極）の2つの電極，電流計，電源，メンブランおよび電解液で構成される（図3-82）．測定回路を流れる電流は，回路内の電極で酸化または還元される物質の濃度に比例する．

電流測定法はP$_{O_2}$の測定に用いられる．電極間に電圧を印加し，電極における酸化還元反応による電流を計測することにより物質濃度を求める方法をポーラログラフィとよぶ．酸素を含む電解質溶液の中に陽極，陰極2つの電極を置き，電極間に印加する電圧を変化させると，図3-83のような電圧－電流曲線（ポーラログラム）が得られる．ある電圧の範

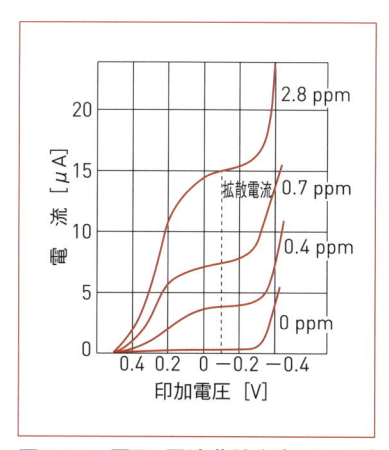

図3-83 電圧-電流曲線（ポーラログラム）

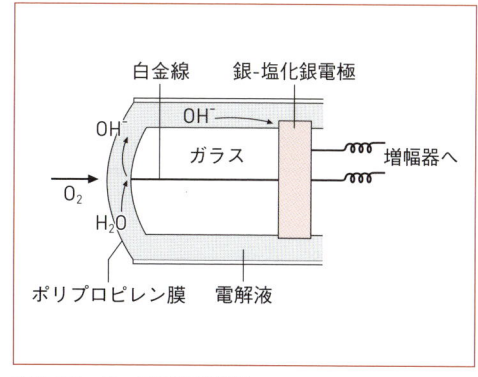

図3-84 PO_2電極の構造
（石山陽事：臨床工学技士標準テキスト第4版. p.536, 金原出版, 2022より）

囲（酸素では−0.3〜−0.7 V）では電流はほぼ一定値を示し，拡散限界電流という．この範囲の電圧では，白金電極面に達するすべての酸素分子が速やかに還元されるので，その電流は溶液から拡散により電極に供給される酸素の量によって決まる．酸素の供給量は溶液中の酸素分圧あるいは酸素濃度に比例するので，拡散限界電流を測定すれば溶液中の酸素分圧または酸素濃度が計測できる．

②O_2の計測

PO_2電極（図3-84）は，白金線（陰極），銀-塩化銀電極（陽極），電解液（リン酸緩衝溶液），ポリプロピレン膜（酸素透過膜）からなり，白金線にはあらかじめ銀-塩化銀電極に対して−0.6 V程度の電圧が印加されている．酸素透過膜にはポリプロピレン膜，またはポリエチレン膜，テフロン膜が用いられる．サンプル中の酸素は酸素透過膜を拡散し，白金電極表面で次のように還元される．

陰極：$O_2 + 2H_2O + 4e^- \rightarrow 4OH^-$（電子消費）

また，銀-塩化銀電極では次のような酸化反応が起こる．

陽極：$4Ag + 4Cl^- \rightarrow 4AgCl + 4e^-$（電子放出）

このときに生じる電子の流れを測定し，酸素分圧に変換している．

厚さdの膜を拡散のみで移動し，電極の大きさに比べ膜が薄い場合，電流（I）は以下のように求める．

$$I = 4F \frac{A}{d} D\alpha p$$

A：電極表面積，D：膜内の酸素の拡散係数，α：膜内の酸素の溶解度，p：膜外側の酸素分圧

したがって，電流は酸素分圧pに比例する．PO_2電極は開発したClarkの名をとりクラーク電極ともいう．

(3) ヘモグロビン酸素飽和度の測定

ヘモグロビンの酸素飽和度は，パルスオキシメータの項で述べたよう

に，酸素化ヘモグロビンと脱酸素化ヘモグロビンの吸光特性の違いを利用し，ランベルト・ベールの法則を用いて求めることができる．*in vitro* での酸素飽和度測定は，ある波長の光が血液サンプルを入れた装置内のキュベットやマイクロキャピラリーを透過した光を分析して，酸素化ヘモグロビンと脱酸素化ヘモグロビンの吸光度の比を算出して行う．

また，酸素飽和度は前述の電極法によって測定したPaO_2，$PaCO_2$，pHなどのデータから算出することができる．市販の分析装置の多くでは，PaO_2，$PaCO_2$，pHなどからSO_2，HCO_3^-などを自動的に算出している．

酸素飽和度は，ヘモグロビンの酸素解離曲線に関するKelman（ケルマン）の式を用いて算出しているものがある．

$$SO_2 = \frac{N^4 - 15 N^3 + 2,045 N^2 + 2,000 N}{N^4 - 15 N^3 + 2,400 N^2 - 31,100 N + 2.4 \times 10^6} \times 100$$

ただし，$N = PO_2 \times 10^{[0.48(pH-7.4) - 0.0013BE]}$

BE（base excess）は，血液のpHを滴定によって37℃，完全酸化，$PCO_2 = 40$ mmHgの標準状態で，正常pH 7.40にするのに要する酸または塩基の量をいう．BEは，HCO_3^-とpHとHb量から次式により算定される．

$$BE = (1 - 0.014Hb) \{(HCO_3^- - 24) + (9.5 + 1.63Hb)(pH - 7.4)\}$$

HCO_3^-は，血漿中に重炭酸イオンの形で存在するCO_2の量であり，次のHenderson-Hasselbalchの式

$$pH = 6.1 + \log \frac{[HCO_3^-]}{0.03 \times PaCO_2}$$

より，

$$[HCO_3^-] = 10^{(pH - 6.1)} \times 0.03 \times PaCO_2$$

で求めることができる．

ヘモグロビン分画は，超音波破砕により血液サンプルを溶血した後，多波長の半導体レーザを用いて酸素化ヘモグロビン，脱酸素化ヘモグロビン，一酸化炭素ヘモグロビン，メトヘモグロビンなどの吸光度の違い（図3-85）からそれぞれの濃度により求めている．

図3-85のHHb：還元ヘモグロビンは，脱酸素化ヘモグロビンと同義語である．

(4) 保守管理

最近の装置はほとんどメンテナンスフリーとなっており，以前と比べ格段に保守管理がしやすくなっている．日常点検では，電極の状態の確認と校正に使用される試薬（pHが既知の標準液や洗浄液，クリーニング液など）の残量，廃液量の点検などを行う．定期的に，電極の除タンパクやコンディショニング，電解液の交換・補充，校正ガスの残量の確認などを行う．校正ができなくなり値が不安定になったら，該当する電極のメンテナンスを行う．メンテナンスを施行したにもかかわらず状態が安定しない場合は，電極を交換する．

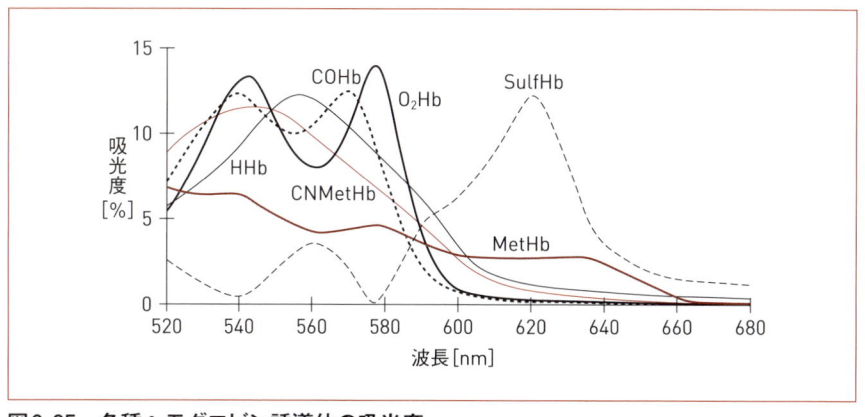

図3-85　各種ヘモグロビン誘導体の吸光度
HHb：還元ヘモグロビン，COHb：一酸化炭素ヘモグロビン，CNMetHb：シアンメトヘモグロビン，O_2Hb：酸素化ヘモグロビン，MetHb：メトヘモグロビン，SulfHb：スルフヘモグロビン．
(高井大哉：酸塩基平衡検査．「臨床検査法提要．改訂第35版」．金井正光（監）．747（図7-6），金原出版，2020より)

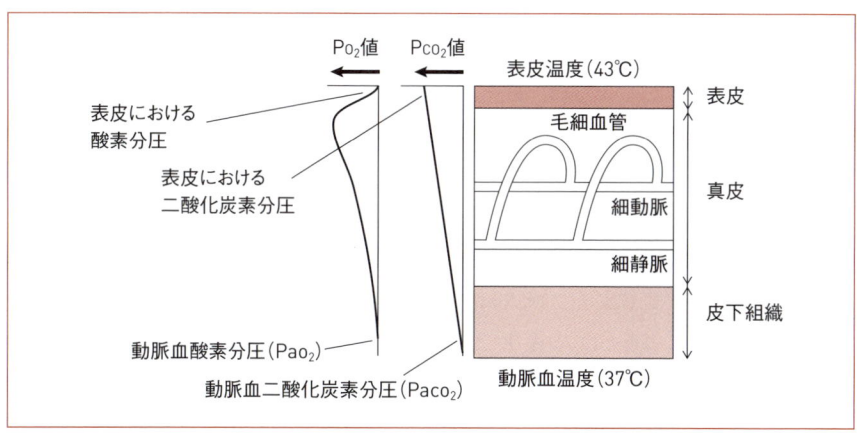

図3-86　経皮的血液ガス分析の原理
(岩佐多希子：経皮二酸化炭素及び酸素分圧測定—経皮血中ガス分圧PCO_2/PO_2モニタ9100．コーケンメディカル，2003をもとに作成)

2）経皮的血液ガス分析装置

　新生児で酸素投与を含む呼吸管理を必要とする場合には，血液の酸素化あるいは換気状態を頻回に分析しなければならない．動脈血による分析は困難であると同時に侵襲的であり，本来の血液ガス諸値を著しく誤って評価する可能性がある．その点，経皮的血液ガスモニタは，問題もあるが非侵襲的であり，とくに新生児領域で普及してきた．一般に経皮的に測定された酸素分圧，二酸化炭素分圧をそれぞれPtc_{O_2}，Ptc_{CO_2}と表記する．

　図3-86に示すように，経皮電極では，皮膚面の加温（42～44℃）により血管拡張を促して毛細血管を動脈化し，角質のガス透過性を容易にさせることにより，皮膚表面で動脈血のガス分圧を推測する．装着するセンサ部を加温することで，動脈血の血漿中に溶解している酸素と二酸

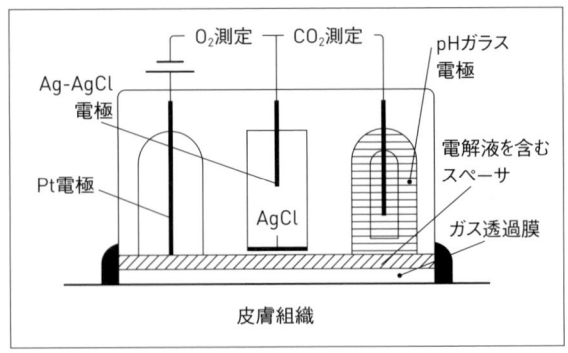

図3-87 複合型電極の構造
(木村雄治：血液ガス分析. 生体計測装置学入門. 62〜75, コロナ社, 2004をもとに作成)

化炭素をガス化して血管から拡散させる.

(1) Ptc$_{O_2}$の計測

加温しない状態での皮膚表面のP$_{O_2}$は，新生児でも健常成人でもゼロである. 44℃前後に加温すると，新生児では角質が少ないためPtc$_{O_2}$はPa$_{O_2}$に等しくなるが，成人では皮膚の血管が少なく厚いため加温効果が不十分となり，また酸素の拡散が悪く，Ptc$_{O_2}$はPa$_{O_2}$よりも低くなる. 成人での使用はむずかしい.

(2) Ptc$_{CO_2}$の計測

CO_2はO_2と異なり，表皮での拡散抵抗の影響がほとんどないので加温しなくてもよく，成人にも使用できる. しかし，表皮の基底細胞層での代謝によるCO_2の産生で，Pa$_{CO_2}$よりも常に高い値を示す.

経皮電極で測定した皮膚表面のPtc$_{O_2}$, Ptc$_{CO_2}$は，動脈血のPa$_{O_2}$, Pa$_{CO_2}$とは本質的に異なったものである. 加温による皮下組織の血流増加，血液ガス分圧の温度による変化，組織での代謝の亢進，酸素ヘモグロビン解離曲線の右方偏移，あるいは皮下組織の性状の違いなど多くの因子によって影響を受けるということを承知したうえで，Ptc$_{O_2}$, Ptc$_{CO_2}$をモニタとして利用すべきである.

Ptc$_{O_2}$電極はクラーク電極を応用した電極であり，Ptc$_{CO_2}$電極はセバリングハウス電極を応用したものである. Ptc$_{O_2}$電極では，電極による酸素消費を小さくするため電極を微小化し，応答時間を速くするために電極膜を透過性のよいものにしたり薄くしたりしている. Ptc$_{CO_2}$電極でも，応答時間を速くし安定した値を得るように電極膜や電解液に工夫がみられる.

現在では，Ptc$_{O_2}$電極とPtc$_{CO_2}$電極を一体化した複合型電極が開発されている（図3-87）. センサ内に配置された銀-塩化銀電極（比較電極），酸素検出用の白金電極，二酸化炭素検出用のガラス電極の3つの電極上にKClなどの電解液をしみ込ませたスペーサをのせ，その上に透過膜を密着させて取り付ける. センサには加温のためのヒータと温度測定用の

サーミスタが内蔵されており，温度を一定に制御する．

　皮膚の加熱温度が42℃（場合によっては44℃まで設定可能）とやや高いので，長時間使用すると軽度の熱傷斑点を生じる可能性があり，またセンサの透過膜の装填や両面接着テープの装着などに多少の熟練を必要とする難点がある．IECの医用電気機器安全通則（IEC60601-1）では，患者装着部の温度は41℃をこえてはならないと規定されているが，このモニタの装着部温度は新生児の重要な情報を提供するという観点から，個別規格として42～44℃が認められている．2～3時間の装着で赤い斑点や軽い熱傷を起こすおそれがあるにもかかわらず，経皮的血液ガスモニタの必要性は衰えることはなかった．現在では，パルスオキシメータの普及で経皮的血液ガスモニタの使用頻度は非常に低くなって，センサ装着部の温度が41℃をこえる測定法を避けることができる．

参考文献

1) 青柳卓雄，鵜川貞二：パルスオキシメータの原理と構造．クリニカルエンジニアリング，**7**（2）：102～110，1996.
2) 藤原康嗣：パルスオキシメータ―動脈血酸素飽和度の測定．クリニカルエンジニアリング，**15**（11）：1077～1082，2004.
3) 石山陽事：生体計測装置学（小野哲章，峰島三千男，堀川宗之，渡辺敏編）．臨床工学技士標準テキスト．431～484，金原出版，2002.
4) 本田良行：酸塩基平衡の基礎と臨床（基礎編）．真興交易医書出版部，1974.
5) 岩佐多希子：経皮二酸化炭素及び酸素分圧測定―経皮血中ガス分圧PCO_2/PO_2モニタ9100．コーケンメディカル，2003.
6) 木村雄治：血液ガス分析．生体計測装置学入門．62～75，コロナ社，2004.
7) 藤本圭作：呼吸（気管支・肺）機能検査．「臨床検査法提要．改訂第35版」．金井正光（監）．1786～1795，金原出版，2020.
8) 髙井大哉：酸塩基平衡検査．「臨床検査法提要．改訂第35版」．金井正光（監）．747～749，金原出版，2020.
9) 東條尚子，宮里逸郎：呼吸器系の検査．「臨床検査学講座生理機能検査学．第3版」．246～266，医歯薬出版，2010.
10) 吉野克樹，朝戸裕子，金野公郎：呼吸機能検査とその解釈．呼吸療法テキスト．三学会合同呼吸療法士委員会（編）．42～51，克誠堂出版，1992.
11) 堀江孝至訳：びまん性間質性肺線維症．ウエスト呼吸の生理と病態生理（John B. West著）．88～90，メディカル・サイエンス・インターナショナル，2002.
12) 内田明美：換気力学的検査．JAMT技術教本シリーズ呼吸機能検査技術教本（一般社団法人日本臨床衛生検査技師会監）．81～97，じほう，2016.
13) 山本雅史：肺拡散能力．JAMT技術教本シリーズ呼吸機能検査技術教本（一般社団法人日本臨床衛生検査技師会監）．58～80，じほう，2016.

4 体温計測

ヒトの体温はホルモンの量や交感神経系の制御，血流量，免疫の働きなどによって変化するため，臨床で患者の容態を知るうえで欠かせない生体情報の一つである．本項では，体調を把握・管理するために有効な手段の一つである体温を計測するおもな体温計の種類とその特徴について概説する．

1. 体温とは？

体温は，環境など外気の影響を受けることが少なく37℃程度に保たれている核心温と，外気の影響を受けやすい外殻温の2つに大別される．臨床上，生体情報として扱う体温とは，身体内部の温度である核心温を指す．外殻温は核心温との間に約3～4℃の温度差が生じることもある．代表的な体温の分類を図3-88に示す．また，ヒトの体温は年齢差や性差，概日リズムによる変動（1日を周期とした変動）などがあるが，ほぼ一定の温度を維持している．ヒトの体温が一定となるのは，熱産生と熱放散のバランスを調節する優れた調節機構の働きによる．躯幹部の組織（肝臓，腎臓など）では代謝による熱産生が高く，また躯幹壁が厚いため放熱量が少なく温度が高い．これに対して，皮膚や筋肉では熱産生が少なく，とくに四肢の皮膚は放熱にも関与するため，図3-89に示すように環境温によって大きく変化することが知られている[1]．

keyword

核心温
core temperature. 中枢温，深部体温ともよばれる．

外殻温
shell temperature. 末梢温，表在体温ともよばれる．

概日リズム（サーカディアンリズム）
体温は，朝，昼，夜で変動があり，一般に早朝でもっとも低く，次第に上昇して夕方にもっとも高くなる．変動幅は1℃程度．

keyword

体温調節中枢
ヒトの生理学的な体温調節中枢は視床下部にある．中枢の基準値であるセットポイントと比較して熱産生と熱放散を調節している．

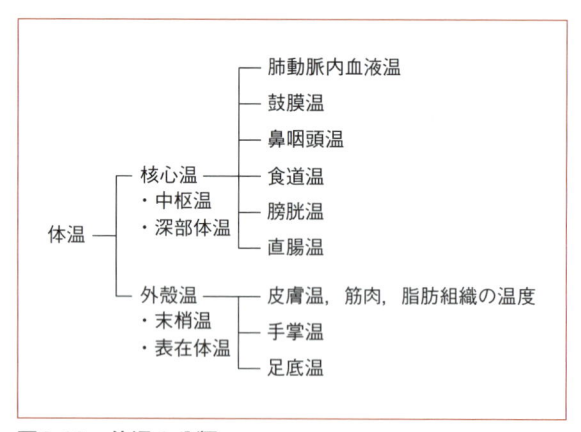

図3-88 体温の分類

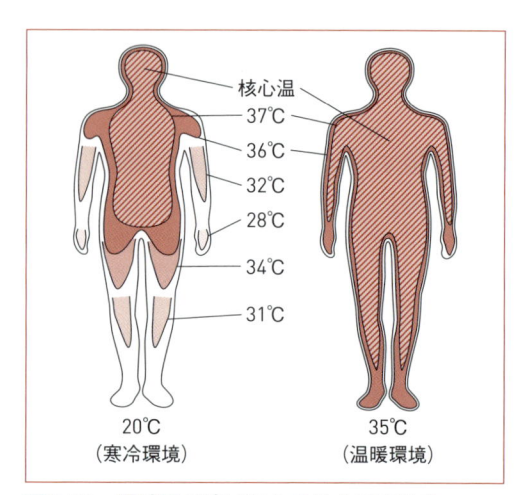

図3-89 環境温の違いによる体内温度分布
(Aschoff, J., et al.：Kern und Schale im Warmehaushalt des Menschen. *Naturwissenschaften*, 45：477～485, 1958[1]より引用)

2. 臨床検温（体温測定）[2, 3]

　体温は，変化しにくく安定した体温を測定することが基本であり，理想的な体温は前述の核心温である．これを測れば安定した指標としての体温が得られるが，身体内部のため日常的に測定することはできない．そこで，核心温を知る指標として，一般的には腋窩（わきの下），口腔（舌下），耳（鼓膜），直腸などで検温が行われる．測定する部位によって使用する器具や時間が異なり，得られる温度も異なるため，生理学的な意義を評価して測定部位を選択することが重要となる．

　臨床では，発熱に関する情報を得るための検温をはじめとして，循環状態の指標としての皮膚温の測定，ハイパーサーミアなどの温熱療法に伴う直腸温の測定，女性の月経周期把握（排卵日の予測）のための基礎体温の測定，後述のサーモグラフィなどによる体表面温度分布測定による疾患の診断など，多岐にわたる用途で体温測定が実施されている．**表3-9**に，周術期における体温の代表的な測定部位とその特徴を示す．

　臨床工学技士の代表的な業務の一つに人工心肺装置の操作・管理がある．人工心肺を用いた体外循環の際にも体温のコントロールは重要で，術式に合わせて前額部深部体温，鼻咽頭温，食道温，膀胱温，直腸温などの測定が行われる．さまざまな検温法の特徴を把握し，目的に応じた検温法を選択することが肝要である．

3. 温度センサ

　体温計はその名のとおり，各種温度計を用いて体温を測るものである．ヒトに対して温度計を用いた場合に計測されるのは，体表面の温度である外殻温であり，体温と一致するとは限らない．したがって，目的とする体温を測定するのに適した温度センサを選定することが，正しく測定するための重要な要素となる．また，体温測定のためには，小さな温度変化に対して，大きな物性変化のある材料を用いる必要がある．ここでは，生体の体温測定に用いられる代表的な温度センサの種類とその特徴について概説する．

1) サーミスタ (thermistor)[21, 23, 24]

　サーミスタは，温度が変化することで抵抗値が変化する特性を利用して温度を検出するセンサとして，電子体温計をはじめとして幅広い用途に用いられている素子である．サーミスタには，負の温度係数をもつサーミスタ（NTCサーミスタ）と正の温度係数をもつサーミスタ（PTCサーミスタ）があり，通常，単にサーミスタといえばNTCサーミスタを指す．NTCサーミスタの代表的な抵抗-温度特性を**図3-90**に示す．NTCサーミスタの材料は，ニッケル，マンガン，コバルト，鉄，銅などの金属酸化物を焼結して得られるセラミック半導体で，用途に合わせてさまざまな種類がある．

---

keyword

発熱
わが国の「感染症の予防及び感染症の患者に対する医療に関する法律」では，体温が37.5℃以上を発熱，38.0℃以上を高熱と定義している．

keyword

サーミスタ (thermistor)
温度に敏感な抵抗体 (thermally sensitive resistor) を意味する英語からの混成語．

NTC (negative temperature coefficient)
負の温度係数（温度が上がると抵抗が下がる）．

PTC (positive temperature coefficient)
正の温度係数（温度が上がると抵抗が上がる）．

表3-9　体温の測定部位と特徴

部位	体温の分類	測定器具	メリット	デメリット
肺動脈内血液温	核心温	肺動脈カテーテル（スワンガンツカテーテル）	大動脈血液温を反映 急激な体温変動への追従がよい	侵襲的（カテーテル挿入が必要）
鼓膜温	核心温	①非接触型温度センサ ②接触型温度センサ	内頸動脈温を反映 ①は短時間（1～5秒程度）で測定可能	①は手技で誤差が出やすい ②はセンサによる鼓膜損傷のリスクがある
鼻咽頭温	核心温	体温プローブ（鼻咽頭用）	脳温を反映	意識のある人には不適 鼻腔粘膜損傷のリスクがある
食道温	核心温	体温プローブ（食道用）	大動脈血液温を反映	意識のある人には不適 開胸手術時には室温の影響を受ける 挿入が不十分だと正確性が低い X線撮影が必要（食道下部1/3に留置）
膀胱温	核心温	膀胱留置カテーテル（フォーリーカテーテル，バルーンカテーテル）	腹部臓器の温度を反映 尿量が十分であれば核心温に近い値が得られる	急激な体温変動への追従が悪い 開腹手術時には室温の影響を受ける 尿量の影響を受ける
直腸温	核心温	体温プローブ（直腸用）	もっとも普及している測定法 腹部臓器の温度を反映	急激な体温変動への追従が悪い 開腹手術時には室温の影響を受ける 直腸ガス・糞便の影響を受ける 成人で8～15 cm挿入して測定するため直腸穿孔のリスクがある
腋窩温（わき下）	外殻温	電子体温計	簡便 一般家庭で測定可能	外殻温である 正しい方法で測定しないと信頼性が低い 実測式では測定に時間がかかる（10分以上） 直腸温より0.8℃程度低い
口腔温（舌下）	外殻温	電子体温計 婦人用電子体温計（基礎体温計）	簡便 一般家庭で測定可能	外殻温である 正しい方法で測定しないと信頼性が低い 実測式では測定に時間がかかる（5分以上） 直腸温より0.3～0.5℃程度低い
皮膚温	外殻温	①貼付型プローブ ②皮膚赤外線体温計 ③サーモグラフ	末梢循環の評価も可能 ①は前額部などから深部体温のモニタリング可能 ②③は非接触で測定可能 ②③は短時間で測定可能 ②③は検温スクリーニングに有用	末梢循環の影響を受ける 皮膚の状態（汗，汚れ）の影響を受ける 測定部位の影響を受ける

keyword
熱時定数
サーミスタの熱的応答性を表す定数で，ゼロ負荷の状態でサーミスタの温度を上昇させたとき，最初の温度と最終的に平衡に達する温度との差の63.2％まで変化するのに要する時間のこと．熱時定数が小さいほど，温度変化に対する応答速度が早い．

医療用としては，おもにビード（ガラス封止）形，チップ形，薄膜形などが体腔内挿入用の体温プローブやカテーテル（YSI400規格）に使用されている（図3-91）．

近年ではサーミスタの小型化が進み，熱時定数が小さく温度に対する応答性が高く，かつ高精度な製品が市販されるようになってきている．

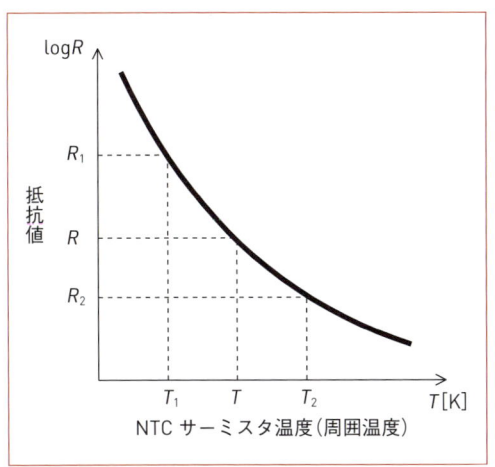

図3-90　NTCサーミスタの抵抗-温度特性（例）

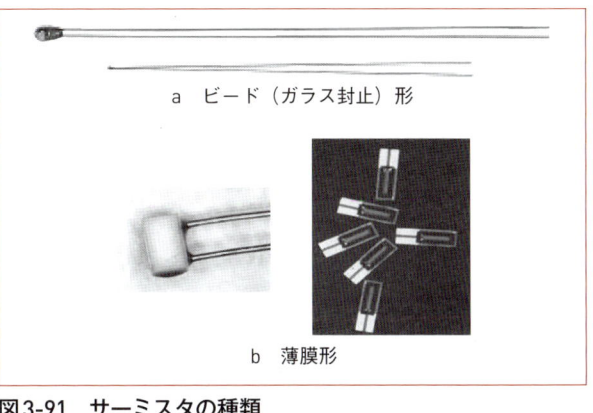

図3-91　サーミスタの種類
a：ビード形．株式会社芝浦電子カタログより．
b：薄膜形．SEMITEC株式会社HPより．

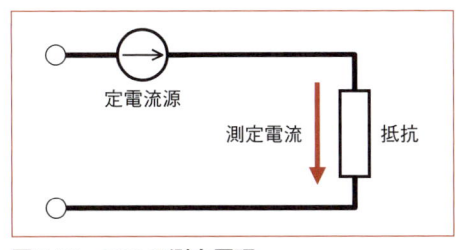

図3-92　RTDの測定原理

2）測温抵抗体（RTD：resistance temperature detector）[19]

　測温抵抗体は，温度に比例して金属の電気抵抗率が変化する特性を利用した温度センサである．一般的な金属では，1Kの温度上昇につきおよそ0.3％の抵抗増加があるため，その電気抵抗を測定することで温度を測定する．一般に，白金（Pt100）を用いた白金測温抵抗体が用いられる．サーミスタよりも温度特性の直線性がよく，正確で安定した計測が可能である反面，高価である．そのため，体温測定用としては特殊な用途を除いて使用されておらず，おもに研究用途や検査分野などの分析装置，医療では臍帯血の保管に用いる液体窒素槽の温度管理，臨床工学分野では人工呼吸器や血液透析装置の温度モニタリングなどに使用されている．

　測定原理は，図3-92に示すように抵抗素子に一定の電流を流し，測定器で抵抗素子の両端の電圧を測定し，オームの法則から抵抗値を算出して温度を導出する．抵抗素子の抵抗値が温度によって変化しても回路に流れる電流は一定のため，抵抗値が変化すると抵抗の両端の電圧も変化する．この電圧の変化で温度を計測している．測温抵抗体に測定電流を流して温度を求めるため，このとき発生するジュール熱（測定電流の2乗に比例）により測温抵抗体自身が加熱されること（自己加熱）によ

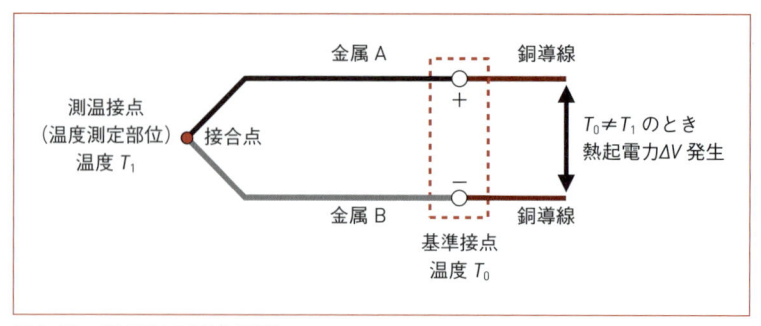

図3-93 熱電対の測定原理

り誤差が生じるため注意が必要である．

3）熱電対（thermocouple）[18]

図3-93に示すように，2種の異なる金属の両端を接合し，2つの接合点（基準接点 T_0 と側温接点 T_1）を異なった温度にしたとき，この温度差により金属間に熱起電力（電圧）が生じて電流が流れることを利用した素子である．この現象を，発見者の名前をとってゼーベック効果という．また，このとき生じる起電力の大きさと極性は，金属の種類と温度差によって決定される．

2種類の金属導体の組み合わせにより，JISでは8種類規定されており，Kタイプ（クロメル・アルメル）の熱電対が工業用としてもっとも汎用されている．原理から考えると，熱電対は電圧計などの計測機器に直接接続するのが望ましいが，計測機器までの距離が長くなると高価になることや，経路での誘導損失などにより精度が落ちてしまうため，図3-93に示したように熱電対と類似した起電力特性をもった導線（おもに銅線）を接続して計測する方法が用いられる．

医療では，検査分野などで用いる超低温冷凍庫の温度管理，臨床工学分野では電気メスアナライザなどの点検用機器に使用されているが，多くは後述のサーモパイルとして赤外線検出用温度センサに利用されている．

4）赤外線センサ[22]

(1) 赤外線の基礎知識[28]

温度を有するあらゆる物体は電磁波を放射している．ヒトが近づくと触れていなくても温かく感じるのは，体表面から出た電磁波である赤外線を皮膚が感知しているからである．一般に，物体から放射される赤外線の放射エネルギーは物体の材質や物体表面の状態により異なるが，温度が高ければ高いほど放射エネルギーは強くなる（プランクの放射則）．

この物体が黒体であれば，プランクの放射公式を全波長域にわたって積分することで，次式に示すステファン・ボルツマンの法則が得られる．

keyword
黒体（black body）
完全放射体ともよばれる．電磁波など入射される放射エネルギーをすべて吸収する性質をもった理想的物質のこと．黒体は，同温度の他の物体に比べもっとも放射率と吸収率が大きく，その値は1.0と定義されている．

表3-10 赤外線センサの特徴

機能など	量子型	熱型
冷却	必要 ・液体窒素（−196℃） ・TEC（ペルチェ素子） ・スターリングクーラー	不要
感度	高い	低い
応答速度	早い	遅い
消費電力	高い	低い
価格	高価	安価

> **keyword**
> **TEC（thermoelectric cooler：熱電クーラー）**
> ペルチェ素子（ペルチェ効果）を利用した小型冷却回路のこと．量子型センサの冷却のほか，医療用冷蔵庫などの冷却にも使用されている．

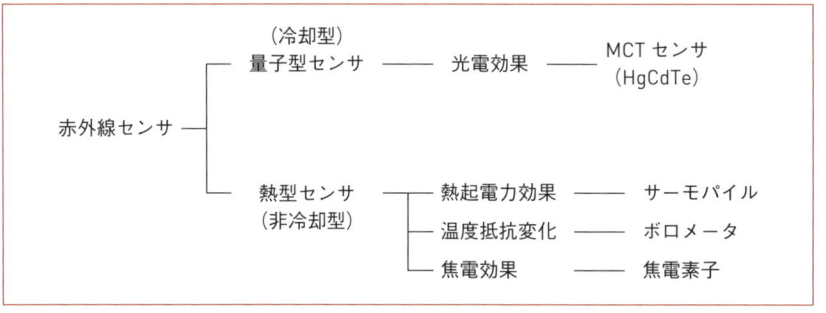

```
赤外線センサ ─┬─ 量子型センサ ── 光電効果 ── MCTセンサ
              │  （冷却型）                    （HgCdTe）
              │
              └─ 熱型センサ ─┬─ 熱起電力効果 ── サーモパイル
                 （非冷却型）  ├─ 温度抵抗変化 ── ボロメータ
                              └─ 焦電効果    ── 焦電素子
```

図3-94 赤外線センサの種類

ステファン・ボルツマンの法則

$$E = \sigma T^4$$

E [W/m^2]：黒体から放射される赤外線の放射エネルギー，
σ [5.67×10^{-8} W/m^{2}K^4]：ステファン・ボルツマン定数，
T [K]：物体表面の温度

式より，赤外線の放射エネルギー E は温度 T の4乗に比例することがわかる．

放射エネルギーの分布は温度により変化し，そのピークエネルギーを示す波長 [μm] はウィーンの変位則により，

$$\lambda_{max} = \frac{2,898}{T}$$

となる．人体表面の温度を37℃として式に代入すると，$\lambda_{max} \fallingdotseq 10 \ \mu$m となり，人体からピーク波長10 μm 付近の赤外線が放射されていることがわかる．

以上の式は黒体であれば成立するが，一般の物体（灰色体）の場合には放射率の補正をする必要がある．

(2) 赤外線センサ

赤外線センサは，名前のとおり赤外線を検出するセンサであり，センサの冷却が必要な量子型と冷却が不要な熱型に大別される．量子型と熱

> **keyword**
> **人体皮膚の放射率**
> 中波長赤外および長波長赤外の波長帯での放射率は0.98〜0.99でほぼ黒体とみなせる．また，皮膚の色など人種の差もほとんどないことが知られている．

> **keyword**
> **サーモグラフで測定対象となる赤外線の分類**
> 人体や室温付近の温度をもつ物体を撮像することを想定すると，大気の透過性がよい波長帯域は3〜5 μm の中波長赤外（MWIR：mid-wavelength infrared），8〜14 μm の長波長赤外（LWIR：long-wavelength infrared）にあるため，おもにこの2つの波長帯の赤外線センサが用いられている．

体温計測　181

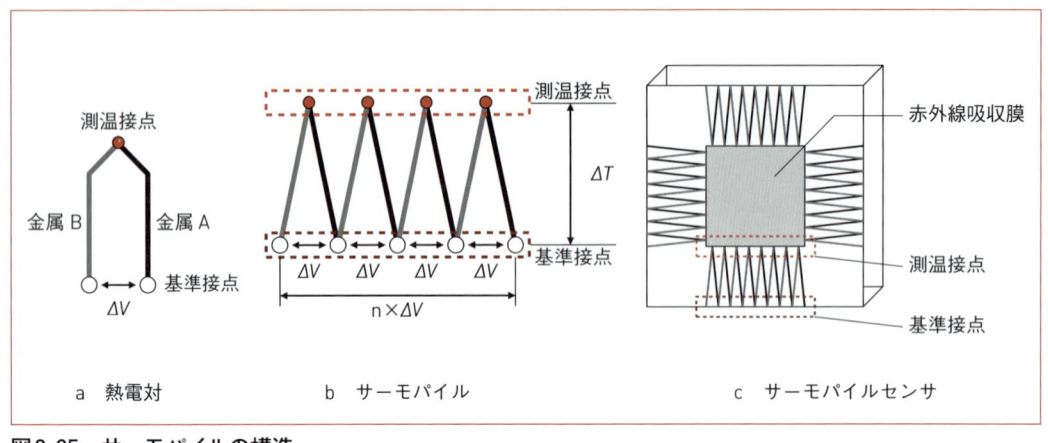

図3-95 サーモパイルの構造

型の特徴を表3-10に示す．さらに，用途に応じて図3-94に示すように細かく分類されるが，ここでは，後述の耳用赤外線体温計および赤外線サーモグラフに用いられるLWIRの計測を対象とする主要なセンサの紹介にとどめる．

①MCTセンサ（HgCdTe）

MCTセンサは，名前のとおりM（mercury：水銀，Hg），C（cadmium：カドミウム，Cd），T（telluride：テルル，Te）の3つを混ぜて作った半導体結晶で，光電効果（光導電効果または光起電力効果）を利用して赤外線を検出するセンサである．Cdの割合を変えることで，MWIRとLWIRそれぞれに対応したセンサを作製することが可能となっている．熱雑音の抑制および半導体結晶としての特性を利用するために，液体窒素（−196℃）などによる素子の冷却が必要である．

②サーモパイル

図3-95aの熱電対を図3-95bのように多数直列接続し，図3-95cのように受光部として中心にある赤外線吸収膜に測温接点，周辺部に基準接点を集めた構造のセンサである．レンズで集光された赤外線が中心部に当たり，測温接点が温まることで基準接点との間に温度差（ΔT）が生じ，ゼーベック効果により熱起電力ΔVが得られる．サーモパイル自体の温度変化により誤差が生じるため，温度補償用サーミスタが回路に組み込まれている．

用途として，後述の耳用赤外線体温計やCO$_2$センサ（二酸化炭素濃度計），人感センサなど幅広く用いられている．

③ボロメータ

金属あるいは半導体の電気抵抗体を受光素子として，放射吸収による温度上昇で生じる抵抗変化を利用して赤外線を検出するセンサである．以前は，ニッケル，マンガン，コバルトの酸化物の混合体による半導体を利用したサーミスタ・ボロメータが主流であったが，微小電子機械シ

keyword
光導電効果（photoconductive effect）
両端に電極をつけて電圧を印加した半導体に光が照射されると，半導体の抵抗が下がり，半導体内部を流れる電流が増加する現象．

keyword
光起電力効果（photovoltaic effect）
半導体のpn接合や半導体と金属のショットキー接合など，整流作用をもつ半導体に光が照射されると起電力が発生する現象．

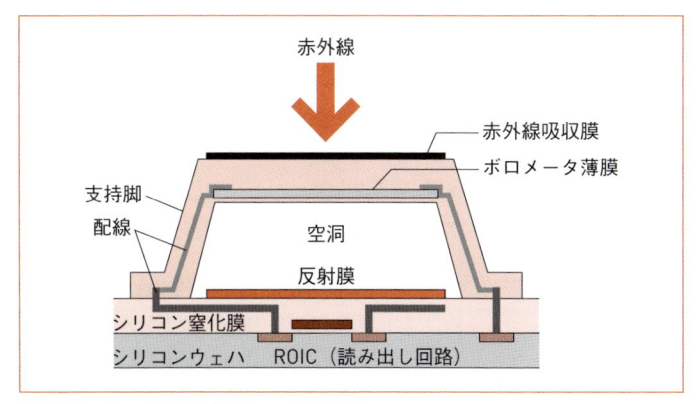

図3-96　マイクロボロメータの構造
（木股雅章：赤外線センサ．電気学会論文誌E（センサ・マイクロマシン部門誌），**134**(7)：193〜198, 2014[5]）をもとに作成）

ステム（micro electro mechanical system：MEMS）技術の発展とともにVOx（酸化バナジウム）やアモルファスシリコンなどを使用したマイクロボロメータに移り変わっている．図3-96にマイクロボロメータの構造を示す[5]．ボロメータ薄膜が赤外線を受けることにより温度が上昇すると，半導体であるボロメータの抵抗が減少し，電流が増加する．この電流の変化を読み出し回路（ROIC：read-out integrated circuit）で読み出して赤外線のエネルギー量に換算している．後述の皮膚赤外線体温計や赤外線サーモグラフに用いられる．

④焦電素子（パイロセンサ）

物質の温度が変化すると，その表面に電荷が現れる現象（焦電効果）を利用した素子である．焦電効果をもつ強誘電体材料として，PZT（チタン酸ジルコン酸鉛）やBST（チタン酸バリウムストロンチウム），$LiTiO_3$（タンタル酸リチウム），PVDF（ポリフッ化ビニリデン）などが用いられる．おもに防犯用機器や照明器具などの人感センサとして用いられている．

4. 体表面温度計測

体表面から温度を計測する方法は，皮膚表面に直接温度センサを接触させて計測する接触式と，生体表面から放出される赤外線を非接触的に計測する非接触式に大別される（図3-97）．接触式は，比較的簡便に精度のよい測定が可能であり，正しく測定することで核心温に近い値が得られる利点があるが，欠点として測定時間が長いことや感染のリスクがある．一方，非接触式は，感染のリスクが低く短時間で測定できる利点があるが，基本的に体表面の温度しか測定できないことや精度にばらつきがあることが欠点である．

体温計に求められる条件として，①体温表示が分かりやすいこと，②測定値が正確であること，③測定値が安定していること，④検出感度が

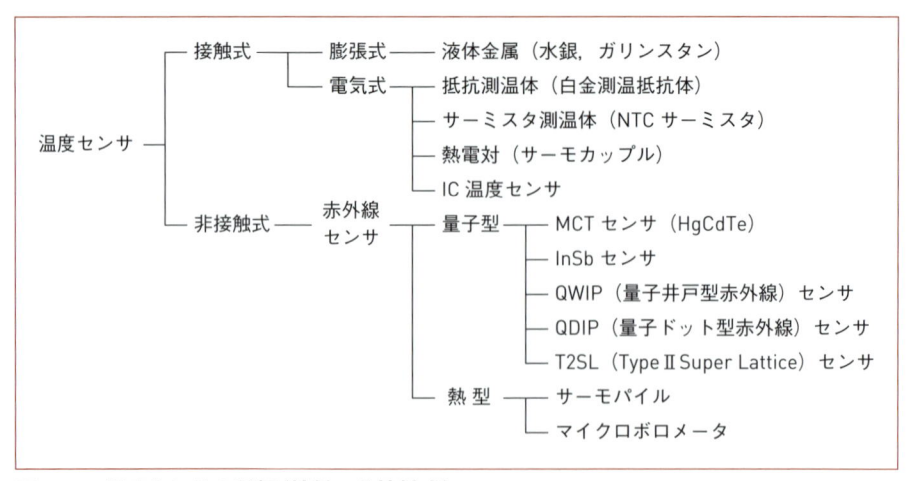

図3-97　温度センサの種類（接触・非接触式）

表3-11　電子体温計の種類

分類	名称
測温方式	実測式 / 予測式
用途	一般用 / 婦人用 / 広範囲用
構造	測温部一体型
	測温部分離型 （互換形／非互換形）
防浸に対する防護程度	防浸型 / 一部防浸型

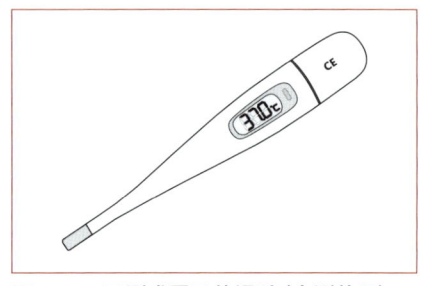

図3-98　予測式電子体温計（実測兼用）

高いこと，⑤使いやすいこと，⑥安価であることなどがあげられる．

1) 電子体温計[25, 32, 33]

　電子体温計は，おもに前述のサーミスタを温度センサとし，熱伝導の原理に基づき測定した体温を液晶画面にデジタル表示する体温計で，医療機関から一般家庭まで幅広く利用されている．電子体温計は測温方式，用途，構造により表3-11のように分類される．

　もっとも普及しているのは測温部一体形の電子体温計であり，現在市販されている多くの機種は実測検温も兼ねた予測式体温計を採用している（図3-98）．予測式体温計は図3-99に示すように，約10～30秒までの温度上昇からおよそ10分後の体温（平衡温）を予測して表示している．なお，実測式の場合，腋窩（わきの下）では10分以上，口腔（舌下）で5分以上必要となることが測定上の難点であるが，相原ら[6]は腋窩温，口腔温とも核心温の指標として用いることができると述べている．

keyword

平衡温
わきや口をしっかりと閉じることで十分に温まり，身体内部の温度（核心温）に近い温度が反映された状態の温度のこと．

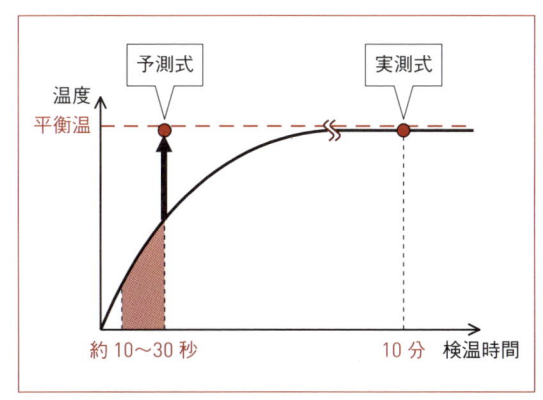

図3-99　予測式体温計と実測式体温計

　電子体温計の最大許容誤差（測定精度）は，一般検温用で±0.1℃，基礎体温計測の目的などで用いる婦人用では±0.05℃と規定されている．なお，人工心肺装置を用いた開心術などの低体温手術時やハイパーサーミアなどの高体温治療時，あるいは偶発性低体温症などの場合，体温調節機能が抑制されるか調節能力の限界をこえるため，核心温が大幅に変化することがある．このような場合には，通常の体温計測範囲では不十分であり，計測範囲の広い広範囲用体温計が必要となる．

2）赤外線サーモグラフ

　赤外線サーモグラフは，前述の赤外線センサを使用して対象物から放射された赤外線を検出し，この赤外線の放射量と温度の関係をステファン・ボルツマンの法則から求めて，測定対象物の温度分布を熱画像として表示する非接触式の温度計である（体温計ではないことに注意）[7]．一般に，温度を測定記録する装置を赤外線サーモグラフ（infrared thermograph），方法を赤外線サーモグラフィ（infrared thermography）とよぶが，あまり明確に区別して表現されていないことが多い．文献などにより，区別を明確にするため赤外線サーモグラフィ装置や赤外線サーモグラフィ法のように語尾で装置か方法かを表記している例もある．独立行政法人医薬品医療機器総合機構では，類別は器械器具12の理学診療用器具，名称は「赤外線サーモグラフィ装置」と定められている．また，画像診断機器であるため，医療機器のクラス分類ではクラスⅡ（管理医療機器）に該当する．診療報酬上の名称は「サーモグラフィー検査」となっている．装置の外観と撮影例を図3-100に示す．

(1) サーモグラフに用いられる赤外線センサ

　人体表面の温度分布を計測する場合，おもにLWIR（8〜14 μm）を計測対象とする赤外線センサが用いられる．従来は量子型センサ（MCTセンサなど）が主流であったが，冷却が必要であることに加え非常に高価であったため，安価で冷却不要な熱型センサ（おもにマイクロボロメー

keyword

基礎体温（BBT：basal body temperature）
体温に影響を与えるような条件を避けて測定した安静時の体温を意味する．女性のBBTが卵胞期の低温相と黄体期の高温相からなる二相性を示すことから，排卵日の推定に用いられる．

keyword

熱画像（サーモグラム，thermogram）
赤外線サーモグラフで対象物表面の温度分布を表現した画像のこと．サーモグラム（thermogram）ともよばれる．

図3-100　赤外線サーモグラフ装置と撮影画面の例

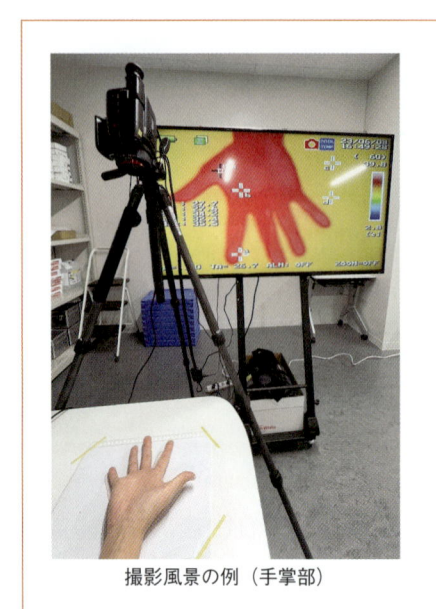

撮影風景の例（手掌部）

日本アビオニクス社製 InfRec R550

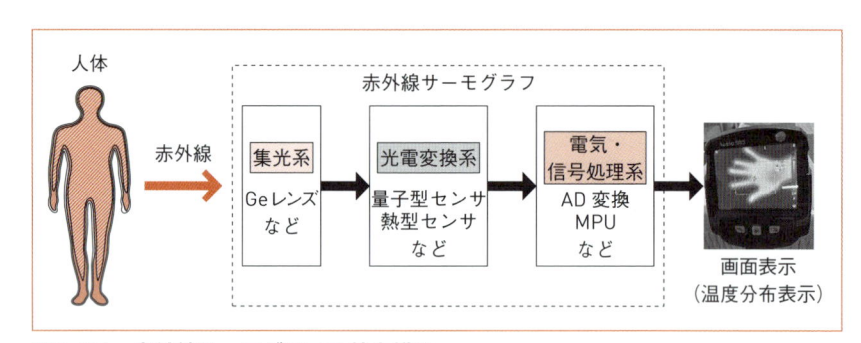

図3-101　赤外線サーモグラフの基本構成

keyword

MEMS（micro electro mechanical systems：微小電子機械システム）
半導体集積回路の集積技術を発展させた微細加工により，基板上に電子回路やセンサ，アクチュエータなどを立体構造にして組み込んだ部品のこと．微細加工技術（マイクロマシニング技術）ともよばれる．

タ）が現在の主流となっている．MEMS技術によって，マイクロボロメータを2次元配列した赤外線焦点面アレイ（IRFPA：infrared focal plane array）センサが開発されたことで高精度なサーモグラフィが可能になり，小型・軽量化された機種が市販されている．

(2) サーモグラフの基本構成と性能
①基本構成
　サーモグラフは，集光系，光電変換系，電気系の3要素から構成される．集光系では，LWIRの透過率に優れたゲルマニウムレンズなどが一般に使用される．集光した赤外線を2次元アレイIRFPAセンサで検出し，AD変換・信号処理を経て液晶画面に温度分布を表示する構成となっている（図3-101）．
②温度分解能
　サーモグラフィの性能としてもっとも重要と考えられるのは，温度分

解能である．温度分解能は，センサが認識できる最小の温度差のことで，この値が小さいほど微小温度差を検出できる，つまり，温度分解能が高いことを表す．一般的には，雑音等価温度差（NETD：noise-equivalent temperature difference）で表される．現在市販されている赤外線サーモグラフの温度分解能は，0.02〜0.1℃程度が実現できている．

③画素数とフレームレート

検出素子の画素数（横×縦の素子数）が多ければ多いほど解像度の高い画像が撮像できる．現在，熱型のハイエンドモデルでは640×480画素（約30万画素）程度，量子型のハイエンドモデルでは1,024×768画素（HD画質）程度のものが市販されている．また，フレームレートは30 Hz／60 Hz／120 Hzの製品が市販されている．

(3) サーモグラフの特徴

サーモグラフの特徴を以下にまとめる．

- 非接触・無侵襲で計測可能
- 測定対象表面の温度分布を可視化して表示可能（表面の温度測定のみで内部の温度は知ることができない）
- 動いている物体の測定が可能
- 繰り返し測定が可能
- 正確な測定には対象物の放射率を知る必要がある（生体皮膚の放射率は0.98〜0.99のため安定した測定が可能）

(4) サーモグラフィの医療への利用（サーモグラフィ検査）

ヒトの場合，「体表面から放出される赤外線放射エネルギー」とは皮膚温に相当するため，異なる温度を呈する被検部位の皮膚温の分布を表示することができる．一般に，ヒトは環境温が20℃以下になると筋振戦（ふるえ）による熱産生が生じ，30℃以上の高温環境では発汗と蒸散による熱放散が生じる．しかし，環境温が20〜30℃の範囲での皮膚温は交感神経支配の皮膚血流量にほぼ依存することから，この範囲でのサーモグラフィは自律神経機能検査となりうる．日本サーモロジー学会

keyword

雑音等価温度差（NETD）

センサの内部雑音の大きさを温度差に換算した値で，小さいほど微小温度差を検出できる．この値が小さいほど温度分解能が高いことを意味する．

Tips　水銀体温計と水銀フリーの体温計

水銀体温計は，ガラス管内に封入された水銀が体温によって温められて膨張することで水銀柱が上昇することを利用して体温を測定するのに用いられていた．しかし，水銀が人体に有害であることや環境汚染などの理由から，「水銀による環境の汚染の防止に関する法律および輸入貿易管理令」により，2020年12月31日をもって製造・輸出入が禁止された．

これを受けて，水銀に代わる液体金属であるガリンスタン（ガリウム，インジウム，スズの合金）を使用した体温計（液体金属毛細管体温計）が医療機器として販売認可を取得した．電子式体温計は電池切れで使えなくなることもあり，電池不要のアナログ体温計（液体金属毛細管体温計）として令和2年12月の改正で追加された．

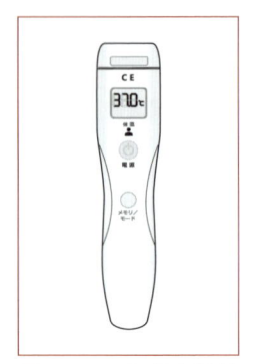

図3-102　皮膚赤外線体温計

基準では，血行障害，代謝異常，慢性疼痛，自律神経障害，炎症，腫瘍，体温異常などがサーモグラフィ検査の適用となっている[8,9]．

3）皮膚赤外線体温計[36]

皮膚赤外線体温計は，前述の赤外線センサ（おもにサーモパイル）を使用して，体表面から放射された赤外線を検出して体温を液晶画面にデジタル表示する非接触式の体温計である．測定部位は額部で，額（皮膚）から約1〜3 cm離して，皮膚に接触することなく約1秒という短時間で測定できる．メーカや機種により異なるが，測定した額部の温度を腋窩温または舌下温に換算した体温を表示するものが市販されている（図3-102）．最大許容誤差（測定精度）は，35.5〜42.0℃の表示温度範囲で±0.2℃，それ以外の温度範囲では±0.3℃と規定されている．

2020年以降，新型コロナウイルス感染症（COVID-19）の流行により，医療機関や学校，ショッピングモールや飲食店など，人が多く集まる場所での非接触式体温計のニーズが高まり，急速に普及が進んだ．しかし，汗や化粧，髪の毛などの影響を受けること，直射日光の影響を受けやすく屋外での使用に適さないこと，正しい測定方法が守られないと測定値がばらつくことなど，多くの課題が残ることから，体温測定としての信頼性は低く，おもに検温スクリーニングとして用いられている．

5. 深部体温計測

深部体温計測は，核心温を知るために臨床では非常に重要である．前述（p.178，表3-9参照）のように，核心温を測定するためには，体腔内に体温プローブやカテーテルを挿入して計測する侵襲的な方法や，耳内へ挿入した赤外線センサで鼓膜から放射される赤外線を計測する方法，体表面に温度センサを接触させて計測する熱流補償法を用いた方法がある．

1）耳用赤外線体温計（鼓膜体温計）[27,35]

耳用赤外線体温計は，前述の皮膚赤外線体温計と同様に赤外線センサ（おもにサーモパイル）を使用して，鼓膜から放射された赤外線を検出して体温を液晶画面にデジタル表示する非接触式の体温計である（図

Tips　災害時に活用されるサーモグラフ（赤外線カメラ）

元々は，老朽化した構造物の損傷箇所の抽出や性能評価を行う非破壊検査など，工業用途で赤外線カメラは用いられていた．

東日本大震災後には，大量に堆積した災害廃棄物などからの自然発火による火災が問題となり，赤外線カメラを使用した監視などが行われるようになった．この他にも，被災地上空からの撮影（ドローンやヘリコプター）に赤外線カメラが使用され，災害時の情報収集や人命救助など，活用の幅が広がっている．

図3-103　耳用赤外線体温計

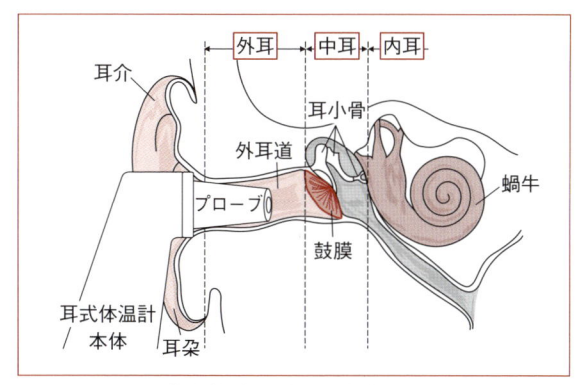

図3-104　耳用赤外線体温計の測定方法

表3-12　耳用赤外線体温計測定時の問題点と対策

測定時の問題点（注意点）	対策方法
外気温の影響を受けやすい	各機種の使用条件範囲内で使用する JISでは温度範囲16〜35℃，相対湿度30〜75%RH（結露なし）の周囲環境となっている
プローブの挿入位置（角度，深さ）が正しくない 外耳道の形状がヒトによって異なる	鼓膜からプローブ先端までの耳の穴をまっすぐにする →耳介（耳輪）を斜め後ろまたは後方に引くことで耳の穴をまっすぐにしてプローブを挿入する
外耳道表面からの温度（鼓膜温より低い温度）を計測してしまう	プローブの向きを変えながら測定してもっとも高い温度を記録させる →ピークホールド方式 （採用されていない機種もあるので注意が必要）
耳垢の影響を受ける	耳垢を除去してから計測する
外耳道に炎症（外耳炎や中耳炎）の影響を受ける	感染や症状を悪化させる可能性があるため使用を控える

3-103）．耳の奥にある鼓膜は外気温に左右されにくく，脳に流れ込む動脈（内頸動脈）が近くを流れていることにより，臨床上重要な体温の指標である核心温の1つである視床下部の温度を反映しているといわれている[10, 11]．

また，プローブを外耳道に挿入するだけで痛みや不快感なく測定（非侵襲的な測定）ができること，非接触で感染のリスクが低いこと，短時間（約1秒）で測定できることから，従来の体温計では測定が困難であった乳幼児（とくに乳児）の検温用として，病院のみでなく一般家庭にも広く普及している（図3-104）．最大許容誤差（測定精度）は，35.5〜42.0℃の表示温度範囲で±0.2℃，それ以外の温度範囲では±0.3℃と規定されている．

耳用赤外線体温計の測定では，問題点があることを把握しておき，正しい方法で測定することが重要である（表3-12）．

2）深部体温計（熱流補償式体温計）[34]

核心温を計測するためには，基本的に体腔内へのプローブやカテーテ

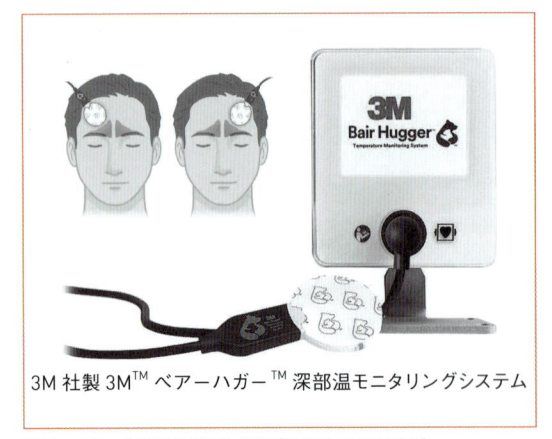

図3-105　深部体温計（熱流補償式体温計）

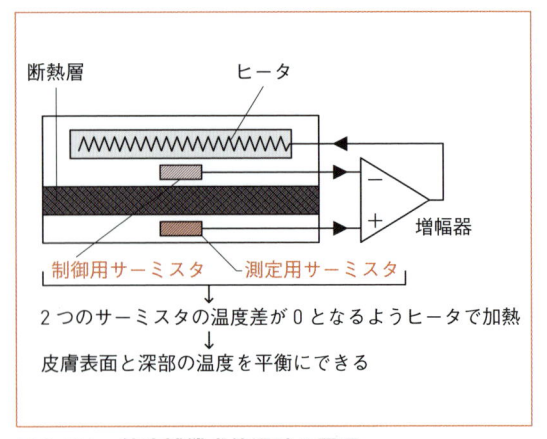

図3-106　熱流補償式体温計の原理

ルの挿入が必要で侵襲を伴う．生体計測では，生体へできるかぎり侵襲を加えないことが望まれるため，体表面より体内深部の温度を測定する方法として，イギリスのFOXら[12]により熱流補償法を用いた深部体温計が開発された．わが国の戸川ら[13, 14]は，プローブの改良を行いより精度を向上させた深部体温計（テルモ社製コアテンプ®）を開発した．これの後継機であるコアテンプ®CM-210が2002年に発売され，周術期の体温モニタリング用として臨床に広く普及した（2016年に販売終了）．現在市販されている3M™ベアーハガー™深部温モニタリングシステムを図3-105に示す．

①熱流補償法の原理

　通常，体表面の温度は外気温の影響を受けて核心温より低い．しかし，体表面を断熱材で覆って外気温の影響を完全に防ぐと，体表面の温度は核心温と等しい温度になる．単に断熱材を用いただけでは，皮膚から外気中に放散する熱をゼロにすることは困難であるため，図3-106に示すように2個の温度センサ（測定用サーミスタと制御用サーミスタ）の温度差としてプローブを通る熱流を検出し，2個のセンサが等温となるようにヒータを制御して体表面温を核心温として表示する．

　熱流補償式深部体温計は，非侵襲的に体表面から連続測定が行えること，末梢循環の状態を反映する末梢深部温の測定を行える利点があり，麻酔中や術中の体温モニタリング，新生児の体温管理，循環状態指標のモニタリングなどに応用されている．さらに，近年では高齢者の熱中症による死亡数が増加傾向にあり，熱中症予防や暑熱作業者の健康管理などの観点から深部体温計の必要性が高まっており，ウェアラブル化に向けた開発が進んでいる．

参考文献

1) Aschoff, J., Wever, R.：Kern und Schale im Warmehaushalt des Menschen. *Naturwissenschaften*, 45：477〜485, 1958.
2) 町野龍一郎：臨床検温法に関する研究．日本温泉気候学会雑誌，22：292〜318, 1959.
3) 戸川達夫：各種検温法の評価．医器学，59(12)：565〜570, 1989.
4) Byrnes, J., ed.：Unexploded Irdnance Detection and Mitigation. Springer Science, pp.21〜22, 2009.
5) 木股雅章：赤外線センサ．電気学会論文誌E（センサ・マイクロマシン部門誌），134(7)：193〜198, 2014.
6) 相原まり子，入來正躬：腋窩検温法の検討と口腔検温法との比較．日本生気象学会誌，30(1)：159〜168, 1993.
7) 渥美和彦：医用サーモグラフィ．日本サーモグラフィ学会編，pp.3〜10, 中山書店，1984.
8) 藤正 巖，渥美和彦：医用サーモグラフィの歴史．生理機能画像診断サーモグラフィ．pp.1〜5, 秀潤社，1988.
9) 藤正 巖：臨床サーモロジー．2 医用サーモグラフィ装置とその原理．日本医事新報，3432：37〜40, 1990.
10) Matsumoto, T., Kosaka, K., Nagasaki, S.：Basic and clinical evaluation of the radiation tympanic thermometer. *Japanese J. Biometer*, 29：119〜125, 1992.
11) 内野欣司：ヒト鼓膜温の生理学的意義．日本生理学雑誌，51：387〜404, 1989.
12) Fox, R.H., Solman, A.J.：A new technique for monitoring the deep body temperature in man from the intact skin surface. *J Physiol.*, 212：8〜10, 1971.
13) Togawa, T., Nemoto, T., Yamazaki, T., Kobayashi, T.：A modified internal temperature measurement device. *Med. Biol. Eng.*, 14：361〜364, 1976.
14) Togawa, T.：Body temperature measurement. *Clin. Phys. Physiol. Meas.*, 6：83〜108, 1985.
15) 福長一義編：臨床工学技士 ポケット・レビュー帳改訂第2版．229, メジカルビュー社，2022.

その他参考資料（規格一覧）

16) JIS B 7411 ガラス製温度計
17) JIS C 1601 指示熱電温度計
18) JIS C 1602 熱電対
19) JIS C 1604 測温抵抗体
20) JIS C 1607 電子管式自動平衡記録温度計
21) JIS C 1611 サーミスタ測温体
22) JIS C 1612 放射温度計の性能試験方法通則
23) JIS C 2570-1 直熱形NTCサーミスタ―第1部：品種別通則
24) JIS C 2570-2 直熱形NTCサーミスタ―第2部：品種別通則―表面実装形

NTCサーミスタ
25）JIS T 1140電子体温計
26）JIS T 4206ガラス製体温計
27）JIS T 4207耳用赤外線体温計
28）JIS Z 8117遠赤外線用語
29）JIS Z 8704温度測定方法-電気的方法
30）JIS Z 8705ガラス製温度計による温度測定方法
31）JIS Z 8710温度測定方法通則

厚生労働省告示第112号（平成17年3月25日）
32）別表3-32：電子体温計基準
33）別表3-33：連続測定電子体温計等基準
34）別表3-34：熱流補償式体温計基準
35）別表3-35：耳赤外線体温計基準

厚生労働省告示第69号（平成24年3月1日）
36）別表3-781：皮膚赤外線体温計基準

5　光学的計測

1. 酸素飽和度

　血液中のヘモグロビンのうち，酸素と結合しているヘモグロビンの割合をヘモグロビン酸素飽和度，または単に酸素飽和度という．光学的な方法で酸素飽和度を測定する代表的な装置に，パルスオキシメータがある．その他，ヘモグロビンの光学的な特性を利用したものとして，血液に直接，光を照射することで酸素飽和度を測定する方法や，体外から光を照射して組織の酸素飽和度を測定する方法があり，本項ではこれらについて解説する．

1）分光光度法

　酸素飽和度は，酸素と結合しているヘモグロビン（酸素化Hb）と酸素と結合していないヘモグロビン（脱酸素化Hb）から，

$$酸素飽和度 [\%] = \frac{酸素化Hb}{酸素化Hb + 脱酸素化Hb} \times 100$$

で得られる．そこで，酸素飽和度を得るためには，酸素化Hbと脱酸素化Hbを判別する必要がある．両者の間には光学的特性に違いがみられるため，一般に分光光度法を応用した測定が行われる．
　ある物質の濃度を分光光度法で測定する場合，測定対象の物質が高率に吸収する波長の光を用いる．ここで，溶液に照射した光の強度をI_0，溶液を透過した後の光の強度をIとすると，透過率は両者の比（I/I_0）

$$T = \frac{I}{I_0}$$

透過率（%T）＝ T × 100

L：溶液の長さ，光路長
I_0：照射した光の強度
I：透過後の光の強度

ε：モル吸光係数

ランベルト・ベール（Lambert-Beer）の法則から，

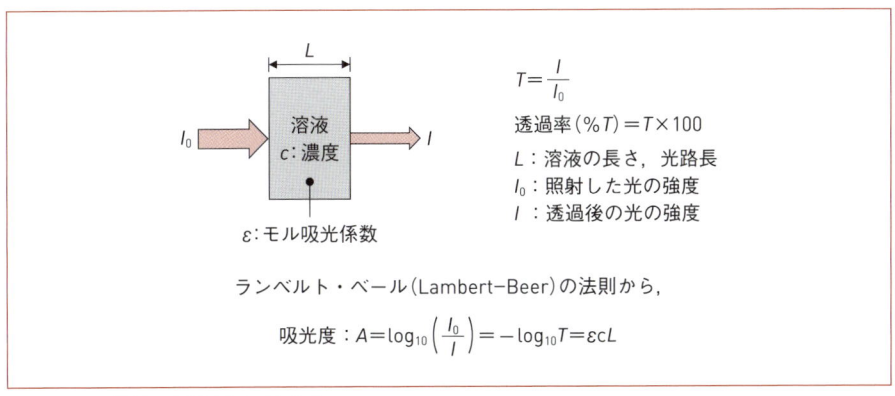

吸光度：$A = \log_{10}\left(\frac{I_0}{I}\right) = -\log_{10}T = \varepsilon c L$

図3-107　溶液の透過率と吸光度

表3-13　分光光度法を応用した酸素飽和度測定で影響が考慮される要因とその対処法

測定への影響が考慮される要因	測定への影響と対処法
緑色や青色の色素（インドシアニングリーン，メチレンブルーなど）の投与	【影響】測定値が不正確となる可能性がある． 【対処】血液を採取したうえで，血液ガス分析を行い，得られた酸素分圧などから評価を行う．
異常ヘモグロビン（メトヘモグロビンや一酸化炭素ヘモグロビンなど）が増加した症例	
黄疸（高ビリルビン血症）の症例	
電気メスや除細動器など高エネルギーを出力する医療機器との併用	【影響】測定値が不正確，または測定不能な状態となる可能性がある． 【対処】装置本体を絶縁された台の上に置き，バッテリを搭載している装置であれば，バッテリ駆動にすることを試みる．
センサへの蛍光灯や無影灯などの光の入射	【影響】センサが体外にある場合，受光部への光の入射で測定値が不正確となる可能性がある． 【対処】周辺光がセンサに強く当たらないよう配慮する．必要に応じ，センサを不透明な布などで覆う．

の百分率となる（図3-107）．なお，吸光度は，I_0とIの比（I/I_0）の逆数の対数となる．また，吸光度はランベルト・ベールの法則から溶液の濃度に比例する．つまり，溶液を透過した後の光の強度Iをとらえることで，物質の濃度を得ることができる．一般に，酸素化Hbと脱酸素化Hbの判別では，酸素化Hbによる吸収が高い赤外光と，脱酸素化Hbによる吸収が高い赤色光を用いる．酸素飽和度は，血液に照射した後の，赤色光と赤外光の強度の比率（赤色光／赤外光）に比例することから，これをもとに算出される．なお，分光光度法を応用した各種酸素飽和度測定では，種々の要因が測定に影響する（表3-13）．そのため，これらの影響を考慮のうえ，測定する必要がある．

keyword

ランベルト・ベール（Lambert-Beer）の法則

溶液の吸光度は，その溶液の長さ（光路長）および濃度に比例するという法則．

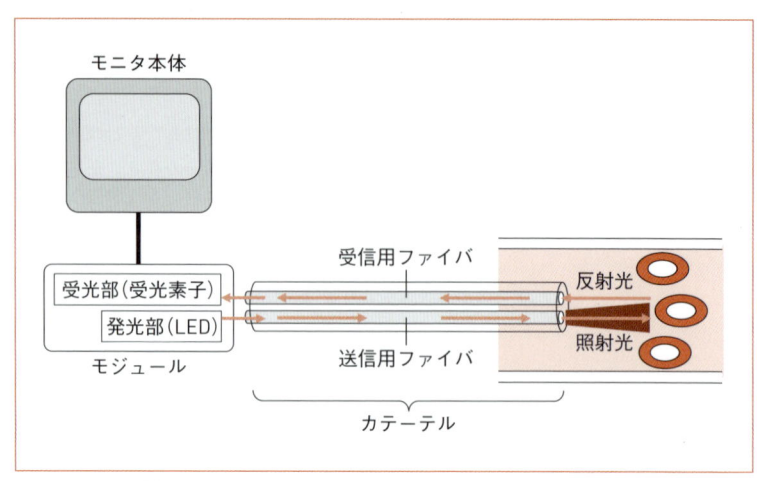

図3-108　反射式分光光度法を用いたカテーテルによる酸素飽和度測定

2) 血液ヘモグロビン酸素飽和度

　動脈血酸素飽和度（arterial oxygen saturation：SaO_2）は，肺での血液の酸素化と，組織への酸素運搬状態を示す．また，混合静脈血酸素飽和度（mixed venous oxygen saturation：$S\bar{v}O_2$）と中心静脈血酸素飽和度（central venous oxygen saturation：$ScvO_2$）は，生体組織における酸素の需給バランスを反映する．

(1) 専用のカテーテルを用いた測定

①測定の概要と原理

　専用のカテーテルを用いた反射式分光光度法（図3-108）で，$S\bar{v}O_2$と$ScvO_2$の連続的な測定が行われる．$S\bar{v}O_2$の測定では，カテーテル先端部を肺動脈に留置する．$ScvO_2$の測定では，一般に鎖骨下静脈または内頸静脈からカテーテルを挿入し，先端部を上大静脈に留置する．測定に際して，カテーテルをモジュールと接続する．モジュールの発光部には，赤色光と赤外光を発する発光ダイオード（light emitting diode：LED）がある．LEDが発した赤色光と赤外光は，カテーテルの送信用ファイバを介して血液に照射される．血液で反射された赤色光と赤外光は，カテーテルの受信用ファイバを介してモジュールの受光部に送られる．受光部では，受光素子が反射光に含まれる赤色光と赤外光の強度をとらえ，両者の比率から酸素飽和度を算出する．

②測定上の注意点

　カテーテル先端が血管壁に接触していると，測定値が不正確または測定不能な状態となる．そのため，カテーテル留置直後と留置後には定期的に，先端の位置を胸部X線撮影で確認する．また，表3-13の要因でも，測定値が不正確または測定不能な状態となる可能性がある．さらに，乳白色を示す薬剤（脂肪乳剤や静脈麻酔薬のプロポフォールなど）が投与されている症例では，測定光の散乱をきたし，測定値が不正確となる可

---

keyword

混合静脈血

上大静脈，下大静脈ならびに冠静脈洞の静脈血が混合したもので，肺動脈血がこれに相当する．

keyword

$S\bar{v}O_2$と$ScvO_2$の臨床的意義の違い

$S\bar{v}O_2$は，上大静脈，下大静脈，冠静脈洞からの静脈血に由来することから，全身の静脈血の酸素飽和度を反映しており，その値は全身的な酸素の需給バランスを示す．一方，上大静脈血を対象とした$ScvO_2$の場合は，頭部ならびに上肢の局所的な酸素の需給バランスを示す．

能性があるため注意を要する．

(2) **人工心肺装置や補助循環装置による体外循環時での測定**
①測定の概要と原理

　人工心肺装置や補助循環装置で体外循環を行う場合，脱血回路側で$S\bar{v}O_2$，送血回路側でSaO_2の連続測定が行われる．これらの測定に際して，光学センサを装着するためのセル（キュベットともよばれる）を体外循環回路に接続する．光学センサをセルに取り付けると，セルの内腔を流れる血液に向けて，光学センサのLEDが多波長の光（赤色光と赤外光など）を照射する．血液に照射した光は，血液の酸素飽和度に応じた強度で反射される．反射された光の強度を光学センサの受光部でとらえ，この情報をもとに酸素飽和度を算出する．その他，光学センサを体外循環回路のチューブに直接取り付け，同様の方法で酸素飽和度を測定する装置もある．

②測定上の注意点

　表3-13の要因で，測定値が不正確または測定不能な状態となる可能性がある．セルを体外循環回路に接続し，これに光学センサを取り付ける装置では，体外循環回路のプライミング時に，セルの内腔や接続部に気泡が残存することがある．この気泡を除去するため，鉗子で叩くなどの強い衝撃をセルに加えると，セルが破損するおそれがある．セルの内腔や接続部に気泡が残存している場合には，軽く手で叩くなどしてこれを取り除く．一方，光学センサをポリ塩化ビニル製の体外循環回路のチューブに直接取り付ける装置では，光学センサに適した内径，肉厚のチューブがあるので，事前にこれを確認する．さらに，光学センサをチューブに取り付ける際には，文字やラインなどが印刷されている箇所は避ける．

3) 組織酸素飽和度

(1) 組織酸素飽和度について

　光学的な計測法のうち，近赤外線を用いたものを近赤外線分光法（near infrared spectroscopy：NIRS）という．近赤外線は，水とヘモグロビンの両者による吸収が少なく（**図3-109**），生体に照射すると，組織の深部まで到達することができる．そのため，組織の酸素飽和度はNIRSで測定され，近赤外線を発する光学センサを，測定対象とする組織上の皮膚表面に貼付する．これにより，センサ直下の組織酸素飽和度を非侵襲的かつ連続的に測定できる．なお，組織酸素飽和度は，組織中の微小血管の酸素飽和度をとらえたもので，局所組織酸素飽和度（regional tissue oxygen saturation：rSO_2）とよばれる．rSO_2の連続測定から，組織における酸素の需給バランスの変化をとらえることができ，また組織の循環状態や代謝の評価が可能となる．一般に，麻酔中の患者管理のため，光学センサを前額部に装着し，前頭葉のrSO_2が測定される．

keyword

rSO_2と静脈血酸素飽和度の関係

rSO_2の測定では，組織中の微小血管のうち静脈に由来する情報が多いことから，静脈血の酸素飽和度の変化に大きく影響される．そのためrSO_2は，$S\bar{v}O_2$などの静脈血酸素飽和度と有意に相関する．

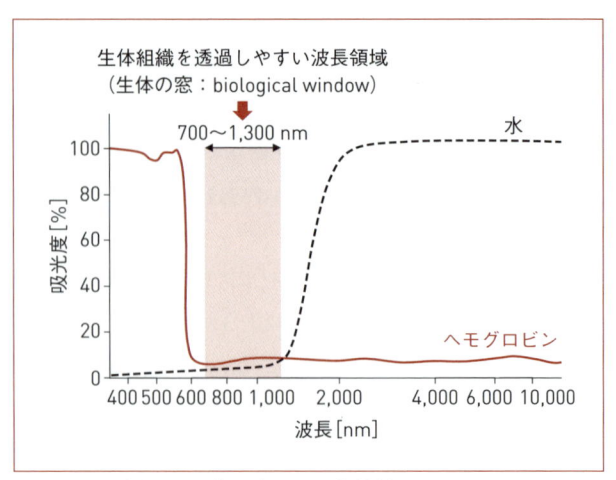

図3-109　水とヘモグロビンの吸光特性

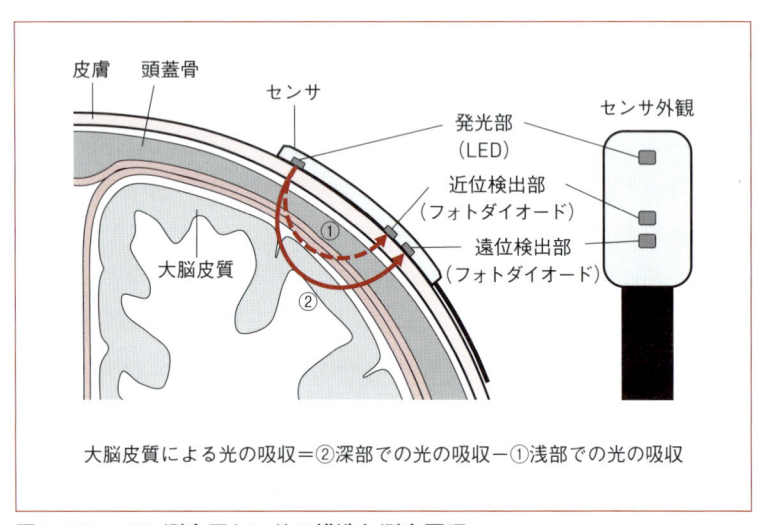

図3-110　rSO₂測定用センサの構造と測定原理

とくに大血管手術時では，脳分離体外循環の評価に有用となる．なお，rSO₂はパルスオキシメータの測定と異なり，動脈の拍動がみられない心停止状態でも測定が可能である．そのため，救命救急領域では，心肺蘇生の有効性評価にも用いられる．

(2) 測定原理

図3-110に，rSO₂の測定で使用する光学センサの構造と測定原理を示す．光学センサの発光部には近赤外線を発するLEDが，2カ所の検出部にはフォトダイオードがある．発光部から，多波長の近赤外線（代表的な波長として730 nmと810 nmなど）を組織に照射し，2カ所の検出部で組織を透過してきた近赤外線をとらえる．以下に，脳内のrSO₂測定について解説する．

　近赤外線は皮下3 cm程度の深さまでしか到達できない．しかし，成

人の頭部は皮膚から大脳皮質までの距離が平均1.5 cm前後であり，皮膚から照射した近赤外線は大脳皮質まで到達できる．頭部に貼付した光学センサの近位検出部では，皮膚や頭蓋骨など浅部の組織を透過した近赤外線をとらえる．一方，遠位検出部では，浅部の組織とともに深部の大脳皮質を透過した近赤外線をとらえる．これにより，遠位検出部でとらえた近赤外線強度の情報から，近位検出部の情報を差し引くことで，大脳皮質のみで吸収された近赤外線の情報を得ている．

(3) 測定上の注意点

表3-13の要因で，測定値が不正確または測定不能な状態となる可能性がある．また，ファンデーションなどの皮膚の塗布剤も測定に影響する可能性があり，センサ貼付前にはこれを除去する．その他，光学センサを貼付する皮膚に，母斑，血腫，損傷がないことを確認する．脳内のrSO_2を測定する場合，光学センサは毛髪のある部位を避けて貼付する．脳以外の体組織におけるrSO_2を測定する場合，光学センサの貼付部として，皮下脂肪が厚い，または体毛のある部位，ならびに骨が隆起している箇所は避ける．また，必要に応じて超音波画像診断装置を用い，皮下から3 cm以内の距離に測定対象の組織があることと，血流がみられる他の組織の介在がないことを確認したうえで，光学センサの貼付部位を決定する．

参考文献

1) 連続的$S\bar{v}O_2$モニターの意義—基礎的理解とその臨床応用—．エドワーズライフサイエンス，2011．
2) 小山　薫：混合静脈血（中心静脈血）酸素飽和度．人工呼吸，30：22〜27，2013．
3) William, T.M., Jan, H., John, A.F. 編：Quick Guide to Cardiopulmonary Care. エドワーズライフサイエンス，2015．
4) 門崎　衛：局所組織酸素飽和度の臨床応用．日臨麻会誌，35(4)：482〜486，2015．

第4章 医用画像計測

1 超音波画像計測

1. 超音波とは

　ヒトの耳で感知できる周波数の可聴域は20〜20,000 Hzであり，医療用超音波診断装置ではこれよりも高い周波数の，「ヒトの耳で聞くことのできない音」である超音波が用いられている．臨床で用いられる超音波の周波数は1〜20 MHz程度である．超音波診断装置の探触子（プローブ）から送信された超音波は生体内を伝搬して対象臓器で反射し，その反射波はプローブで受信される．超音波が送信され反射波が受信されるまでの時間から，対象臓器までの深度，反射波の強さを輝度に変換することで超音波画像は構築される．

1）波の種類

　超音波診断装置では，ヒトが音として耳で感知している音波と同じ縦波が用いられている．縦波は疎密波ともいい，媒質中を音圧が高い（密）部分と低い（疎）部分が交互に現れて伝搬していく（図4-1）．
　疎密波の音圧が密から密もしくは疎から疎までの時間を周期［s］といい，この周期が1秒間に繰り返される回数を周波数［Hz］という．また，超音波が1周期（密から密もしくは疎から疎）で媒質を進む距離を波長［m］という（図4-2）．

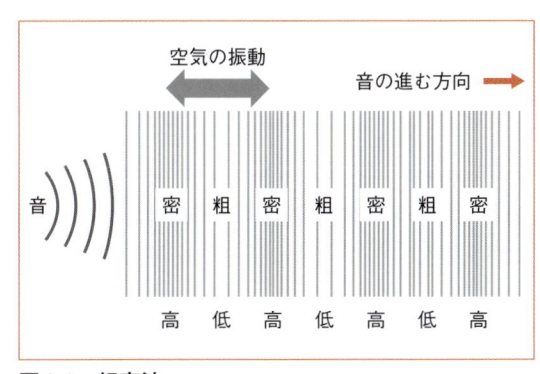

図4-1　粗密波

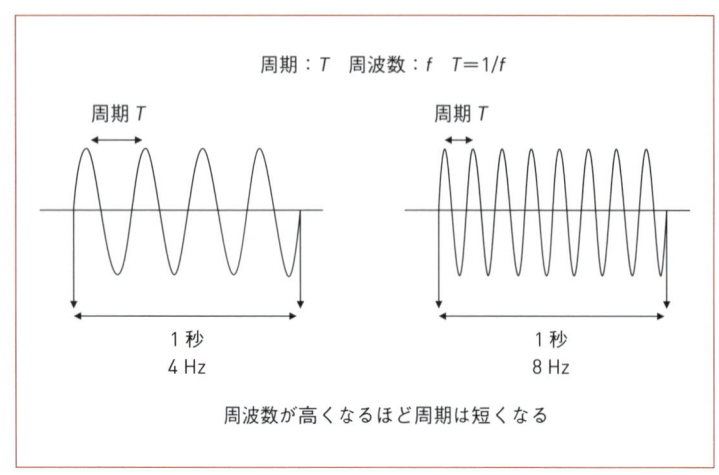

図4-2　周波数と周期の関係

表4-1　媒質固有の伝搬速度

媒質	伝搬速度 [m/s]
空気（20℃）	344
水（35℃）	1,520
脂肪	1,476
筋肉	1,540
腎	1,558
脳	1,560
肝	1,570
血液	1,571
脾	1,591
水晶体	1,674
腱	1,750
骨	3,360
超音波（JIS規格）	1,530

keyword
縦波の正弦波表示
縦波（粗密波）の周波数および波長などを論じる場合は便宜上，縦波（図4-1）における粗密の状態変化から図4-2のような正弦波表示（横波表示）にして扱うことがある．

　媒質には，音波が伝わる固有の速度（伝搬速度）がある（表4-1）．超音波検査の対象となる臓器の伝搬速度はそれぞれ異なるが，おおよそ1,500 m/sであるため，超音波診断装置では各臓器の伝搬速度を区別することなく1,530 [m/s] もしくは1,540 [m/s]（メーカーにより設定は異なる）として処理している．厳密には，実際の臓器固有の伝搬速度との差により構築される画像に微小な歪みが生じる可能性はあるが，臨床において診断の妨げになることはない．

2）反射と屈折

　超音波診断装置が画像を構築するうえで，超音波の反射は重要である．反射は異なる媒質（臓器や組織）の接する面（境界面）に垂直に入射することで発生する（図4-3）．実際には，境界面においては反射だけではなく，透過も発生している．反射と透過がどの程度の超音波強度で発生するのかは，隣接する媒質固有の音響インピーダンスの差で決まる（表4-2）．反射は，2つの隣接する媒質（臓器もしくは組織）間の音響インピーダンスの差が大きいと強く発生する．空気や骨は人体の臓器や組織と比較すると音響インピーダンスが大きく異なる．そのため，超音波を気体や骨を通過させて，その先の臓器や組織を観察しようとしても，ほぼすべての超音波が反射してしまい（実際には減衰も起こる），その先の臓器や組織の観察は困難となる．体内では肺内の空気（気体）や消化管内のガスが相当する．そのため，超音波検査において，体内に存在するガスや骨を避けることは鮮明な超音波画像を得るために重要である．

keyword
音響インピーダンス
$Z = \rho c$
で表される媒質固有の値．ここで，
ρ：媒質の密度 [kg/m³]
c：音速 [m/s]
である．

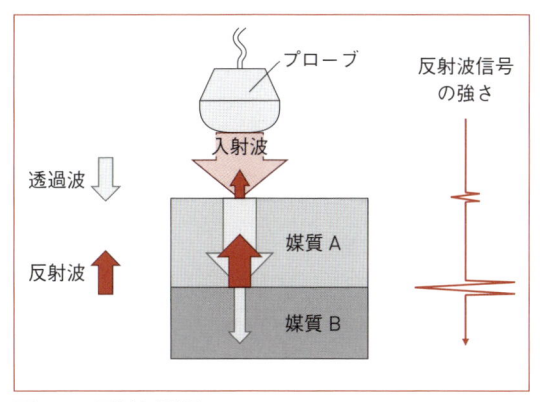

図4-3　反射と透過

表4-2　媒質固有の音響インピーダンスと減衰係数

媒質	音響インピーダンス [× 10⁶ kg/(m²·s)]	減衰係数 [dB/cm]
肺（空気）	0.0004	12.0
脂肪	1.38	0.6
水	1.48	0.002
血液	1.61	0.2
腎	1.62	1.0
肝	1.65	0.9
筋肉	1.70	2.3
骨	7.80	13.0

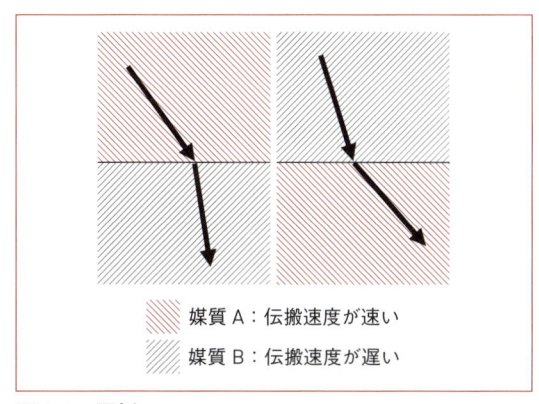

図4-4　屈折

　超音波が異なる媒質の境界面に斜めに入射した場合，超音波の一部は反射して，一部は角度を変えて透過する．角度を変えて透過する現象を屈折という．屈折角は接する媒質の伝搬速度の比によって決まる（図4-4）．

3）減衰

　超音波が媒質中を伝搬していく過程において，音圧が減少していく現象を減衰という．減衰には，拡散，吸収，散乱がある．拡散とは，超音波が媒質を伝搬していくとともに三次元的に広がることで，距離の二乗に反比例して減少する．吸収とは，超音波のエネルギーが熱へと変換されて，伝搬していく過程で媒質に熱として吸収されることである．超音波検査において吸収による減衰はもっとも大きいとされる．散乱とは，超音波がその波長よりも小さい凹凸がある表面に当たったとき，反射波があらゆる方向に散らばり広がることである．

　また，減衰には，媒質（臓器や組織）がもつ固有の減衰係数（組織が超音波を減らしてしまう程度）や，超音波の周波数および超音波の進む

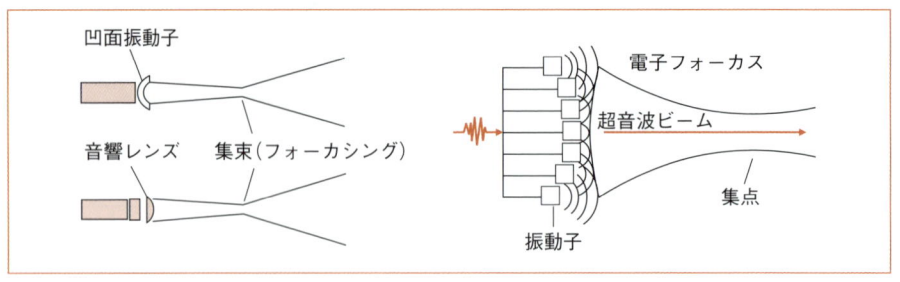

図4-5 超音波のフォーカシング

距離が関係し，周波数が高いほど，そして進む距離が長いほど超音波は減衰する．また，肺内の気体や骨などは超音波検査の対象となる他の臓器に比較して減衰係数が非常に大きいため，超音波のほぼすべてが減衰してしまい，その先へは伝搬する超音波が消失してしまうため，超音波ビームが肺内に存在する気体や骨などに当たらない部位から観察することが大切である．

4）干渉

周波数が同じである複数の音波が媒質中を同時に伝搬した場合，複数の音波の変動が加算された強さになる．この現象を干渉といい，2つの音波が同位相の場合は強くなり，逆位相の場合は2つの音波は打ち消しあう作用により弱くなる．肝臓実質などに微小な高輝度エコー像を描出することがあるが，周囲組織とは伝搬速度の違う微小な範囲が存在することで干渉が起こり，強くなった超音波（反射波）を受信して描出したもので，スペックルノイズといわれる．

5）指向性

近距離音場のように，超音波が広がらずに直進して伝搬することを指向性が良いという．超音波の広がりの角度（θ）と波長（λ）および振動子の直径（D）には $\sin\theta = 1.22\,\lambda/D$ の関係があり，周波数が高いほど指向性は良くなる．遠距離音場では，超音波は球面波として広がって伝搬するために指向性は悪い．超音波診断装置が遠距離音場に存在する反射体からの反射波を受信することがアーチファクトを生じる原因となる．これを防ぐには，対象物に対して超音波を集束（フォーカシング）させるために，プローブの超音波送信面に音響レンズを装着したり，電子フォーカス機能を使用する必要がある（図4-5）．

6）パルス波

(1) パルス波の特性

音波が送信され始めてから終了するまでの音波の幅をパルス幅，先に送信された音波（パルス波）から次に送信される音波（パルス波）まで

---

keyword

音場

音の伝搬する範囲を音場という．
振動子から発射された超音波が平面波として直進する（指向性が良い）範囲を近距離音場という．近距離音場以上の距離は遠距離音場といい，超音波は球面波となり広がって伝搬していく（指向性が悪い）．

keyword

超音波検査で使用する音波

超音波検査で使用する音波には，断続的に音波を送信するパルス波（pulse wave：PW）と，連続的に音波を送信する連続波（continuous wave：CW）とがある．通常はパルス波を使用している（図4-6）．

図4-6 パルス波と連続波

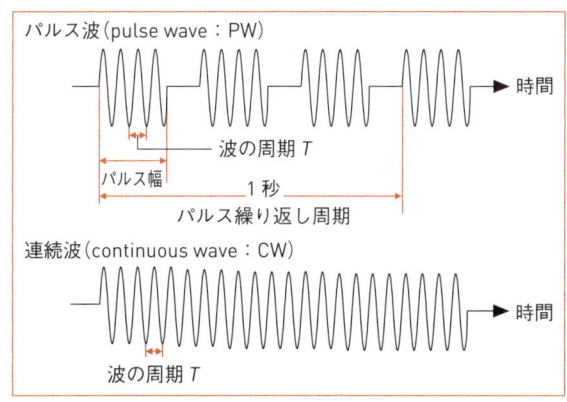

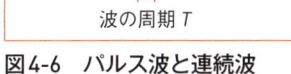

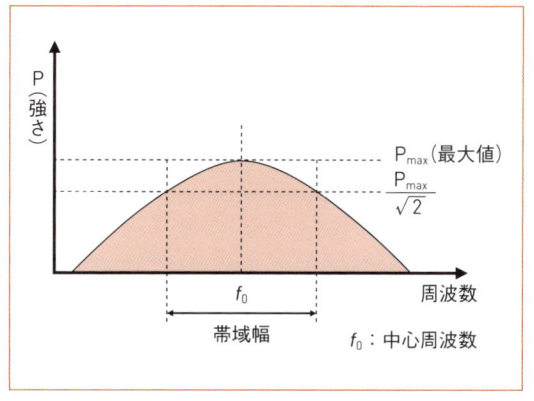

図4-7 パルス波の中心周波数と帯域幅

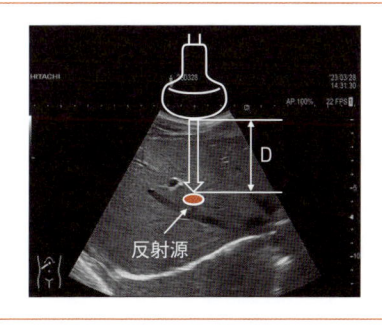

図4-8 パルス波での位置の算出

プローブから発信した超音波が，反射源に反射して時間 t に受信されたとすると，反射源までの深さは，

$$D = \frac{t \times 1,530}{2}$$

となり，プローブから D の地点に表示される．

の時間をパルス間隔，パルス波が1秒間に送信される数をパルス繰り返し周波数（pulse repetition frequency：PRF）という（図4-6）．また，1つのパルス波は，単一の周波数だけではなく，多くの周波数成分を含んでいる．この分布のうちもっとも強度のある周波数が中心周波数であり，最大強度の $\pm 1/\sqrt{2}$ となる周波数の幅を帯域幅という（図4-7）．送信周波数として表記されている周波数は，この中心周波数である．

(2) 距離情報

超音波診断装置は，プローブで音波を送信してから反射波を受信するまでの時間（往復の時間）を測定し，距離情報を算出している（図4-8）．そのため，パルス波の送信と反射波の受信は一対として処理されなければならない．また，PRFが高ければ探索可能な深さは浅く（近く）なり，低ければ深く（遠く）まで探索可能となる（対象物の深度はPRFにより決定）．一方，連続波ではパルス波の送信と反射波の受信が対でないため，受信された反射波がどのタイミングで送信された音波の反射波であるか同定できず，距離情報が算出できない．

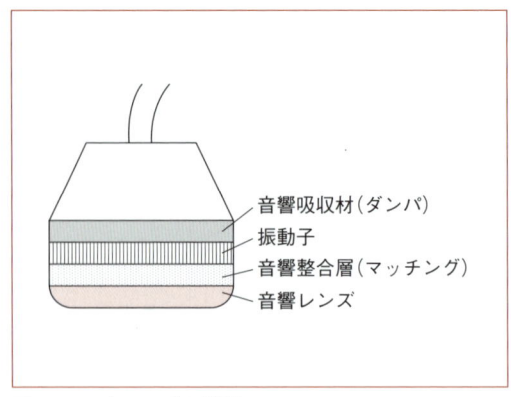

図4-9　プローブの構造

keyword

分解能

2つの反射体が存在したときに，それを識別できる能力を分解能という．非常に接近した2つの反射体を分離して識別できることを分解能が良いという．分解能には，距離分解能や方位分解能などがある．

7) 分解能

(1) 距離分解能

音波の進行方向の分解能を距離分解能という．モニタに表示される縦方向の分解能である．距離分解能には，超音波の周波数およびパルス幅が関係している．周波数が高い（波長が短い）ほど距離分解能は良くなるが，減衰が大きくなるために深部の探索が困難になる．同じ周波数では，パルス幅が短いほど距離分解能は良い．

(2) 方位分解能

音波の進行方向に直交する分解能を方位分解能という．モニタに表示される左右方向（横方向）の分解能である．方位分解能は，送受信される音波のビーム幅と関係している．ビーム幅が小さいほど方位分解能は良いが，ビームの広がりが早くなってしまい，深部（遠位）の方位分解能が悪くなる．

近距離および遠距離音場の両方における方位分解能を良くするために，凹面振動子，音響レンズや電子フォーカスを使用してビームを集束させる工夫がされている（図4-5）．

2. 装置の構成

1) 超音波プローブ（探触子）の構造（図4-9）

(1) 振動子（トランスデューサ）

振動子にパルス電圧が付加されると，圧電効果（ピエゾ電気現象）により振動が起こり音波を発生する．振動子が反射波を受信すると，電気信号に変換されて受信器に送られる．つまり，パルス波の送信と反射波の受信は1つの振動子が担っていることになる．振動子には，圧電セラミックスのジルコン酸チタン酸鉛（PZT）や高分子圧電体のポリフッ化ビニリデン（PVDF）を使用している．

(2) 音響吸収材（ダンパ）

振動子より後方（装置側）に設置され，振動子より後方に送信された

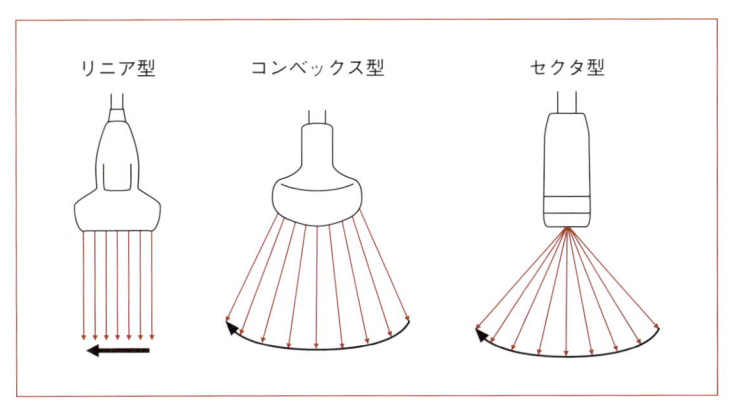

図4-10 プローブの走査方式

音波を吸収する．これにより，振動子より後方に送信された音波の反射を防ぎ，残響時間をおさえてパルス幅を短くし，距離分解能を向上させる．

(3) 音響整合層

振動子と生体の音響インピーダンスの差は大きいため，振動子が直接生体に接した状態で音波を送信してもほぼすべての音波が反射してしまい，生体内へ超音波が入射されない．このため，異なる音響インピーダンスをもつ複数の整合層を段階的に生体の音響インピーダンスに近づくように振動子の前面に設置して，音波を効率よく生体内へ入射させる．

(4) 音響レンズ

プローブの先端に設置されたシリコンゴムで，生体との密着をよくしている．また，音響レンズは凸型をしているため，中央部分と外側を通過する音波に時間差を生じさせて生体内に送信することにより（外側に遅れて中央部分が送信される），音波を集束させる役割を担う．

2) プローブの走査方式

プローブからの超音波ビームを，電子制御により横方向へ移動させながら送受信を行うことを走査という．体外式超音波診断装置のプローブにはおもにリニア型，コンベックス型，セクタ型があり，診断目的や使用部位により使い分けられている（図4-10）．

(1) リニア電子走査

振動子が直線状に配列されており，複数の振動子から同時に平面波を送信して反射波を受信する．この送受信の動作をずらしながら行い，端から端まで完了させて，1枚の断層画像を構築する．この動作を高速で連続的に繰り返して画像をモニタに表示することにより，生体内をリアルタイムに観察することができる．おもに体表臓器や体表近くを走行する血管の観察に使用され，高い周波数が用いられる（5～十数MHz）．

(2) コンベックス電子走査

走査方式はリニア型と原理的に同じであるが，リニア型とは違い人体に接する面が扇状になっており，それに沿って振動子を配列したのがコンベックス型である．人体に接触する面が扇状（凸状）のため，超音波ビームは扇状に広がり，深部ほど広い視野が確保できる．おもに腹部領域で使用されている．

(3) セクタ電子走査

横に配列された振動子に，それぞれ異なる遅延時間を与えることにより，超音波ビームを送信する方向をずらして扇状に送信する．そのため，超音波ビームを送信する面は広くはないが，深部ほど広い視野が確保できる．また，セクタ型は人体への接触部分が少なく，肋間などの狭い部位からの観察に適しているため，おもに循環器領域（心臓超音波検査）で使用される．

3) 受信装置（画質調整装置）

体内に送信された超音波が対象臓器で反射した反射波は，振動子で受信されて電気信号に変換され，受信回路に送られた後，種々の画像処理が画像処理回路で行われモニタに表示される．実際に超音波検査を行う際は，検査する場所の環境（明るさ）にあわせて，操作者（検者）がゲイン，STCおよびダイナミックレンジなどの画質調整を行う．

(1) ゲイン (gain)

体内からの反射波は弱く，受信後に変換される電気信号も小さいため，画像を構築するためには電気信号を増幅する必要がある．この電気信号の増幅度をゲインという．ゲインを高くするとモニタ全体の画面は明るく（白く）なり，低くすると暗く（黒く）なる．一般に，ゲインを高くするとノイズも増幅されるためモニタにノイズが入りやすくなり，ゲインを低くすると弱い信号が表示されなくなる．弱い信号も表示しつつノイズの少ない適正な画像を得るようにゲインを調整する．

(2) STC (sensitivity time control)

生体内を伝搬する超音波は減衰が起こるため，深度によって反射波の強さが異なり，浅い場所からの反射波は強く，深い場所からの反射波は弱くなる．このため，浅い場所は輝度が高く，深い場所は輝度が低い画像が構築されることがある．これを補正するために，それぞれの深度からの電気信号（反射波）の増幅度を調整して，輝度が均一な画像を表示する必要がある．つまり，反射波を受信するまでの時間（深度に相当）に対して，信号の増幅度を変える必要がある．この画質調整機能をSTCという．

(3) ダイナミックレンジ (dynamic range)

超音波画像は，受信した電気信号が強ければ明るい，弱ければ暗い，白黒（グレイスケール）画像で表示される．

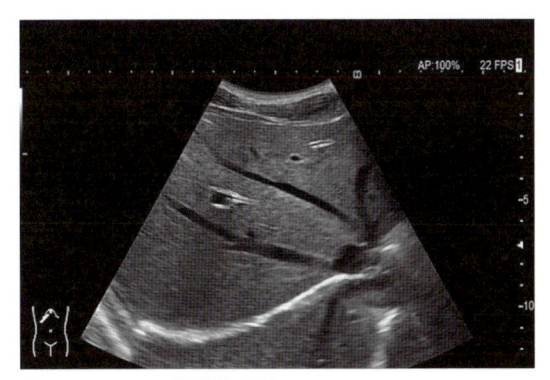

図4-11　Bモード画像表示

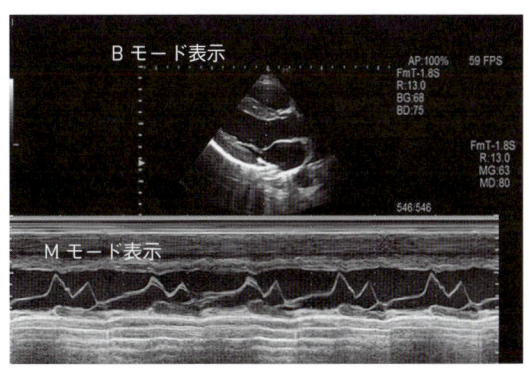

図4-12　Mモード画像表示

　この電気信号の幅をダイナミックレンジという．ダイナミックレンジを広くとる（電気信号をすべて使用して画像を構築する）とコントラストの少ない画像となり，狭くとる（電気信号の一部のみ使用して画像を構築する）とコントラストのはっきりした粗い画像となる．

3. 表示方法

1) Bモード（brightness mode）

　対象臓器（反射体）からの反射波の強さを明るさ（輝度）として表示する方法である．反射波信号の強いものは明るく，弱いものは暗く表示される（図4-11）．
　超音波ビームの送信を横方向へ高速に移動（走査）を繰り返して画像を構築することにより，リアルタイムでの観察が可能となる．超音波検査の基本となる画像である．

2) Mモード（motion mode）

　Bモードと同様に反射波信号の強さを輝度として表示するが，振動子を横方向に移動（走査）せず，1本の超音波ビーム上の輝度を対象にして，その輝度の時間的な位置変化を表示する方法である．常に動いている心臓の弁などの時間的変化を評価する際に使用される（図4-12）．

3) パルスドプラ法

(1) ドプラ効果

　発信した超音波が近づいてくる物体に反射した反射波の周波数は高く，遠ざかる物体に反射した周波数は低くなる現象をドプラ効果という（図4-13）．

(2) ドプラ法の原理

　超音波を血管に送信すると，血管内を流れる血球成分（赤血球や白血球など）からの反射波には，ドプラ効果により送信周波数とは異なった周波数が測定される（ドプラ偏移）（図4-14）．このドプラ偏移を利用

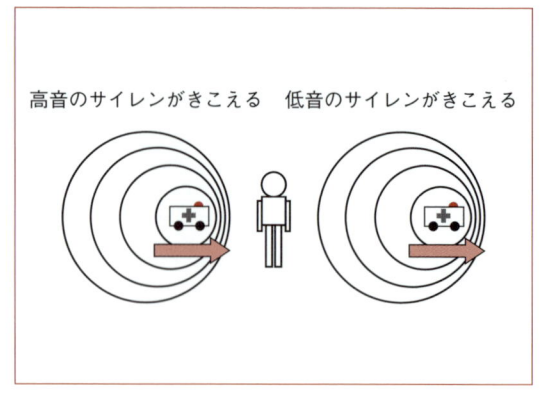

図4-13　ドプラ効果

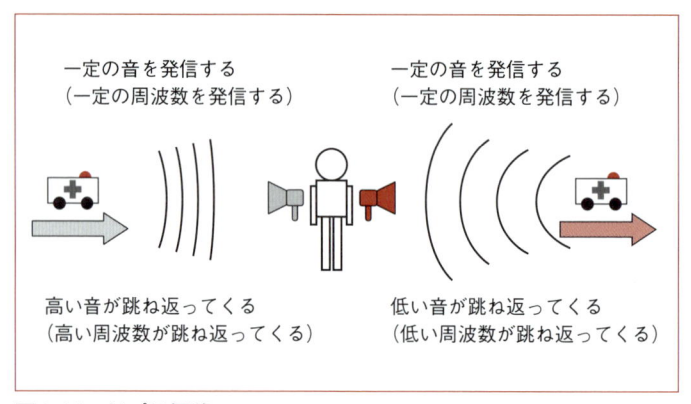

図4-14　ドプラ偏移

して，血液の流れの情報（血流速度や血流方向）を知る方法をドプラ法という．

振動子からの発信周波数 f，ドプラ偏位 Δf，血流速度 v，生体内の超音波の伝搬速度 c（＝1,530 m/s）および超音波ビームと血管のなす角度 θ には，

$$v \fallingdotseq c \times \Delta f / 2f \cdot \cos \theta$$

の関係がある．したがって，血管に垂直に超音波ビームが当たった領域の血流は測定できない（$\cos 90° = 0$）．また，血管と超音波ビームのなす角度は60°より大きくなると誤差が大きくなるため，通常は60°以下で超音波ビームを入射して測定する（図4-15）．

パルスドプラ法では，超音波を発信してから反射波を受信するまでの時間の情報を得ることで，反射体の位置（深さ）を知ることができる．反対に，目的とする対象物の部位の深さ（D）が既知であれば，超音波の伝搬速度（c：1,530 m/s）より，超音波を送信してから反射波を受信するまでの時間を特定できる（＝$2D/c$ 秒）．さらに，受信した反射波の周波数のドプラ偏移を測定することで，任意の深さにおける血流速度を知ることができる．

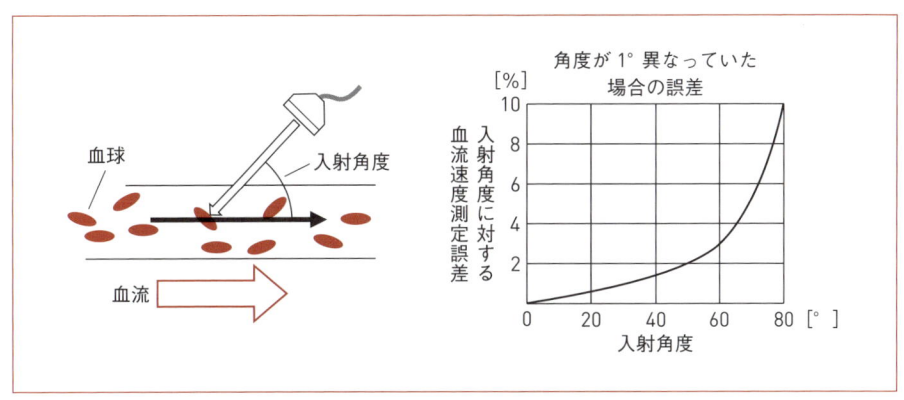

図4-15　血流と超音波ビームの入射角度による血流速度測定誤差

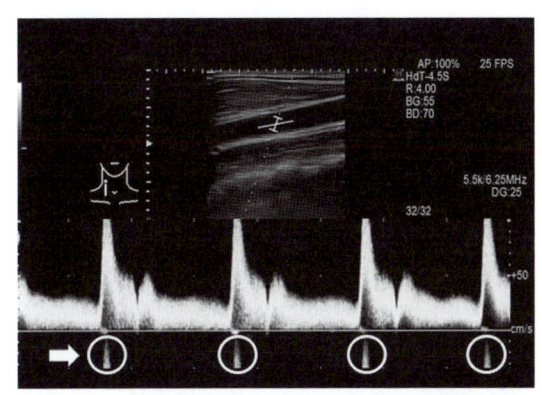

図4-16　パルスドプラ法における折り返し現象（エイリアシング）

　また，測定可能なドプラ偏位周波数Δfには制限があり，$-\mathrm{PRF}/2 \leq \Delta f \leq \mathrm{PRF}/2$（ナイキスト周波数）をこえる周波数は逆向きの血流として処理されてモニタに表示されてしまう折り返し現象（aliasing，エイリアシング）が起こる（図4-16）．パルスドプラ法の測定可能血流速度（$V_{\max}$）は，

$$V_{\max} = \pm \frac{c \times \mathrm{PRF}}{4f \cdot \cos \theta}$$

で表される．測定可能血流速度を大きくするには，PRFを高くする方法があるが，最大測定可能深度は浅くなる．他の方法として，基線を上下に移動することにより（ゼロシフト），折り返し現象が起こった範囲の血流速度から測定対象とした血流速度を推測することができる．

4) 連続波ドプラ法

　連続波ドプラ法も，ドプラ偏移から血流速度を測定する方法である．しかし，パルス波を使用しないため，パルスドプラのようなPRFによる測定可能血流速度の制限を受けず，高速血流の測定が可能となる．連続波ドプラ法では，連続的に送信した音波と反射波が対応していない

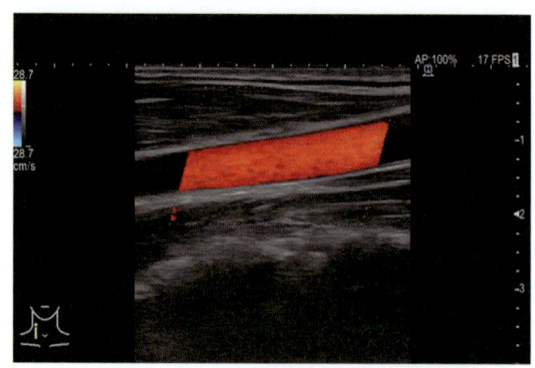

図4-17 カラードプラ法の超音波画像（総頸動脈）

め，送信から受信までの時間情報を得ることができない．つまり，反射体の位置情報を得ることができず，超音波ビーム上のすべてのドプラ偏移を測定し速度を算出していることになるため，有意な高速血流を得られたとしても，高速血流が発生している正確な部位は特定できない．

5) カラードプラ法（カラーフローマッピング法）

パルスドプラ法を用い，測定対象とする領域内（関心領域，region of interest：ROI）に多数のサンプルボリュームを設定し，得られたドプラ偏移の情報を速度波形としてではなく色としてリアルタイムに表示する方法である．通常，カラードプラ法ではプローブ（ビーム送信源）に向かう血流を赤に，遠ざかる血流を青に表示する．また，血流速度についても明暗で表示している（図4-17）．

6) パワードプラ法

パワードプラ法も血流情報を色として表示する方法であるが，パルスドプラ法とは違い，血流方向や速度情報は表示せず，反射波のドプラ偏移情報（強さ）のみを単一の色で表示する．パワードプラ法では，ドプラ偏移周波数による血流方向や速度は処理対象ではなく，ドプラ偏移の有無のみを処理するため，角度依存性が少なく，超音波ビームとの角度が直角に近い血流でも表示できる．カラードプラ法でとらえられない低流速血流の検出感度が高い．

4. アーチファクト

反射波を受信した後，信号処理の際に発生したデータのエラーや信号の歪みなどにより，本来の超音波画像（実像）ではない虚像や画像の歪みが描出されることがある．これをアーチファクトという．

アーチファクトは，誤診や所見の見落としの原因となるが，正しい知識により対策を講じることができる．また，病変に特徴的なアーチファクトの像を呈する場合は，診断に有用な所見となる．

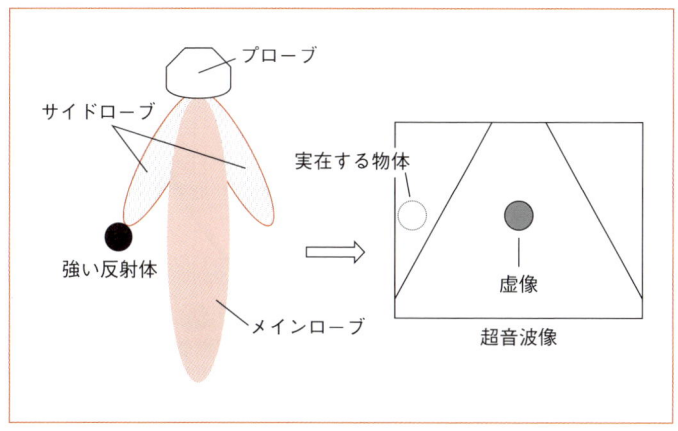

図4-18　サイドローブアーチファクト

1) サイドローブアーチファクト

　超音波ビームは，プローブと直角方向のメインローブと，メインローブから漏れ出るように斜めに送信されるサイドローブからなる．通常，サイドローブはメインローブの1/10程度の強さであるため問題にはならないが，サイドローブ方向に強い反射体があり，反射波が発生すると，メインローブ方向からの反射として処理され虚像をモニタ上に表示してしまい，診断の妨げになることがある（図4-18）．サイドローブアーチファクトを疑う場合は，複数の部位（方向）から超音波を入射させることで対策できる．

2) 多重反射

　プローブから送信された超音波は，生体内の強い反射体で反射し，反射波がプローブに戻ってくる．しかし，その一部がプローブで反射してまた生体内に入射し，同じ反射体で再度反射が起こる．これを繰り返すことにより，実際の反射体の後方にプローブと反射体の距離の整数倍の位置に虚像が現れる．これを多重反射という（図4-19）．

3) 鏡面現象（ミラーイメージ）

　とくに，横隔膜近傍に病変があるとき，強い反射体である横隔膜で超音波が反射した後，病変に反射して生じた反射波が往路と同じ経路でプローブに戻ってきた場合，横隔膜を挟んで病変と反対側（横隔膜の胸腔側）に虚像が描出されることがある．これを鏡面現象という（図4-20）．

4) レンズ効果

　目的臓器に超音波を送信したとき，プローブと目的臓器の間に伝搬速度の違う臓器が存在する場合，そこで屈折が生じ，目的物が二重に表示

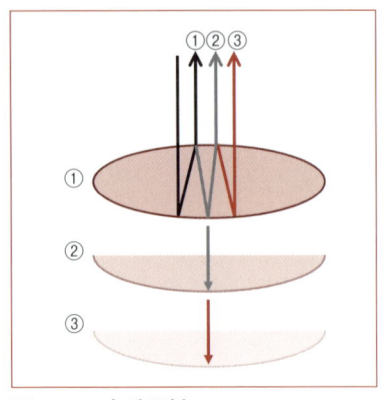

図4-19　多重反射

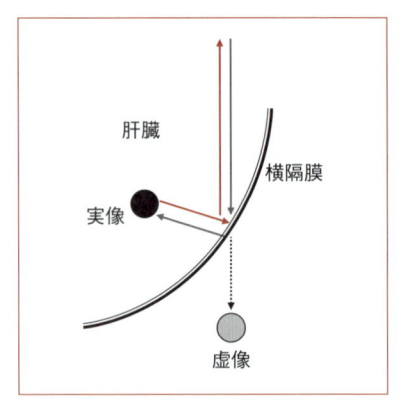

図4-20　鏡面現象（ミラーイメージ）

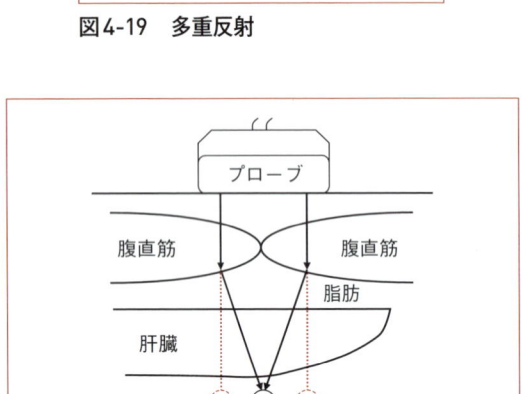

図4-21　レンズ効果

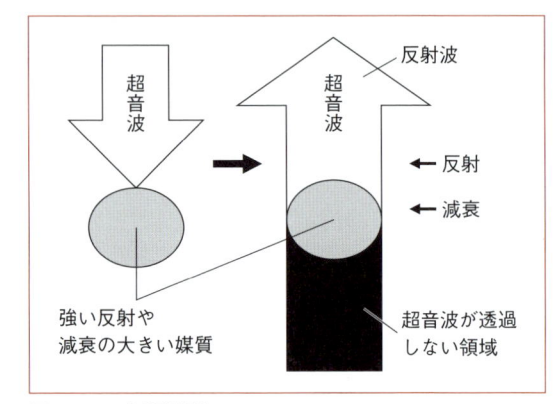

図4-22　音響陰影
強い反射や減衰の大きい媒質（臓器や組織）があると，その後方へは超音波が透過しないため反射が生じず，モニタ上には黒い影のように表示される．

されることがある．これをレンズ効果という（図4-21）．複数の部位（方向）から超音波を入射させることで対策できる．

5）音響陰影

　超音波を強く反射する反射体や減衰の大きい媒質があると，超音波はその後方へは透過しないため，反射自体が生じず，モニタ上には黒い影のように表示される．これを音響陰影という（図4-22）．結石および骨などが原因で発生する．結石の診断に有用である．

6）外側陰影（側方陰影）

　肝細胞癌などのように，皮膜を形成し，辺縁が平滑で球状の腫瘤に超音波を当てると，その辺縁部側面と周囲組織の音速の差で屈折が起こる．腫瘤内の音速がより速い場合，外側に屈折が起こり，辺縁側面直下を直進する超音波の密度が小さくなると，周辺組織に比較して反射波が相対的に弱くなることでモニタ上には黒い影のように表示される．これを外

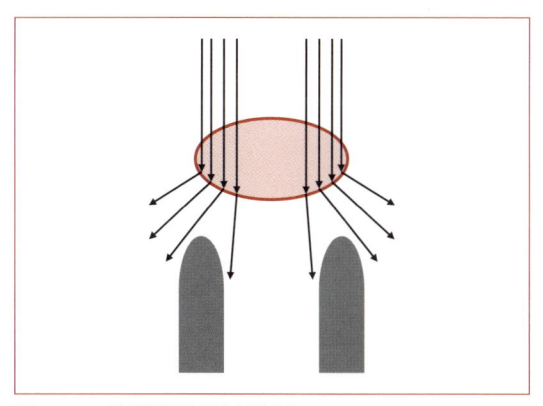

図 4-23 外側陰影（側方陰影）
腫瘤の表面で超音波の屈折が起こると，その後方で周辺組織に比較して相対的に超音波が弱くなった領域が生じる．

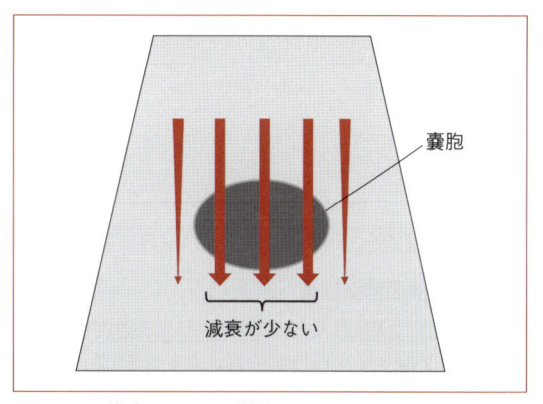

図 4-24 後方エコーの増強
囊胞内は液体（体液）で満たされているため，囊胞内を通過する超音波の減衰は周囲と比べ非常に少ない．

側（側方）陰影という（図 4-23）．

7）後方エコー増強

　超音波診断装置では，深度による明るさを一定にするため，自動的に STC 機能で深くなるほど感度が上がるように設定されている．超音波が囊胞などの液体部分を通過するとき，周囲の組織と比べて減衰は非常に少ないので，囊胞を通過後の超音波はその周囲と比べて相対的に強いため，反射波も相対的に強くなる．そのため，モニタに表示される超音波画像は，その部分が明るく表示される．これを後方エコー増強という（図 4-24）．後方エコーの増強は，囊胞性病変の診断に有用である．また，内部構造の非常に均一な腫瘍（たとえば悪性リンパ腫など）も減衰が少ないため，後方エコーの増強がみられる場合がある．

5. 超音波検査の対象

　超音波検査の対象臓器は多岐にわたる．（経皮的）観察部位とおもな対象臓器を以下に示す．
　上腹部：肝臓，胆囊，膵臓，脾臓，腎臓，腹部大動脈など．
　骨盤内腔：子宮，卵巣，前立腺，膀胱など．
　心臓：心室壁（左室，右室），心室中隔，房室弁（僧帽弁，三尖弁），動脈弁（大動脈弁，肺動脈弁）の動き．収縮能や拡張能の計測など．
　体表臓器：甲状腺，乳腺など．

> **Tips**

上腹部超音波検査の走査部位と観察される臓器

1）上腹部超音波検査（図4-25）

上腹部超音波検査のおもな走査には，心窩部縦走査，心窩部横走査，左肋骨弓下走査，右肋骨弓下走査，右肋間走査，右側腹部縦（斜）走査，左側腹部縦（斜）走査などがある．

（1）心窩部縦走査

観察するおもな臓器：肝臓，膵臓，腹部大動脈．

肝臓，膵臓および腹部大動脈が観察しやすい走査法である．消化管ガスが多いと観察不良になる．とくに，膵臓の前面には胃が位置することが多く，胃に食物残渣やガスなどがあると，膵臓の描出が困難になるため脱気水を飲ませ，胃を膨らませてエコーウインドウとすると観察しやすくなる場合がある．また，半坐位などの体位変換が有用になる．腹部大動脈は肝臓背側から総腸骨動脈の分岐部付近まで観察することにより，腹部大動脈瘤の有無が確認できる．

（2）心窩部横走査

観察するおもな臓器：膵臓，肝臓．

肝臓の背側に，膵臓が"への字型"に長軸像として観察できる．膵臓の背側には脾静脈が並走している．膵臓は頭部，体部，尾部に3等分される．膵臓は消化管ガスの影響で観察困難な場合があるため，プローブを膵尾部の傾きに合わせることなどが必要となる．また，肝臓は心窩部横走査でプローブを上方向へ傾けることで，門脈臍部を中心に内側区，尾状葉，外側区などを観察する．

（3）左肋骨弓下走査

観察するおもな臓器：肝左葉．

左肋骨弓下では，おもに肝臓の門脈臍部から肝左葉を観察する．扇動走査を行い，くまなく観察することが大切である．門脈や管内胆管の拡張の有無などについても観察する．

（4）右肋骨弓下走査

観察するおもな臓器：肝右葉，胆囊．

肝右葉は肝臓の大部分を占めるため，見落としがないようにくまなく観察する．そのためには呼吸コントロール（腹式呼吸，吸気位）やプローブ走査が大切になる．とくに，肝臓の右前上区域（S8区域）は死角となりやすいため，プローブを上に十分に傾けて，肝臓を下から上に見上げるように観察するとよい．胆囊は，右肋骨弓下走査の他，肋骨弓下での縦走査を行うことで，2方向からの観察および門脈本管とそれに並行して総胆管の観察ができる．消化管ガスで右肋骨弓下走査での観察が不良な場合は，対象部位の右肋間走査での観察を試みる．

（5）右肋間走査

観察するおもな臓器：肝右葉，胆囊．

右肋間走査で十分な視野を確保するためには，プローブを肋間に当てることが大切である．その際，プローブで肋骨を押してしまうと患者に痛みを与えるため注意する．また，この部位は呼吸の影響（上下移動）を受けやすいが，肺直下のため吸気位で臓器が観察しにくい場合は，呼気位での観察を試みる．右肋間走査は消化管ガスの影響を受けにくいため，右肋骨弓下走査では消化管ガスのため観察できない部位も観察できることがある．胆囊は肝臓をエコーウインドウとして観察できるため，胆囊壁がよく描出され，壁厚が評価しやすい．

（6）右側腹部縦（斜）走査

観察するおもな臓器：右腎臓，肝右葉．

腎臓は後腹膜臓器であるため，腹部前側から観察しようとすると，消化管を経由して腎臓へ超音波ビームを当てることになり，消化管ガスにより観察困難となる．そのため，消化管を避けて右側腹から観察する．右側腹から背側へプローブを傾けることで，容易に腎臓を描出することができる．

（7）左側腹部縦（斜）走査

観察するおもな臓器：左腎臓，脾臓．

左側腹にプローブを当てて背側へ傾けると，腎臓が描出できる．脾臓を観察する場合は，腎臓が描出できた走査部位から1～2肋間ほど上へプローブを移動させる．

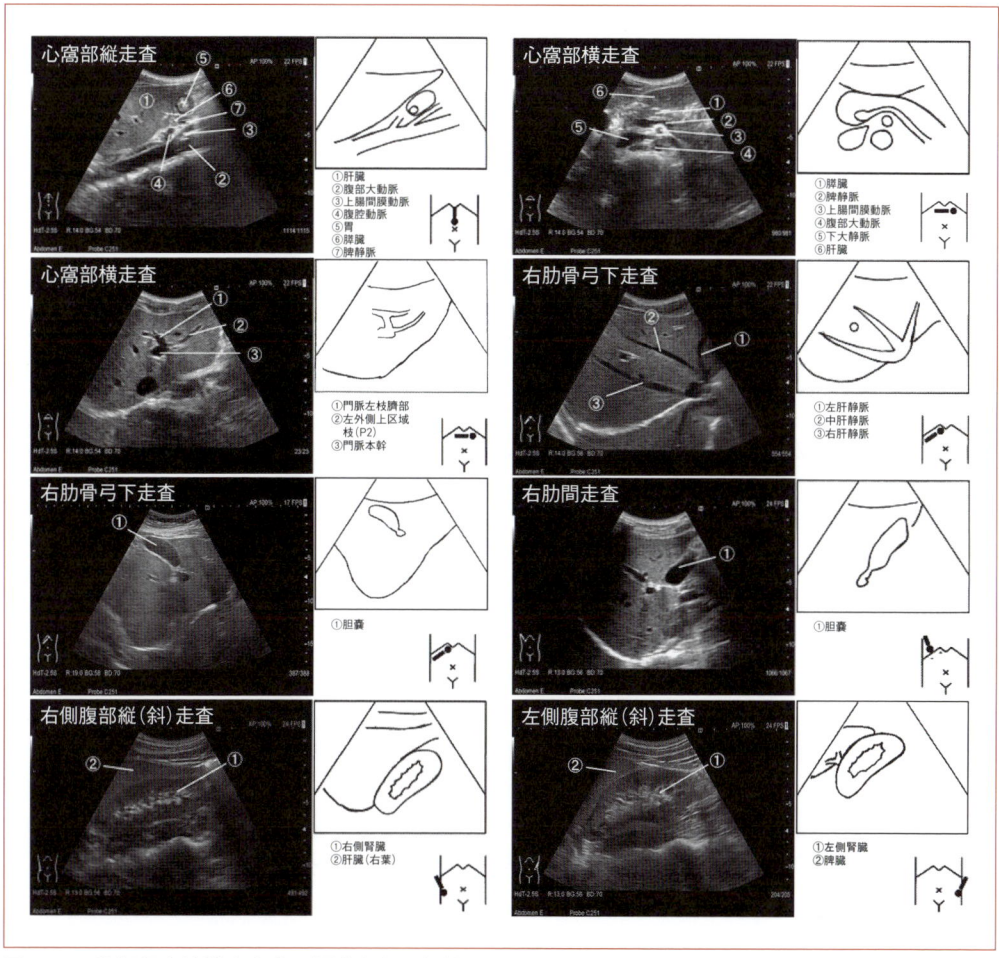

図4-25 腹部超音波検査走査で観察される部位

2 X線による画像計測

1. 放射線と医学
1) 放射線の発見

　1895年11月8日，ドイツのウィルヘルム・コンラッド・レントゲンが，放電管を用いて陰極線の実験中に未知のエネルギー線を偶然発見した．このエネルギー線はX線と名づけられ，多くの科学者の研究対象となった．X線研究は後に飛躍的な発展を遂げ，画像診断や放射線治療などに用いられ，X線なくして医学なしといわれるまでになっている．本項では，X線の画像診断を中心に述べる．

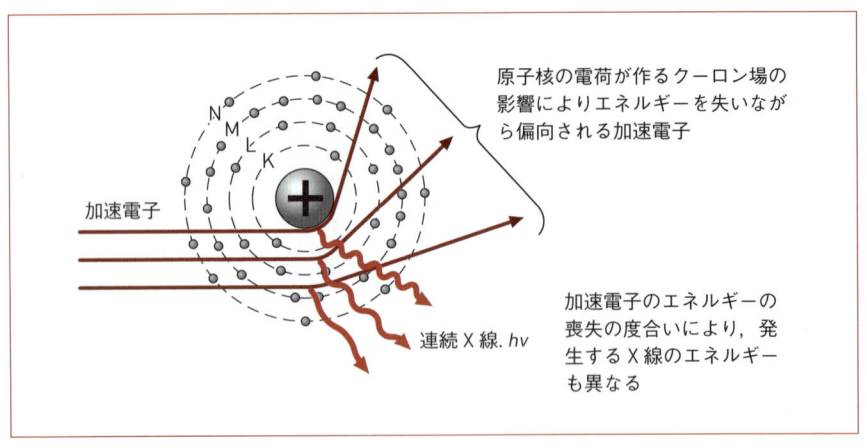

図4-26 X線の発生原理

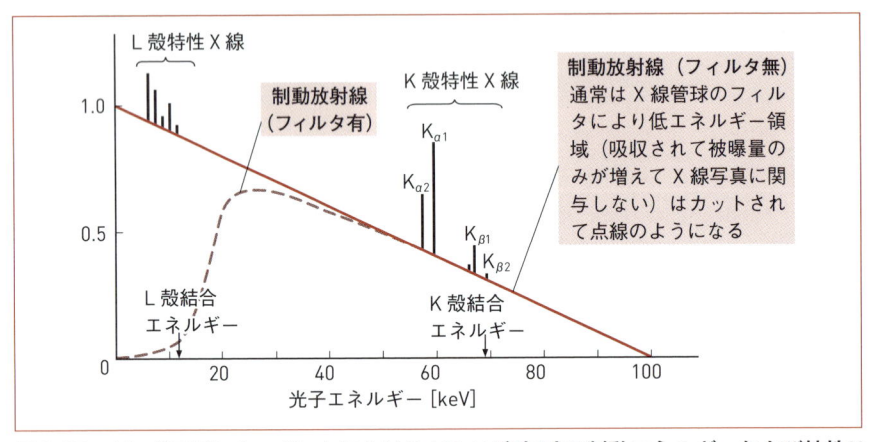

図4-27 タングステンターゲットにおける100 kV印加時の制動エネルギーおよび特性X線の分布状況

2) 放射線の発生

X線管は，電子と物質との相互作用によって人工的にX線を発生させる（図4-26）．陰極にて発生した電子は原子核のクーロン場によってエネルギーを失いながら（減速），その電子の失ったエネルギーと等しいX線を放出する．このX線を制動放射線，阻止X線，白色X線という．加速電子は相互作用を起こすクーロン場の強さにより減弱度合いが異なる．発生するX線のエネルギーも単一でなく連続的なエネルギー分布を示すことから，連続X線ともいわれている．制動放射線のエネルギー分布状況を図4-27に示す．

3) 放射線の特性

放射線と可視光との違いは，基本的にそのエネルギーおよび波長である．電磁波である放射線には以下のような特性がある．
①電離作用：放射線が物質を通過する際，その放射線自らもしくは生

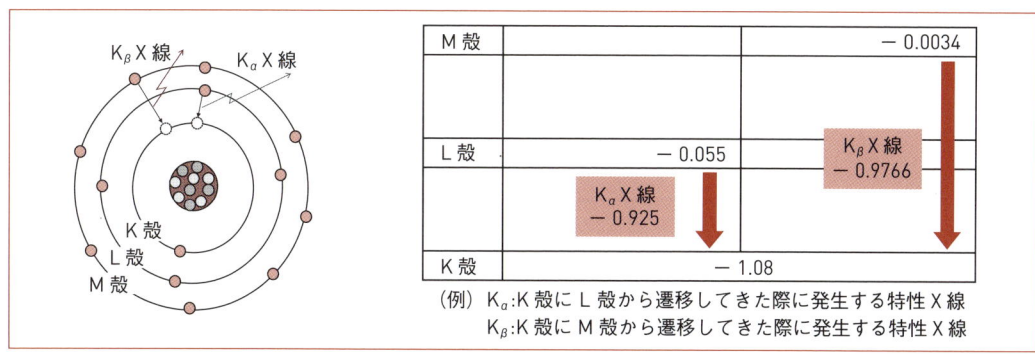

図4-28 特性X線のエネルギー

　成した粒子により物質を電離させる．前者を直接電離性放射線（荷電粒子線：α線，β線，電子線など），後者を間接電離性放射線（非荷電粒子線：X線，γ線，中性子線など）という（図4-29）．

②生物学的作用：放射線のエネルギーが物質に伝搬されるとラジカル（遊離基）が生成され，他の分子と反応し化学変化を起こさせる．生体内では，生体高分子（DNA, RNAなど）と作用し細胞に障害を与える．

③物質透過作用：放射線は，さまざまな物体に対して通常の光（可視光，赤外光など）と比較し強い透過力をもつ．この透過量の差を収集し，医療画像の基礎データとする．とくに，X線管球に印加する管電圧が高くなればなるほど波長は短くなり，そのエネルギーは向上し透過力は高くなる．一般に，波長の短い，高い透過力をもつX線を硬X線，波長の長い，透過力の低いX線を軟X線と表現する．

④写真感光作用：放射線は通常の光と同様に，写真感光材料を感光させる作用をもつ．しかし，放射線は③で述べた物質透過作用が高すぎるため，そのエネルギーを十分に写真の感光材料に付与できず効率が悪い．

⑤蛍光作用：物質に入射した放射線は，物質を通過する際，そのエネルギーを物質に付与し，ルミネセンス現象で可視光ないし近紫外光を発光する．この現象はX線の可視像化，写真化などに関係がある．

Tips 特性X線

　制動放射線の発生過程において，加速電子の衝突によって軌道電子が電離され，その空位を外殻の軌道電子が遷移することにより埋められる事象が発生する．軌道電子は原子核との相互作用に反するだけのエネルギーをもっており，核種・軌道電子殻により固有である．したがって，軌道電子が遷移する際，そのエネルギーレベルの差を電磁波の形で放出する．この電磁波を特性X線といい，単一エネルギーである．軌道電子のエネルギー準位および発生する特性X線の例を図4-28に示す．

X線による画像計測　217

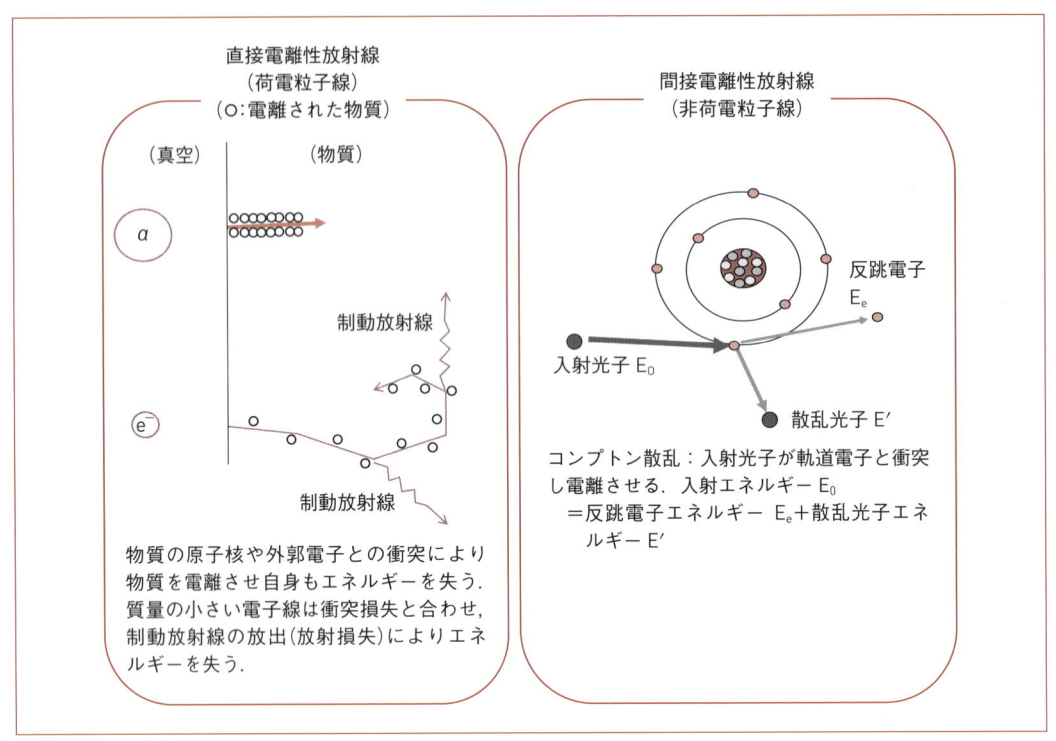

図4-29　放射線と物質との相互作用

現在の写真の低線量化，診断機器の進歩はこの作用がかかわっていることが多い．

2. X線発生回路

X線装置の発生回路は，X線を発生させるもっとも基本的なユニットである．X線そのものを発生させるX線管球をはじめ電源の供給，高電圧の発生，発生時間やX線エネルギーの制御等の機能を有し，効率的かつ高い精度でのX線の発生を可能とすべくさまざまな方式がある（図4-30）．

1）X線管球

X線管球はその構造を開発したクーリッジの名をとり，クーリッジ管（Coolidge tube）ともいわれている（図4-31）．10^{-6} mmHg程度の真空を保った真空管の中に，陽極と陰極を封入している．真空度が低いと封入ガスと発生した熱電子が相互作用を起こして，発生するX線の出力低下を引き起こす要因となる．

陽極は，熱電子と相互作用を起こすターゲットに耐熱性の高いタングステン（融点は3,410℃）をおもに用いるが，軟部撮影用X線管球にはモリブデンを用いている．

陰極は，フィラメントにタングステン，発生した熱電子を効率的にター

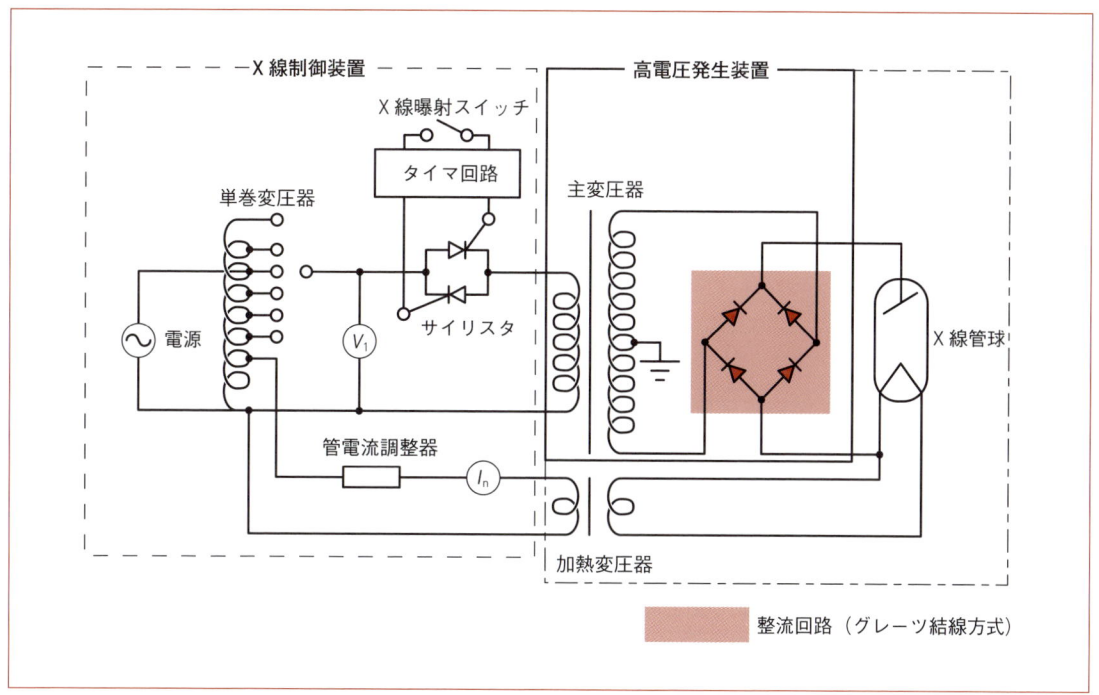

図4-30　X線発生装置の構成（単相全波整流方式）

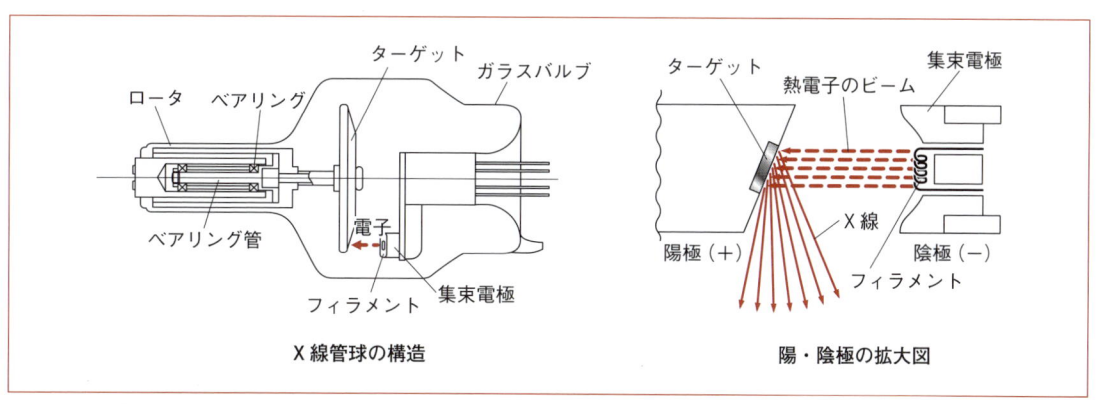

図4-31　回転陽極X線管球の構造

ゲットに導くための集束電極がある．X線管球が，熱電子とターゲットとの相互作用によってX線を発生させる際，変換される効率は1%以下であり，その他のエネルギーは熱へと変わる．発生するこの熱がもっとも問題であり，以下のような対策が施されている．

①ターゲットおよび陰極に融解温度の高いタングステンを用いる．
②長時間出力や大出力が必要な管球はターゲットに大きな負担がかかるため，回転陽極構造を用いてターゲットに発生する熱を分散させる．
③ターゲットに発生する熱を効率的に放散させるために，熱伝導率の高い銅を用いる．

表4-3 整流方式とリップル率

発生効率	整流方式	管電圧リップル百分率
高	インバータ方式	1～3%
↑	3相12ピーク方式	3.4%
↓	3相6ピーク方式	13.4%
低	単相全波整流方式	100%

④管球全体を冷却する方式には，空冷式，油浸式および水冷式がある．
⑤陽極熱容量を増やすためのモリブデンやグラファイトなどが用いられている．

2）X線制御部

撮影を行う部位に応じたX線の線質を決定するための電圧設定や電流，発生時間などを制御している．とくに，曝射時間制御のためのIGBT（絶縁ゲート形バイポーラトランジスタ）を用いたスイッチング素子の開発は，インバータ装置の高精度制御に大きく寄与している．

⑴ 高電圧発生部

機器に供給される電源電圧は，一般施設で商用（単相）100 Vから3相400 Vと多岐にわたる．この電源をX線管球に供給するのだが，2極管であるX線管に交流を印加すると逆電圧時X線は発生せず，大きな負荷をかけるため，X線発生効率を高め逆電圧からの負荷低減のため整流を行っている．整流器は自己整流を除き，シリコン整流素子を幾段にも接続し，高電圧に対応している．

一般に，電圧の平滑化の度合いはリップル率として次式により求められる．

医用電子工学第2版 第3章 整流平滑回路 (p.25～27) も参照．

$$リップル率 = \frac{交流成分 V_{AC} の実効値}{直流成分 V_{DC}} \times 100 \, [\%]$$

X線発生装置に用いられる整流方式の各リップル率について表4-3に表す．発生効率の順に並べると，自己整流（単相半波整流），単相全波整流（グレーツ結線），3相全波整流（6ピーク，12ピーク），インバータといった方式がある．3相全波整流方式は大きな出力が得られる反面，装置が大型化し，コストもかかるため現在は生産されなくなり，インバータ式にとってかわった．

3）保守・安全管理

X線装置は50 kV以上の電圧を発生させることから，絶縁・設置状態の故障があると容易に使用者や患者が感電するという重大な事故をもたらす．こういった電気的事故の前触れとして，高電圧ケーブルの被覆部や接続部の異常，高電圧印加時の異音，異臭といった兆候が現れるので，

使用前・中・後点検を実施して早期に発見し，事故を防ぐ必要がある．

3. アナログX線写真

　生体の計測を行う際，生体表面から放出される赤外線を画像化するサーモグラフのような機材を除き，通常，エネルギーを生体に印加し検出することによりデータを得る．X線写真についても同様で，エネルギー（X線）を印加し，X線フィルムなどによってX線を検出している．ここでは，もっとも基本的なアナログ写真について述べる．

1) X線フィルム

　X線フィルムは一般のフィルムと同様に，感光乳剤とそれを保持する支持体からなっている．主たる感光物質として，ハロゲン化銀であるヨウ臭化銀（AgBr・I）や臭化銀（AgBr）が感度の面から用いられている．感光材料の粒子の大きさでその感度が変わり，粒子が大きいほど感度は高くなる．しかし，解像度（いかに微細なものを表現しうるかの指標）が低下する．

　X線照射後のフィルムは，乳剤面に現像核をもつハロゲン化銀が潜像（写真の黒化の基）を作っているにすぎず，現像液（ハイドロキノール，メトールなど）による化学的工程を経て，電荷的に中和されて黒色の金属銀像，X線写真が形成される．

2) 増感紙

　増感紙は，放射線の蛍光作用を利用し，X線フィルムを感光させる役割をもつ．X線に対しての吸収・発光効率が高く，これによりX線の照射量を大幅に減少させることができ，被曝線量の低減，動きによるボケの低下，X線写真のコントラストを向上させる．材質としては，蛍光時に発光する光のスペクトル（色）の差により，タングステン酸カルシウム（$CaWO_4$）や，希土類蛍光体（Y, La, Eu, Gd, Tb）の化合物がある．

3) カセッテ

　外力および可視光によるフィルムの感光を保護するための撮影用器具である．アルミニウムやカーボンといった，軽量，低X線吸収，耐久性に優れた材質を採用している．また，内部にはクッション材とともに増感紙が固定されており，挿入されたフィルムを挟み込むようになっている．

4. デジタルX線写真

　デジタル画像は，患者の被曝低減が可能で，診断情報が豊富，ダイナミックレンジが広く，画像処理・保存・再生が容易で画質劣化がないと

いった利点から，現在の主流となった．

　昨今のIT化により，各種撮影機器からの画像の配信・保存が行われるようになったが，データのフォーマットや通信形式が機器メーカにより異なり問題となった．このことから共通規格の必要性が高まり，DICOM（ver3.0）が制定された．

　また，画像の保存などについては，取り扱うデータの特異性から法規的に，①真正性の確保，②見読性の確保，③保存性の確保がうたわれており，これらの項目に準拠する規格以外での画像保存を認めていない．DICOMは，画像に付随して患者情報（ID，性別，生年月日など）などを取り扱うため，この規格に適合しており，現在の主流となっている．

1) デジタル画像の区分

(1) DR (digital radiography)

　放射線検出器で得たX線信号をデジタルに変換し，コンピュータを使って各種画像処理を行う技術の総称である．I/I－TV系，X線CT，イメージングプレート，FPDなどがこの分野に入る．

(2) CR (computed radiography)

　輝尽性蛍光体よりなるイメージングプレートをX線検出器とし，画像読取装置を用いて検出，デジタル信号に変換する．

(3) DF (digital fluorography)

　X線検出器から得られた出力画像信号をTVカメラなどでデジタル変換を行い，リアルタイムに画像処理を行って透視画像を描出する技術である．

(4) DA (digital angiography)

　DFと同様の処理を行い，血管像を描出する画像をいう．

2) 検出機能

(1) CRシステム

　CRシステムに用いられるIP（イメージングプレート）は，被写体を透過してくるX線エネルギーをBaF（Br, I）：Eu^{2+}（X：ハロゲン）を主原料とする輝尽性蛍光体に蓄積する（一次励起：X線情報がメモリされた状態）．この励起状態の蛍光体に読取装置で約600 nmのHe-Ne

keyword
DICOM
digital imaging and communication in medicine.
医療画像は，医療法第21条，第22条および第22条の2に規定されている診療に関する諸記録に該当する．
保存に関しては，「診療録等の電子媒体による保存について」（平成11年4月22日付の厚労省3局長連名通知）により定められている．

keyword
輝尽性蛍光体
X線や電子線，紫外線などにより励起させた蛍光体に対して，励起させた波長より長波長の光を照射することで，入射した励起光に比例した発光を生じる物質．

keyword
BaFBr：Eu^{2+}
開発初期の輝尽性蛍光体．

keyword
BaFI：Eu^{2+}
X線吸収の大きいヨウ素を含有することにより，Brを含有する輝尽性蛍光体と比較し高感度，高解像度を実現した．

Tips　放射線介在治療 (interventional radiology：IVR)

　X線装置は元来検査機器であった．しかし，昨今の各種治療器材の技術向上により，X線装置，とくに透視装置を用いながら治療を行っている．心血管を含む循環器系の治療器材は，血管を膨らませ径を確保するためのバルーンや金属のメッシュのステント，不整脈治療用のアブレーションカテーテルなど多岐にわたり，治療域が目覚ましく拡大している分野である．

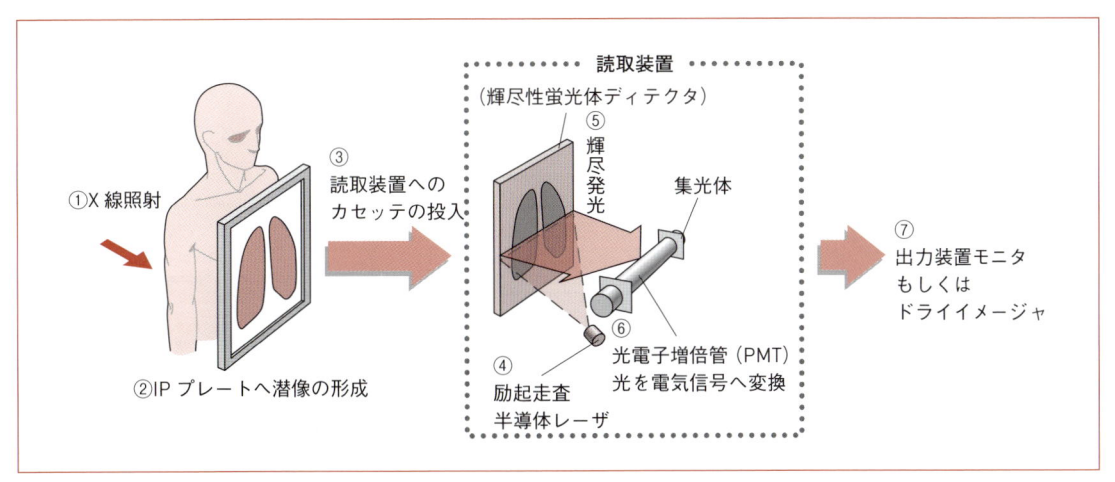

図4-32 CRシステムの概要

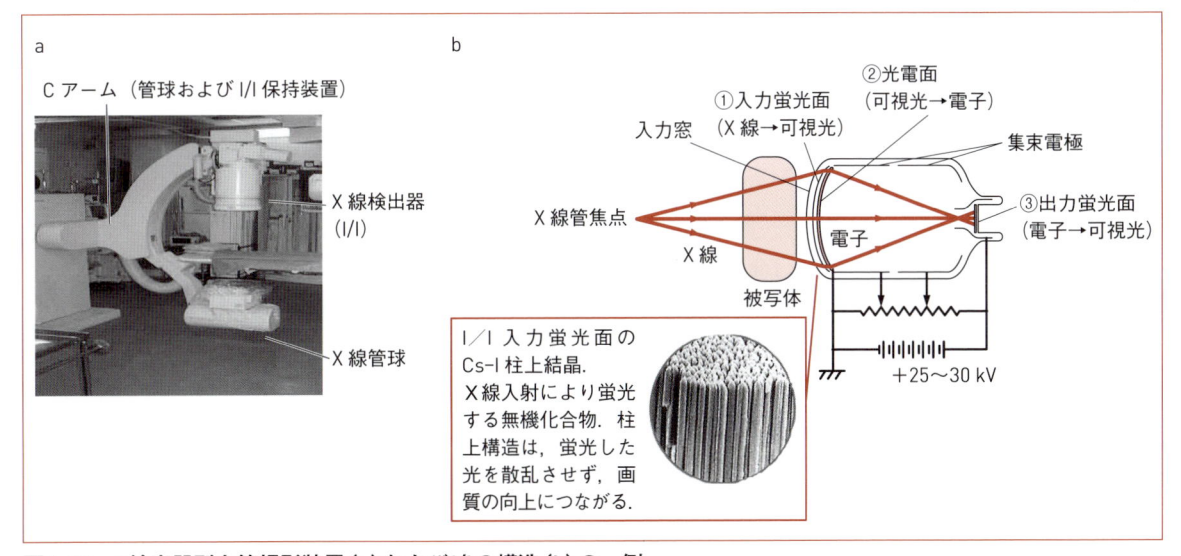

図4-33 1検出器型血管撮影装置(a)およびI/Iの構造(b)の一例

レーザの赤色光をIP全面に順次照射することで，励起状態からX線入射量に比例した発光が起こる（輝尽発光）．この光を光電子増倍管で読み取り，画像情報に変換する（図4-32）．

(2) イメージインテンシファイア

イメージインテンシファイア（I/I）は，X線透過画像を直接肉眼で観察する従来の蛍光板と比較して数千倍もの明るさにする装置である（図4-33）．画像の発生原理は，

① 被写体を通過したX線がI/Iの入力蛍光面（Cs-I）に入射し，可視像が作られる（図4-33b①）．
② 可視像の光により，光電面から可視像の光の強度に応じた光電子が放出，管内にある集束電極（25〜30 kV）により集束されるととも

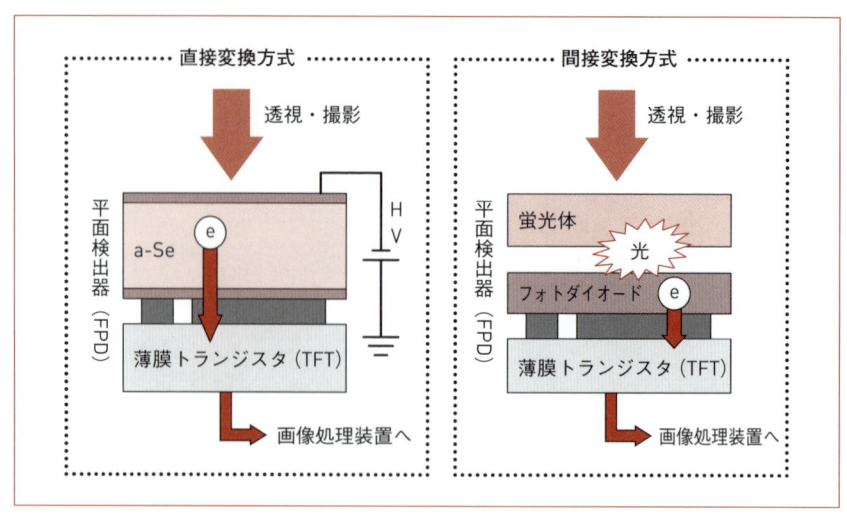

図4-34　FPD動作の概要

に，加速されエネルギーが増加する（図4-33b②）．
③加速された電子は，出力蛍光面（硫化亜鉛系：ZnCdS）に衝突し，可視像へと変換される（図4-33b③）．この輝度は，入力蛍光面の数千倍となっている．

I/Iの出力画像は，光学系装置によってTVカメラへと伝達されるが，この装置には撮像管とCCD（固体撮像素子）が用いられており，残像特性や焼つけ，価格，耐久性の面から，CCDが主流となっている．

(3) FPDシステム

近年，デジタル撮影装置のみならず，透視装置にも進出してきたX線検出器である．FPDは，X線検出部と信号変換部，画像伝送部などが一体化した装置で，以下のような方式がある．FPDのX線入射から信号検出，画像信号伝達までの動作の概要を図4-34に示す．

①直接変換方式

X線エネルギーを直接正孔・電子に変換し，そのどちらかを集めて信号とする方式であり，現在は半導体のアモルファスセレン（a-Se）がおもに用いられている．a-Seには，正孔と電子の再結合を防ぎ検出効率を向上させ，効果的に画素電極（TFT：薄膜トランジスタ）に誘導できるように電圧が印加されている．時間応答特性や，最小分解能において間接変換方式より優れる．

②間接変換方式

X線をシンチレータを用いて一度光に変換し，その光をフォトダイオードといった受光素子などで電気信号に変換するものである．シンチレータにはCs-I：TlやGd$_2$O$_2$S：Tbが，フォトダイオードにはa-Siが用いられている．時間応答特性について，シンチレータの残光が課題であったが，リフレッシュライトといった残光消去の技術が，血管撮影などの高

FPD：flat panel ditector，平面検出器．

keyword

Cs-I：Tl

I/Iと同様に結晶を柱状構造にできることから，蛍光体層での光の散乱を最小限にでき，X線検出効率に優れ，解像度も高いため現在の主流になっている．湿度に弱いという特徴がある．

keyword

Gd$_2$O$_2$S：Tb

Cs-I：Tlと同様の希土類蛍光体で，価格や製造の容易さでは優れるが，解像度の面で劣る．

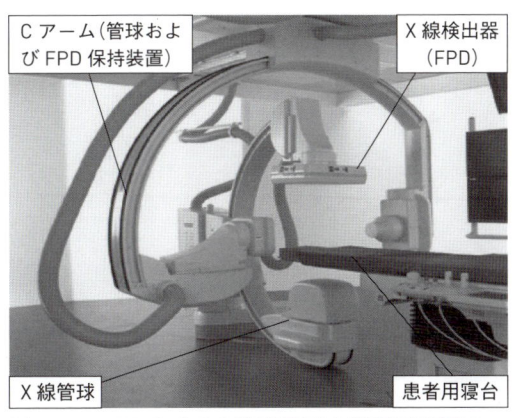

図4-35　FPD方式の2検出器型血管撮影装置の一例

速撮影にも対応可能にしている．

FPDは変換方式にこそ差はあれ，これまでの画像検出器と比較し，以下のように多くの利点がある．

①X線画像をリアルタイムにデジタル画像に変換描出が可能である．
②ダイナミックレンジが広い．
③I/Iと比較し，画像周囲にひずみが生じず，視野を狭めてもX線量の増加がない．
④検出器の経年劣化がない．
⑤軽量小型であることから，保持システム全体の構造が小型化でき，術者の視野を妨げずさまざまな治療に対応できる（図4-35）．

5. デジタルサブトラクションアンギオグラフィ（DSA）

DFやDAといった透視・撮影の技術を応用し，サブトラクション処理を行い，必要とする血管造影像のみを描出するDSAの技術が，1980年以降急速に発展しつつある．サブトラクションの技法には，時間的な画像の差を用いる時間差分法（テンポラルサブトラクション法），撮影時X線管球に印加する管電圧を変化させ，それによって生じる画像の差を描出するエネルギーサブトラクション法などがあるが，おもに時間差分法が用いられている（図4-36）．撮影時，造影剤（X線を吸収し濃度差を作る薬剤）注入後の画像（ライブ像）から，造影剤を注入する前の画像（マスク像）を差し引いて血管像のみを描出する．DSAの特徴を以下に示す．

①コントラスト分解能が高い．
②リアルタイムで画像が観察できる．
③造影剤の注入量が少なくてすみ，侵襲性をおさえることができる．
④動きのある部位（心臓，横隔膜周囲）の撮影はアーチファクトが発

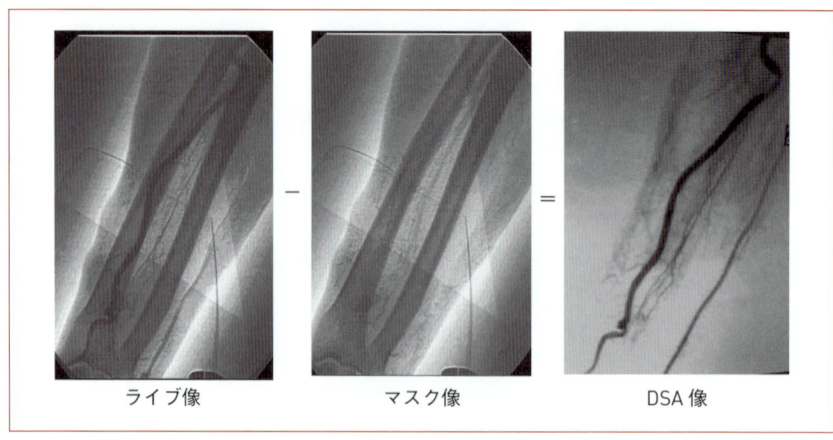

図4-36　臨床DSA画像（透析患者のシャント造影）

生し観察に向かない．
⑤撮影時間が長く，患者被曝が多い傾向がある．

6．X線CT
1）CTの歴史

X線CT（Xray computed tomography：以下，X-CT）の原理は，X線が発見されてからわずか22年後の1915年，J.Radanにより「二次元もしくは三次元の物体はその投影データの集合体から任意で再構成ができる」と数学的に証明されていた．その後，1971年，イギリスEMI社のG. Hounsfieldらにより頭部用X線CTがはじめて実用化された．

1980年代以降，半導体技術の進歩によるプロセッサ（CPU）の高速化や，メモリの大容量化，小型X線管球と固体検出器の開発などによる撮影の高速化も相まって，医療における地位を飛躍的に向上させた．

2）原　理

X-CTは，対向して配置されたX線管球とX線検出器により被写体を多方向から撮影し，得られた検出器の出力をコンピュータで計算処理して被写体の断層像を得るデジタル画像である．基本的な外観図および構成を図4-37に示す．

⑴ **投影データの収集**
①走査方式の変遷

投影データの収集法の進歩は，X線管と検出器による走査（scanning）法の変遷によるものが大きい（図4-38）．第1世代においては1個の検出器に対し細いX線束（ペンシルビーム）が用いられた．第2世代以降は検出器の増加に伴いX線束も扇状（ファンビーム）に拡大し，広範囲の撮影が可能となった．

世代の進歩により高速化が図られていくが，第4世代以降は，構造が

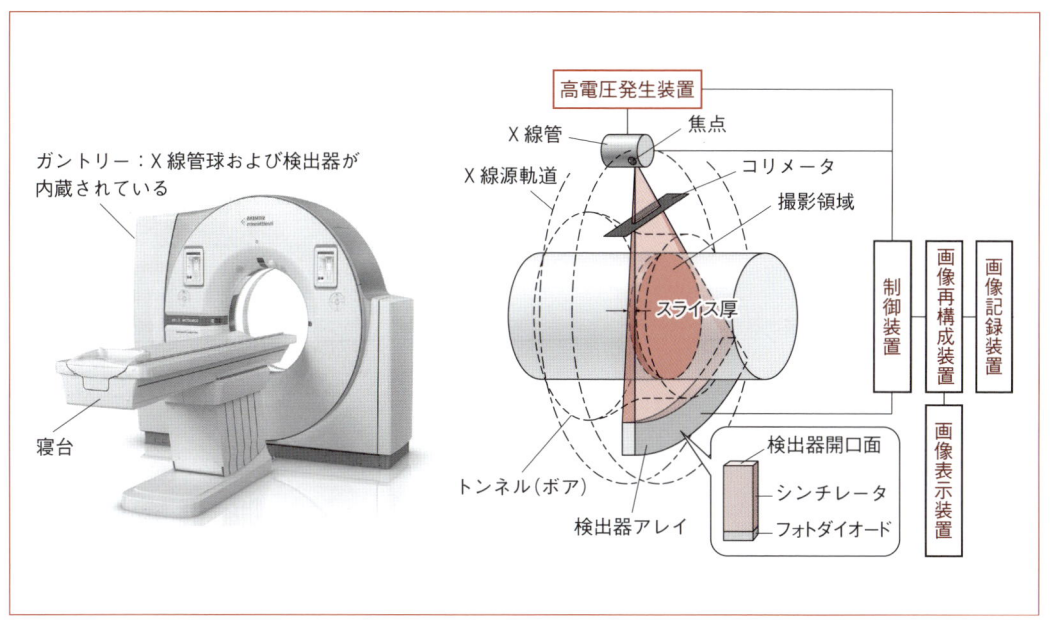

図4-37　CT外観図および構成図
(画像提供：シーメンスヘルスケア(株))
(構成図：文献7, p.235, 図4-45をもとに作成)

	第1世代	第2世代	第3世代	第4世代	第5世代
撮像方式	T-R方式	T-R方式	R-R方式	S-R方式 N-R方式	電子ビーム方式
検出器数	1	2〜10	数百個	数千個	
X線束の形状	ペンシルビーム	ナロウ(狭角)ファンビーム	ワイド(広角)ファンビーム		
画像1枚あたりの撮像時間	2〜5 [min]	20〜60 [s]	0.3〜2 [s]	0.05〜1 [s]	

図4-38　走査方式の変遷と第5世代のscan法

X線による画像計測

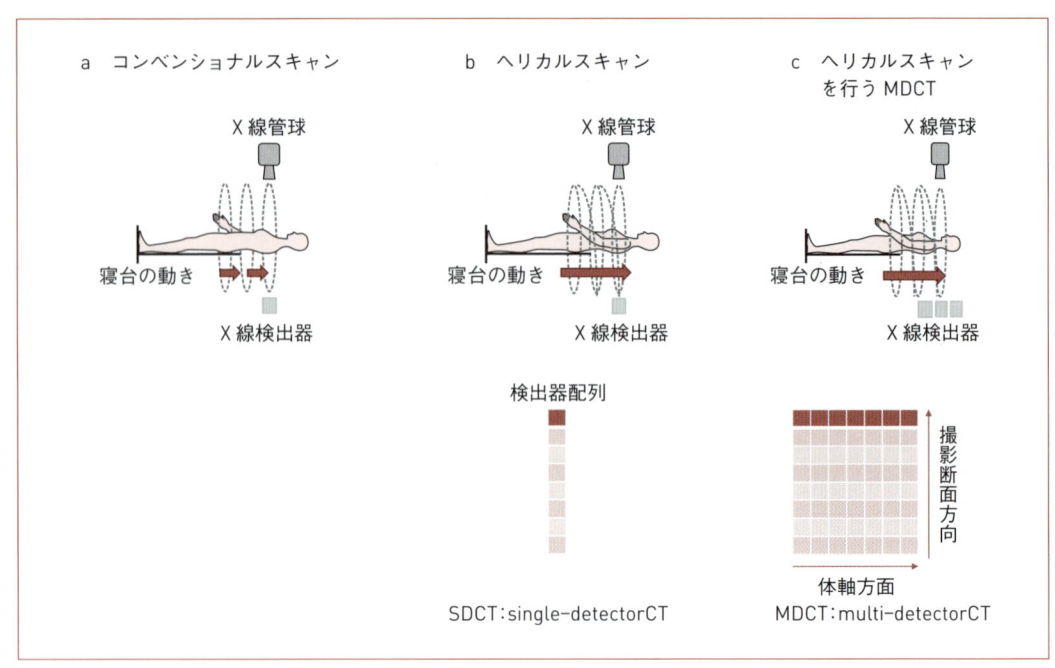

図4-39 撮影軌道の変遷

複雑で装置が大型化するとともに，検出器数の増加に伴う検出感度の均一化が技術的課題になり，価格の高騰につながったため量産化はされず，結果第3世代が主流となった．

②撮影軌道の変遷

　CTは当初，断面ごとに撮影を行うコンベンショナルスキャンが主流であった（図4-39a）．しかし，わが国によるX線管球への連続的な電力供給を可能としたスリップリングの開発により，患者寝台を動かしながら撮影を行うヘリカルスキャン（らせんCT）が可能となった（図4-39b）．現在では，撮影断面の検出方向だけでなく，体軸方向の検出器も多列化が図られたMDCT（multi-detectorCT，MSCT：multi-sliceCT）の時代が到来した（図4-39c）．

　ヘリカルスキャンの利点は，

　・短時間撮影が可能：息止めなどによる患者負担の低減

　・体軸方向の連続データの取得：画像再構成による臨床応用拡大

があげられる．

(2) **画像再構成**

　X-CTにおいて，物体の投影（projection）に用いられるのがX線である．投影のイメージの一例を図4-40に示す．X線は，吸収や散乱といった相互作用により，指数関数的に減弱しながら物質を透過する．透過したX線の強度をI，入射したX線の強度をI_0とすると，

$$I = I_0 e^{-\mu t} \quad \cdots\cdots\cdots\cdots\cdots\cdots\cdots\cdots\cdots\cdots\cdots\cdots\cdots\cdots\cdots(4\text{-}1)$$

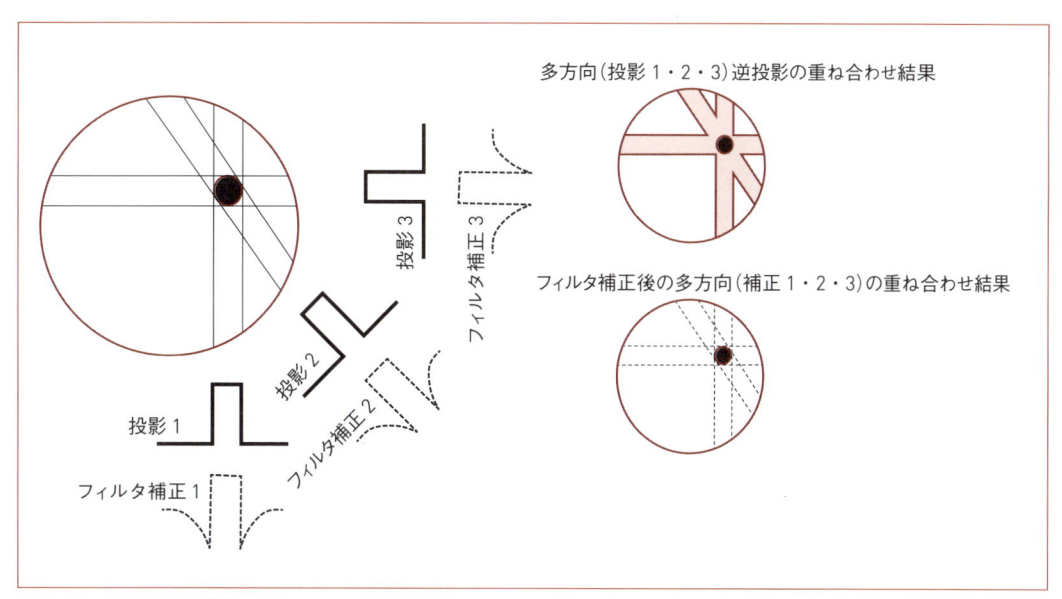

図4-40　画像再構成の一例

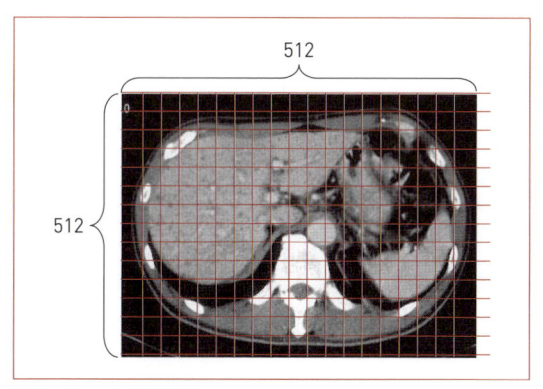

図4-41　X-CT画像

と表される．

ここで，係数μは線減弱係数（linear attenuation coefficient，単位 mm^{-1})，tは透過した長さ（経路長）を表す．生体は骨，空気，脂肪および筋肉といった組織からなり，組成や密度は大きく異なる．また，透過した長さ（体厚）も部位や方向により異なることから，X線の減弱の度合いに差が生じる．X-CTは，この減弱の度合いを測定し，空間的分布を算出，画像化を行っている．画像再構成の細部について，本項においては割愛するが，単純逆投影法，逐次近似法，解析的再構成法（フィルタ補正逆投影法，二次元フーリエ変換法）などがある．

(3) CT値

X-CT画像は，図4-41に示すようなデジタル画像を構成する画素（pixel）の集合体である（通常は512×512）．それぞれの画素は減弱係数に応じた濃淡で出力される．しかし，減弱係数はその物質により差が

表4-4　代表的な臓器などのCT値

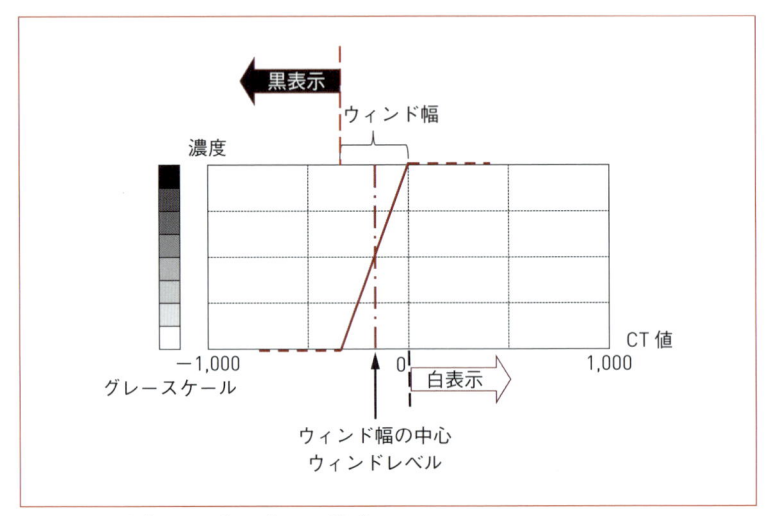

空気	−1,000	石灰化	400〜
脂肪	−100	甲状腺	70
水	0	肝臓	50
白質	25	胆嚢	20
灰白質（脳）	35	腎	35
凝固血（脳内出血）	〜90	血管	40
		骨	1,000
		金属	2,000〜

図4-42　デジタル画像の表示の基礎

大きく，表示することが困難であった．そのため，生体の構成要素でもっとも多い水の減弱係数を基準に相対値で表示することが考えられた．これをCT値といい，

　　CT値 = k $(\mu_t - \mu_{H2O}) / \mu_{H2O}$　〔HU：Hounsfield unit〕

　　μ_t：対象組織の減弱係数，μ_{H2O}：水の減弱係数，k：1,000（定数）

と表す．

　主たる臓器組織のCT値は，空気が−1,000，水が0，骨が1,000となる（表4-4）．

(4) **画像表示**

①濃淡差

　投影データが画像再構成され，個々の画素のCT値を白から黒へと段階的に表示し（図4-42），これをグレースケール（gray scale）という．DICOM画像では，12〜16 bit（4,096〜65,536階調）程度で保存されている．しかし，出力装置（通常モニタ：8 bit，高精細医療用モニタ：10 bit）の性能や人間の視覚の問題により，実際は4 bit程度しか視認できないことから，元データの階調を区別することは困難である．このため，読影に適する画像にするために対象となる組織に対しウィンドレベルを合わせ，コントラストを決めるウィンド幅を調整していく．広範囲

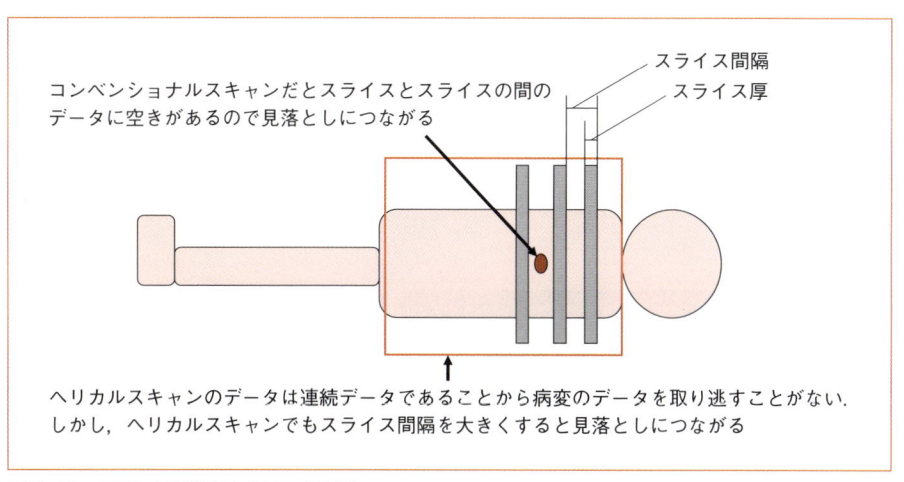

図4-43 スライス間隔とスライス厚

のCT値を表示（ウィンド幅を広く）しようとすると，CT値の差の少ない腹腔内臓器などはコントラストの乏しい観察には不適な画像となる．

②スライス厚，スライス間隔

CT断面の画像は，体軸方向の厚さの情報を有する（図4-43）．これをスライス厚といい，0.5～10 mm程度が用いられる．スライス厚は，入射するX線束の幅を調整するビームコリメーションが元来用いられてきたが，MDCTになり，入射する検出器の幅を調整するディテクタコリメーションが主流となってきている．また，スライスとスライスの間

Tips
他の診療機器との融合による治療全体の被曝量低減

現在，アブレーション治療は不整脈領域において実績がある．しかし，カテーテルの位置の確認や治療記録のための透視・撮影により，局所ではあるが2 Gyをこえる被曝量となり，皮膚発赤・潰瘍などが問題であった．

しかし，事前にCT造影検査を行い，治療装置への取り込みを行うことで，治療中の透視・撮影を激減させるとともに，治療部位のマッピングも可能となった．

被曝量低減は，患者の検査治療全体の侵襲性を低下させ，負担の少ない治療へとつながっている．

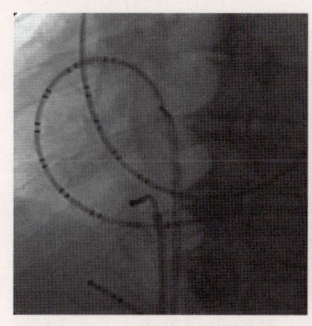

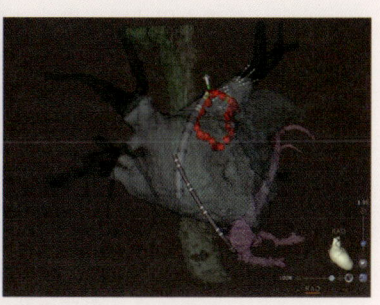

アブレーション治療時の透視画像　　CT画像とカテーテルとのfusion画像

X線による画像計測

表4-5　CTの利点，欠点（MRIと比較）

利点	欠点
・高速，短時間撮影が可能 ・体内金属等が絶対禁忌ではない ・画像再構成が容易 ・急性期の出血等の発見が容易	・X線被曝がある ・低コントラスト分解能が低い

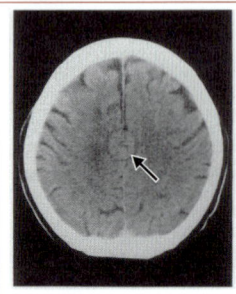

a　検出器の不均一によって生じたリング状アーチファクト

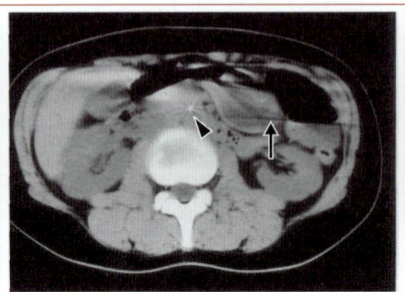

b　腹腔内ガスと臓器との差で生じたアーチファクト

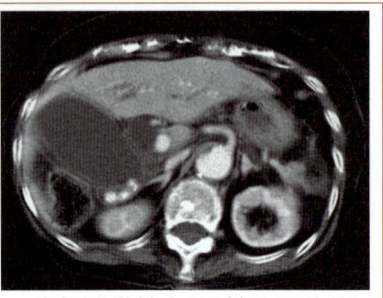

c　患者の体動（息止め不良）により生じたモーションアーチファクト

図4-44　さまざまな因子により発生したアーチファクト

隔も，描出する部位の大きさにより数～10 mm程度に調整して再構成する．

3）CTの臨床応用

(1) 利点，欠点

CTの利点と欠点を表4-5に示す．

(2) 造影検査

CTは，画像データ収集にX線の減弱を利用したものであることから，軟部組織の描出がMRIと比較し劣る．このことから，コントラストを増強し目的とする部位の観察を容易にするため，X線造影剤が用いられる．主成分は，X線透過性の低いヨード化合物であり，化学的に安定しておりイオン毒性の少ない非イオン性造影剤が主流である．アナフィラキシーショックをはじめとする副作用の出現頻度は3％程度であるが，重篤な甲状腺疾患やヨード過敏症患者は禁忌である．体外への排出は腎臓を経て行われることから，腎負荷が大きいため，腎機能低下の患者も原則禁忌であり，投与に注意を要する．軽微な副作用として，血管痛や熱感の訴えがあるが，造影剤の高浸透圧による血管拡張が原因であり，投与後次第に治まることなど，患者への事前の問診や説明が重要である．

(3) アーチファクト

アーチファクトは，偽似画像，虚像ともいわれ，図4-44のように検出器の不良，患者の体動，X線吸収差の大きい臓器による影響など人工的な像をいう．

⑷ 放射線被曝と今後の展望

　CT検査は広範囲の撮影を複数回行うことが多く，体幹部は体厚が大きいことから，被曝線量が多い傾向がある．このことから，各メーカは検出器感度の向上や体厚に応じ線量を変化させるような低線量プログラム，S/N向上のプログラムなどの開発に注力している．

参考文献
1) 西臺武弘：放射線医学物理学．文光堂，1991．
2) 青柳泰司，安部真治，小倉　泉，清水悦雄：新版放射線機器学（Ⅰ）診断画像機器．コロナ社，2004．
3) 日本画像医療システム工業会編：医用画像・放射線機器ハンドブック．改訂第7版，2007．
4) 岡部哲夫，小倉敏裕，石田隆行編：新・医用放射線科学講座 診療画像機器学．第2版，医歯薬出版，2016．
5) 山下康行：極めるマルチスライスCT．中外医学社，2001．
6) 市川智章編：CT造影理論．医学書院，2004．
7) 石原　謙編：臨床工学講座 生体計測装置学．医歯薬出版，2010．

3　核磁気共鳴画像計測（MRI）

　MRI装置（図4-45）はしばしば他の機材と組み合わせて使われるので，臨床工学技士が近くで作業する機会もある．その際に事故を避けるため，およびMRI装置と機材の性能を十全に引き出すために，MRI装置の性質を理解しておく必要がある．

MRI：magnetic resonance imaging

1. 医用MRI装置の概要
1）MRIの原理

　強い磁場中に置かれた物質に電磁波（RF波）のパルスを照射すると，物質の原子の中心にある原子核は電磁波を吸収して高エネルギー状態に励起される．その後，原子核はこのエネルギーをRF波として放射しながら次第に元の状態に戻る．この一連の現象を核磁気共鳴（NMR）現象という．

　磁気共鳴イメージング（MRI）装置は，磁束密度が高く，空間的に均一で，かつ時間的に変化しない磁場（静磁場）の中に被写体を入れ，RF波パルスを照射してNMR現象を発生させる．そして，被写体が放射するRF波を計測し，三次元画像を作る．

RF波

ラジオ放送の周波数に近いので，radio-frequency waveあるいはラジオ波とよばれる．

NMR（nuclear magnetic resonance）

原子番号Aと質量数Zがともに偶数である原子核ではNMR現象が起きない．

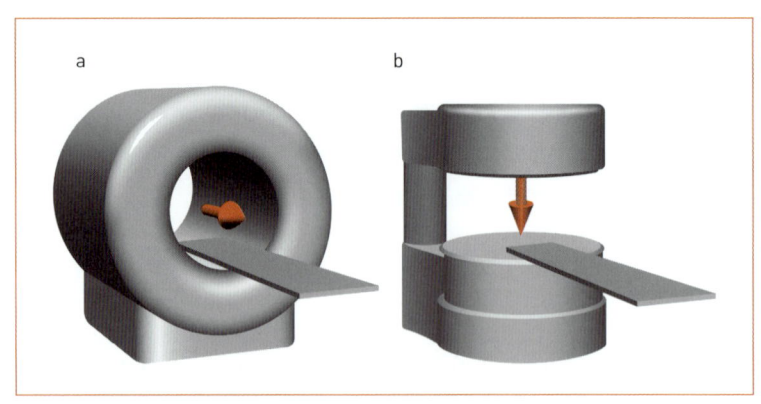

図4-45 医用MRI装置の撮影部の外観（模式図）
静磁場磁石として超伝導磁石を用いた装置のほとんどはトンネル型（a）で，磁力線の向き（矢印）はトンネルの軸と平行である．永久磁石を用いた装置は，2つの磁石で被写体を挟むハンバーガー型（b）である．

2) 医用MRI装置の用途

MRI装置は高い空間分解能で形態を三次元的に描出するのみならず，多様な撮影法を切り替えて用いることで，種々の生体情報を反映した画像が得られる．とくによく使われるのは，水素の原子核 ^{1}H のNMR現象を利用して得られる T_1 強調画像と T_2^* 強調画像である．一度の検査でいくつかの撮影法をたて続けに用いることで，異なる情報を表す複数の画像が，互いに正確に位置合わせした状態で得られる．全身が撮影対象になるが，骨や肺は信号が弱いのであまり適さない．

3) 医用MRI装置の構成

撮影部（装置本体）の基本的な構成要素は，静磁場磁石，RF波送受信装置，傾斜磁場発生装置である．加えて，MRI装置を設置するために付帯設備が必要である．

(1) 静磁場磁石

医用MRI装置の静磁場の磁束密度は0.2～7 T程度である．一般に，静磁場が強いほど画像のS/Nが高く，検査時間が短く，空間解像度を高くできるが，磁場による吸引事故などの危険性が大きくなる．

撮影法
パルスシーケンスとよぶ．RFパルスの幅や照射するタイミング，傾斜磁場の操作を変える．

臨床とのつながり
T_1，T_2^*
ティーワン，ティーツースターと読む．これら2種類の画像を対比すると，生体組織の形態のみならず，その性状がおおむね把握できる．

Tips MRI対応ペースメーカ

ペースメーカなど（ICD，CRT-Dを含む）を植え込んでいても，MRI対応のものであればMRI検査を受けられる．ただし，植え込まれた機器が動作保証されるのは，その機種で指定されている条件に従う場合だけである．たとえば，静磁場が1.5 TのMRI装置で動作保証されているペースメーカの場合，静磁場がそれより強くても弱くても適応外になる．植え込まれた機器の型番は，X線撮影で刻印を読み取れば確認できる．

静磁場を作るために，永久磁石あるいは超伝導電磁石が用いられ，どちらも磁場が常時発生している．永久磁石で作る静磁場の磁束密度は高々0.4 T程度だが，磁場を維持するのにエネルギーがいらず，メインテナンスも容易である．超伝導磁石は超伝導コイルを用いて静磁場を作る電磁石である．超伝導現象はごく低温でのみ生じるので，コイルをクライオスタットに納めて液体ヘリウム（沸点約4 K）に浸けてある．

(2) RF波送受信装置

　RFコイルは強いRF波パルスを照射して被写体の原子核を励起し，また，被写体が放射した微弱なRF波を受信する．受信した波形は低ノイズの増幅器を通してAD変換される．

(3) 傾斜磁場発生装置

　MRI装置は，被写体内のどの位置からRF波が放射されたかを測るために傾斜磁場を利用する．傾斜磁場は，磁束密度が撮影領域内の位置によって異なる弱い磁場で，十数個の傾斜磁場コイルと電源装置からなる電磁石で作られる．傾斜磁場の磁束密度分布を複雑に変化させることによって，RF波の放射位置の情報が得られる．

4) 付帯設備

(1) 磁気シールド

　MRI装置の静磁場の影響が検査室外に及ばないようにするため，また，検査室外にある大型の磁性体（車両，エレベータなど）の動きが静磁場を乱さないようにするために，検査室を鉄板や鉄骨で囲み，磁気回路を構成してある．これを磁気シールドという．

(2) 電波シールドと操作室

　電波や電磁ノイズがRF波と同じ周波数の成分を含んでいると，MRI画像をはなはだしく乱す．そこで，検査室を銅箔で隙間なく覆って電波シールドを構成してある．さらに，コンセントや照明などの電灯線や信号ケーブルから電磁ノイズが検査室に侵入しないよう，外部につながるケーブルにはすべてノイズフィルタが挟んである．ノイズ源になるコンピュータなどを含む操作卓は隣接する操作室に置かれている．操作室から検査室内を観察するための窓のガラスにも，電波シールドとして導体の網が取り付けてある．

(3) ヘリウム冷凍機

　超伝導MRI装置の場合，ヘリウム冷凍機を設置してある．これは，クライオスタット内で気化したヘリウムを回収して再度液化しクライオスタットに戻す装置で，MRI装置を使っていないときも常時運転し続けている．

超伝導磁石
超伝導物質（第2章-2 生体磁気計測，p.101）で作ったソレノイドコイルの両端を閉じて閉回路にし，超伝導状態にしてひとたび電流を流すと，一定の電流が減衰することなく流れ続ける（永久電流）ので，きわめて安定した電磁石になる．

クライオスタット
低温維持装置．デュワー瓶（第2章-2 生体磁気計測，p.99）を参照．

2. 医用MRI装置の安全管理
1) 強磁場の危険性
(1) 強磁場の生体への影響
　MRI装置の静磁場が生体に与える直接の影響は無視できる．3 T以上の高磁場中で急激に頭を振ると，脳内に渦電流が生じて一時的なめまいなどが起こり，俗に「磁場酔い」という．

(2) 磁場による吸引力
　強い静磁場は，MRI装置を使っていないときでも常に存在している．磁性体はMRI装置の静磁場に吸引されて飛んでしまうおそれがある．大きくて重いものほど吸引力が強く，死亡事故例もある．「重いものは容易には動かない」とつい思ってしまうことこそが危険である．不用意に強磁場に近寄らないよう注意を促すために，磁束密度が5 gauss（5×10^{-4} T，地磁気の約10倍）以上の範囲を示す5ガウスラインを検査室の床にペイントしてある．

　磁場による吸引力は，磁石に近づくほど強くなる．そのような力は日常ではほとんど経験しない．たとえば，ばねを手で引っ張った場合なら，力を加減して一定の位置を保つのは容易である．しかし，磁場の吸引力とつり合いを取るのはむずかしく，しばしば「引き込まれ始めたらあっというまにもっていかれる」と表現される．不用意に置いた品物が気づかぬうちに少しずつ動き出して，ついに飛んでしまうこともある．

　磁場中で磁性体が吸引されるのは，磁束密度が高いからではなく，磁束密度が空間的に一様ではないこと（磁束密度勾配）による．MRI装置の撮影領域近辺では磁束密度がきわめて均一なので，吸引力は発生しない．

(3) 磁性体の見分け方
　磁性体とは，"磁石にくっつくもの"という意味であり，正式な物理学用語ではないが役に立つ区別である．鉄以外のたいていの材料は非磁性体だが，見分けるには注意を要する．広く使われているオーステナイト系ステンレス鋼（SUS30X，Xは数字）は鉄の合金であるにもかかわらず非磁性体であり，しかし，フェライト系やマルテンサイト系のステンレス鋼（SUS4XX）は磁性体である．また，一見すると銅やプラスチックのようでも，下地に鉄材が使われていることがある．したがって，磁性体を見分けるには実際に磁石で触れてみるのがよい．ただし，大きな品物は，深部に鉄材が入っていても磁石で触れただけではわからないことがあるので，MRI装置に近づける際には様子をみながらゆっくりと移動させる．吸引力の大きさは物体の形状にもよるので，危険性の程度を予測するのは容易でない．

(4) 磁場による偶力
　強磁場中に磁性体を入れると，磁性体の長手方向を磁力線と平行に向ける強い回転力（偶力）がかかる（図4-46a）．人体中に磁性体の手術ク

飛んでしまった物の例
ガスボンベ，車椅子，ストレッチャー，点滴スタンド，ヘアピン，胸ポケットに入れたペン（目を刺す），鉄板入り安全靴，掃除用モップ，のこぎりなどの工具，フォークリフトのフォーク．

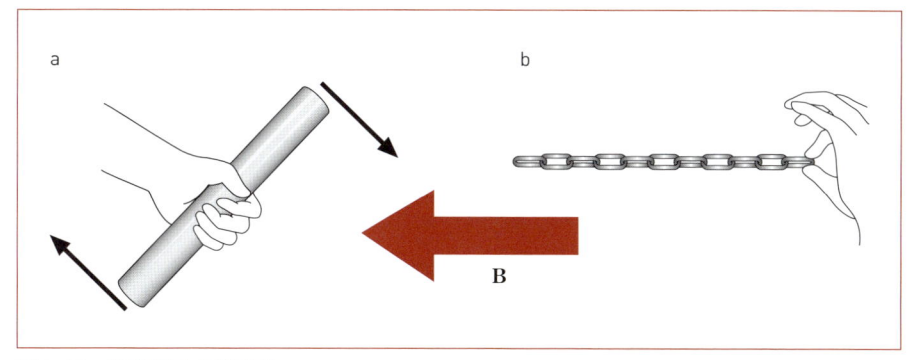

図4-46 強磁場中の磁性体
a：磁性体の長尺物には，その長手方向を磁力線の方向Bと平行に向ける非常に強い回転力（偶力）がかかる．
b：磁性体の鎖は磁力線に沿って伸び，固まったかのようになる．

リップや針が入っていると，回転して重大な損傷を起こすおそれがある．

2) RF波による渦電流と放電

撮影領域内の導体がRF波の照射を受けると，導体中に電磁誘導による渦電流が生じる．渦電流はRF波を相殺するので，導体の周囲がMRI画像に写らなくなる他，導体にジュール熱が発生する．高磁場のMRI装置では強いRF波を照射するので，渦電流の影響が大きい．注意すべき導体は，インプラント，義歯，補聴器，眼鏡，装身具，ヘアピン，その他不用意に持ち込んだ品物である．たとえば，菓子の包装に入っている脱酸素剤や使い捨てカイロの中身は鉄粉なので，発火する危険性がある．

導体が回路を形成していると，渦電流がその回路に集中して流れる．絶縁被覆の薄いケーブルがループ状になっているなど，導体の回路にわずかなギャップが空いていると，渦電流の放電が起こる．人体にも渦電流が流れるので，ループ状になった部分があると熱傷のおそれがある．そこで，腕を胴から離し，また，手指を伸ばして輪を作らないようにさせる．さらに，絶縁体の板を両脚の間に挟んで，脚同士が接触しないようにする．体表に溜まった汗が偶然に回路を形成していて熱傷を起こした例がある．大きな刺青（入れ墨）は皮下に導体回路があるのと同じなので，放電で痛みを生じることがある．

3) その他の危険源

(1) 超伝導コイルのクエンチと緊急消磁ボタン

超伝導MRI装置の静磁場コイルは，ごくまれに超伝導状態でなくなってしまうこと（クエンチ）がある．クエンチが生じると静磁場が失われると同時に，静磁場コイルに流れていた電流がジュール熱に変わる．その熱で液体ヘリウムが急激に沸騰し，極低温のヘリウムガスが大量に発生する．このガスを逃すために，検査室の天井に排気口を設けて，排気

ダクトでMRI装置と接続してある．しかし，たとえば地震の際にクエンチが発生すると同時にダクトが外れて検査室内にヘリウムガスが放出されると，濃い霧が発生して視界を奪う．さらに，空気が検査室外に追い出されてしまうので酸素濃度が急激に低下する．ヘリウムガス自体は無毒だが，低酸素の空気を吸引すると何の違和感も感じないまま失神するので，息を止めて検査室外に退避する必要がある．

　ヘリウムガスが検査室の天井付近にいつのまにか溜まっていたために，高所作業中に失神・墜落した事故がある．あらかじめ送風機でヘリウムを吹き飛ばし，2人以上で作業する．

　大きな品物が静磁場に吸引されて人を挟んでしまったり引き剥がせなくなったりした場合に備えて，手動で強制的にクエンチを発生させる緊急消磁ボタンが壁面に設置されている．ただし，ひとたびクエンチが起こると，MRI装置のオーバーホールが必要になり，何週間かは稼働できない．

(2) 液体ヘリウムの危険性

　液体ヘリウムの温度（4 K）で凍らないのはヘリウムだけであり，空気すらも固体になる．超伝導MRI装置のメインテナンスで専門の作業者が液体ヘリウムを扱っているときには，近寄らず，作業者の注意を妨げてはならない．

(3) 寝台からの落下

　撮影の前後には，被検者が寝台から落下する危険性がある．とくに，頭部にRFコイルを取り付けた状態で落下すると頸椎を損傷するので，被検者を寝台に載せたらすぐに体をベルトで固定する．

　トンネル型MRI装置では被検者が閉所恐怖症の発作を起こすことがあり，検査を中止するほかない．事前に尋ねても，本人が自覚していないことがある．発作時には寝台からの落下にとくに注意する．

――― 臨床とのつながり ―――
寝台からの落下
大型の医用画像装置に共通の危険性である．足首をベルトで縛っても，膝を曲げれば抜けてしまうので意味がない．

3. MRIの応用

1) MRI装置の近くに他の機材を持ち込む

　MRI装置を他の機材と組み合わせて使うことがある．あらかじめ，診療放射線技師や医師とよく相談し，機材の材質や性質，および機材とMRI装置が起こす可能性のある相互作用について認識を共通にする．次に，現場に入るスタッフ全員に安全教育を行い，リハーサルを実施して機材とMRI装置の動作を確認し，とくに機材の配置と作業手順を明確に決めておく．

　機材がMRI装置から受ける影響は，静磁場による吸引力だけではない．電気回路は，強磁場中で素早く動かすと強い渦電流が流れて壊れることがある．クレジットカードについているような磁気記録は消えることがある．有芯コイルはコアの磁化が飽和してしまうので機能しない．直流モータは静磁場が界磁として働くので回転するが，置く向きによっ

て過剰に高速回転したり，逆回転したり，動かなかったりもする．導体のカバーが付いていない電気回路がRF波の照射を受けると，渦電流で壊れることがある．

　逆に，持ち込んだ機材がMRI画像を乱すこともある．RF波と同じ周波数の電磁波は，MRI画像に強いノイズとして現れる．RF波の周波数 f［Hz］はラーモア周波数とよばれ，磁束密度 B［T］に比例し，水素原子核 ^{1}H のNMR現象を利用する場合，

$$f ≈ 42.6\ B\ [\text{MHz}]$$

である．たとえば，静磁場の磁束密度が3 TのMRI装置で使われるRF波はおよそ128 MHzとなる．スイッチングレギュレータが出す矩形波のように急峻な変化がある波形は，広帯域の電磁ノイズを放射するので，撮影中は電源を切るか，電波シールドボックス（ノイズ源を導体で囲む箱）を作って格納しておく．MRIの撮影中にも電源を切れない麻酔器やバイタルモニタは，電池で駆動できて画像を乱さないものが開発されている．しかし，電磁波を出す機材が一切使えないと限ったわけでもないので，あらかじめファントム（模擬人体）を使って撮影実験をしてみるとよい．

　機材を撮影領域内に入れる場合，機材がもつわずかな磁性のために画像に歪みが生じたり，機材に流れる渦電流のために画像の一部が欠損したりすることがある．

ラーモア周波数
係数は磁気回転比とよばれ，核種によって決まる定数である．

2）MRI装置を設備した手術室

　精密な手術を行うことを目的とする，MRI装置を備えた手術室が普及しつつある．永久磁石MRI装置を採用している施設が多い．

　術中MRIは主として脳外科手術で使われる技法である．手術の進行につれて術野の形が変化していくので，できるだけ直近の画像を使って正確な手術ナビゲーションを行うのがおもな目的である．手術台の近くにMRI装置を設置しておき，手術の途中でときおり患者をMRI装置の撮影領域へ移動して撮影する．

　MRI下手術は，MRI装置の中に患者を入れたままで手術を行う手術法である．患者を継続的に撮影して得られるほぼリアルタイムの画像が利用できるが，術者の作業空間が狭く，また非磁性体の手術器具しか使えないため，適応はかなり限られる．

4　ラジオアイソトープ（RI）による画像計測

　臨床工学技士が放射性物質を扱う機会はあまりないだろう．しかし，

医療現場の身近に存在するものなので，基本的な概念を理解しておく必要がある．

1. ラジオアイソトープと放射線

原子の中心には，原子の直径の10^{-5}倍程度の大きさの原子核があり，その質量は原子全体の質量とほとんど同じである．原子核は陽子と中性子からなる．原子核1個が含む陽子の個数を原子番号Zとよび，元素名と元素記号はZで決まる．また，陽子の個数と中性子の個数の和を質量数Aとよび，元素記号の左肩に書く．ZとAで指定される原子核の種類を核種という．

同じ元素名でも質量数Aが異なる複数の核種があり，それらを同位体（アイソトープ）とよぶ．たいていの同位体は不安定で，放射線を出して別の核種に変化する．この現象を崩壊とよび，崩壊する性質をもつ同位体を放射性同位体（RI，ラジオアイソトープ）という．たとえば，酸素の同位体は^{12}Oから^{28}Oまで17種類が知られているが，^{16}O，^{17}O，^{18}O以外はすべてRIである．

1）放射性物質と半減期

RIを含む物質を放射性物質という．物質に含まれるあるRI核種の原子核の個数は，時間とともに指数関数的に減っていく．元の個数の半分になるまでの時間をその核種の半減期とよぶ．半減期は核種ごとに決まっている．

2）RIが出す放射線とその性質

RIが崩壊で放射する放射線には，α線，β線，γ線，β^+線がある．これらは，原子に衝突するとその原子をイオン化する作用（電離作用）があるので，総称して電離放射線とよぶ．崩壊で生じる放射線の種類とエネルギーは，核種ごとに決まっている．

①α線は，α粒子（ヘリウムの原子核^{4}He^{2+}）が飛ぶ放射線で，電離作用が大きいが，透過力は小さく，紙1枚でも止まる．

②β線（β^-線）は電子e^-が飛ぶ放射線で，電離作用は比較的小さく，透過力も小さく，アルミ箔で止まる．

③γ線は波長が数十pm以下の高エネルギー（数十keV以上）の光子（電磁波）で，電離作用は比較的小さいが透過力が大きく，人体を透過できる．エネルギーが大きいほど透過力も大きい．

④β^+線は陽電子e^+が飛ぶ放射線である．陽電子e^+と電子e^-とは互いに反粒子であり，電荷の符号が逆であること以外には違いがない．e^+とe^-が出会うとどちらも消滅して，それらの質量がすべてエネルギーに転換し，高エネルギーのγ線光子（0.511 MeV）が2個発生する．運動量保存則により，これらの光子は互いに反対方向へ飛ぶ．この現象を対

原子と原子核の大きさの比
直径50 mのガスタンクの中心に置いたボールペンの先のボールに相当．

放射能
物質が放射線を出す能力のことで，単位はBq（第1章, p.6参照）．

半減期
核種により10^{-22} s以下から100億年以上までさまざま．

α線
煙感知式火災報知器にはα線が利用されている．

β線
原子の電離（イオン化）とは違って，原子核から電子が出る．

γ線のエネルギー
波長λ [m]の光子1個のエネルギーEは$E = hc/\lambda$ [J]．cは真空中の光速，hはプランク定数．

eV
電子ボルト（第1章, p.8参照）．

対消滅
e^+とe^-に限らず，反粒子同士で起こる．質量m [kg]からエネルギーE [J]への転換は$E = mc^2$に従う．cは真空中の光速．

消滅とよぶ．

3) 放射線被曝と人体への影響

一般の人が受ける放射線被曝の大半は診断用X線による．他に，自然放射線の被曝と，過去の大気中核実験などで飛散したRIによる被曝がある．放射線被曝の影響はおもに，電離作用によって活性酸素（酸素ラジカル）が発生し，これがDNAを切断することで生じる．切断されたDNAは自己修復するが，一度に多量に被曝すると修復に失敗して細胞死が生じたり，まれに癌が発生したりする．また，生殖細胞が傷つくと，不妊化したり，ごくまれに子孫に突然変異が現れたりする．一般人の被曝の安全基準は年間累積線量1 mSv以下とされているが，長期にわたる低線量被曝の影響はよくわかっていない．

被曝
「被爆」との区別に注意．0.5 Svで白血球数の減少が起こる．

吸収線量［Gy］，線量当量［Sv］
第1章, p.6参照.

4) 医用RIの安全管理

鉛，タングステン，モリブデンなどの重金属は，γ線を通しにくいので遮蔽（しゃへい）に用いられる．検査室は遮蔽されており，さらに放射性物質が漏れないよう陰圧に保たれていて，許可なく立ち入ることはできない．放射性物質を管理区域外に持ち出すことは禁止されている．医療スタッフの放射線被曝の累積線量は，フィルムバッジやポータブル線量計で管理している．一方，いったん被検者の体内に投与された放射性物質や，その体液，排泄物，呼気などは，法規上，管理の対象外である．

2. 核医学イメージング

核医学イメージングは，RIを含む分子からなる薬剤を放射性トレーサとして用いて，生体機能を反映する画像（機能画像，ファンクショナルイメージ）を得る技法である．放射性トレーサを静脈注射や吸入で投

核医学イメージング
「分子イメージング」と称することがあるが，分子が直接みえるわけではない．

> **Tips　RI以外の放射線源と自然放射線**
>
> X線管や粒子加速器は多量の放射線を生成でき，しかもRIと違って生成を随時オン・オフできる．医療用では，線形加速器（リニアック）で電子線を作り，皮膚癌の治療や滅菌に使う他，電子線を金属板に衝突させて治療用X線を作る．サイクロトロンはイオンを加速して陽子線などを作り，RIの生産などに使う．シンクロトロンは大型の粒子加速器で，高エネルギーの陽子線や重粒子線（^{12}C線など）を作って腫瘍の治療に利用する．原子炉から得られる中性子線や重粒子線も腫瘍の治療に使われる．
>
> また，自然環境に存在する放射線源から生じる自然放射線もある．宇宙から飛来する高速荷電粒子（宇宙線）が高層大気に衝突して生じたγ線が，常時降り注いでいる．岩石（およそ1 kBq・kg^{-1}），建材，食物，水，人体（およそ0.1 kBq・kg^{-1}）などあらゆるものにRIが含まれている．地球深部で起こるRIの崩壊は，地殻運動，火山，地熱，温泉のエネルギー源である．

与すると，血流や代謝によって特定の部位に集積する．そのRIが崩壊して生じたγ線が体外へ透過してきたものをγ線検出器でとらえて，体内のRIの空間分布を画像化する．核医学イメージング装置には，ガンマカメラとPET装置がある．

1）ガンマカメラ

ガンマカメラは，γ線をとらえてRIの分布を画像化する装置である．得られるのは，RIの空間分布を二次元平面に投影した投影像であり，ガンマカメラからみて奥行き方向の位置の違いは区別できない．ガンマカメラで得た投影像をそのまま二次元の濃淡画像として表示したものをシンチグラムとよび，この検査をシンチグラフィーという．

(1) ガンマカメラの用途と放射性トレーサ

ガンマカメラでは，RIそのものや，薬剤分子にRIを化学的に結合して標識（ラベリング）したものを放射性トレーサにする．高エネルギーのγ線を出し，かつ半減期が数時間ないし数日のRIが使われる．たとえば，$^{201}Tl^+$（タリウム201イオン）は活動的な筋肉に集積するので，心筋梗塞の病巣はRIの欠損像として写る．その他，脳の血流状態の検査，腎機能の検査，癌の骨転移の検索など，検査対象に応じて多様な放射性トレーサが使われる．

(2) SPECT

ガンマカメラを被検者の周囲に一周させながら撮影し，得られた多数の投影像からRIの三次元空間分布を算出して画像化するイメージング法をSPECT（単一光子放射断層撮影，単光子断層法）という（図4-47）．シンチグラフィーとSPECTの両方ができる装置の他，SPECT専用機もある．

SPECT
single photon emission computed tomography. single photon emission tomography (SPET) と書かれることもある．

PET：positron emission tomography

2）PET

PET（陽電子断層法）は，RIが出したβ^+線の陽電子と生体内にある物質の電子との対消滅で発生する一対のγ線を計測して，RIの三次元空間分布を描出するイメージング法である（図4-48）．

(1) PETの用途と放射性トレーサ

PET用の放射性トレーサは，β^+線を出すRIで標識する．もっともよく使われるのは^{18}F-FDGで，グルコース分子の一部分を^{18}Fで置換した物質である．腫瘍や脳，心筋など糖代謝の活発な部位に集積する．また，

^{18}F-FDG
18 フルオロデオキシグルコース．

> **Tips 核医学**
>
> RIを使った医療全般を核医学とよび，核医学イメージングの他にRIを使った放射線治療も含む．たとえば，内照射治療ではRIを含む針を固形癌中に挿入する．ガンマナイフは体外からγ線を照射する．

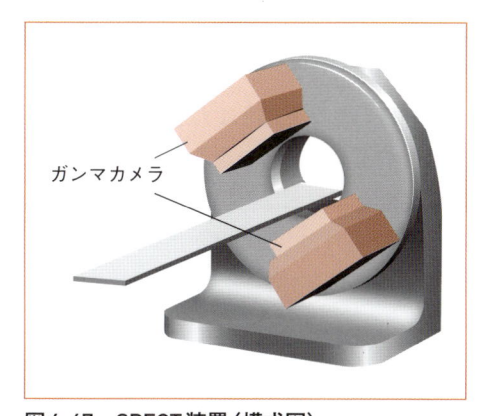

図4-47　SPECT装置（模式図）
対向する2台のガンマカメラが被検者の周囲を回転する．他にもさまざまな構成がある．

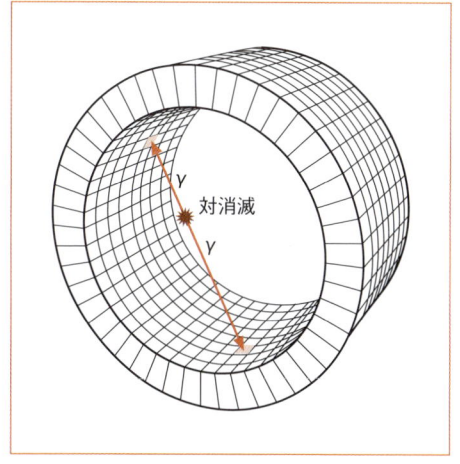

図4-48　PET装置（概念図）
トンネル状の撮影領域を多数の小型γ線検出器が取り囲んでいる．可動部はない．

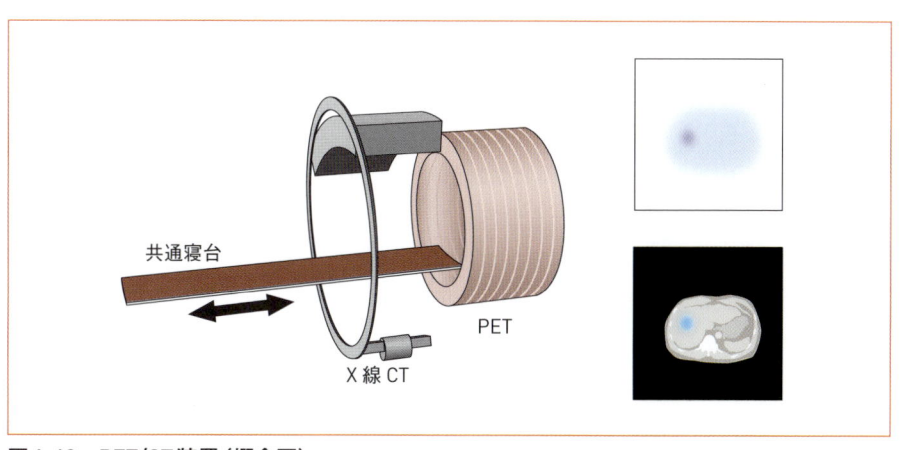

図4-49　PET/CT装置（概念図）
X線CT装置とPET装置を同軸上に並べ，可動式の共通寝台を設けてある（左）．被検者を載せた寝台をスライドしてPET撮影とX線CT撮影をたて続けに行うことによって，カラーの機能画像（右上）とグレースケールの形態画像とが正確に位置合わせされたマルチモダリティ画像（右下）が作れる．

$β^+$線を出す^{11}C, ^{13}N, ^{15}Oは生体内に豊富に存在する元素の同位体なので，代謝や循環を調べるのに適した多様な放射性トレーサが作れる．

　陽電子を放出する核種はどれも半減期が短いため，人工的に生産してすぐに使用する必要があることがPETの弱点である．主として医療施設内のサイクロトロンで生産し，ホット・ラボ（放射性物質を扱う自動化学処理設備）で放射性トレーサを作る．ただし，^{18}Fは半減期が比較的長いので，施設内に生産設備をもたず，近隣の工場で生産した放射性トレーサをデリバリーする運用も行われている．

陽電子放出核種の半減期
^{18}Fは110分，^{68}Gaは68分，^{11}Cは20分，^{13}Nは10分，^{15}Oは2分．

3. 機能画像と形態画像との重ね合わせ

　SPECTやPETを使うと，腫瘍など代謝が異常に高い部位や，機能が

ラジオアイソトープ（RI）による画像計測　　243

欠損している部位の三次元的な空間分布を表す機能画像が得られる．しかし，それが解剖学的にどの臓器のどの部分なのかはわかりにくい．そこで，機能画像をX線CTやMRIで得た形態画像と重ね合わせてマルチモダリティ画像を合成するのが有用である．両者の画像を正確に位置合わせするために，機能画像を撮る装置と形態画像を撮る装置を一体化したSPECT/CT，PET/CT（図4-49），PET/MRIなどが用いられる．

5　内視鏡画像計測

1. 内視鏡システム
1) 内視鏡の概要

　内視鏡とは，体の中に筒（スコープ）を入れて検査や治療を行う医療機器である．内視鏡検査にはさまざまな医療機器が使用されるため，それぞれの機器の目的や使用方法を熟知しておくことが重要である（図4-50）．

　内視鏡は，体内へ挿入する部分が湾曲する軟性鏡と湾曲しない硬性鏡，カプセル型のカメラを飲み込むカプセル内視鏡に分類される．どの内視鏡を使用するかは，観察する臓器や検査，治療の目的により使い分けがされる．内視鏡画像計測においては，軟性鏡とカプセル内視鏡が用いら

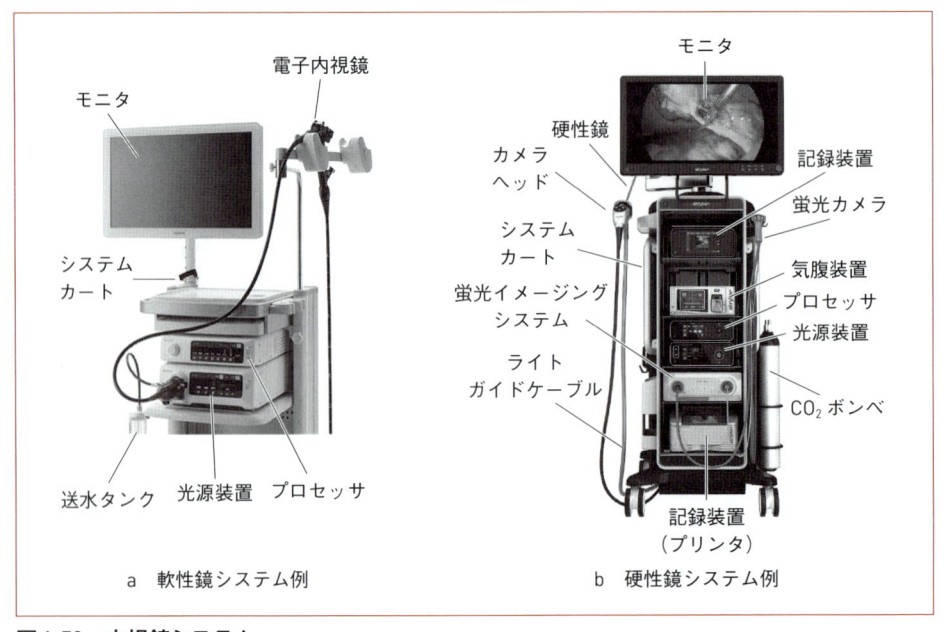

図4-50　内視鏡システム
（画像提供：a：富士フイルムメディカル株式会社，b：日本ストライカー株式会社）

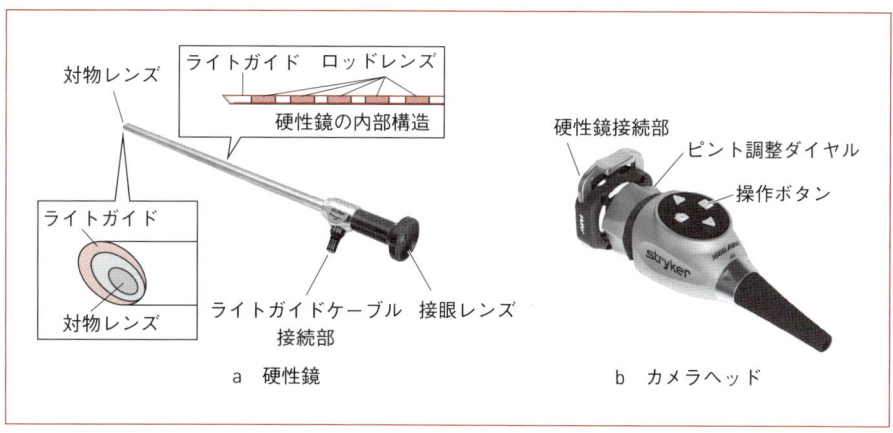

図4-51 硬性鏡（a）とカメラヘッド（b）
（画像提供：日本ストライカー株式会社）

れることが多く，硬性鏡は内視鏡外科手術において用いられることが多い．

2）硬性鏡
(1) 硬性鏡の構成
　硬性鏡を使用する場合は，硬性鏡で観察した画像をモニタに映すカメラヘッドと，生体内に光源装置の光を導くライトガイドケーブルが必要となり，それぞれが分離したタイプと一体となったタイプがある．硬性鏡はおもに下垂体や胸腔，腹腔，子宮，膀胱，尿道，関節などの治療に用いられる．

(2) 硬性鏡
　硬性鏡は，先端に対物レンズ，筒内にロッドレンズ，末端（カメラヘッドを接続する部分）に接眼レンズが配置されたステンレス素材の筒である（図4-51a）．硬性鏡の太さは1～10 mmであり，先端の角度は0～70°である．そのため，視野角を変更したい場合は硬性鏡を変更する必要がある．また，観察部位を明るく照らすため，導光用のライトガイドファイバが内部に配置されている．硬性鏡は光量が多いため，先端部が患者に触れると熱傷事故を引き起こしてしまう．さらには，光源を切ってからもしばらくの間は先端部が熱を帯びているため，先端部が患者に触れないよう注意が必要である．硬性鏡は文字通り"硬い筒"であるが，衝撃により内部のロッドレンズが割れてしまうため，取り扱いには注意が必要である．

(3) カメラヘッド
　カメラヘッドは，硬性鏡に接続することで取得した画像を個体撮像素子のCCD（charge coupled device）イメージセンサもしくはCMOS（complementary metal oxide semiconductor）イメージセンサで電気信号へ処理してプロセッサへ送る装置である（図4-51b）．操作部には，

臨床とのつながり
硬性鏡のカメラ保持
2021年の法改正により，臨床工学技士に鏡視下手術における内視鏡用ビデオカメラの保持および操作が認められた．

臨床とのつながり
CCDとCMOS
CCDはCMOSと比較して高画質だが，消費電力が多く処理速度は遅い．

内視鏡画像計測

ピントを調整するダイヤルとプロセッサを操作するボタンがあり，術者は直接プロセッサを操作することなく，画面の拡大やホワイトバランスの調整，録画などの操作が可能となる．カメラヘッドは4K画質や3D表示，蛍光イメージングに対応したモデルもあり，近年では8K画質に対応したモデルも販売されている．カメラヘッドはプロセッサやモニタと同様に術者の目となる精密な機器であるため，衝撃などを与えて破損させないよう取り扱いには十分に注意する．

(4) ライトガイドケーブル

ライトガイドケーブルは光源装置の光を硬性鏡へ導光するケーブルであり，内部は細いグラスファイバが束ねられている．そのため，内部のグラスファイバが断線すると光量が低下する．グラスファイバの1本が断線しても検査や手術に影響はないが，断線が30％以上になると光量が不足するため交換が必要となる[7]．断線の程度は，光源装置接続部を蛍光灯や懐中電灯などに向けて光の透過量を確認することで把握が可能である．グラスファイバは衝撃に弱いため，落下させないよう，誤って鉗子で嚙まないよう，注意して使用しなければならない．また，硬性鏡と同様に先端部は光により熱を帯びるため，硬性鏡から外した状態で先端部が患者に触れないよう注意する．

3) 軟性鏡

(1) 軟性鏡の構造

軟性鏡は，先端の対物レンズでとらえた画像をグラスファイバで接眼部まで導いて肉眼で観察するファイバスコープと，先端のイメージセンサでとらえた画像を電気信号に変換してモニタ上で観察する電子内視鏡に分類される．おもに鼻咽喉や気管支，上部消化管，下部消化管などの検査・治療に用いられる．

多くの軟性鏡は，先端部に撮像するための対物レンズ，生体内に光を照射するライトガイド，観察をサポートするための送気送水ノズル，吸引や処置器具を出す吸引兼鉗子出口が備わっている．湾曲部は操作部にあるアングルノブに連動して上下・左右に湾曲する．軟性部は臓器を傷つけないよう軟らかい構造になっており，内部には映像を伝達するケーブルや生体内へ光を導光するライトガイドファイバ，各チャンネルが配

> **Tips** **先端湾曲型ビデオスコープ**
>
> オリンパスマーケティング株式会社の先端湾曲型ビデオスコープは，硬性鏡とカメラヘッド，ライトガイドケーブルが一体となった外観のビデオスコープであり，フレキシブルスコープともよばれる．先端にイメージセンサが搭載され，かつ先端部が湾曲するため，操作部のアングルを操作することで硬性鏡を付け替えることなく視野の変更が可能となる．

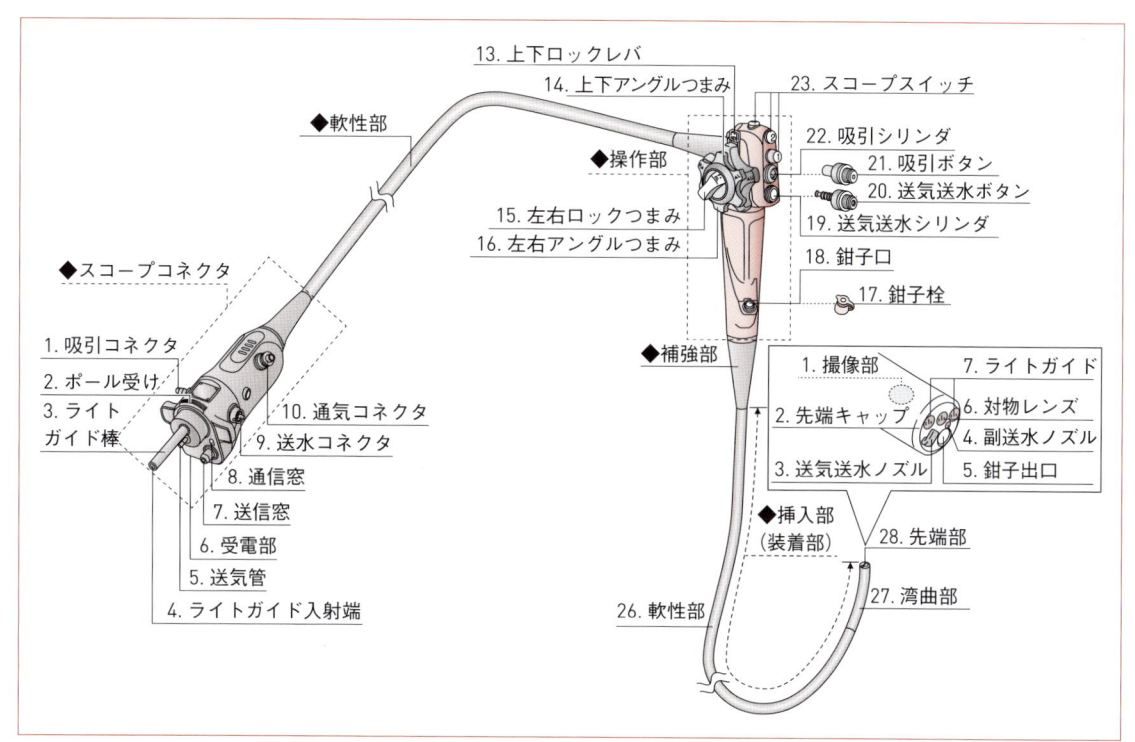

図4-52 電子内視鏡の構造
（画像提供：富士フイルムメディカル株式会社）

置されている．操作部は湾曲部を操作するアングルノブ，送気送水ボタンと吸引ボタンの取り付け口，鉗子や色素薬液を挿入する鉗子口が備わっている．それぞれのアングルには固定ノブがあり，湾曲具合を固定することも可能である．接続部はプロセッサや光源装置，吸引チューブ，送水タンクに接続するコネクタがある（図4-52）．

送気送水は，光源装置から送られる空気もしくは二酸化炭素送気装置から送られるCO_2により実施される．操作部の送気送水ボタンを押していないときは，ボタン中央の穴から空気が出て，送気送水が行われない．ボタンの穴を塞ぐと，軟性鏡の先端から空気もしくはCO_2が送気される．さらに，ボタンを押し込むと軟性鏡内部の送気チャンネルが閉塞し，送水タンクへ圧力がかかることで送水チャンネルに送水タンク内の滅菌蒸留水や生理食塩液，脱気水が流入する．吸引は，配管端末に接続された吸引器などから吸引チューブを接続部の吸引コネクタに接続することにより実施される．操作部の吸引ボタンを押していないときは，吸引ボタンの隙間から空気が引き込まれ，吸引が行われない．吸引ボタンを押すと，吸引チャンネルが開放されて先端部の鉗子出口から吸引される（図4-53）．

送気送水ボタンと吸引ボタンは，チャンネル内を乾燥させるため，保管時にはボタンを取り外す．そのため，使用前にそれぞれのボタンを取

臨床とのつながり

色素薬液
色素により病変の存在や範囲など画像を強調する色素内視鏡検査に用いられる．インジゴカルミン，ヨード液，クリスタルバイオレットなどの色素が使用される．

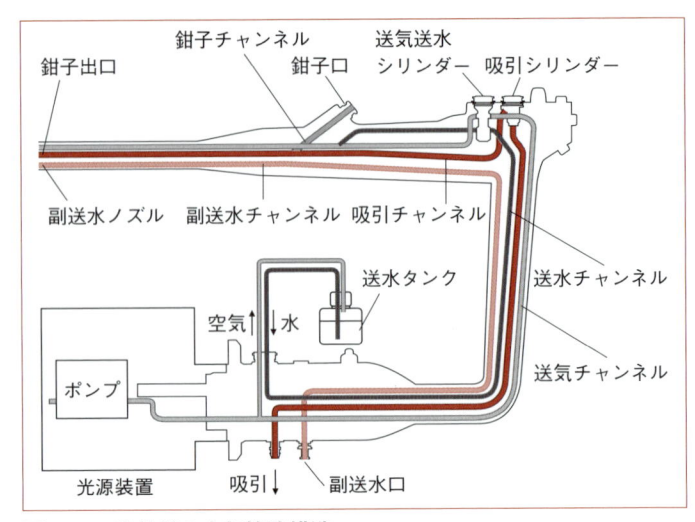

図4-53　軟性鏡の内部管路構造
（画像提供：富士フイルムメディカル株式会社）

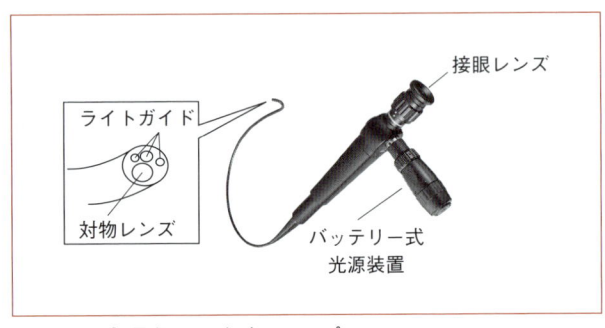

図4-54　鼻咽喉ファイバスコープ
（画像提供：HOYA株式会社 PENTAX Medical）

りつける必要がある．劣化などでボタンが破損していた場合は検査や治療中に不具合を生じるため，ボタンの点検も重要である．

(2) ファイバスコープ

　ファイバスコープは，画像を伝達するグラスファイバを数万本束ねたイメージファイバで対物レンズと接眼レンズを結び，画像を光学的に送る（図4-54）．また，光源装置からの光はライトガイドファイバを介して体内へ導光する．ファイバスコープは接眼レンズを覗き込むことで映像が取得できるため，基本的に術者1名のみしか観察できない．しかし，硬性鏡のカメラヘッドを接眼レンズに接続することで映像をモニタに映し，複数人で観察することが可能となる．図4-54のように，ファイバスコープは用いられる臓器により鉗子出口や送気送水機構を有していないものもある．

(3) 電子内視鏡

　電子内視鏡とは，先端部に組み込んだCCDやCMOSイメージセンサでとらえた画像を電気信号に変換し，プロセッサで映像に変換してモニ

---

keyword
電子内視鏡
電子スコープやビデオスコープともよばれる．

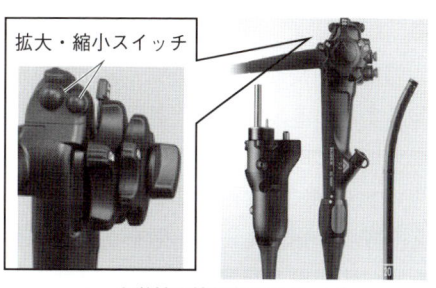

a 光学拡大機能付きスコープ
内蔵された可動レンズをスイッチで動かすことで光学ズームを可能にする.

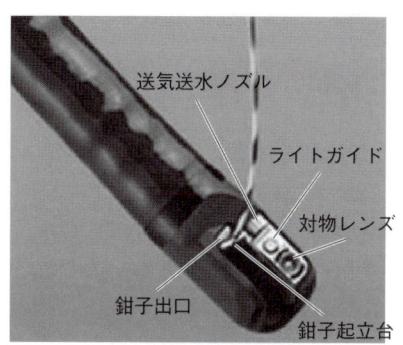

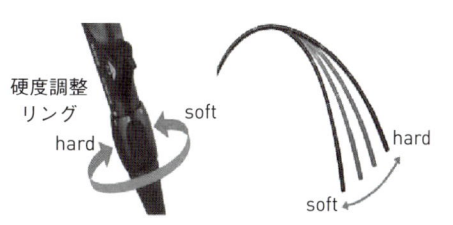

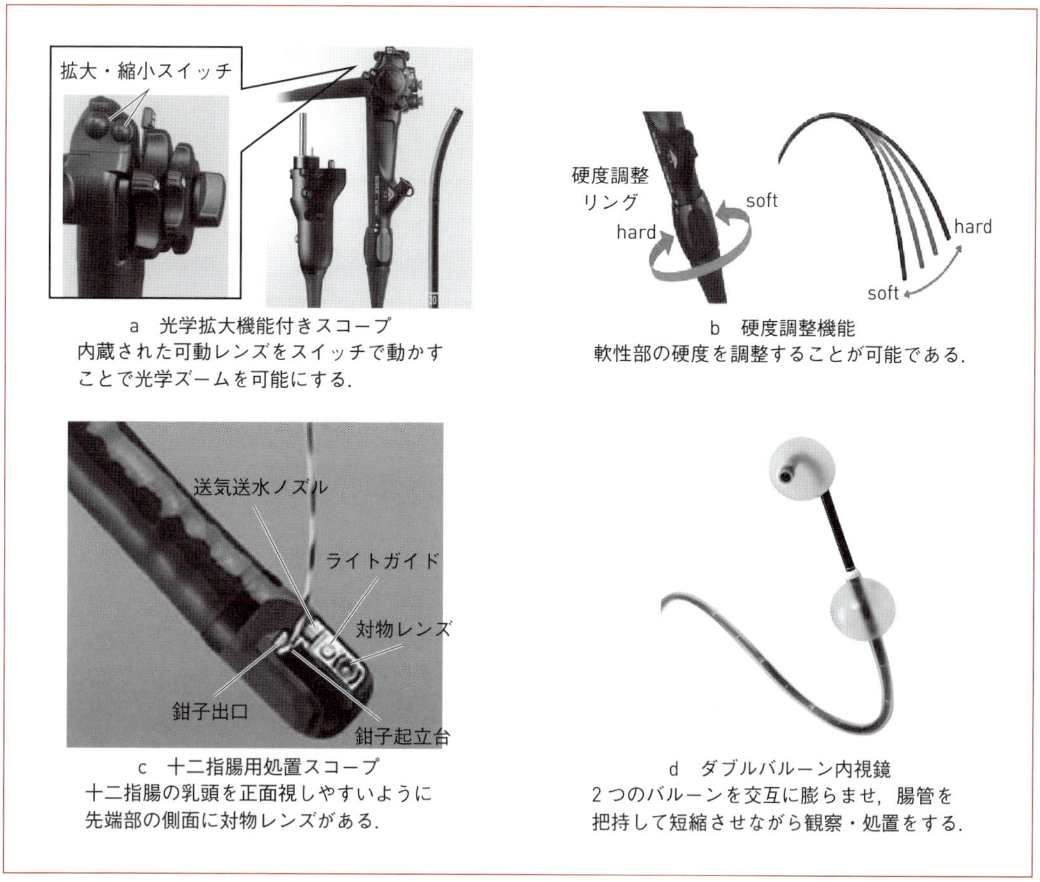

b 硬度調整機能
軟性部の硬度を調整することが可能である.

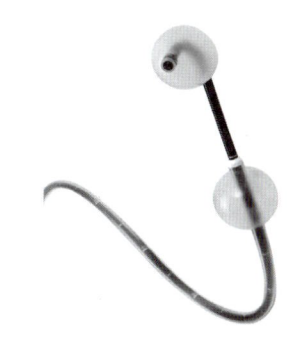

c 十二指腸用処置スコープ
十二指腸の乳頭を正面視しやすいように先端部の側面に対物レンズがある.

d ダブルバルーン内視鏡
2つのバルーンを交互に膨らませ、腸管を把持して短縮させながら観察・処置をする.

図4-55 さまざまな電子内視鏡
(画像提供:富士フイルムメディカル株式会社)

タに映す軟性鏡である(図4-52).ファイバスコープと異なり先端部にはイメージセンサが組み込まれ,接続部には電気信号を送受信するコネクタがある.また,操作部には録画の開始・停止,特殊光観察への変更などを操作するスコープスイッチがある.体内への導光は,ファイバスコープと同様に,ライトガイドファイバが使用されている.モニタ上に映像が映るため,複数人で治療・検査の進行を共有することができる.

電子内視鏡には,図4-55のように光学ズームによる拡大観察が可能なものや挿入部の硬度を変化させられるもの,イメージセンサが側面についたもの,バルーンがついたものなどがある.その他にも,鉗子チャンネルが2つついたもの,2カ所の湾曲部をもつもの,スパイラル形状のものなど,使用臓器や用途により構造や機能が異なる.また,同じ構造であっても,先端部外径や軟性部外径,有効長,鉗子出口径,湾曲角はメーカーや使用臓器,用途により異なる.各電子内視鏡の使用臓器や用途を把握し,その電子内視鏡に合った保守,管理,操作,運用が求められる.さらに,電子内視鏡は先端部にイメージセンサが取り付けられているため,ファイバスコープと比較すると高額であり,衝撃により破

keyword
光学ズーム
対物レンズからイメージセンサまでの距離(焦点距離)を変化させて拡大するため,画質の劣化がない.撮像した画像の一部を拡大するデジタルズームでは画質が劣化する.

臨床とのつながり

シングルユース内視鏡
洗浄消毒用品，メンテナンス，修理などのコストを削減できる，使い捨て型の内視鏡がある．

keyword

プロセッサ
システムプロセッサやビデオプロセッサ，CCU（camera control unit）ともよばれる．

臨床とのつながり

構造の強調
画像処理をして粘膜の表面や血管構造を強調する機能．設定により，粘膜の輪郭や血管など，強調する部位の調整が可能である．

keyword

測光
観察部の光を計測する機能．どの部分の光を測定するか調整が可能である．光源装置と連動することで自動調光を可能とする．

keyword

色彩
観察部の色を調整する機能．赤みと青みを帯びた色に調整が可能である．カラーバランスともよばれる．

ホワイトバランス
カメラは光源の色温度により，白色が赤みや青みを帯びてしまう．白いものが白色になるように調整する機能である．

臨床とのつながり

内視鏡の着脱
電源を入れたまま内視鏡をプロセッサから着脱すると故障してしまう機種がある．そのため，着脱時には電源を切るか，着脱モードにする．

損しやすい．運搬時には不安定な持ち方をせず，先端部を壁などにぶつけないよう注意が必要である．

電子内視鏡使用時には，先端部と観察部の至適距離を確保するため，先端部にフードを取り付けることがある．先端フードには多くの種類があり，使用する内視鏡の太さや使用目的により異なるフードが使用される．拡大内視鏡検査時には黒いフードにより観察部との距離を一定に確保し，光による反射をおさえ，呼吸や拍動による影響を受けないようにする．透明フードは大腸観察時に内視鏡先端部と粘膜との接触を避けつつ，ひだをめくるのを容易にする．

4）プロセッサ

カメラヘッドまたは電子内視鏡から送られてきた電気信号を映像へと変換し，モニタに表示する装置である．プロセッサは臓器の観察をサポートするため，構造の強調や測光，色彩を調整し，特殊光観察による画像強調もプロセッサにより実施される．また，専用のキーボードやタッチパネルにより，モニタや録画映像に表示される患者情報の入力，スコープスイッチの設定変更などをすることができる．

プロセッサを使用する際には，ホワイトバランスを調整する必要がある．ホワイトバランスは，光源を使用する光量で点灯させ，ホワイトキャップや白いガーゼなど白いものをモニタに表示させて調整する．

近年では，光源装置，記録装置と一体型のプロセッサや，ホワイトバランスを必要としないプロセッサ，電源を切らなくても内視鏡の着脱可能なプロセッサも登場している．

映像の取得は，赤，緑，青の3原色のフィルタを順番に回転し照明することで得られた画像信号を，単色イメージセンサで順次，電気信号に変換して合成画像とする面順次方式と，光源装置から白色光を照射し得られた画像信号をカラーイメージセンサで同時に得る同時方式がある（図4-56）．面順次方式は解像度が高く色再現に優れているが，信号が同時に得られないため色ズレが起こりやすい．一方，同時方式では色ズレはないが，高解像度化のためにCCDの画素数を増やす必要がある．

5）光源装置

光源装置は，ライトガイドコネクタ（ライトガイド入射端）を接続して生体内を照明する光を発生させる装置である．特殊光観察のために白色以外の光も照射する．多くの光源装置には，光を発生させる以外にも，送気送水機能や自動調光機能が備わっており，ランプの入切や明るさの調整，送気送水の調節が可能である．光源装置には，光を発生させる機能のみの小型装置や，軟性鏡へ取り付けるバッテリ式もある．

光源装置のランプには，ハロゲンランプやキセノンランプが使われていたが，近年ではLEDや半導体レーザが使用されている．LEDや半導

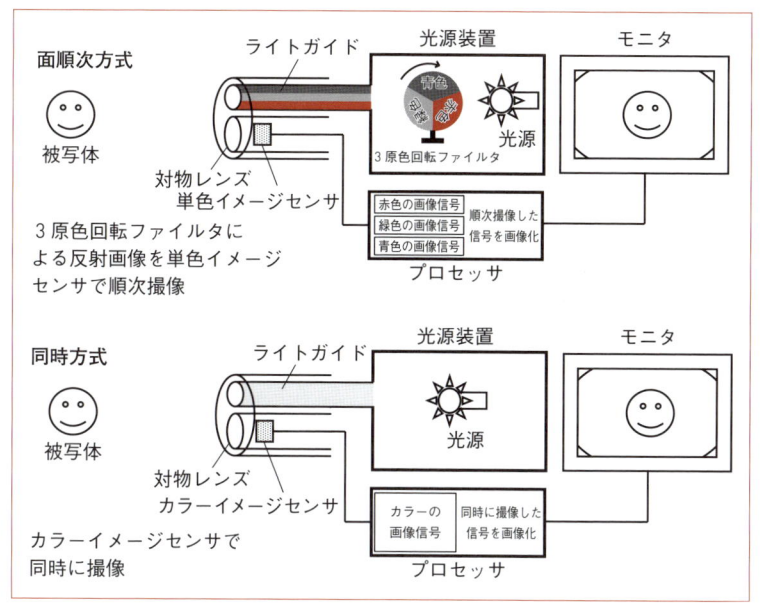

図4-56 電子内視鏡の原理

体レーザの光源装置はランプの交換が不要である．

光源装置の送気機能は，視野を確保して内視鏡観察を良好にするが，送気ガスは空気であるため，検査後に腹部膨満感などを認める場合がある．

6) 二酸化炭素送気装置

軟性鏡に接続することで，光源装置の送気機能の代わりにCO_2を送気する装置である．CO_2は空気と比較して生体に吸収され排出されやすいため，検査後の腹部膨満感の苦痛軽減に有用とされる．送気に用いるCO_2は，ボンベもしくは配管端末から供給される．

二酸化炭素送気装置を使用する場合は，CO_2と同時に空気を送気しないように光源装置の送気機能をオフにする．また，二酸化炭素送気装置

keyword

自動調光機能
プロセッサと連動して暗いところでは照度を上げ，明るいところでは照度を下げる機能である．

ハロゲンランプ
キセノンランプの非常灯として光源装置に使用される．フィラメントを加熱して光を得るため，突然消えてしまう．

キセノンランプ
太陽光に近い波長特性をもつため色の再現性に優れている．キセノンランプの交換は500時間が目安とされる．

Tips 曇り止め

管腔内は約37℃であり，湿度は約100％である．一方で，内視鏡の対物レンズは室温に置かれているため，挿入後に対物レンズと体内の温度差により結露を生じる．対物レンズに結露が生じると曇ってしまい，観察部がみえにくくなる．そのため，内視鏡使用時には曇り止めが使用される．曇り止めは噴霧タイプや塗布タイプなどがあり，使用前にあらかじめ塗っておく必要がある．

先端部にヒータが搭載された硬性鏡は，先端部を加温することで体内との温度差をなくし，曇りを防止するため，曇り止めを必要としない．

臨床では，魔法瓶に加温した生理食塩液などを入れておき，使用前に硬性鏡を挿入して温めておくことで曇りを防止することもある．

内視鏡画像計測　251

keyword
LED 光源装置
数種類の LED により光を照射する．1つの LED が故障しても他の LED により光を照射するため，非常灯は必要ない．

レーザ光源装置
2つの半導体レーザを用いて光を照射する．白色光は蛍光体に励起光として半導体レーザを当てることで作り出す．

を使用して穿孔を起こした場合は，血中の CO_2 分圧が上昇するため，$_{ET}CO_2$ などのモニタリングが推奨される．

7) 送水装置

　軟性鏡に接続することで先端部から体内へ送水する装置であり，光源装置による送水よりも多量の送水が可能である．フットペダルを踏むことで送水タンクに貯留した滅菌蒸留水や生理食塩液，脱気水を送水することができ，消化管の洗浄や超音波内視鏡の脱気水充満法に使用される．副送水チャンネルをもつ軟性鏡では，副送水口に接続することで使用する．副送水チャンネルがない軟性鏡は，鉗子チャンネルを副送水チャンネルとして使用する．

　送水装置が患者よりも高い位置にあると，ポンプヘッドが故障していた場合やチューブに亀裂があった場合，フリーフローを起こして誤送水されてしまう．したがって，送水ポンプはかならず患者よりも低い位置に設置しなければならない．

8) 吸引装置

　軟性鏡に接続することで，先端部から消化管内の液体や余剰ガスを吸引する装置である．吸引配管端末に接続して使用するタイプと，電源をつなげることで陰圧を発生させるポータブルタイプがある．

9) 気腹装置

　気腹装置は，腹腔内に CO_2 を充満させ，腹壁を内部から押し上げることで検査・手術スペースを確保する装置である．硬性鏡を用いた腹腔内臓器の手術時に用いられ，CO_2 は気腹針もしくはトロッカーを介して腹腔内に送気される．CO_2 は，ボンベもしくは配管端末から供給される．医療用の CO_2 は滅菌されていないため，ガスフィルタにより，配管やボンベの金属異物が腹腔内へ送気されるのを防いでいる．気腹圧（腹腔内圧）は 4～15 mmHg 程度で施行されている．

　CO_2 は不燃性であり，電気メスなどで火災を起こさないため，気腹ガスとして使用されている．しかし，生体に吸収されやすいため，血中に溶解することで高 CO_2 血症や，交感神経亢進による頻脈，高血圧，中心静脈圧の上昇，深部静脈血栓症などを引き起こす．したがって，気腹時には $_{ET}CO_2$ のモニタリングや，深部静脈血栓症の予防が必要となる．

　気腹装置は，患者よりも低い位置にあると，患者の血液や体液が逆流し，故障や装置内の汚染による二次感染の原因となる．そのため，気腹装置は患者よりも高い位置に設置しなければならない．

keyword
気腹針
腹部に穿刺することで，気腹装置の CO_2 を腹腔へ導く医療器具である．

トロッカー
腹部に挿入することで，硬性鏡や内視鏡鉗子を腹腔へ挿入する通路の役割をする．気腹針の機能がついたものもある．

10) 記録装置

　記録装置は，モニタに映した映像を記録する装置である．瞬時に画像

252　第4章　医用画像計測

をプリントアウトするプリンタや，HDDやUSBメモリに画像や映像を保存するレコーダ，ネットワークに接続することでサーバや電子カルテシステムへ直接保存するネットワークタイプなどがある．

11) モニタ

内視鏡に使用されるモニタは医師の目となる．したがって，鮮明な映像を映すためフルHD（1920×1080ピクセル）や4K（3840×2160ピクセル），さらには3Dモニタなどが使用される．モニタはカートに積んである1台以外に，医師の対側に設置するサブモニタが1〜2台使用される．モニタのインタフェースはコンポジット端子やS端子，コンポネート端子，DVI，SDI，HDMIが装備されている．近年では，8K（7680×4320ピクセル）モニタも販売されている．

> **臨床とのつながり**
> **サブモニタ**
> サブモニタの映像ケーブルはスタッフの足元にくるため，取り回しを検討する必要がある．対側モニタともよばれる．

12) 内視鏡挿入形状観測装置

大腸は屈曲した構造であり，とくに遊離結腸であるS状結腸と横行結腸では軟性鏡の挿入部が絡んでしまい，進まなくなってしまうことがある．その際，体外から用手圧迫することで挿入のサポートを行うが，軟性鏡の位置や形状はみえないため，経験的な要素が大きい．内視鏡挿入形状観測装置は，軟性鏡が体内でどのような形状になっているかモニタに表示し，形状の確認を可能とする．また，体外プローブを使用することで，手の位置など体外の位置情報も表示することができ，用手圧迫のサポートを可能にする．

内視鏡挿入形状観測装置は，磁気コイルが内蔵された専用の電子内視鏡もしくは挿入形状観測プローブから発信される磁気を受信アンテナで受信，各磁器コイルの三次元位置を算出し，軟性鏡の形状を表示する．挿入形状観測プローブは，鉗子チャンネルに挿入することで，専用の電子内視鏡でなくとも挿入形状の観測を可能とする．

13) 内視鏡画像診断支援システム

内視鏡画像診断支援システムは，AIにより電子内視鏡検査における病変の鑑別をサポートするものである．電子内視鏡で取得した画像をAIが解析し，ポリープや癌などの候補領域を検出すると，リアルタイムにモニタ上に表示し，音でも通知する．また，特殊光観察と併用することで，腫瘍性か非腫瘍性かの推定結果をモニタ上に表示することも可能である．さらには，拡大内視鏡観察と併用することで，腫瘍か非腫瘍か，腺腫か浸潤癌かの信頼度を数値で表示することや，粘膜の炎症活動性の有無を予測し，信頼度を数値で表示することで潰瘍性大腸炎の炎症活動性評価をサポートする機種もある．

keyword
インドシアニングリーン（ICG）
緑色の蛍光物質である．蛍光イメージングの他に，心拍出量や肝機能検査などにも使用される．近赤外光に蛍光するため，蛍光カメラが必要である．

14）蛍光イメージングシステム

蛍光イメージングシステムは，蛍光物質（インドシアニングリーンなど）を注入して，励起光を照射することで血管やリンパ管，癌組織などを手術中に蛍光させ，蛍光カメラなどにより撮影することでモニタ上に表示する装置である．ICGは硬性鏡を用いた内視鏡外科手術に用いられることがあり，蛍光カメラ機能をもつ硬性鏡用のカメラヘッドもある．

蛍光物質のICGは近赤外光（760～780 nm）の励起により，異なる波長の近赤外光（800～850 nm）を蛍光する特性をもち，肝臓癌や血管，リンパ管の同定に使用される．

15）システムカート

図4-50のように，内視鏡関連機器は1台のシステムカートに集約され運用されている．カートの背面には，二酸化炭素送気装置や気腹装置のためのCO_2ボンベを積むことができ，軟性鏡を置くスコープハンガーも装着可能である．カートには集合電源が積んであり，各内視鏡関連機器はこの電源に接続される．この集中電源のスイッチを入れることで各内視鏡関連機器へ電気が供給されるため，カート1台あたりの使用電流は高い．そのため，他の高電流を使用する医療機器とは別系統のコンセントへ接続する必要がある．

keyword
システムカート
トロリーやワークステーション，カートともよばれる．システムカートに内視鏡関連機器が設置されているものは，内視鏡タワーやタワーとよばれる．

2. 超音波内視鏡

1）超音波内視鏡の概要

超音波内視鏡（endoscopic ultrasonography：EUS）は，軟性鏡の先端から超音波を発信し，体内の臓器からの反射を映像化する装置である．体外から実施される超音波画像診断と比較して，骨や消化管のガスに邪魔されずに高い周波数（5～30 MHz）を用いることができるため，高画質の取得が可能となる．

2）超音波内視鏡プローブ

超音波内視鏡のプローブは，電子内視鏡と振動子が一体となっている超音波スコープと，軟性鏡の鉗子チャンネルに振動子を挿入する超音波プローブがある．

⑴ 超音波スコープ

超音波スコープは電子内視鏡の先端に振動子が設置され，超音波観測装置に接続するコネクタがある．振動子が超音波プローブと比較して大きいため，精度は高いが操作性に欠ける．通常の電子内視鏡と異なり，先端に取り付けたバルーンに送水・吸引するためバルーン用の送水・吸引口が設けられているものもある．

超音波スコープは超音波の走査方式により，ラジアル型とコンベックス型，リニア型に分類される（図4-57）．ラジアル型の超音波走査角は

―― 臨床とのつながり ――
超音波内視鏡下穿刺吸引法（endoscopic ultrasound guided fine needle aspiration：EUS-FNA）
超音波内視鏡により病変を確認しながら，穿刺針で検体を採取する検査方法．

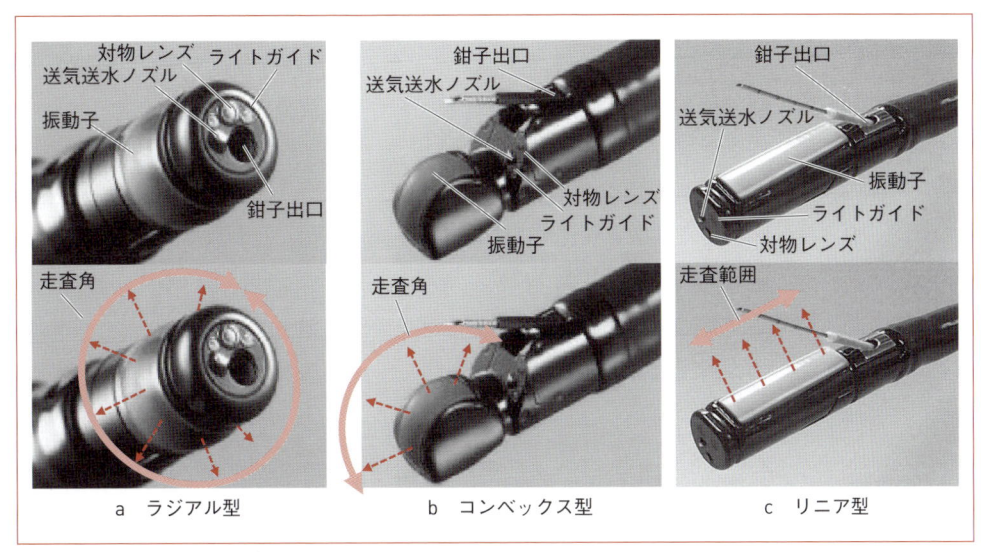

| a ラジアル型 | b コンベックス型 | c リニア型 |

図4-57 超音波スコープの種類
(画像提供：富士フイルムメディカル株式会社)

360°，コンベックス型は120～180°，リニア型の走査範囲は25 mmである．ラジアル型は超音波画像範囲に鉗子出口からの穿刺針をとらえることができないため，おもに観察を目的として使用される．コンベックス型とリニア型は超音波画像範囲に穿刺針をとらえることができるため，観察以外に検体採取や治療にも使用される．

(2) **超音波プローブ**

超音波プローブは通常の軟性鏡の鉗子口から挿入するため，振動子をもたない軟性鏡でも超音波画像診断を可能にさせる．

超音波プローブの先端には，液体の超音波伝達媒体が封入されている．保管状況によっては振動子付近に気泡が発生するため，使用前点検を実施して気泡を逃がす必要がある．また，超音波プローブは折れ曲がりに弱く，破損しやすい．挿入時や搬送時はとくに注意が必要である．

3) 超音波観測装置

超音波観測装置は，超音波を送受信して映像化する装置である．超音波観測装置は，超音波画像の拡大・縮小や距離の計測，輝度（ゲイン）の調整，周波数の切り換えが可能である．断面輝度画像を表示するBモードや動きを表示するMモード以外にも，下記のモードが使用される．

①エラストモード（elastography）：カラー画像により，組織の相対的な硬さを可視化する．

②コントラストハーモニックモード（contrast harmonic）：超音波造影剤からの反射波を増強して画像化する．

③ティッシュハーモニックモード（tissue harmonic）：超音波が生体内を伝搬する際に発生する高調波成分を利用して画像化する．分解能の

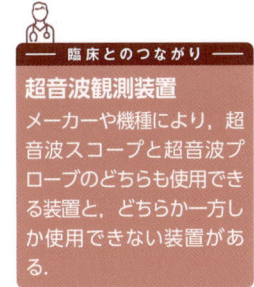

臨床とのつながり

超音波観測装置
メーカーや機種により，超音波スコープと超音波プローブのどちらも使用できる装置と，どちらか一方しか使用できない装置がある．

内視鏡画像計測 255

向上やアーチファクトの低減が期待できる．

④ドプラモード（Doppler）：血流の向きをカラーで画像化する．目的とする部位に照準を合わせることで，血流速度を表示する．

4) 超音波画像抽出法
　超音波画像を取得する際には，下記の手法が行われる．超音波は空気により減衰してしまうため，振動子と組織との間に脱気水を充満させると，良質な画像の取得が可能となる．

(1) バルーン法
　超音波スコープの先端にある振動子にバルーンを装着し，その中に脱気水を注入する方法である．バルーンに脱気水の送水と吸引を行うため，操作部に専用の送気送水ボタンと吸引ボタンを取り付ける必要がある．

(2) 脱気水充満法
　送水装置を用いて観察部に脱気水を貯める方法である．体位変換を行うことで浸水部位を調整する．

(3) 直接接触法
　振動子を直接，組織へ接触させて超音波画像を取得する方法である．

3. 特殊光内視鏡

1) 特殊光内視鏡の概要
　電子内視鏡の照射光に白色以外の光を用いて，消化管粘膜の色や構造，血管を強調して観察する画像強調イメージングの一つであり，光デジタル法ともよばれる．光デジタル法は各メーカーにより種々な方法が用いられている（表4-6）．

2) 狭帯域光観察 (narrow band imaging : NBI)
　初期の癌は血管から栄養を補給するため，周辺に多くの血管が集まる．NBIは光の帯域を狭くして，ヘモグロビンに吸収されやすい青色（390〜445 nm）と緑色（530〜550 nm）の2つの光を照射し，反射した光を強調することで血管の集まりや動きを観察する．青色の光で粘膜表面の血管を茶色に，緑色の光で深部の血管を青色に，モニタへ表示する．また，拡大内視鏡検査と併用することで，血管の太さや長さ，不整など詳細に観察することが可能である．

3) 赤色光観察 (red dichromatic imaging : RDI)
　胃や大腸などの病変を内視鏡で観察しながら切除する場合は出血を伴うことがある．RDIは，赤色よりもヘモグロビンに吸収されやすいアンバー色の光を赤色と緑色とともに照射することで，深部血管の観察を可能とし，出血リスクを軽減する．また，RDIでは，出血時に出血部や出血の流れを色の濃淡で確認することができる．

---

keyword

画像強調イメージング
画像を強調して検査をサポートする内視鏡検査の手法．白色光を照射するデジタル法，白色光以外の光を照射する光デジタル法，色素液を散布する色素法に分類される．

keyword

NBI, RDI, IRI, AFI
オリンパスマーケティング株式会社が開発した観察技術．

表4-6 光デジタル法の種類

技術名	狭帯域光観察 (NBI : narrow band imaging)	赤色光観察 (RDI : red dichromatic imaging)	赤外光観察 (IRI : infra red imaging)	蛍光観察 (AFI : auto fluorescence imagimg)
照射光	青色 (390〜445 nm) 緑色 (530〜550 nm)	アンバー色 (595〜610 nm) 赤色 (620〜640 nm) 緑色 (520〜550 nm)	赤外光 (790〜820 nm) 赤外光 (905〜970 nm)	励起光：青色 (390〜470 nm) 緑色 (540〜560 nm)
強調項目	粘膜表面と深部血管の集まりや走行	深部血管 出血点や出血の流れ	粘膜深部の血管や血流	腫瘍性病変
備考	拡大内視鏡検査と併用することで血管の太さや長さ, 不整などを詳細に観察可能である	出血点や出血の流れを色の濃淡で確認が可能なため出血リスクを軽減する	ICGを使用することで高コントラストで観察可能である	青色励起光を自家蛍光物質 (コラーゲンなど) に照射して, 粘膜の肥厚やヘモグロビンによる自家蛍光の減弱を観察する

技術名	BLI (blue light imagingもしくはblue LASER imaging)	BLI-bright (blue light imaging - bright)	LCI (linked color imaging)	OE (optical enhancement) Mode 1	OE (optical enhancement) Mode 2
照射光	白色光 (440〜460 nm) 短波長狭帯域光 (400〜420 nm)	白色光 (440〜460 nm) 短波長狭帯域光 (400〜420 nm)	白色光 (440〜460 nm) 短波長狭帯域光 (400〜420 nm)	415 nm付近 540 nm付近 上記2波長の間の光	415 nm付近 540 nm付近 赤色
強調項目	血管 表面構造	中遠景の血管 表面構造	粘膜の色の違い	血管 粘膜構造	血管 粘膜構造
備考	近接拡大に優れる	BLIよりも明るい	赤色付近を強調して色の拡張と縮小を行うことで炎症診断をサポートする		OE Mode1の画像を自然に近い色合いにする

4) 赤外光観察 (infra red imaging : IRI)

IRIは2つの波長の赤外光 (790〜820 nmと905〜970 nm) を照射することで粘膜深部の血管や血流を強調表示し, 胃癌の深達度診断などに用いられる. ICGを静脈注射することで, より高いコントラストで観察が可能となる.

5) 蛍光観察 (auto fluorescence imaging : AFI)

AFIは青色励起光 (390〜470 nm) を自家蛍光物質 (コラーゲンなど) に照射して, 粘膜の肥厚やヘモグロビンによる自家蛍光の減弱を観察することで腫瘍性病変を強調表示する. また, ヘモグロビンに吸収されやすい緑色光 (540〜560 nm) を同時に照射することで, 正常組織は緑色に, 腫瘍組織は紫色に表示される.

6) BLI (blue light imagingもしくはblue LASER imaging)

BLIは白色光 (440〜460 nm) と短波長狭帯域光 (400〜420 nm) を照射することで得られた信号に, 画像処理を行うことで血管や表面構造などの観察を可能とする. 近接拡大に優れたモードである. LEDを使用

keyword
BLI, LCI
富士フイルムメディカル株式会社が開発した観察技術.

した光源装置ではblue light imaging，レーザを使用した光源装置ではblue LASER imagingと称される．また，中遠景の血管や表面構造を強調し，BLIよりも明るい画像が得られるBLI-brightという派生モードもある．

7) LCI (linked color imaging)

LCIはBLIと同様に，白色光（440～460 nm）と短波長狭帯域光（400～420 nm）を照射することで得られた信号の赤色付近を強調して表示する．赤みを帯びた色はより赤く，白っぽい色はより白くなるように色の拡張と縮小を行い，粘膜の微妙な色の違いを強調し，炎症診断をサポートする．

8) OE (optical enhancement)

OEは，光源装置内のOEフィルタを通すことにより光の帯域を制限し，画像処理をすることで血管や粘膜の構造を強調する．OEにはMode1とMode2の2つのモードがある．Mode1は415 nm付近と540 nm付近の波長，さらに光量を確保するために2つの波長の間の光も使用することで，血管や粘膜構造の観察に優れている．Mode2はMode1の光に加えて赤色の波長も追加することで，Mode1の画像を自然に近い色合いにする．

4. 軟性鏡の保守管理

1) 軟性鏡の点検

軟性鏡は体内へ挿入して検査や治療を行う医療機器である．したがって，部品の脱落などを起こさないよう点検が必要である．表4-7は軟性鏡の使用前点検の例である．対物レンズなどの細かな点検は，拡大鏡を用いると容易である．

2) 軟性鏡の洗浄と消毒，滅菌

軟性鏡は，汚れが固形化する前に使用後に速やかな洗浄と消毒，滅菌を行う必要があり，下記の手順に沿って実施する．また，軟性鏡だけでなく，各種ボタンやマウスピースなども同様の洗浄や消毒，滅菌が必要である．

(1) ベッドサイド洗浄

ベッドサイドでは，挿入部とチャンネル内の洗浄を実施する．挿入部は，洗浄液を含んだ清潔なガーゼで先端に向かって拭き取りを行う．その後，各チャンネル内に洗浄液を送液する．

(2) 漏水テスト

軟性鏡が完全に浸水する容器に入れて，軟性鏡から気泡が発生しないことを確認する．漏水テストは自動洗浄・消毒機で実施することも可能

---

keyword

OE
HOYA株式会社PENTAX Medicalが開発した観察技術．

― 臨床とのつながり ―

洗浄液

酵素系洗浄剤，アルカリ系洗浄剤，アルカリ電解水が用いられる．酵素系洗浄剤は35～40℃の温度でもっとも効果を発揮するため，室温で放置しないようにする．

表 4-7　内視鏡（軟性鏡）の使用前点検

(1) 内視鏡の外装点検
　① 外装に破損やへこみ，曲がりなどがないこと，レンズに傷・欠けがないことを確認する．
　② ケーブルにねじれや損傷がないことを確認する．
　③ 吸引ボタン，送気・送水ボタン，鉗子栓の破損，汚染がないことを確認する．
　④ 吸引，送気・送水口金の削れなどがないことを確認し，各種ボタンを取り付ける．
　⑤ 電気接点部分のコネクタ状態を確認する（ピンの折れや薬液付着，錆などの異常）．
　⑥ 軟性部全体が十分に湾曲すること，湾曲しにくい部分がないことを確認する．
　⑦ 上下・左右レバーを回しスムーズに動作すること，十分な湾曲角度が得られることを確認する．
　⑧ 上下・左右のアングルを掛けたときアングルの固定をすることができるか確認する．
(2) 内視鏡の接続〜システム起動確認
　① 各社の手順に従い内視鏡をシステムに接続する．
　② システムプロセッサの電源を投入し，内視鏡情報・内視鏡画像が表示されることを確認する．
　③ 光源装置の電源を投入する．
　④ システムプロセッサと光源装置の基本設定を確認する．
　⑤ ランプ点灯ボタンを押し，ランプの点灯および画像が正常に映し出されるか確認する．
　⑥ 送気・送水ボタンを操作し，内視鏡先端より送気・送水ができるか確認する．
　⑦ 吸引ボタンに十分な陰圧がかかっていることを確認する．
　⑧ 吸引ボタンを押しこみ，吸引ができるか確認する．

（公益社団法人　日本臨床工学技士会　内視鏡業務指針検討委員会：内視鏡業務指針より一部抜粋）

である．

(3) 本洗浄（用手洗浄）

　外表面と先端部をガーゼや柔らかいブラシで拭き，流水下もしくは浸漬下で鉗子チャネルおよび吸引チャンネルをブラッシングする．その後，各チャンネルに洗浄液を送水し，洗浄剤メーカーが推奨する濃度，時間，温度で漬け置きをする．

(4) 消毒

　消毒は，軟性鏡が完全に浸水する容器に消毒液を入れ，浸漬して消毒する．消毒は自動洗浄・消毒機でも実施可能である．なお，自動洗浄・消毒機の主たる機能は消毒であるため，本洗浄までを実施してからの使用が好ましいとされる．

(5) 滅菌

　滅菌をする場合は，本洗浄までを実施してから行う．EOGもしくは過酸化水素ガスプラズマにより滅菌する．

(6) 保管方法

　各種ボタンなど軟性鏡から取り外せる部品はすべて取り外し，挿入部がまっすぐになるように保管キャビネットに保管をする．このとき，アングルの固定が解除されていることと，硬度調節機能をもつ軟性鏡はもっとも柔らかい状態になっていることを確認する．

(7) 洗浄・消毒記録

　感染事故が起きた際に対応するため，また安全な内視鏡検査・治療を提供するため，洗浄・消毒の記録管理が推奨される．日時や使用患者，洗浄担当者，内視鏡番号，自動洗浄機番号，消毒液濃度などを記録する．

臨床とのつながり

消毒液

消毒液には高水準消毒剤の過酢酸，フタラール，グルタラールの使用が推奨されている．その他，強酸性電解水やオゾン水などの機能水も使用されてるが，メーカーに推奨されていないため，使用者の責任下で使用しなければならない．

EOG：ethylene oxide gas，エチレンオキシドガス．

表4-8 カプセル内視鏡における注意事項

- 医用テレメータと同域の周波数であるため混信に注意する.
  ※入院検査時には防護ベストの着用が望ましい.
- 携帯電話はなるべく使用しない.
- テレビやラジオの送信機, 小型無線機を使用しない.
- 低周波・高周波治療機器, 医療用電気治療機器を使用しない.
- IH調理器, 電子レンジ等の強力な電磁波を出す家電製品を使用する場合はその近辺に必要以上に長く留まらない.
- 磁石や磁石を使用したものをセンサやレコーダに近づけない.
- 高圧電線や発電施設, レーダー基地等の電波や磁界の強い場所に近付かない.
- MRIとの同時検査は禁忌である.

(公益社団法人　日本臨床工学技士会　内視鏡業務指針検討委員会：内視鏡業務指針より一部抜粋)

a　小腸用カプセル内視鏡　　　　b　大腸用カプセル内視鏡

図4-58　カプセル内視鏡
(画像提供：コヴィディエンジャパン株式会社)

5. カプセル内視鏡

1) カプセル内視鏡の概要

カプセル内視鏡は, 小腸の検査のため, 2007年に保険適用となり, 2014年には大腸検査用のカプセル内視鏡も保険適用となった. カプセル内視鏡は飲み込むだけで検査ができるため低侵襲であり, 精神的苦痛も少ないのが特徴である. 一方で, 多くのカプセル内視鏡はデータの送受信を電波によって行うため, 表4-8の点に注意する.

2) 小腸用カプセル内視鏡

多くの小腸用カプセル内視鏡は, 楕円形ドーム形状の片側にLEDとイメージセンサが搭載され, 160°程度の視野で画像を撮影する（図4-58）. 消化管の蠕動運動によって移動し, カプセルの移動速度が速いときは毎秒6枚, 遅いときは毎秒2枚など, 移動速度により撮影枚数を変化させる機能をもつ. 動作時間は11時間以上である.

小腸用カプセル内視鏡の適応は, 小腸疾患が既知または疑われる患者である. 一方で, 消化管の閉塞, 狭窄, 瘻孔が既知または疑われる患者, ペースメーカまたは他の電気医療機器が埋め込まれている患者, 嚥下障害またはそのおそれがある患者への使用は禁忌とされる. ただし, 消化管の閉塞, 狭窄, 瘻孔が疑われる場合には, パテンシーカプセルを使用して開存性を確認すれば検査が可能である.

---

keyword

撮影枚数
フレームレートともよばれる.

臨床とのつながり

小腸用カプセル内視鏡
小腸用カプセル内視鏡には, 電波を使用せず, 360°の視野で撮影可能なものもある.

keyword

パテンシーカプセル
小腸の開通性評価に使用される, 撮影機能のないカプセルである.

図4-59 カプセル内視鏡システム
（画像提供：コヴィディエンジャパン株式会社）

3）大腸用カプセル内視鏡

大腸用カプセル内視鏡は，楕円形ドーム形状の両側にLEDとイメージセンサが搭載され，それぞれが172°の視野をもつため，360°に近い視野の画像が撮影される（図4-58）．小腸用カプセル内視鏡と同様に，移動速度が速いときは毎秒35枚，遅いときは毎秒4枚など，移動速度により撮影枚数を変化させる機能をもつ．動作時間は10時間以上である．

大腸用カプセル内視鏡の適応は，腹部の手術歴や癒着で大腸内視鏡検査では苦痛が強い患者や困難な患者である．禁忌は小腸用カプセル内視鏡と同様である．大腸用カプセル内視鏡検査は検査前日に下剤，検査前と検査中に腸管洗浄剤を服用する必要がある．とくに，腸管洗浄剤は通常の大腸内視鏡検査時の2倍量以上を服用するため，患者への負担が大きい．

4）カプセル内視鏡システム

カプセル内視鏡の検査では，患者が飲み込むカプセル以外にも図4-59のような機器や器具が必要となる．

①センサアレイ

センサアレイは，カプセル内視鏡が撮影した画像と位置を受信し，データレコーダに送る．電極を貼り付けるタイプと腰に巻くベルトタイプがある．

②データレコーダ

データレコーダは，カプセル内視鏡で撮影した画像と情報を記録し，検査後にワークステーションに送る装置である．また，カプセルの移動速度を感知し，撮影頻度を変更するよう制御を行う．なお，検査前には使用するカプセルとペアリングする必要がある．

③ワークステーション

検査後のデータレコーダを接続することで記録した画像と情報を読み込み，読影と診断を行う専用ソフトウェアがインストールされたPCである．

参考文献

1) 篠原一彦編：臨床工学講座　医用治療機器学．第2版，医歯薬出版，2018．
2) 日本臨床工学技士会手術室業務検討委員会編：手術領域医療機器の操作・管理術．メジカルビュー社，2015．
3) 大圃　研編：大圃組はやっている!!消化器内視鏡の機器・器具・デバイスはこう使え！．金芳堂，2017．
4) 山本夏代，小林智明編：消化器内視鏡技師・ナースのための内視鏡室の器械・器具・薬．メディカ出版，2016．
5) 小田島慎也，藤代光弘，小池和彦：画像強調イメージングの特徴―NBI, FICE, i-scan―．日本消化器内視鏡学会雑誌，52(9)：2665～2677，2010．
6) 公益社団法人　日本臨床工学技士会　内視鏡業務指針検討委員会：内視鏡業務指針．
7) 公益社団法人　日本臨床工学技士会　手術室業務指針検討委員会：手術室業務指針．
8) 田尻久雄，丹羽　文：内視鏡観察法の分類と定義．日本消化器内視鏡学会雑誌，51(8)：1677～1685，2009．

6　光トポグラフィ

1. 光トポグラフィ

> **臨床とのつながり**
> **光トポグラフィ**
> 「光トポグラフィ」は日立製作所の登録商標であり，その使用は一般公開されている．「光トポグラフィー」はNIRSを原理とした検査の保険収載名である．

　光トポグラフィは，近赤外分光法（near-infrared spectroscopy：NIRS）を応用して，非侵襲的かつ簡便に脳内のヘモグロビン（hemoglobin：Hb）の濃度変化を測定する装置である（図4-60）．頭皮上に設置したプローブから近赤外光を照射すると，組織内で散乱を繰り返しながら大脳皮質まで到達し，照射点から約3 cm離れたプローブにより検出される．このとき，おもに頭皮下2～3 cmに存在する大脳皮質の毛細血管におけるHb濃度変化を，高い時間分解能でとらえることが可能である（図4-61）．脳神経活動時には，その酸素消費に反応して局所脳血流が急激に上昇することが知られているが，神経活動に必要な酸素量をはるかに上回る量の酸素が神経活動部位に送り込まれており，脳神経活動開始直後には急激な酸素化Hb（oxy-Hb）の増加が毛細血管で観察される．また，複数の照射プローブと検出プローブを格子状に配列した専用のキャップを装着すれば，大脳皮質の広範囲にわたるHb濃度変化を多チャネル（24～52チャネル）にて同時計測することができる．

1）測定原理

　波長が約700～1,000 nmの近赤外光は，可視光（波長350～700 nm）

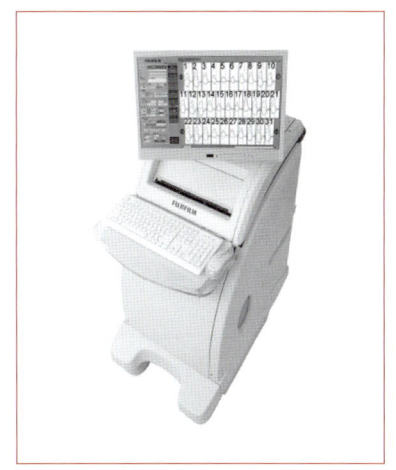

図4-60　光トポグラフィ
（富士フイルム：ETG-4100）

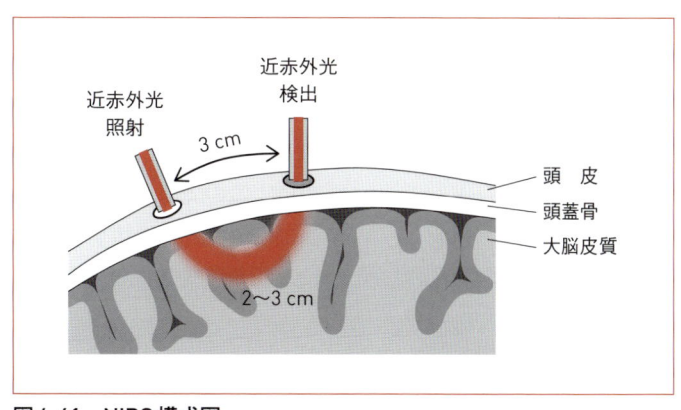

図4-61　NIRS模式図
（日立製作所HPより）

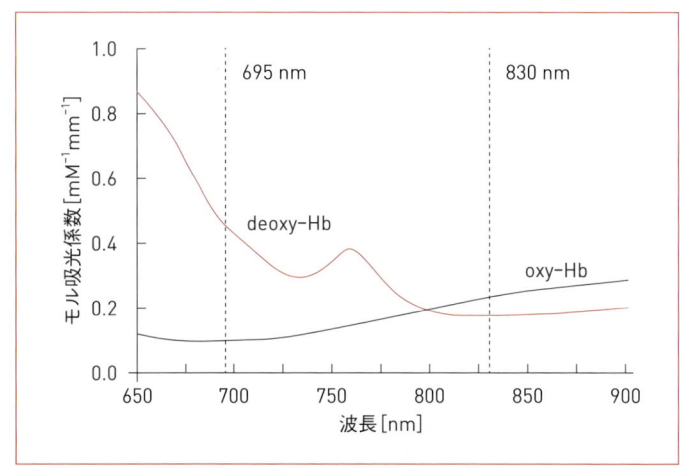

図4-62　ヘモグロビンの吸光スペクトル
（富士フイルムHPより）

とは異なり水による強い吸収を受けないため，皮膚や頭蓋骨などの生体組織に対して高い透過性をもつ．その一方で，この波長域の光はHbの酸素化状態に応じて異なる分光吸収特性をもつことが知られている（図4-62）．近赤外光が通過する組織中のHbの酸素化状態が変化すると，Hbの吸光スペクトルにしたがって近赤外光の強度が変化するが，その光強度変化を測定することによって，酸素化Hb（oxy-Hb）と脱酸素化Hb（deoxy-Hb），さらにその和である総Hb（total-Hb）の濃度変化を算出することができる．

Hbの濃度変化は，ランベルト・ベールの法則をもとに算出している．一般に，単色光（波長λ）が光の吸収はあるが散乱のない媒質中を透過した場合，入射光強度I_iと透過光強度I_oの関係は吸光度$A(\lambda)$の式として表現される．

$$A(\lambda) = -\log\left(\frac{I_0}{I_i}\right) = \varepsilon(\lambda) \times c \times l \quad \cdots\cdots\cdots\cdots\cdots\cdots\cdots\cdots\cdots\cdots(4\text{-}1)$$

$\varepsilon(\lambda)$ はモル吸光係数, c は吸光物質の濃度, l は光の通過距離（光路長）である．生体組織のような光散乱が強い媒質では，光は散乱を繰り返すために実際の光路長が媒質の厚みよりも長くなり，ランベルト・ベールの法則をこのまま適用することはできない．そこで，これを解決するために次式が考案された（修正ランベルト・ベールの法則）．

$$A(\lambda) = \varepsilon(\lambda) \times c \times L + X(\lambda) \quad \cdots\cdots\cdots\cdots\cdots\cdots\cdots\cdots\cdots\cdots(4\text{-}2)$$

これは，式（4-1）の光路長 l を散乱によって延長した光路長 L とし，組織内の光散乱のため検出器に入らず失われる成分 $X(\lambda)$ を考慮した式である．$X(\lambda)$ が一定であると仮定すると，式（4-2）の変化分を表す次式（4-3）では散乱によって失われた項 $X(\lambda)$ が相殺され，無視することができる．

$$\Delta A(\lambda) = \varepsilon(\lambda) \times \Delta c \times L \quad \cdots\cdots\cdots\cdots\cdots\cdots\cdots\cdots\cdots\cdots(4\text{-}3)$$

光トポグラフィでは，式（4-3）の Δc がHbの濃度変化に対応することから，吸光度の変化 $\Delta A(\lambda)$ を測定することによってHbの濃度変化 Δc を求めることができる．しかし，現在の技術では，頭部組織内で光が実際に進んだ光路長を正確に見積もることができないため，光トポグラフィの測定値の単位は，mM・mm，μM・mmのように，Hb濃度と長さの積（Hb濃度長）として表すのが一般的である．実際には，oxy-Hbとdeoxy-Hbの2成分あるため（図4-62），2波長（λ_1：695 nm，λ_2：830 nm）の光を用いた測定を行い，連立方程式を解くことによってHb濃度長を算出している．

> **臨床とのつながり**
> **Hb濃度の単位**
> Hb濃度の単位には，モル濃度の慣用的な単位名称であるM（モーラー）が多用される．mol/Lと同義である．

2) 光トポグラフィの特徴
(1) 長所
①非侵襲であり繰り返し測定しても生体への有害な影響がない，②0.1秒ごとに測定でき，時間分解能が高い，③装置が小型で移動可能である，④自然な姿勢で発声や運動を行いながら測定できる，といった点があげられる．

(2) 短所
①空間分解能が1～3 cm程度と低い，②おもに大脳皮質を測定対象としており，深部の脳構造は測定できない，③得られるデータはHb濃度の相対的な変化であり，絶対的な数値ではない，④頭皮や筋肉，頭蓋骨の関与を考慮しなければならない，などの点があげられる．

3) 光トポグラフィの臨床応用
光トポグラフィは，精神科領域において，2009年に厚生労働省より

先進医療の承認を受け，2014年の診療報酬改定においてうつ症状の鑑別診断補助として保険適用された．うつ病，双極性障害（躁うつ病），統合失調症などの症状の客観的評価に役立てられている．その他の診療科でも，以下のような臨床応用が進められている．

　脳神経外科：言語優位半球の同定，てんかん焦点の同定など．
　リハビリテーション科：運動野の同定，運動機能回復の評価など．
　小児科：注意欠如・多動症（ADHD）の治療効果判定など．

参考文献

1) ETG-4100（ETG-4100P）.
   https://www.fujifilm.com/jp/ja/healthcare/testing-and-measurement/nirs/etg-4100（閲覧日：2023-6-19）
2) 脳科学応用：研究開発：日立．
   https://www.hitachi.co.jp/rd/research/healthcare/brain/index.html
   （閲覧日：2023-6-19）

付録 1　基礎物理定数

名称	記号と値
真空中の光の速さ [m・s^{-1}]	$c = 2.99792458 \times 10^8$
真空の透磁率 [N・A^{-2}]	$\mu_0 = 1.25663706212\,(19) \times 10^{-6}$
真空の誘電率 [F・m^{-1}]	$\varepsilon_0 = 8.8541878128\,(13) \times 10^{-12}$
電気素量 [C]	$e = 1.602176634 \times 10^{-19}$
プランク定数 [J・s]	$h = 6.62607015 \times 10^{-34}$
	$\hbar = \dfrac{h}{2\pi} = 1.054571817\cdots \times 10^{-34}$
電子の質量 [kg]	$m_e = 9.1093837015\,(28) \times 10^{-31}$
陽子の質量 [kg]	$m_p = 1.67262192369\,(51) \times 10^{-27}$
中性子の質量 [kg]	$m_n = 1.67492749804\,(95) \times 10^{-27}$
アボガドロ定数 [mol^{-1}]	$N_A = 6.02214076 \times 10^{23}$
モル気体定数 [J・mol^{-1}・K^{-1}]	$R = 8.314462618\cdots$
ボルツマン定数 [J・K^{-1}]	$k = 1.380649 \times 10^{-23}$
ステファン・ボルツマン定数 [W・m^{-2}・K^{-4}]	$\sigma = 5.670374419 \times 10^{-8}$
ファラデー定数 [C・mol^{-1}]	$F = 96485.33212\cdots$
磁束量子 [Wb]	$\phi_0 = \dfrac{h}{2e} = 2.067833848\cdots \times 10^{-15}$

※括弧内の数値は不確かさを表している（理科年表2023より一部抜粋）

付録 2　令和3年版　臨床工学技士国家試験出題基準（生体計測装置学）

Ⅲ．生体計測装置学
【現行】医用機器学
【旧】生体計測装置学，計測工学，医用機器学概論，放射線工学概論
(1) 計測工学

大項目	中項目	小項目
1. 計測論	(1) 計測誤差	①誤差の種類
		②誤差の評価
		③誤差の伝搬
	(2) 計測値の処理	①精度と確度
		②有効数字
	(3) 信号と雑音	①信号の表現
		a. 波形
		b. スペクトル
		②雑音の種類
		a. 内部雑音
		b. 外部雑音
	(4) 単位	①国際単位系（SI単位）
		a. 基本単位
		b. 組立単位
		c. 接頭語
	(5) トレーサビリティ	
2. 生体情報の計測	(1) 生体情報計測の特殊性	①狭い変動範囲
		②高い分解能と測定精度
		③信号対雑音要因
		④低侵襲計測
		⑤安全性
		⑥高感度センサ
	(2) 計測方法	①直接測定
		②間接測定
	(3) 計測器の性能	①周波数特性
		②入力インピーダンス
		③電極接触インピーダンス
		④感度
		⑤信号対雑音比（S/N）
		⑥分解能（量子化精度）
		⑦直線性
		⑧同相除去比（CMRR）
	(4) 計測器の構成	①電極
		②変換器（トランスデューサ）
		③増幅器
		④信号処理部
		⑤記録と表示装置
	(5) 信号処理	①AD, DA変換
		②周波数分析
		③パターン認識
		④ディジタル処理技術
	(6) 雑音と対策	①雑音と環境
		②雑音対策
		a. 差動増幅器
		b. フィルタ
		c. シールド
		d. ディジタル信号処理

(2) 生体電気・磁気計測

大項目	中項目	小項目
1. 生体電気計測	(1) 生体電気計測の特性	①感度
		②周波数特性
		③時定数（低域遮断周波数）
		④同相除去比（CMRR）
		⑤体表面電極
	(2) 心電計	①誘導法
		②ディジタル心電計
		③その他の心電計
		a. 心電図モニタ
		b. 医用テレメータ
		c. ホルター心電計
		d. 心内心電計
	(3) 脳波計	①ディジタル脳波計
		②電極と誘導法
		③誘発脳波計測
		④脳波の応用
	(4) 筋電計	①筋電図
		a. 誘発筋電図
		b. 神経伝導速度
		②電極と誘導法
		③電気刺激装置
2. 生体磁気計測	(1) 心磁図計測	①SQUID磁束計
		②ジョセフソン効果
	(2) 脳磁図計測	

(3) 生体の物理・化学現象の計測

大項目	中項目	小項目
1. 循環系の計測	(1) 血圧計	①観血式血圧計
		a. トランスデューサ
		b. カテーテル
		②非観血式血圧計
		a. 聴診法（コロトコフ音）
		b. オシロメトリック法
	(2) 血流計	①超音波血流計
		a. トランジットタイム型超音波血流計
		b. ドプラ血流計
		②レーザドプラ血流計
		③電磁血流計
	(3) 心拍出量計	①フィック法
		②指示薬希釈法
		a. 熱希釈法
		b. 色素希釈法
		③動脈圧波形心拍出量（APCO）モニタ
		④その他（超音波計測法）
	(4) 脈波計	①圧脈波
		②容積脈波
2. 呼吸系の計測	(1) 呼吸計測と換気力学	①肺気量分画
		②呼吸抵抗と気道抵抗
		③肺コンプライアンス
		④肺拡散能力
	(2) 呼吸計測装置	①スパイロメータ
		②呼吸流量計
		a. 差圧式
		b. 熱線式
		c. 超音波式
	(3) 呼吸モニタ	①インピーダンス式呼吸モニタ
		②パルスオキシメータ
		③カプノメータ

大項目	中項目	小項目
3. ガス分析計測	(1) 血液ガスの計測	①血液ガス分析装置 　a. pHの計測 　b. O_2の計測 　c. CO_2の計測 　d. Hb酸素飽和度の測定 ②経皮的血液ガス分析装置
4. 体温計測	(1) 体表面温度計測	①電子体温計
		②サーモグラフ
	(2) 深部体温計測	①鼓膜体温計（耳用赤外線体温計）
		②深部体温計
5. 光学的測定	(1) 酸素飽和度	①血液Hb酸素飽和度
		②組織酸素飽和度（rSO_2）

（4）医用画像計測

大項目	中項目	小項目
1. 超音波画像計測	(1) 超音波診断装置	①エコー法
		②カラードプラ法
2. X線画像計測	(1) 透過像計測	①X線撮影法
		②ディジタルX線撮影法
	(2) X線CT	①CTの原理と撮像法 　a. CTの種類
3. 核磁気共鳴画像計測	(1) MRI	①MRIの原理と撮像法
		②臨床応用
4. ラジオアイソトープ（RI）による画像計測	(1) 単光子断層法（SPECT）	①SPECTの原理 　a. コリメータ 　b. 光電子増倍管
	(2) 陽電子断層法（PET）	①陽電子と対消滅
		②サイクロトロン
5. 内視鏡画像計測	(1) ファイバスコープ	
	(2) 電子内視鏡	①構成
	(3) その他	①カプセル内視鏡
		②超音波内視鏡
		③特殊光内視鏡
6. 光トポグラフィ	(1) 光トポグラフ	①原理

索引

和文索引

あ
アーチファクト ……… 202, 210, 232
アイソトープ …………………… 240
アイソレーション ……………… 94
アイントーベンの三角形 …… 56, 57
アナログフィルタ ……………… 38
アナログ脳波計 ………………… 79
アナログX線写真 ……………… 221
アンテナシステム ……………… 68
アンペロメトリック法 ………… 170
圧電効果 ………………………… 204
圧脈波 …………………………… 138
圧力 ……………………………… 5
圧力トランスデューサ ………… 106
安静吸気位 ……………………… 143
安静呼気位 ……………………… 143
安全限界 ………………………… 26

い
イメージインテンシファイア … 223
イメージングプレート ………… 222
インドシアニングリーン ……… 129
インピーダンスプレチスモグラフィ
　………………………………… 156
インピーダンス・マッチング …… 29
インピーダンス式呼吸モニタ … 156
インピーダンス法 ……………… 134
医用テレメータ ………………… 65
異常ヘモグロビン ……………… 162
異常Q波 ………………………… 48
移動平均法 ……………………… 40
一回換気量 ……………………… 143
一酸化炭素ヘモグロビン ……… 172

う
ウィルソンの結合電極 ………… 53
渦電流 …………………………… 237
運動神経伝導速度 ……………… 92

運動単位 ………………………… 90

え
エイリアシング ………… 35, 82, 209
エラストモード ………………… 255
永久磁石 ………………………… 235
永久電流 ………………………… 100
液体ヘリウム …………………… 238

お
オシレーション法 ……………… 145
オシロメトリック法 …………… 116
オリフィス ………………… 152, 153
折り返し現象 …………………… 209
折り返し雑音 …………………… 34
音響インピーダンス …………… 200
音響レンズ ……………………… 205
音響陰影 ………………………… 212
音響吸収材 ……………………… 204

か
カーボン電極 …………………… 32
カセッテ ………………………… 221
カテーテル ……………………… 105
カプセル内視鏡 ………………… 260
カプノグラム …………………… 164
カプノメータ ……………… 158, 164
カメラヘッド …………………… 245
カラードプラ法 ………………… 210
カラーフローマッピング法 …… 210
カルボキシヘモグロビン ……… 162
ガウス分布 ……………………… 16
ガラス電極 ……………………… 174
ガンマカメラ …………………… 242
ガンマナイフ …………………… 242
加算平均処理 ………………… 85, 93
加算平均法 …………………… 39, 97
過失誤差 ………………………… 15
外殻温 …………………………… 176
外側陰影 ………………………… 212

外部雑音 ………………………… 13
外乱 ……………………………… 12
概日リズム ……………………… 176
拡張期血圧 ……………………… 103
核医学 …………………………… 242
核医学イメージング …………… 241
核磁気共鳴画像計測 …………… 233
核種 ……………………………… 240
核心温 …………………………… 176
確度 ……………………………… 20
偏り ………………………… 17, 20
活性電極 ………………………… 77
活動電位 …………………… 41, 89
紙送り速度 ……………………… 84
干渉 ……………………………… 202
完全反磁性 ……………………… 100
換気力学 ………………………… 142
換気力学の3要素 ……………… 143
間接測定 ………………………… 28
感覚神経伝導速度 ……………… 92
感度 ………………………… 29, 41, 83
慣性抵抗 ………………………… 144
観血式血圧計 …………………… 103

き
キセノンランプ ………………… 250
キャリブレーション ………… 53, 83
気速型スパイロメータ ………… 152
気道抵抗 ………………………… 147
気腹装置 ………………………… 252
気流速度計 ……………………… 152
記録器 ………………… 34, 63, 84
記録紙送り速度 ………………… 62
基準電極 ………………………… 77
基線変動 ………………………… 44
基本単位 ………………………… 2
機能画像 ………………………… 241
機能的残気量 …………………… 144
吸引装置 ………………………… 252
吸光度 …………………………… 158

吸収線量 … 6, 241
距離分解能 … 204
共振 … 111
共振周波数 … 107
狭帯域光観察 … 256
胸部誘導 … 56
鏡面現象 … 211
局所組織酸素飽和度 … 195
近赤外線分光法 … 195
近赤外分光法 … 262
筋電計 … 89
緊急消磁ボタン … 238
銀/塩化銀 … 44
銀/塩化銀電極 … 32, 174

く

クエンチ … 237
クラーク電極 … 171, 174
クライオスタット … 235
クリック雑音 … 12
グラジオメータ … 102
グラフト … 121
空中線電力 … 66
空中線方式 … 68
偶然誤差 … 16, 21
偶然誤差の伝搬 … 22
屈折 … 200
組立単位 … 2, 4

け

ゲイン … 206
系統誤差 … 15, 21
計装アンプ … 38
計測 … 1
計測器誤差 … 15
計量法 … 6
蛍光イメージングシステム … 254
蛍光観察 … 257
蛍光作用 … 217
経食道ドプラ法 … 122
経食道心エコー … 122, 134
経皮的血液ガス分析装置 … 173
傾斜磁場 … 235
傾斜磁場発生装置 … 235

血圧アンプ … 108
血圧トランスデューサ … 108
血圧計 … 103
血液ガス分析装置 … 168
血液ヘモグロビン酸素飽和度 … 194
血流計 … 119
検体検査 … 25
原子番号 … 240
減算処理 … 37
減衰 … 201

こ

コロジオン電極 … 77
コロトコフ … 113
コロトコフ音 … 115
コロトコフ法 … 115
コントラストハーモニックモード
　… 255
コンプライアンス … 147
コンベックス電子走査 … 206
ゴールドバーガーの結合電極 … 55
呼気終末二酸化炭素分圧 … 164
呼吸インピーダンス … 144
呼吸計測 … 142
呼吸計測装置 … 150
呼吸抵抗 … 144
呼吸流量計 … 152
個人誤差 … 16
鼓膜体温計 … 188
誤差 … 15, 21
誤差の伝搬 … 21
誤差限界 … 19
誤差百分率 … 15
光源装置 … 250
光度 … 4
後負荷 … 125
後方エコー増強 … 213
高域遮断フィルタ … 83, 93
高速フーリエ変換 … 11
校正 … 15
校正電圧 … 62
硬性鏡 … 245
国際単位系 … 1
黒体 … 180

混合静脈血酸素飽和度 … 194
混信 … 71
混信対策 … 72

さ

サーカディアンリズム … 176
サーマルアレイ式レコーダ … 63
サーマルアレイ式記録器 … 93
サーマルフィラメント … 133
サーミスタ … 177
サーモダイリューションカテーテル
　… 126, 130
サーモパイル … 182
サイクロトロン … 241, 243
サイドストリーム方式 … 166
サイドローブアーチファクト … 211
サブトラクション … 37
サンプリング周期 … 34
サンプリング周波数 … 34, 82
サンプリング定理 … 35, 72
差圧型流量計 … 152
差動信号 … 31
差動増幅器 … 37
差動利得 … 31
最大吸気位 … 143
最大吸気量 … 144
最大呼気位 … 143
最大誤差の伝搬 … 21
雑音 … 8
雑音レベル … 63, 81
雑音対策 … 37
皿電極 … 77
産業科学医療用バンド … 37
酸素化ヘモグロビン
　… 157, 172, 192, 263
酸素飽和度 … 157, 172, 192
酸素飽和度測定 … 172
残気量 … 143

し

シールド … 38
シールドルーム … 102
システムリファレンス … 80
システムリファレンス電極 … 78, 81

ショット雑音 … 12	心磁図 … 96	正規分布 … 16
シンクロトロン … 241	心磁図計測 … 96	生体情報モニタ … 65
シンチグラム … 242	心室興奮時間 … 45, 52	生体認証 … 36
シンチグラフィー … 242	心電計 … 45	生物学的作用 … 217
ジョセフソン効果 … 100	心内心電計 … 73	静圧 … 105
ジョセフソン接合 … 101	心内心電図 … 73	静止電位 … 44
ジョセフソン電流 … 101	心拍出量 … 103, 125	静磁場 … 233
四肢誘導 … 53	心拍出量計 … 125	静磁場磁石 … 234
自然放射線 … 241	心拍数 … 51	静電シールド … 38
刺激伝導系 … 45	神経伝導速度 … 92	静電誘導 … 14
刺激用電極 … 32	信号 … 8	精確さ … 20
指向性 … 202	信号対雑音比 … 8, 29	精度 … 19, 20
指示薬濃度曲線 … 129	真の値 … 15	精密さ … 20
視覚誘発電位 … 86	真度 … 20	精密度 … 19, 20
時間 … 2	振動子 … 204	赤外光観察 … 257
時間差分法 … 225	振動法 … 116	赤外線サーモグラフ … 185
時定数 … 41, 59, 60	振幅 … 8	赤外線サーモグラフィ … 185
磁気シールド … 38, 235	深部体温計 … 189	赤外線センサ … 180, 181
磁気共鳴イメージング装置 … 233	深部体温計測 … 188	赤色光観察 … 256
磁性体 … 236		接触インピーダンス … 29
磁束密度 … 239	**す**	接触抵抗 … 29
磁束量子 … 100	スターリングの法則 … 126	接頭語 … 2, 6
色素希釈法 … 127	ステファン・ボルツマンの法則 … 181	絶対誤差 … 15
質量 … 2	ストレインゲージ … 106	線形加速器 … 241
写真感光作用 … 217	スパイロメータ … 150	線形性 … 30
遮断周波数 … 59	スパイロメトリー … 146	線量当量 … 6, 241
遮蔽 … 241	スペクトル … 9, 36	潜時 … 85
遮蔽電流 … 101	スペクトル解析 … 9	全肺気量 … 144
手術ナビゲーション … 239	スペックルノイズ … 202	前負荷 … 125
受動フィルタ … 38	スムージング処理 … 40	
受動的計測 … 25	スライス厚 … 231	**そ**
収縮期血圧 … 103	スライス間隔 … 231	ゾーン … 68, 72
周波数特性 … 28, 41, 59, 83	スワン・ガンツカテーテル … 130	組織酸素飽和度 … 195
周波数分析 … 36	水銀血圧計 … 113	疎密波 … 199
終夜睡眠ポリソムノグラフィー … 86		双極導出 … 77
集束 … 202	**せ**	双極誘導 … 53
重粒子線 … 241	セクタ電子走査 … 206	相互変調 … 71
術中神経機能モニタ … 88	セバリングハウス電極 … 170, 174	相対誤差 … 15
術中脳波 … 87	セントラルモニタ … 68	相対頻度 … 16
術中MRI … 239	ゼーベック効果 … 180	送信機 … 67
小電力医療用テレメータ … 65	ゼロ点調整 … 108	送水装置 … 252
焦電素子 … 183	正確さ … 20	総圧 … 105
触診法 … 117	正確度 … 19	総合周波数特性 … 83
		総合精度 … 20

増感紙 …………………………… 221
増幅器 ……………………… 33, 80
側圧 ……………………………… 105
側方陰影 ………………………… 212
測温抵抗体 ……………………… 179

た

ダイナミックレンジ …… 82, 93, 206
ダイバシティアンテナ …………… 69
ダイバシティ方式 ………………… 68
ダイポールアンテナ ……………… 68
ダンパ …………………………… 204
ダンピング定数 …………… 107, 112
多重反射 ………………………… 211
体温 ……………………………… 176
体性感覚誘発電位 ………………… 86
体表面電極 ………………………… 43
大脳誘発電位 ……………………… 85
脱気水充満法 …………………… 256
脱酸素化ヘモグロビン
　……………… 157, 172, 192, 263
脱分極 ……………………………… 47
単極胸部誘導 ……………………… 54
単極肢誘導 …………………… 53, 54
単極導出 …………………………… 77
探触子 …………………………… 204
弾性抵抗 ………………………… 144

ち

チャネル …………………… 66, 78
力 …………………………………… 4
中心静脈圧 ……………………… 126
中心静脈血酸素飽和度 ………… 194
中性子線 ………………………… 241
超音波スコープ ………………… 254
超音波プローブ ………… 204, 255
超音波画像抽出法 ……………… 256
超音波観測装置 ………………… 255
超音波診断装置 ………………… 199
超音波断層法 …………………… 134
超音波内視鏡 …………………… 254
超音波法 ………………………… 117
超音波流量計 …………………… 155
超伝導 …………………… 98, 100

超伝導コイル …………………… 235
超伝導磁石 ……………………… 235
聴覚誘発電位 ……………………… 85
聴性脳幹反応 ……………………… 85
直接接触法 ……………………… 256
直接測定 …………………………… 27
直線性 ……………………………… 30

つ

対消滅 …………………………… 242

て

ティッシュハーモニックモード
　………………………………… 255
テンポラルサブトラクション法
　………………………………… 225
デシベル …………………………… 8
デジタルサブトラクションアンギオ
　グラフィ ……………………… 225
デジタルサブトラクション法 …… 37
デジタルフィルタ ………… 38, 42, 83
デジタル心電計 …………………… 72
デジタル信号処理 ………………… 83
デジタル脳波計 …………………… 79
デジタルX線写真 ……………… 221
デュワー瓶 ………………………… 99
てんかんモニタ …………………… 87
低域遮断フィルタ ………… 84, 93
低域遮断周波数 …………………… 41
電位差測定法 …………………… 168
電気刺激装置 ……………………… 94
電極 ………………………………… 32
電極インピーダンス ………… 82, 93
電極接続箱 ………………………… 80
電極選択器 ………………………… 80
電子体温計 ……………………… 184
電子対 …………………………… 101
電子内視鏡 ……………………… 248
電磁ノイズ ……………………… 239
電磁血流計 ……………………… 124
電磁波シールド …………………… 38
電磁誘導 …………………………… 14
電波シールド …………………… 235
電波法 ……………………………… 66

電離作用 ………………………… 216
電離放射線 ……………………… 240
電流 ………………………………… 3
電流ダイポール …………………… 97
電流双極子 ………………………… 97
電流測定法 ……………………… 170

と

トノメトリ法 …………………… 117
トランジットタイム型超音波血流計
　………………………………… 119
トランスデューサ ………………… 32
トレーサビリティ ………………… 24
ドプラフローワイヤー ………… 121
ドプラモード …………………… 256
ドプラ効果 ……………………… 207
ドプラ偏移 ……………… 207, 208
投影像 …………………………… 242
透過電流双極子 …………………… 98
等磁場線図 ………………………… 97
同位体 …………………………… 240
同相除去比 ………… 31, 42, 62, 81, 93
同相信号 …………………………… 31
同相利得 …………………………… 32
動圧 ……………………………… 105
動誤差 ……………………………… 16
動脈血酸素分圧 ………………… 157
動脈血酸素飽和度 ………… 159, 194
特殊光内視鏡 …………………… 256
特性X線 ………………………… 217

な

ナイキスト周波数 ………………… 35
内視鏡画像計測 ………………… 244
内視鏡画像診断支援システム … 253
内視鏡挿入形状観測装置 ……… 253
内照射治療 ……………………… 242
内部雑音 …………………………… 11
長さ ………………………………… 2
軟性鏡 …………………………… 246

に

ニュートラル電極 ………… 78, 81
ニューモタコメータ …………… 152

索　引　273

二酸化炭素送気装置 ………… 251
入力インピーダンス ……… 28, 62, 82
入力換算雑音 ………………… 12

ね
ネルンストの式 ……………… 169
熱ペン式記録 ………………… 63
熱希釈法 ……………………… 130
熱雑音 ………………………… 12
熱産生 ………………………… 176
熱線式流量計 ………………… 153
熱電対 ………………………… 180
熱放散 ………………………… 176
熱力学的温度 ………………… 3
熱流補償式体温計 …………… 189
熱流補償法 …………………… 190
粘性抵抗 ……………………… 144

の
能動フィルタ ………………… 38
能動的計測 …………………… 25
脳磁図 ………………………… 97
脳磁図計測 …………………… 97
脳波 …………………………… 76
脳波計 ………………………… 75

は
ハーゲン・ポアズイユの式 …… 152
ハイカットフィルタ ………… 83
ハイパーサーミア …………… 177
ハムフィルタ ………………… 84
ハム雑音 ……………………… 12
ハロゲンランプ ……………… 250
バイアス ……………………… 20
バイオメトリクス …………… 36
バイパスグラフト …………… 119
バルーン法 …………………… 256
バンド ………………………… 66
パターンセレクタ …………… 80
パターン認識 ………………… 36
パルスオキシメータ ………… 157
パルスドプラ法 ……………… 207
パルス波 ……………………… 202
パワードプラ法 ……………… 210

肺コンプライアンス ………… 147
肺拡散能力 …………………… 148
肺活量 ………………………… 144
肺気量分画 …………………… 143
肺動脈圧 ……………………… 131
肺動脈楔入圧 ……… 126, 130, 131
肺胞換気量 …………………… 165
白色雑音 ……………………… 13
白金測温抵抗体 ……………… 179
白金電極 ……………………… 174
針筋電図 ……………………… 90
針電極 ………………… 32, 77, 89
反射 …………………………… 200
反射式分光光度法 …………… 194
半減期 ………………………… 240

ひ
ヒストグラム ………………… 16
ピックアップコイル ………… 102
ひずみゲージ ………………… 106
皮膚赤外線体温計 …………… 188
皮膚表面電極 ……………… 32, 43
非観血式血圧計 ……………… 113
非磁性体 ……………………… 236
非SI単位 ……………………… 6
光トポグラフィ ……………… 262
表示装置 ……………………… 34
表面筋電図 …………………… 90
表面電極 ……………………… 90
標識 …………………………… 242
標準感度 …………………… 63, 83
標準誤差 ……………………… 19
標準四肢誘導 ………………… 54
標準偏差 ……………………… 16
標本 …………………………… 18
標本化 ………………………… 34
標本化定理 …………………… 35
標本標準偏差 ………………… 18

ふ
ファイバスコープ …………… 248
ファンクショナルイメージ …… 241
フィルタ ……………………… 38
フィルタリング ……………… 9

フーリエ解析 ………………… 10
フーリエ級数展開 …………… 10
フーリエ変換 …………… 10, 36
フェージング ………………… 69
フェージング現象 …………… 72
フライシュ型ニューモタコセンサの
　構造 ………………………… 153
フラッシュ装置 ……………… 108
フラッシュ法 ………………… 117
フリッカ雑音 ………………… 12
ブリッジ回路 ………………… 106
プランクの放射則 …………… 180
不活性電極 …………………… 77
不関電極 …………………… 53, 77
不分極電極 …………………… 77
符号化 ………………………… 34
複合型電極 …………………… 174
物質透過作用 ………………… 217
物質量 ………………………… 3
分解能 ………………… 29, 93, 204
分極電圧 ……………………… 32
分光光度法 …………………… 192
分散 …………………………… 16

へ
ヘリウム冷凍機 ……………… 235
ヘリカルスキャン …………… 228
ベネディクト・ロス型呼吸計 … 150
ベルヌーイの定理 …………… 152
ベルヌーイの法則 …………… 105
平滑化 ………………………… 40
平均血圧 ……………………… 103
平面角ラジアン ……………… 4
閉所恐怖症 …………………… 238
変換器 ………………………… 32
偏位法 ………………………… 27

ほ
ホイートストンブリッジ …… 106
ホイップアンテナ …………… 68
ホルタ心電計 ………………… 64
ホワイトノイズ ……………… 13
ボロメータ …………………… 182
ポーラログラフィ …………… 170

ポテンショメトリック法 ……… 168
母集団 …………………………… 18
母平均 …………………………… 18
方位分解能 …………………… 204
放射性トレーサ ………… 241, 242
放射性同位体 ………………… 240
放射性物質 …………………… 240
放射線 ………………………… 215
放射線被曝 …………………… 241
放射能 …………………………… 5
崩壊 …………………………… 240
房室伝導時間 ………………… 45

ま
マイスナー効果 ……………… 100
マルチモダリティ画像 ……… 244
末梢血管抵抗 ………………… 103

み
ミネソタ分類 ………………… 72
ミラーイメージ ……………… 211
耳用赤外線体温計 …………… 188
脈圧 …………………………… 103
脈波 …………………………… 138
脈波計 ………………………… 138

む
無線方式 ……………………… 66
無線LANアクセスポイント … 67
無線LAN方式 ………………… 67

め
メインストリーム方式 ……… 165
メトヘモグロビン ……… 162, 172

も
モンタージュ ………………… 78
漏れ電流 ……………………… 14

ゆ
有効数字 ………………… 19, 21
誘導雑音 ……………………… 12
誘発筋電図 ……………… 90, 92
誘発電位 ……………………… 85

よ
予測式体温計 ………………… 184
予備吸気量 …………………… 143
予備呼気量 …………………… 143
容積補償法 …………………… 117
容積脈波 ……………………… 141
陽電子 ………………………… 240

ら
ラーモア周波数 ……………… 239
ライトガイドケーブル ……… 246
ラジオアイソトープ ………… 240
ラベリング …………………… 242
ランベルト・ベールの法則
　　　　　　　…… 158, 193, 263
らせんCT ……………………… 228

り
リニアック …………………… 241
リニア電子走査 ……………… 205
リフィルタリング機能 ……… 84
リモンタージュ ……………… 84
リモンタージュ機能 ………… 83
リリー型ニューモタコセンサの構造
　　　　　　　………………… 154
利得表記 ……………………… 31
理論的誤差 …………………… 15
立体角ステラジアン ………… 4
量子化 …………………… 30, 34
量子化誤差 …………………… 35
量子化雑音 …………………… 35
量子化精度 ……………… 29, 93
量子化幅 ……………………… 35
臨界電流 ………………… 100, 101

れ
レーザドプラ血流速計 ……… 124
レーザドプラ組織血流量計 … 123
レンズ効果 …………………… 211
零位法 ………………………… 27
連続心拍出量測定 …………… 133
連続波ドプラ法 ……………… 209

ろ
ローカットフィルタ ………… 84
ローリングシール型呼吸計 … 151
漏洩同軸ケーブル方式 ……… 68

欧文索引

1
1/f雑音 …………………………… 12

5
5ガウスライン ………………… 236

10
10-20電極配置法 ………………… 78

18
^{18}F-FDG ……………………… 242

Ⅱ
Ⅱ誘導 …………………………… 46

A
ABR ……………………………… 85
absolute error …………………… 15
accidental error ………………… 16
accuracy …………………… 19, 20
ACフィルタ ……………………… 84
AD変換 ………………… 34, 82, 93
AEP ……………………………… 85
AFI ……………………………… 257
Ag/AgCl ………………… 32, 44, 77
Ag/AgCl電極 …………………… 90
aliasing ………………………… 209
analog to digital conversion …… 34
arterial oxygen saturation …… 194
auto fluorescence imaging …… 257

B
base excess …………………… 172
BE ……………………………… 172
bias ……………………………… 20
BIS™モニタ ……………………… 88
BLI ……………………………… 257
blue LASER imaging ………… 257
blue light imaging …………… 257
Bモード ………………………… 207

C
calibration ……………………… 15
CAL波形 ………………………… 83
CCD …………………………… 245
central venous oxygen saturation
 ………………………………… 194
charge coupled device ……… 245
CM5誘導 ………………………… 65
CMOS ………………………… 245
CMRR ………………… 31, 42, 62
common mode rejection ratio … 42
complementary metal oxide
 semiconductor ……………… 245
computed radiography ……… 222
CR ……………………………… 222
CT値 …………………………… 229

D
DA ……………………………… 222
DA変換 ………………………… 36
DF ……………………………… 222
DICOM ………………………… 222
digital angiography …………… 222
digital fluorography …………… 222
digital radiography …………… 222
digital to analog conversion …… 36
Doppler flow wire …………… 121
DR ……………………………… 222
DSA …………………………… 225
dynamic error ………………… 16
dynamic range ……………… 206

E
endoscopic ultrasonography … 254
error by mistake ……………… 15
EUS …………………………… 254

F
fast Fourier transform ………… 11
FFT ……………………………… 11
Fick法 ………………………… 126
FPDシステム ………………… 224
frequency shift keying ………… 65
FSK変調 ………………………… 65

G
gain …………………………… 206
Gaussian distribution ………… 16

H
Henderson-Hasselbalchの式 … 172
HgCdTe ……………………… 182

I
infra red imaging …………… 257
infrared thermography ……… 185
instrumental error ……………… 15
IRI …………………………… 257
ISMバンド ……………………… 37

L
laser Doppler flowmetry ……… 123
laser Doppler velocimeter …… 124
LCI …………………………… 258
LDF …………………………… 123
LDV …………………………… 124
linked color imaging ………… 258

M
magnetocardiography ………… 96
magnetoencephalography …… 97
MCG …………………………… 96
MCT …………………………… 182
measurement …………………… 1
MEG …………………………… 97
MEMS技術 …………… 183, 186
mixed venous oxygen saturation
 ………………………………… 194
MRI …………………………… 233
MRI下手術 …………………… 239
MRI対応ペースメーカ ……… 234
Mモード ……………………… 207

N
narrow band imaging ………… 256
NASA誘導 ……………………… 65
NBI …………………………… 256
near-infrared spectroscopy
 …………………………… 195, 262

NIRS ··················· 195, 262
noise ····························· 8
normal distribution ············ 16
NTCサーミスタ ················ 177

O

OE ······························ 258
optical enhancement ········· 258

P

P$_{ET}$CO$_2$ ·························· 165
PaCO$_2$ ························· 164
PaO$_2$ ···························· 157
Pco$_2$電極 ······················ 170
personal error ·················· 16
PET ····························· 242
PET/CT ························ 244
PET/MRI ······················ 244
pH電極 ························· 169
population ······················ 18
population mean ··············· 18
PQ（PR）時間 ················· 51
PQ時間 ························· 45
precision ···················· 19, 20
Pt100 ··························· 179
Ptc$_{CO_2}$ ························· 174
Ptc$_{O_2}$ ··························· 174
PTCサーミスタ ················ 177
P波 ······························· 46

Q

QRS時間 ···················· 45, 52
QRS波 ··························· 47
QRS平均電気軸 ················ 52
QT時間 ····················· 46, 53
Q波 ······························· 47

R

random error ··················· 16
RDI ····························· 256
red dichromatic imaging ······ 256
reference electrode ············· 77

regional tissue oxygen saturation
························· 195
relative error ···················· 15
resistance temperature detector
························· 179
RFコイル ······················ 235
RF波 ··························· 237
RF波送受信装置 ··············· 235
RI ······························· 240
rSO$_2$ ···························· 195
RTD ···························· 179

S

S/N ··························· 8, 29
SaO$_2$ ······················ 157, 194
ScvO$_2$ ·························· 194
sensitivity time control ········ 206
SEP ······························ 86
SI ································· 1
signal ····························· 8
significant figures ·············· 19
SPECT ························· 242
SPECT/CT ···················· 244
SQUID磁束計 ··················· 97
standard deviation ············· 16
STC ···························· 206
Stewart-Hamiltonの式 ······· 132
ST部 ····························· 49
SvO$_2$ ···························· 194
systematic error ················ 15

T

T$_1$強調画像 ····················· 234
T$_2$*強調画像 ···················· 234
TEE ······················ 122, 134
theoretical error ················ 15
thermistor ····················· 177
thermocouple ·················· 180
time constant ··················· 41
traceability ····················· 24
transesophageal echocardiography
························· 122

transit-time ultrasonic blood flow
meter ···················· 119
true value ······················· 15
trueness ························· 20
T波 ······························ 49

U

U波 ······························ 53

V

variance ························· 16
VEP ······························ 86

W

white noise ····················· 13

X

X線 ···························· 215
X線CT ························· 226
X線フィルム ·················· 221
X線管 ·························· 216
X線管球 ······················· 218

α

α線 ···························· 240
α波 ······························ 76
α粒子 ·························· 240

β

β$^+$線 ··························· 240
β線 ···························· 240
β波 ······························ 76

γ

γ線 ···························· 240

δ

δ波 ······························ 76

θ

θ波 ······························ 76

【編者略歴】

中島 章夫（なかじま あきお）

- 1991年　慶應義塾大学理工学部電気工学科卒業
- 1993年　慶應義塾大学大学院理工学研究科電気工学専攻前期博士課程修了
- 1993年　防衛医科大学校医用電子工学講座助手
- 1999年　日本工学院専門学校臨床工学科科長
- 2006年　東京女子医科大学大学院医学研究科先端生命医科学系専攻後期博士課程修了
- 2006年　杏林大学保健学部臨床工学科助教授（先端臨床工学研究室）
- 2007年　杏林大学保健学部臨床工学科准教授
- 2020年　杏林大学保健学部臨床工学科教授
- 　　　　現在に至る　博士（医学）

堀 純也（ほり じゅんや）

- 1998年　広島大学理学部物理学科卒業
- 2000年　広島大学大学院先端物質科学研究科量子物質科学専攻博士課程前期修了
- 2002年　広島大学大学院先端物質科学研究科量子物質科学専攻博士課程後期修了
- 2002年　広島大学ベンチャービジネスラボラトリー講師（中核的研究機関研究員）
- 2003年　岡山理科大学理学部応用物理学科医用科学専攻講師
- 2016年　岡山理科大学理学部応用物理学科臨床工学専攻講師
- 2017年　岡山理科大学理学部応用物理学科臨床工学専攻准教授
- 2020年　岡山理科大学工学部生命医療工学科准教授
- 　　　　現在に至る　博士（理学），臨床工学技士

最新臨床工学講座
生体計測装置学
ISBN978-4-263-73462-9

2024年3月10日　第1版第1刷発行
2025年1月10日　第1版第2刷発行

監修　一般社団法人 日本臨床工学技士教育施設協議会
編集　中島 章夫
　　　堀 純也
発行者　白石 泰夫
発行所　医歯薬出版株式会社
〒113-8612　東京都文京区本駒込1-7-10
TEL.（03）5395-7620（編集）・7616（販売）
FAX.（03）5395-7603（編集）・8563（販売）
https://www.ishiyaku.co.jp/
郵便振替番号　00190-5-13816

乱丁, 落丁の際はお取り替えいたします。　印刷・壮光舎印刷／製本・榎本製本

© Ishiyaku Publishers, Inc., 2024. Printed in Japan

本書の複製権・翻訳権・翻案権・上映権・譲渡権・貸与権・公衆送信権（送信可能化権を含む）・口述権は，医歯薬出版（株）が保有します．

本書を無断で複製する行為（コピー，スキャン，デジタルデータ化など）は，「私的使用のための複製」などの著作権法上の限られた例外を除き禁じられています．また私的使用に該当する場合であっても，請負業者等の第三者に依頼し上記の行為を行うことは違法となります．

JCOPY ＜出版者著作権管理機構　委託出版物＞

本書をコピーやスキャン等により複製される場合は，そのつど事前に出版者著作権管理機構（電話03-5244-5088, FAX 03-5244-5089, e-mail:info@jcopy.or.jp）の許諾を得てください．